풍산자
일등급유형

엄선된 기출문제는 자신감으로

명쾌한 해설은 실력으로 쌓이는

〈**풍산자 일등급유형**〉입니다.

KB052756

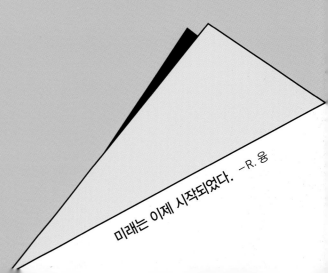

미래는 이제 시작되었다. —R. 융

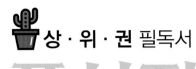
상 · 위 · 권 필독서

풍산자
일등급유형

풍산자의 일등급 도전 로드맵

| 필수 개념과 유형으로
**상위권
실력 입문** | 상 수준의 문제로
**상위권
실력 완성** | 최고난도 문제로
**최상위권
정복** | 미니 모의고사로
**상위권
실력 점검** |

출제율 높은 필수 문제 엄선

최신 학교 시험, 평가원, 교육청 기출 문제 철저 분석, 출제율 높은 문제 엄선

상위권 문제 단계별 공략

필수 기출 – 일등급 완성 – 도전 문제의 단계별 공략으로 1등급 실력 완성

일등급 사고력, 창의력 강화

실전에서 만나는 일등급 문제 해결을 위한 사고력, 창의력 강화 문제 다수 수록

풍산자

일등급
유형

수학 I

구성과 특징

1 일등급 실력 완성을 위한 집중 학습

학교 시험과 수능에서 일등급 실력을 완성하기 위한 문항 대비 집중서로 중상위 수준의 다양한 문제 풀이를 통해 중위권 학생들은 상위권 실력으로 향상될 수 있고, 상위권 학생들은 상위권 실력을 유지할 수 있도록 구성하였습니다.

2 다양한 유형의 문항으로 학교시험 & 학력평가 대비

학교 시험과 수능/모의고사/학력평가를 분석하여 출제 빈도가 높고 반드시 알아야 할 유형, 다양한 문제 해결력이 필요한 유형을 체계적으로 수록하여 학교 시험과 수능을 동시에 대비할 수 있습니다. 또한 최신 기출 문제를 연습하고 실전에 대비할 수 있도록 신경향 문제를 수록하였습니다.

3 점진적 학습이 가능한 단계별 문제 구성

실전 개념이 문제에 어떻게 활용되는지를 정리하였고, 중 수준, 상 수준, 최상위 수준의 문제를 단계별로 수록하여 문제를 풀면서 일등급 실력에 도달할 수 있도록 구성하였습니다

STEP A | 상위권 보장 개념+필수 기출 문제

- 학교 시험/평가원/교육청 기출 문제를 체계적으로 분석하여 실전 개념을 정리하였고, 출제 가능성이 높은 유형으로 구성하였습니다.
- **등급업 TIP** 실전에 자주 이용되는 개념, 공식, 비법 등을 제시하였습니다.
- STEP A, STEP B에서는 실제 시험에 출제되는 문제를 수록하여 실전 감각을 기를 수 있습니다.

  평가원 기출, **교육청 기출** 평가원/ 교육청 기출 문제 중에서 중요한 유형의 문제입니다.

  학교 기출 신유형 최신 학교 시험 기출 문제 중에서 새로운 유형의 문제로 정답과 풀이에서 접근 방법을 확인할 수 있습니다.

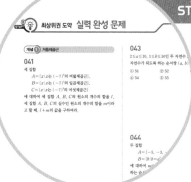

STEP B | 최상위권 도약 실력 완성 문제

- 개념별로 상 수준의 문제를 구성하여 탄탄한 상위권 실력을 완성할 수 있도록 하였습니다.

  다빈출 출제 비중이 높은 유형의 문제입니다.

STEP C | 상위 1% 도전 문제

- 대단원별 최고난도 문항으로 일등급 대비와 최상위 실력을 기를 수 있도록 하였습니다.

| 미니 모의고사

- 대단원별로 실력을 점검할 수 있는 문항을 엄선하여 구성하였습니다.

차례

어제는 역사이고

내일은 미래이며,

그리고 오늘은 선물입니다.

그렇기에 우리는

현재(present)를 선물(present)이라고 말합니다.

 명석한 두뇌도 뛰어난 체력도 타고난 재능도 끝없는 노력을 이길 순 없다.
아무 것도 변하지 않을지라도 내가 변하면 모든 것이 변한다.

풍산자 일등급유형과 함께
까다로운 문제를 정복해 볼까요?

_계산 실수와 개념의 잘못된 적용을 유도하는 문제

_개념은 단순한데 사고의 전환이 필요한 신경향 문제

_익숙한 문제인데 풀이 방법은 다른 접근이 필요한 문제

_여러 가지 개념의 응용을 해야 하는데 적용에 실패하는 문제

_문제 해결을 위한 조건과 추론 과정에서 변형과 해석을 요구하는 문제

지수함수와 로그함수

상위권 보장 **개념+필수 기출 문제**

개념 1 거듭제곱근

(1) **거듭제곱근**: 실수 a와 2 이상의 자연수 n에 대하여 n제곱하여 a가 되는 수, 즉 방정식 $x^n=a$를 만족시키는 x를 a의 n제곱근이라고 한다.

(2) 실수 a의 n제곱근 중 실수인 것은 다음과 같다.

n \ a	$a>0$	$a=0$	$a<0$
n이 짝수	$\sqrt[n]{a}$, $-\sqrt[n]{a}$	0	없다.
n이 홀수	$\sqrt[n]{a}$	0	$\sqrt[n]{a}$

참고 $\sqrt[n]{a}$의 정의
(1) n이 짝수일 때: $\sqrt[n]{a}=(a$의 n제곱근 중 양수)
(2) n이 홀수일 때: $\sqrt[n]{a}=(a$의 n제곱근 중 실수)

등급업 TIP a의 n제곱근과 n제곱근 a ($\sqrt[n]{a}$)
(1) a의 n제곱근: 방정식 $x^n=a$를 만족시키는 x의 값
(2) n제곱근 a: $\sqrt[n]{a}$, 즉 a의 n제곱근 중의 하나
➡ n제곱하면 a가 되는 실수

001   출제율 ▰▰▰▱▱

다음을 계산하여라.

$$\sqrt[3]{(-3)^3}+\sqrt[4]{(-4)^4}-\sqrt[5]{(-5)^5}-\sqrt[6]{(-6)^6}$$

002   출제율 ▰▰▰▱▱

-125의 세제곱근 중 실수인 것을 a, 256의 네제곱근 중 음수인 것을 b라고 할 때, ab의 값을 구하여라.

003   출제율 ▰▰▰▰▱

다음 중 옳지 <u>않은</u> 것은?

① $\sqrt[3]{2}$는 2의 세제곱근이다.
② -8의 세제곱근 중 실수인 것은 1개이다.
③ 16의 네제곱근은 2, -2, $2i$, $-2i$이다.
④ $\sqrt{81}$의 네제곱근 중 실수인 것은 3, -3이다.
⑤ -20의 네제곱근은 없다.

004   출제율 ▰▰▰▱▱

다음 집합 중 원소의 개수가 가장 작은 것은?

① $\{x\,|\,x$는 -1의 세제곱근$\}$
② $\{x\,|\,x$는 27의 세제곱근$\}$
③ $\{x\,|\,x$는 100의 네제곱근$\}$
④ $\{x\,|\,x$는 64의 세제곱근, x는 실수$\}$
⑤ $\{x\,|\,x$는 625의 네제곱근, x는 실수$\}$

005 학교 기출 신 유형   출제율 ▰▰▰▰▱

$50\leq x\leq130$인 자연수 x에 대하여 $\sqrt[3]{x}$가 정수가 되도록 하는 모든 x의 값의 합을 구하여라.

개념 ② 거듭제곱근의 성질

$a>0$, $b>0$이고 m, n이 2 이상의 자연수일 때

(1) $(\sqrt[n]{a})^n=a$

(2) $\sqrt[n]{a}\sqrt[n]{b}=\sqrt[n]{ab}$

(3) $\dfrac{\sqrt[n]{a}}{\sqrt[n]{b}}=\sqrt[n]{\dfrac{a}{b}}$

(4) $(\sqrt[n]{a})^m=\sqrt[n]{a^m}$

(5) $\sqrt[m]{\sqrt[n]{a}}=\sqrt[mn]{a}=\sqrt[n]{\sqrt[m]{a}}$

(6) $\sqrt[np]{a^{mp}}=\sqrt[n]{a^m}$ (단, p는 자연수이다.)

등급업 TIP 거듭제곱근의 대소 비교

$a>0$, $b>0$이고 m, n이 2 이상의 자연수일 때

(1) $\sqrt[n]{a}>\sqrt[n]{b} \iff a>b$

(2) $\sqrt[m]{a}$, $\sqrt[n]{b}$의 대소 비교는 $\sqrt[mn]{a^n}$, $\sqrt[mn]{b^m}$으로 고쳐서 근호 안을 비교한다.

006

$\sqrt[3]{64}+\sqrt[3]{\sqrt{8^2}}-(\sqrt[6]{9})^3$의 값은?

① -3
② -2
③ 2
④ 3
⑤ 4

007

$a>0$, $b>0$일 때,

$$\sqrt[6]{a^2b^3}\times\sqrt{ab}\div\sqrt[12]{a^8b^9}=\sqrt[m]{a}\sqrt[n]{b}$$

를 만족시키는 자연수 m, n에 대하여 $m-n$의 값을 구하여라.

008

$x>0$일 때, $\sqrt{\dfrac{\sqrt{x}}{\sqrt[4]{x}}}\times\sqrt[4]{\dfrac{\sqrt{x}}{\sqrt[3]{x}}}\times\sqrt{\dfrac{\sqrt[6]{x}}{\sqrt{x}}}$의 값은?

① -1
② $-\dfrac{1}{2}$
③ 0
④ $\dfrac{1}{2}$
⑤ 1

009

$\sqrt[18]{\dfrac{4^5+8^6}{4^8+8^8}}$의 값은?

① $\dfrac{1}{\sqrt[6]{2}}$
② $\dfrac{3}{\sqrt[6]{2}}$
③ $\dfrac{1}{\sqrt[3]{2}}$
④ $\dfrac{3}{\sqrt[3]{2}}$
⑤ $\dfrac{1}{\sqrt{2}}$

010

세 수 $\sqrt{2\sqrt{2}}$, $\sqrt[3]{3\sqrt{2}}$, $\sqrt{2\sqrt[3]{5}}$ 중에서 가장 큰 수를 M, 가장 작은 수를 m이라고 할 때, $M^{12}-m^{12}$의 값을 구하여라.

 개념 ③ 지수의 확장

(1) 지수가 0 또는 음의 정수인 경우

$a \neq 0$이고 n이 양의 정수일 때

$$a^0 = 1, \quad a^{-n} = \frac{1}{a^n}$$

(2) 지수가 유리수인 경우

$a > 0$이고 $m, n \ (n \geq 2)$이 정수일 때

$$a^{\frac{m}{n}} = \sqrt[n]{a^m}, \quad a^{\frac{1}{n}} = \sqrt[n]{a}$$

(3) 지수가 실수인 경우

$a > 0, b > 0$이고 x, y가 실수일 때

① $a^x a^y = a^{x+y}$　　② $a^x \div a^y = a^{x-y}$

③ $(ab)^x = a^x b^x$　　④ $\left(\dfrac{a}{b}\right)^x = \dfrac{a^x}{b^x}$

⑤ $(a^x)^y = a^{xy}$

등급업 TIP

(1) a^{-x}, $a^{-3x} \ (a > 0)$ 등을 포함한 분수식은 분모, 분자에 a^x, a^{3x} 등을 곱하여 식을 변형한다.

(2) $a^x = b^y = c^z = k \iff a = k^{\frac{1}{x}}, b = k^{\frac{1}{y}}, c = k^{\frac{1}{z}}$

(단, $a > 0, b > 0, c > 0, k > 0$)

011

출제율

$\left\{ \left(\dfrac{8}{125} \right)^{-\frac{1}{3}} \right\}^{\frac{3}{2}} \times \left(\dfrac{5}{8} \right)^{-\frac{1}{2}}$의 값은?

① 1　　　　② 2　　　　③ 3

④ 4　　　　⑤ 5

012

출제율

$a > 0, a \neq 1$일 때,

$$\left(a^{\sqrt{2}}\right)^{\sqrt{8}+1} \times \left(a^{\sqrt{3}}\right)^{2\sqrt{3}-\sqrt{6}} \div \left(a^5\right)^{2-\sqrt{2}} = a^k$$

을 만족시키는 실수 k의 값을 구하여라.

013 　학교 기출　신 유형　　　　出제율

$\sqrt{2\sqrt{2\sqrt{2\sqrt{2\sqrt{2}}}}} = 2^k$일 때, 유리수 k의 값을 구하여라.

014 　　　　출제율

$\left(\dfrac{1}{256} \right)^{\frac{1}{n}}$이 자연수가 되도록 하는 모든 정수 n의 값의 합을 구하여라.

015 　교육청 기출　　　　출제율

두 실수 a, b에 대하여

$$2^a + 2^b = 2, \quad 2^{-a} + 2^{-b} = \frac{9}{4}$$

일 때, 2^{a+b}의 값은 $\dfrac{q}{p}$이다. $p+q$의 값을 구하여라.

(단, p와 q는 서로소인 자연수이다.)

016

출제율

$a^{\frac{1}{2}} - a^{-\frac{1}{2}} = 3$일 때, $\dfrac{a^2 + a^{-2} + 1}{a + a^{-1} - 1}$의 값을 구하여라.

(단, $a > 0$)

017

출제율

$\dfrac{1}{3^{-4}+1} + \dfrac{1}{3^{-2}+1} + \dfrac{1}{3^2+1} + \dfrac{1}{3^4+1}$의 값을 구하여라.

018

출제율

$a^{2x} = 5$일 때, $\dfrac{a^{3x} - a^{-3x}}{a^x - a^{-x}}$의 값은? (단, $a > 0$)

① $\dfrac{27}{5}$ ② $\dfrac{28}{5}$ ③ $\dfrac{29}{5}$

④ 6 ⑤ $\dfrac{31}{5}$

019

평가원 기출

출제율

$a = \sqrt{2}$, $b^3 = \sqrt{3}$일 때, $(ab)^2$의 값은? (단, $b > 0$)

① $2^{\frac{1}{3}} \times 3$ ② $2^{\frac{1}{2}} \times 3^{\frac{1}{3}}$ ③ $2^{\frac{2}{3}} \times 3$

④ $2 \times 3^{\frac{1}{3}}$ ⑤ $2 \times 3^{\frac{2}{3}}$

020

출제율

두 실수 x, y에 대하여 $2^x = 6^{-y} = 12$일 때, $\dfrac{1}{x} - \dfrac{1}{y}$의 값은?

① 1 ② 2 ③ 6

④ 10 ⑤ 12

개념 ④ 로그

$a>0$, $a\neq1$일 때, 양수 N에 대하여 $a^x=N$을 만족시키는 실수 x를 a를 밑으로 하는 N의 로그라 하고, 기호로 $x=\log_a N$과 같이 나타낸다. 이때 N을 $x=\log_a N$의 진수라고 한다.

$$a^x=N \iff x=\log_a N$$
진수 / 밑

등급업 TIP $\log_a N$이 정의되려면
$$a>0,\ a\neq1,\ N>0$$
이어야 한다.

021 출제율 ▱▱▱▱▱

양수 a에 대하여 $\log_4 \dfrac{a}{16}=b$일 때, $\dfrac{4^b}{a}$의 값은?

① $\dfrac{1}{16}$　　② $\dfrac{1}{8}$　　③ $\dfrac{1}{4}$

④ $\dfrac{1}{2}$　　⑤ 1

022 출제율 ▱▱▱▱▱

$\log_{\sqrt2} x=4$, $\log_{\frac{1}{5}} 125=y$, $\log_z 9=2$일 때, $x+y+z$의 값은? (단, $z>0$)

① 2　　② 4　　③ 6

④ 8　　⑤ 10

023 출제율 ▱▱▱▱▱

$\log_4 \{\log_3(\log_2 x)\}=0$일 때, 양수 x의 값은?

① 2　　② 3　　③ 4

④ 8　　⑤ 16

024 출제율 ▱▱▱▱▱

$\log_3 \dfrac{81}{n}$이 자연수가 되도록 하는 모든 자연수 n의 값의 합을 구하여라.

025 출제율 ▱▱▱▱▱

$\log_{x-3}(-x^2+10x-21)$이 정의되도록 하는 정수 x의 개수는?

① 1　　② 2　　③ 3

④ 4　　⑤ 5

개념 5 로그의 성질

$a > 0$, $a \neq 1$, $M > 0$, $N > 0$일 때

(1) $\log_a 1 = 0$, $\log_a a = 1$

(2) $\log_a MN = \log_a M + \log_a N$

(3) $\log_a \dfrac{M}{N} = \log_a M - \log_a N$

(4) $\log_a M^k = k \log_a M$ (단, k는 실수이다.)

주의 로그의 계산에서 다음과 같은 착각을 하지 않도록 주의한다.

(1) $\log_a (M+N) \neq \log_a M + \log_a N$

(2) $\log_a (M-N) \neq \log_a M - \log_a N$

(3) $\dfrac{\log_a M}{\log_a N} \neq \log_a M - \log_a N$, $\dfrac{\log_a M}{\log_a N} \neq \log_a \dfrac{M}{N}$

(4) $\log_a M^k \neq (\log_a M)^k$

등급업 TIP

(1) $\log_a M_1 + \log_a M_2 + \cdots + \log_a M_n$
$= \log_a (M_1 \times M_2 \times \cdots \times M_n)$

(2) $\log_a M^m N^n = m \log_a M + n \log_a N$

026 출제율

$\log_3 3\sqrt{3} + \dfrac{1}{2} \log_3 \sqrt{6} - \dfrac{1}{4} \log_3 2$의 값은?

① $\dfrac{1}{4}$ ② $\dfrac{3}{4}$ ③ $\dfrac{5}{4}$

④ $\dfrac{7}{4}$ ⑤ $\dfrac{9}{4}$

027 출제율

$\log_5 2 = a$, $\log_5 3 = b$일 때, $\log_5 \sqrt{1.2}$를 a, b에 대한 식으로 나타내면?

① $\dfrac{1}{2}(a-b+1)$ ② $\dfrac{1}{2}(a+b-1)$

③ $a+b-1$ ④ $a+2b+1$

⑤ $2a+b+1$

028 학교 기출 신유형 출제율

$x = a + 3a^{\frac{1}{3}}b^{\frac{2}{3}}$, $y = b + 3a^{\frac{2}{3}}b^{\frac{1}{3}}$, $a^{\frac{2}{3}} + b^{\frac{2}{3}} = 16$일 때, $\log_2 \{(x+y)^{\frac{2}{3}} + (x-y)^{\frac{2}{3}}\}$의 값은? (단, $a > 0$, $b > 0$)

① 1 ② 2 ③ 3

④ 4 ⑤ 5

029 출제율

$\log_2 \left(1 - \dfrac{1}{2}\right) + \log_2 \left(1 - \dfrac{1}{3}\right) + \cdots + \log_2 \left(1 - \dfrac{1}{128}\right)$의 값은?

① -3 ② -4 ③ -5

④ -6 ⑤ -7

030 학교 기출 신유형 출제율

1이 아닌 세 양수 a, b, c에 대하여 $a^3 = b^4 = c^5$이 성립할 때, $\log_a b + \log_b c = \dfrac{q}{p}$이다. 서로소인 두 자연수 p, q에 대하여 $p+q$의 값을 구하여라.

개념 6 로그의 밑의 변환과 여러 가지 성질

(1) 로그의 밑의 변환

$a>0$, $a \neq 1$, $b>0$일 때

① $\log_a b = \dfrac{\log_c b}{\log_c a}$ (단, $c>0$, $c \neq 1$)

② $\log_a b = \dfrac{1}{\log_b a}$ (단, $b \neq 1$)

(2) 로그의 여러 가지 성질

$a>0$, $a \neq 1$, $b>0$일 때

① $\log_{a^m} b^n = \dfrac{n}{m} \log_a b$ (단, m, n은 실수, $m \neq 0$)

② $a^{\log_c b} = b^{\log_c a}$ (단, $c>0$, $c \neq 1$)

③ $a^{\log_a b} = b$ ⸺ $a^{\log_a b} = b^{\log_a a} = b$

등급업 TIP

(1) $a>0$, $a \neq 1$, $b>0$, $b \neq 1$, $N>0$일 때

① $\log_a b \times \log_b N = \log_a N$

② $\log_a b \times \log_b a = 1$

③ $\log_a b \times \log_b c \times \log_c a = 1$ (단, $c>0$, $c \neq 1$)

(2) $a^x = m$, $b^y = n$ 꼴이 주어질 때, 주어진 식을 x, y로 나타내는 문제는 로그의 정의를 이용하여 $x = \log_a m$, $y = \log_b n$ 꼴로 바꾸어 주어진 식에 대입한다.

031

출제율

$(\log_5 4 + \log_{25} 8)(\log_2 5 + \log_4 125)$의 값은?

① $\dfrac{31}{4}$ ② 8 ③ $\dfrac{33}{4}$

④ $\dfrac{17}{2}$ ⑤ $\dfrac{35}{4}$

032

출제율

1이 아닌 두 양수 a, x에 대하여

$$\frac{1}{\log_2 x} + \frac{1}{\log_3 x} + \frac{1}{\log_4 x} + \frac{1}{\log_5 x} = \frac{1}{\log_a x}$$

이 성립할 때, a의 값을 구하여라.

033

출제율

1보다 큰 두 양수 a, b에 대하여

$$\log_3 a = \frac{1}{\log_{2\sqrt{2}} 2}, \quad \log_3 \sqrt[3]{b} = \frac{1}{\log_{27} 3}$$

일 때, $\log_a b$의 값을 구하여라.

034 · 교육청 기출

출제율

1이 아닌 두 양수 a, b에 대하여

$$\frac{\log_a b}{2a} = \frac{18 \log_b a}{b} = \frac{3}{4}$$

이 성립할 때, ab의 값을 구하여라.

035

출제율

세 수 $A = 2^{\log_2 36 - \log_2 9}$, $B = \log_9 3 + \log_8 64$,
$C = \log_4 (\log_{\sqrt{2}} 16)$의 대소를 비교하여라.

개념 7 상용로그

(1) **상용로그**: 10을 밑으로 하는 로그를 상용로그라 하고, 상용로그 $\log_{10} N$은 보통 밑 10을 생략하여 $\log N$과 같이 나타낸다.

(2) **상용로그표**: 0.01의 간격으로 1.00에서 9.99까지의 수에 대한 상용로그의 값을 반올림하여 소수 넷째 자리까지 나타낸 표

등급업 TIP

(1) $N>1$일 때, $\log N$의 정수 부분이 n이다.
➡ 진수 N은 $(n+1)$자리의 수이다.

(2) $0<N<1$일 때, $\log N$의 정수 부분이 $-n$이다.
➡ 진수 N은 소수 n번째 자리에서 처음으로 0이 아닌 숫자가 나타난다.

036 출제율

$0<\log A<1$일 때, $\log A=m\log 2+n\log 3$을 만족시키는 정수 A의 개수는?

(단, m, n은 음이 아닌 정수이다.)

① 3 ② 4 ③ 5
④ 6 ⑤ 7

037 출제율

$\log 70.2=1.8463$일 때, $\log x=-0.1537$을 만족시키는 x의 값을 구하여라.

038 출제율

$\log 3=0.4771$, $\log 5=0.6990$일 때, $n<\log 15^4<n+1$을 만족시키는 자연수 n의 값을 구하여라.

039 출제율

자연수 N에 대하여 $\dfrac{1}{N}$을 소수로 나타낼 때, 소수 여섯 번째 자리에서 처음으로 0이 아닌 숫자가 나타난다. 이때 N의 개수를 구하여라.

040 평가원 기출 출제율

디지털 사진을 압축할 때 원본 사진과 압축한 사진의 다른 정도를 나타내는 지표인 최대 신호 대 잡음비를 P, 원본 사진과 압축한 사진의 평균제곱오차를 E라고 하면 다음과 같은 관계식이 성립한다고 한다.

$$P=20\log 255-10\log E\ (E>0)$$

두 원본 사진 A, B를 압축했을 때 최대 신호 대 잡음비를 각각 P_A, P_B라 하고, 평균제곱오차를 각각 $E_A\ (E_A>0)$, $E_B\ (E_B>0)$이라고 하자. $E_B=100E_A$일 때, P_A-P_B의 값은?

① 30 ② 25 ③ 20
④ 15 ⑤ 10

최상위권 도약 실력 완성 문제

개념 ❶ 거듭제곱근

041

세 집합

$A=\{x\,|\,x$는 $(-7)^6$의 여덟제곱근$\}$,

$B=\{x\,|\,x$는 $(-7)^5$의 일곱제곱근$\}$,

$C=\{x\,|\,x$는 $(-7)^9$의 여섯제곱근$\}$

에 대하여 세 집합 A, B, C의 원소의 개수의 합을 l, 세 집합 A, B, C의 실수인 원소의 개수의 합을 m이라고 할 때, $l+m$의 값을 구하여라.

042 ◀다빈출

실수 x와 자연수 n에 대하여 x의 n제곱근 중 실수인 것의 개수를 $\mathrm{P}(x,\,n)$이라고 할 때,

$\mathrm{P}(6,\,6)+\mathrm{P}(\sqrt{6},\,3)+\mathrm{P}(-\sqrt{6},\,3)+\mathrm{P}(-6,\,6)$의 값을 구하여라.

043

$2\le a\le 10$, $1\le b\le 10$인 두 자연수 a, b에 대하여 $\sqrt{a^b}$이 자연수가 되도록 하는 순서쌍 $(a,\,b)$의 개수는?

① 51　　　　② 52　　　　③ 53

④ 54　　　　⑤ 55

044

두 집합

$A=\{-5,\,-3,\,-2,\,2,\,3,\,5\}$,

$B=\{b\,|\,b=a^2,\,a\in A\}$

에 대하여 $m\in A$, $n\in B$일 때, $\sqrt[n]{m}$이 실수가 되도록 하는 순서쌍 $(m,\,n)$의 개수를 구하여라.

045

자연수 n에 대하여 방정식 $x^n=\dfrac{9}{2}-n$의 실근의 개수를 $f(n)$이라고 할 때, $f(3)+f(4)+f(5)+f(6)$의 값을 구하여라.

046 교육청 기출

자연수 n에 대하여 $n(n-4)$의 세제곱근 중 실수인 것의 개수를 $f(n)$이라 하고, $n(n-4)$의 네제곱근 중 실수인 것의 개수를 $g(n)$이라고 하자. $f(n)>g(n)$을 만족시키는 모든 n의 값의 합은?

① 4   ② 5   ③ 6
④ 7   ⑤ 8

047 학교 기출 신유형

$1\le x\le 9$인 실수 x에 대하여 $x^2-6x+a+1$의 세제곱근 중 실수인 값 전체의 집합을 A라고 하자. -2가 집합 A의 원소가 되도록 하는 정수 a의 개수를 구하여라.

048

모든 실수 x에 대하여 두 부등식
$$\sqrt[3]{ax^2+2ax-1}<0,$$
$$\sqrt[10]{x^2-4(a-1)+16}>0$$
이 성립하도록 하는 실수 a의 값의 범위가 $\alpha<a\le\beta$일 때, $\alpha+\beta$의 값은?

① -2 ② -1 ③ 0
④ 1 ⑤ 2

개념 2 거듭제곱근의 성질

049 다빈출

2 이상의 두 자연수 a, b에 대하여 $\left(\sqrt[a]{\sqrt[b]{12\sqrt{3}}}\right)^{16}$이 자연수가 되도록 하는 순서쌍 (a, b)의 개수를 구하여라.

050

2 이상의 두 자연수 a, b에 대하여 $S(a, b)=\sqrt[a]{b}$라고 할 때, |보기|에서 옳은 것만을 있는 대로 고른 것은?

┌ 보기 ─────────────────
ㄱ. $S(2, 4)=S(4, 16)$
ㄴ. $S(3, m)\times S(3, n)=S(3, mn)$
ㄷ. $S(p, p)=S(4p, 625)$이면 $p=5$
└──────────────────

① ㄱ   ② ㄱ, ㄴ   ③ ㄱ, ㄷ
④ ㄴ, ㄷ   ⑤ ㄱ, ㄴ, ㄷ

051

가로의 길이가 $(\sqrt[3]{2\sqrt{128}}\,)^2$, 세로의 길이가 $\sqrt{64}$, 높이가 $\sqrt[3]{256}$인 직육면체가 있다. 이 직육면체와 부피가 같은 정육면체의 한 모서리의 길이가 $\sqrt[m]{2^n}$일 때, 서로소인 두 자연수 m, n에 대하여 $m+n$의 값은?

① 32   ② 33   ③ 34

④ 35   ⑤ 36

052

네 수 $A=3\sqrt[3]{2}+\sqrt{3}$, $B=\sqrt[3]{2}+3\sqrt{3}$, $C=3\sqrt{3}-2\sqrt[3]{2}$, $D=-2\sqrt{3}+3\sqrt[3]{2}$ 중에서 가장 큰 수와 가장 작은 수의 차를 구하여라.

개념 ③ 지수의 확장

053

$x=2-\sqrt{3}$, $y=2+\sqrt{3}$일 때, $\dfrac{\{(a^4)^x\}^y}{\sqrt{a^x a^y}}=400$을 만족시키는 양수 a의 값을 구하여라.

054 〈다빈출〉

$a=\sqrt[5]{6}$일 때, $\dfrac{a^{-1}+a^{-2}+a^{-3}+a^{-4}}{a+a^2+a^3+a^4}$의 값을 구하여라.

055

$2^{x+1}-2^x=a$, $3^{x+1}-3^x=b$일 때, 18^x을 a, b에 대한 식으로 나타내면?

① $\dfrac{ab}{2}$ ② $\dfrac{a^2 b}{2}$ ③ $\dfrac{ab^2}{4}$

④ $2a^2 b$ ⑤ $4a^2 b$

056

다항식 $f(x)=x^3-81$이 $x-\sqrt{n}$으로 나누어떨어질 때, $f(x)$를 $x-\sqrt[3]{\sqrt[4]{n^9}}$으로 나눈 나머지를 구하여라.

(단, $n>0$)

057

$x=\sqrt[6]{2}+\dfrac{1}{\sqrt[6]{2}}$일 때, $4x^6-24x^4+36x^2-15$의 값은?

① 3　　　　　② 6　　　　　③ 27

④ 38　　　　⑤ 42

058 　학교 기출　신유형

좌표평면에서 점 $\mathrm{A}(a,\ b)$가 두 점 $(4,\ 0)$, $(0,\ 8)$을 지나는 직선 위를 움직일 때, 4^a+2^b의 최솟값을 구하여라.

059 　다빈출

양수 a와 실수 x에 대하여 $\dfrac{a^x-a^{-x}}{a^x+a^{-x}}=\dfrac{3}{5}$일 때, $(a^x+a^{-x})(a^x-a^{-x})$의 값은?

① $\dfrac{5}{2}$　　　　② 3　　　　③ $\dfrac{7}{2}$

④ $\dfrac{15}{4}$　　　　⑤ 4

060 　학교 기출　신유형

실수 x에 대하여 $4^x+4^{-x}=23$일 때, $\dfrac{4^{3x}+1}{4^{2x}+4^x}$의 값은?

① 21　　　　② 22　　　　③ 23

④ 24　　　　⑤ 25

061

세 실수 x, y, z에 대하여 $240^x=10$, $25^y=100$, $6^z=1000$일 때, $\dfrac{1}{x}+\dfrac{2}{y}-\dfrac{3}{z}$의 값은?

① 1　　　　② 2　　　　③ 3

④ 4　　　　⑤ 5

062 ◀다빈출▶

0이 아닌 실수 a, b, c에 대하여

$$\frac{2}{a}+\frac{3}{b}=\frac{12}{c},\ 8^a=9^b=x^c$$

이 성립할 때, 양수 x의 값을 구하여라.

063 학교 기출 신유형

세 양수 a, b, c에 대하여

$$a^x=7^3,\ (ab)^y=7^4,\ (abc)^z=7^5$$

일 때, $7^{\frac{3}{x}-\frac{4}{y}+\frac{5}{z}}$을 나타낸 것은?

① $\dfrac{a}{c}$ ② $\dfrac{b}{c}$ ③ a

④ ac ⑤ abc

064

이차방정식 $2x^2-20x-3=0$의 두 근을 α, β라고 할 때, $\dfrac{\sqrt[5]{7^\alpha}\times\sqrt[5]{7^\beta}}{(49^\alpha)^\beta}$의 값은?

① 7^2 ② 7^3 ③ 7^4

④ 7^5 ⑤ 7^6

065 교육청 기출

두 자연수 a, b에 대하여

$$\sqrt{\frac{2^a\times5^b}{2}}\ \text{이 자연수},\ \sqrt[3]{\frac{3^b}{2^{a+1}}}\ \text{이 유리수}$$

일 때, $a+b$의 최솟값은?

① 11   ② 13   ③ 15

④ 17   ⑤ 19

066

어떤 약품의 A성분은 일정한 비율로 붕괴되어 복용한 지 t일 후에는 그 양이 m_0a^{-t}이 된다고 한다. 복용한 지 3일 후 이 약품의 A성분의 양이 처음의 양의 $\dfrac{1}{2}$이 된다고 할 때, 복용한 지 15일 후 이 약품의 A성분의 양은 km_0이다. 상수 k의 값을 구하여라.

개념 4 로그

067

$\log_2 (\log_2 x - 8) = 3$을 만족시키는 x의 값이 a^b이라고 할 때, $a+b$의 값은? (단, a는 소수, b는 자연수이다.)

① 12   ② 14   ③ 16

④ 18   ⑤ 20

068

1이 아닌 세 양수 a, b, c에 대하여

$$\log_a 2 = \log_b 3 = \log_c 5 = \log_{abc} x$$

가 성립할 때, 양수 x의 값은?

① 30   ② 40   ③ 50

④ 60   ⑤ 70

069

다음 중 실수 a의 값에 관계없이 항상 정의되는 것을 모두 고르면?

① $\log_{(a+1)^2} (a-1)^2$

② $\log_{|a-7|} (a^2+7)$

③ $\log_{a^2+2} (a^2+2a+3)$

④ $\log_{3|a|-1} (a^2+4)$

⑤ $\log_{a^2+3} (a^2-6a+9)$

070 다빈출

$\log_{a-1} (x^2+ax+2a)$가 정의되도록 하는 모든 정수 a의 값의 합은?

① 21   ② 22   ③ 23

④ 24   ⑤ 25

071

$\log_{x-2} (6-|x|-|y|)$가 정의되도록 하는 정수 x, y에 대하여 순서쌍 (x, y)의 개수를 구하여라.

개념 **5** 로그의 성질

072

두 양수 x, y에 대하여 $\log_3(x+y)=2$,
$\log_3 x + \log_3 y = 2$일 때, $x^3 + y^3$의 값은?

① 465   ② 471   ③ 486

④ 495   ⑤ 500

073 학교 기출 신 유형

1이 아닌 세 양수 x, y, z가 $x^3 + y^3 + z^3 = 3xyz$를 만족
시킬 때,

$\log_x(y-z+x^3) + \log_y(z-x+y^3) + \log_z(x-y+x^3)$

의 값을 구하여라.

074 다빈출

이차방정식 $2x^2 - 6x + 3 = 0$의 두 근을 α, β라고 할 때,
$\log_{\alpha^2+\beta^2} 3\alpha + \log_{\alpha^2+\beta^2} 8\beta$의 값을 구하여라.

075

$a<b$인 두 양수 a, b가 다음 조건을 만족시킬 때,
$\log_2 \dfrac{b}{a}$의 값을 구하여라.

> (가) $ab=4$
> (나) $\log_2 a \times \log_2 b = -3$

076

두 실수 a, b가 다음 조건을 만족시킬 때, $a+2b$의 값을
구하여라.

> (가) $\log_2(b-a) - \log_2 b = 1$
> (나) $\log_5(a+13) + \log_5(b+13) = 2$

077 학교 기출 신 유형

$p(k) = \log_a \sqrt{1 + \dfrac{2}{2k+1}}$에 대하여

$$p(1) + p(2) + p(3) + \cdots + p(120) = 1$$

일 때, 양수 a의 값은? (단, $a \neq 1$)

① 8   ② 9   ③ 10

④ 11   ⑤ 12

개념 6 로그의 밑의 변환과 여러 가지 성질

078

1보다 큰 세 실수 a, b, c에 대하여

$\log_c a : \log_c b = 3 : 4$일 때, $\log_a b + \log_b a$의 값은?

① $\dfrac{3}{4}$ ② $\dfrac{4}{3}$ ③ $\dfrac{3}{2}$

④ $\dfrac{11}{6}$ ⑤ $\dfrac{25}{12}$

079

$(3^{\log_3 4 + \log_3 2})^2 + (a^{\log_3 4 + \log_3 2})^{\log_2 3} = 91$일 때, 양수 a의 값을 구하여라.

080 교육청 기출

2 이상의 세 실수 a, b, c가 다음 조건을 만족시킨다.

> (가) $\sqrt[3]{a}$는 ab의 네제곱근이다.
> (나) $\log_a bc + \log_b ac = 4$

$a = \left(\dfrac{b}{c}\right)^k$이 되도록 하는 실수 k의 값은?

① 6 ② $\dfrac{13}{2}$ ③ 7

④ $\dfrac{15}{2}$ ⑤ 8

081 다빈출

1보다 큰 네 양수 a, b, c, x가

$$\log_{ab} x = 5, \quad \log_{bc} x = 3, \quad \log_{ac} x = \frac{15}{4}$$

를 만족시킬 때, $\log_{abc} x$의 값은?

① 1 ② $\dfrac{3}{2}$ ③ 2

④ $\dfrac{5}{2}$ ⑤ 3

082

다음 식의 값을 구하여라.

> $\log_7 (\log_3 2) + \log_7 (\log_4 3) + \log_7 (\log_5 4)$
> $\qquad\qquad + \cdots + \log_7 (\log_{128} 127)$

083 학교 기출 신유형

$a^x = b^y = c^z = 64$를 만족시키는 세 실수 a, b, c에 대하여 $abc = 4$일 때, $\dfrac{xyz}{xy + yz + zx}$의 값은?

① $\dfrac{1}{4}$ ② $\dfrac{1}{3}$ ③ 3

④ 4 ⑤ 16

084

1보다 큰 세 자연수 a, b, c와 네 실수 x, y, z, w에 대하여 다음 조건을 만족시킬 때, abc의 값을 구하여라.

(가) $a^x = b^y = c^z = 70^w$

(나) $\dfrac{1}{x} + \dfrac{1}{y} + \dfrac{1}{z} = \dfrac{1}{w}$

085

1보다 크고 20보다 작은 세 자연수 a, b, c에 대하여

$$\frac{\log_c b}{\log_a b} = \frac{1}{3}, \ \frac{\log_b c}{\log_a c} = \frac{1}{4}$$

일 때, $a+b-c$의 값은?

① 7 　　② 10 　　③ 13

④ 16 　　⑤ 20

086 학교 기출 신 유형

세 변의 길이가 a, b, c인 직각삼각형의 빗변의 길이가 c일 때,

$$\log_{b+c} a + \log_{c-b} a = k \log_{b+c} a \times \log_{c-b} a$$

를 만족시키는 실수 k의 값을 구하여라.

(단, $a \neq 1$, $c - b \neq 1$)

087

1이 아닌 양수 a, b, c에 대하여 $x = \log_a b$, $y = \log_b c$, $z = \log_c a$일 때,

$$\frac{x}{xy+x+1} + \frac{y}{yz+y+1} + \frac{z}{zx+z+1}$$

의 값을 구하여라.

088

$\log_3 15$의 정수 부분을 a, 소수 부분을 b라고 할 때, $\dfrac{3^b - 3^{-b}}{3^a - 3^{-a}}$의 값은?

① $\dfrac{3}{25}$ 　　② $\dfrac{3}{16}$ 　　③ $\dfrac{1}{5}$

④ $\dfrac{1}{4}$ 　　⑤ $\dfrac{25}{27}$

개념 7 상용로그

089 〈다빈출〉

$a=2^{15}+3$, $b=3^{10}+2$일 때, ab는 몇 자리 정수인지 구하여라. (단, $\log 2=0.3010$, $\log 3=0.4771$)

090

1000의 모든 양의 약수를 a_1, a_2, a_3, $\cdots$, a_n이라고 할 때,
$$\log a_1+\log a_2+\log a_3+\cdots+\log a_n$$
의 값을 구하여라. (단, $i\neq j$이면 $a_i\neq a_j$이다.)

091

$1<x<100$일 때, $\log x^3$과 $\log \sqrt[3]{x}$의 차가 정수가 되도록 하는 모든 x의 값의 곱은?

① $10^{\frac{1}{8}}$ ② $10^{\frac{3}{4}}$ ③ 10^5

④ $10^{\frac{11}{2}}$ ⑤ $10^{\frac{45}{8}}$

092 〈평가원 기출〉

고속철도의 최고소음도 $L(\mathrm{dB})$을 예측하는 모형에 따르면 한 지점에서 가까운 선로 중앙 지점까지의 거리를 $d\,(\mathrm{m})$, 열차가 가까운 선로 중앙 지점을 통과할 때의 속력을 $v\,(\mathrm{km/h})$라고 할 때, 다음과 같은 관계식이 성립한다고 한다.

$$L=80+28\log\frac{v}{100}-14\log\frac{d}{25}$$

가까운 선로 중앙 지점 P까지의 거리가 75 m인 한 지점에서 속력이 서로 다른 두 열차 A, B의 최고소음도를 예측하고자 한다. 열차 A가 지점 P를 통과할 때의 속력이 열차 B가 지점 P를 통과할 때의 속력의 0.9배일 때, 두 열차 A, B의 예측 최고소음도를 각각 L_A, L_B라고 하자. L_B-L_A의 값은?

① $14-28\log 3$ ② $28-56\log 3$

③ $28-28\log 3$ ④ $56-34\log 3$

⑤ $56-56\log 3$

개념 ① 지수함수의 뜻과 그래프

(1) **지수함수**: a가 1이 아닌 양수일 때, $y=a^x$을 a를 밑으로 하는 지수함수라고 한다.

(2) **지수함수 $y=a^x$ $(a>0, a\neq1)$의 성질**

① 정의역은 실수 전체의 집합이고, 치역은 양의 실수 전체의 집합이다.

② 일대일함수이다. ┌─ $x_1\neq x_2$이면 $a^{x_1}\neq a^{x_2}$

③ $a>1$일 때, x의 값이 증가하면 y의 값도 증가한다.
└─ $x_1<x_2\Longleftrightarrow a^{x_1}<a^{x_2}$

$0<a<1$일 때, x의 값이 증가하면 y의 값은 감소한다.
└─ $x_1<x_2\Longleftrightarrow a^{x_1}>a^{x_2}$

④ 그래프는 점 $(0, 1)$을 지나고 점근선은 x축이다.
└─ $y=0$

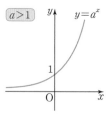 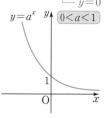

 등급업 TIP 함수 $y=a^{x-m}+n$ $(a>0, a\neq1)$의 그래프

(1) $y=a^x$의 그래프를 x축의 방향으로 m만큼, y축의 방향으로 n만큼 평행이동한 것이다.

(2) 정의역은 실수 전체의 집합이고, 치역은 $\{y|y>n\}$이다.

(3) 점근선의 방정식은 $y=n$이다.

093 출제율 ▣▣▣▢▢

다음 중 함수 $y=2^{-x}$에 대한 설명으로 옳지 **않은** 것은?

① 정의역은 실수 전체의 집합이고, 치역은 양의 실수 전체의 집합이다.

② 그래프는 점 $(0, 1)$을 지난다.

③ 그래프의 점근선의 방정식은 $y=0$이다.

④ 그래프는 제1, 2사분면을 지난다.

⑤ x의 값이 증가하면 y의 값도 증가한다.

094 학교 기출 신 유형 출제율 ▣▣▣▣▢

함수 $f(x)=a^x$ $(a>0, a\neq1)$에 대하여 등식
$$f(x+2)-4f(x+1)+4f(x)=0$$
이 성립할 때, 상수 a의 값을 구하여라.

095 출제율 ▣▣▣▣▢

함수 $f(x)=a^{x+1}-b$ $(a>0, a\neq1)$에 대하여 $f(1)=8$, $f(2)=26$일 때, $f(3)$의 값을 구하여라.

096 출제율 ▣▣▣▢▢

함수 $y=a^x$ $(a>0, a\neq1)$의 그래프를 y축에 대하여 대칭이동한 후 x축의 방향으로 -2만큼, y축의 방향으로 1만큼 평행이동시킨 그래프가 점 $(1, 4)$를 지날 때, a의 값은?

① 1   ② 2   ③ 3

④ 4   ⑤ 5

097

출제율

오른쪽 그림은 함수 $y=3^x$의 그래프와 직선 $y=x$를 나타낸 것이다. 실수 a, b에 대하여 b^a의 값을 구하여라. (단, 점선은 x축 또는 y축에 평행하다.)

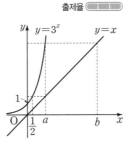

098

출제율

오른쪽 그림과 같이 두 함수 $y=2^x$, $y=2^x+3$의 그래프와 y축 및 직선 $x=2$로 둘러싸인 부분의 넓이를 구하여라.

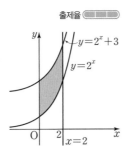

099

출제율

함수 $y=5^{-x+1}+k$의 그래프가 제1사분면을 지나지 않도록 하는 상수 k의 최댓값을 구하여라.

100

출제율

$0<a<1$이고 n이 자연수일 때, 세 수
$$A={}^{n+1}\!\sqrt{a^n},\ B={}^{n+2}\!\sqrt{a^{n+1}},\ C={}^{n+3}\!\sqrt{a^{n+2}}$$
의 대소를 비교하여라.

101 · 교육청 기출 ·

출제율

오른쪽 그림과 같이 두 함수 $f(x)=\dfrac{2^x}{3}$, $g(x)=2^x-2$의 그래프가 y축과 만나는 점을 각각 A, B라 하고, 두 곡선 $y=f(x)$, $y=g(x)$가 만나는 점을 C라고 할 때, 삼각형 ABC의 넓이는?

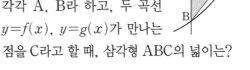

① $\dfrac{1}{3}\log_2 3$ ② $\dfrac{2}{3}\log_2 3$ ③ $\log_2 3$

④ $\dfrac{4}{3}\log_2 3$ ⑤ $\dfrac{5}{3}\log_2 3$

개념 **2** **지수함수의 최대·최소**

(1) 함수 $y=a^{f(x)}$ $(a>0, a\neq1)$은
　① $a>1$이면 $f(x)$가 최대일 때 최댓값, $f(x)$가 최소일 때 최솟값을 갖는다.
　② $0<a<1$이면 $f(x)$가 최소일 때 최댓값, $f(x)$가 최대일 때 최솟값을 갖는다.

(2) 정의역이 $\{x\,|\,m\leq x\leq n\}$인 지수함수 $y=a^x$ $(a>0, a\neq1)$은
　① $a>1$이면 $x=m$일 때 최솟값 a^m, $x=n$일 때 최댓값 a^n을 갖는다.
　② $0<a<1$이면 $x=m$일 때 최댓값 a^m, $x=n$일 때 최솟값 a^n을 갖는다.

등급업 TIP a^x 꼴이 반복되는 경우의 최대·최소는 $a^x=t$ $(t>0)$로 치환하여 t의 값의 범위에서 함수의 최댓값과 최솟값을 구한다.

102
출제율 ▱▱▱▱

$-2\leq x\leq a$일 때, 함수 $y=2^{x+2}+b$의 최댓값은 7, 최솟값은 0이다. $a+b$의 값을 구하여라.
(단, a, b는 상수이다.)

103
출제율 ▱▱▱▱

$1\leq x\leq 4$일 때, 함수 $y=\left(\dfrac{2}{5}\right)^{-x^2+6x-7}$의 최댓값은 M, 최솟값은 m이다. Mm의 값을 구하여라.

104
출제율 ▱▱▱▱

$0\leq x\leq 2$일 때, 함수 $y=4^x-2^{x+2}-1$은 $x=a$에서 최댓값 b를 갖고 $x=c$에서 최솟값 d를 갖는다. $a+b+c+d$의 값은?

① -3　　　② -2　　　③ 1
④ 2　　　⑤ 3

105
출제율 ▱▱▱▱

함수 $f(x)=3^x+3^{-x+4}$이 $x=a$일 때 최솟값 b를 가질 때, $a-b$의 값을 구하여라.

106
출제율 ▱▱▱▱

$0\leq x\leq 3$일 때, 함수 $f(x)=a^{x+1}$의 최댓값은 m, 최솟값은 n이다. $m=8n$일 때, 모든 실수 a의 값의 합은?
(단, $a\neq0$)

① $\dfrac{2}{5}$　　　② $\dfrac{4}{5}$　　　③ $\dfrac{3}{2}$
④ $\dfrac{5}{2}$　　　⑤ 3

개념 3 지수에 미지수가 있는 방정식

(1) **밑을 같게 할 수 있는 경우**

① $a^{f(x)}=a^{g(x)}$ $(a>0,\ a\neq1)$ 꼴로 변형한다.

② 방정식 $f(x)=g(x)$를 푼다.

(2) **a^x 꼴이 반복되는 경우**

① $a^x=t$ $(t>0)$로 치환한다.

② t에 대한 방정식을 푼 후 x의 값을 구한다.

(3) **밑에 미지수가 있는 경우**

① $x^{f(x)}=x^{g(x)}$ 꼴: 방정식 $f(x)=g(x)$의 해 이외에 $x=1,\ 0,\ -1$이 해가 될 수도 있다.

② $\{f(x)\}^{h(x)}=\{g(x)\}^{h(x)}$ 꼴: 방정식 $f(x)=g(x)$의 해와 $h(x)=0$의 해를 구한다.

(단, $f(x)>0,\ g(x)>0$)

 등급업 TIP

x에 대한 방정식 $(a^x)^2+ma^x+n=0$의 두 근을 α, β라고 하면 $a^x=t$ $(t>0)$로 치환하여 얻은 $t^2+mt+n=0$의 두 근은 a^α, b^β이다.

107

출제율 ●●●○

$\left(\dfrac{3}{4}\right)^{x^2}=\dfrac{3}{4}\times\left(\dfrac{16}{9}\right)^{3(x+1)}$ 을 만족시키는 x의 값을 α, β라고 할 때, $\alpha-\beta$의 값을 구하여라. (단, $\alpha>\beta$)

108

출제율 ●●●●

방정식 $(x-2)^{x-3}=5^{x-3}$의 모든 근의 합을 구하여라.

(단, $x>2$)

109

출제율 ●●●○

방정식 $81^x-9^{x+2}+49=0$의 두 근을 α, β라고 할 때, $3^{\alpha+\beta}$의 값을 구하여라.

110 학교 기출 신유형

출제율 ●●●●

방정식 $9^x-2k\times3^{x+1}+9=0$이 오직 하나의 실근 α를 가질 때, $k+\alpha$의 값은? (단, $k>0$)

① 1 ② 2 ③ 3

④ 4 ⑤ 5

111 교육청 기출

출제율 ●●○○

최대 충전 용량이 Q_0 $(Q>0)$인 어떤 배터리를 완전히 방전시킨 후 t시간 동안 충전한 배터리의 충전 용량을 $Q(t)$라고 할 때, 다음 식이 성립한다고 한다.

$$Q(t)=Q_0\left(1-2^{-\frac{t}{a}}\right)$$ (단, a는 양의 상수이다.)

$\dfrac{Q(4)}{Q(2)}=\dfrac{3}{2}$일 때, a의 값은?

(단, 배터리의 충전 용량의 단위는 mAh이다.)

① $\dfrac{3}{2}$ ② 2 ③ $\dfrac{5}{2}$

④ 3 ⑤ $\dfrac{7}{2}$

개념 ④ 지수에 미지수가 있는 부등식

(1) 밑을 같게 할 수 있는 경우

① $a^{f(x)} < a^{g(x)}$ $(a>0, a \neq 1)$ 꼴로 변형한다.

② $a>1$일 때, 부등식 $f(x) < g(x)$를 푼다.

$0 < a < 1$일 때, 부등식 $f(x) > g(x)$를 푼다.

(2) a^x 꼴이 반복되는 경우

① $a^x = t$ $(t>0)$로 치환한다.

② t에 대한 부등식을 푼 후 x의 값의 범위를 구한다.

(3) 밑에 미지수가 있는 경우

① $x^{f(x)} < x^{g(x)}$ $(x>0, x \neq 1)$ 꼴로 변형한다.

② $x=1$일 때, 부등식이 성립하지 않음을 보인다.

$x>1$일 때, 부등식 $f(x) < g(x)$를 푼다.

$0 < x < 1$일 때, 부등식 $f(x) > g(x)$를 푼다.

➡ ②에서 구한 해의 합집합이 방정식의 해이다.

112

부등식 $\left(\dfrac{1}{5}\right)^x < \sqrt[5]{5} < \left(\dfrac{1}{25}\right)^{x-1}$의 해는?

① $-6 \leq x < 2$
② $-\dfrac{1}{5} < x < \dfrac{9}{10}$
③ $-\dfrac{1}{3} < x < \dfrac{5}{6}$
④ $\dfrac{1}{2} < x < 8$
⑤ $x > 4$

113

부등식 $8^{x^2+2x-4} \leq 4^{x^2+x}$의 해가 $\alpha \leq x \leq \beta$일 때, $\alpha + \beta$의 값을 구하여라.

114

부등식 $\left(\dfrac{1}{4}\right)^x - 9 \times \left(\dfrac{1}{2}\right)^{x+1} + 2 < 0$을 만족시키는 정수 x의 개수는?

① 1
② 2
③ 3
④ 4
⑤ 5

115

부등식 $x^{5x} \geq x^{x^2-6}$을 만족시키는 모든 자연수 x의 값의 합을 구하여라. (단, $x>1$)

116

모든 실수 x에 대하여 부등식 $36^x - 6^{x+1} + a > 0$이 성립하도록 하는 실수 a의 값의 범위를 구하여라.

개념 ⑤ 로그함수의 뜻과 그래프

(1) **로그함수**: 지수함수 $y=a^x$ $(a>0, a \neq 1)$의 역함수 $y=\log_a x$를 a를 밑으로 하는 로그함수라고 한다.

(2) **로그함수** $y=\log_a x$ $(a>0, a \neq 1)$**의 성질**

① 정의역은 양의 실수 전체의 집합이고, 치역은 실수 전체의 집합이다.

② 일대일함수이다. ── $x_1 \neq x_2$이면 $\log_a x_1 \neq \log_a x_2$

③ $a>1$일 때, x의 값이 증가하면 y의 값도 증가한다.

── $x_1 < x_2 \Longleftrightarrow \log_a x_1 < \log_a x_2$

$0<a<1$일 때, x의 값이 증가하면 y의 값은 감소한다.

── $x_1 < x_2 \Longleftrightarrow \log_a x_1 > \log_a x_2$

④ 그래프는 점 $(1, 0)$을 지나고 점근선은 y축이다. ── $x=0$

⑤ 그래프는 지수함수 $y=a^x$의 그래프와 직선 $y=x$에 대하여 대칭이다.

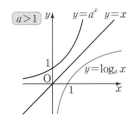 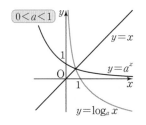

 함수 $y=\log_a(x-m)+n$ $(a>0, a \neq 1)$의 그래프

(1) $y=\log_a x$의 그래프를 x축의 방향으로 m만큼, y축의 방향으로 n만큼 평행이동한 것이다.

(2) 정의역은 $\{x|x>m\}$이고, 치역은 실수 전체의 집합이다.

(3) 점근선의 방정식은 $x=m$이다.

117

출제율 ●●●●

다음 중 로그함수 $f(x)=\log_3 x$에 대한 설명으로 옳은 것은?

① 그래프는 점 $(0, 1)$을 지닌다.

② 그래프의 점근선은 $y=0$이다.

③ $x_1 < x_2$이면 $f(x_1) > f(x_2)$이다.

④ 정의역은 양의 실수 전체의 집합이고, 치역은 실수 전체의 집합이다.

⑤ $y=f(x)$의 그래프는 $y=\left(\dfrac{1}{3}\right)^x$의 그래프와 직선 $y=x$에 대하여 대칭이다.

118

출제율 ●●●●

함수 $f(x)=\log_2 x$에 대하여 $f(3)=a$, $f(8)=b$일 때, $f(k)=\dfrac{a+b}{2}$를 만족시키는 k의 값은?

① $\sqrt{2}$ ② $\sqrt{3}$ ③ $2\sqrt{6}$

④ $2\sqrt[3]{2}$ ⑤ $3\sqrt[3]{6}$

119

출제율 ●●●●

함수 $f(x)=\log_4 x+1$의 역함수를 $g(x)$라고 할 때, $f(64)+g(3)$의 값을 구하여라.

120   평가원 기출

출제율 ●●●●

함수 $y=\log_{\frac{1}{2}} x$의 그래프를 x축의 방향으로 m만큼, y축의 방향으로 n만큼 평행이동하면 $y=\log_{\frac{1}{2}} \sqrt{2}(x-3)$의 그래프와 일치한다. $m+n$의 값을 구하여라.

121 학교 기출 신 유형   출제율

두 함수 $f(x)=\log_5 x$, $g(x)=5^x$에 대하여 다음 식의 값을 구하여라.

$$(f \circ g)(2)+(g \circ f)(3)+(f \circ g)(7)$$

122   출제율

오른쪽 그림은 함수 $y=\log_2 x$의 그래프와 직선 $y=x$를 나타낸 것이다. 실수 a, b, c에 대하여 $a+b\log_2 c$의 값을 구하여라. (단, 점선은 x축 또는 y축에 평행하다.)

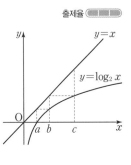

123   출제율

오른쪽 그림과 같이 두 함수 $y=\log_3 x$, $y=\log_3 4x$의 그래프와 두 직선 $x=2$, $x=5$로 둘러싸인 부분의 넓이가 $\log_3 k$일 때, k의 값을 구하여라.

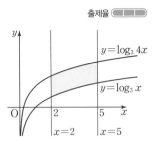

124   출제율

세 수
$$A=\log_{\frac{1}{3}} 5, \ B=\log_{\frac{1}{3}} \sqrt{10}, \ C=-2$$
의 대소 관계는?

① $A<C<B$ ② $B<A<C$

③ $B<C<A$ ④ $C<A<B$

⑤ $C<B<A$

125 교육청 기출   출제율

다음 그림과 같이 두 곡선 $y=\log_a x$, $y=\log_b x$ $(1<a<b)$와 직선 $y=1$이 만나는 점을 A_1, B_1이라 하고, 직선 $y=2$가 만나는 점을 A_2, B_2라고 하자. 선분 A_1B_1의 중점의 좌표는 $(2, 1)$이고 $\overline{A_1B_1}=1$일 때, $\overline{A_2B_2}$의 길이는?

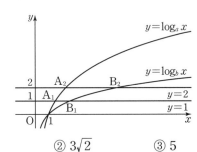

① 4 ② $3\sqrt{2}$ ③ 5

④ $4\sqrt{2}$ ⑤ 6

개념 6 로그함수의 최대·최소

(1) 함수 $y=\log_a f(x)\,(a>0,\,a\neq1)$는
  ① $a>1$이면 $f(x)$가 최대일 때 최댓값, $f(x)$가 최소일 때 최솟값을 갖는다.
  ② $0<a<1$이면 $f(x)$가 최소일 때 최댓값, $f(x)$가 최대일 때 최솟값을 갖는다.

(2) 정의역이 $\{x\,|\,m\leq x\leq n\}$인 로그함수 $y=\log_a x$ $(a>0,\,a\neq1)$는
  ① $a>1$이면 $x=m$일 때 최솟값 $\log_a m$, $x=n$일 때 최댓값 $\log_a n$을 갖는다.
  ② $0<a<1$이면 $x=m$일 때 최댓값 $\log_a m$, $x=n$일 때 최솟값 $\log_a n$을 갖는다.

등급업 TIP $\log_a x$ 꼴이 반복되는 경우의 최대·최소는 $\log_a x=t$로 치환하여 t의 값의 범위에서 함수의 최댓값과 최솟값을 구한다.

126

출제율 ◖▮▮▮▮◗

$1\leq x\leq5$일 때, 함수 $f(x)=\log_2(3x+1)-3$의 최댓값과 최솟값의 합은?

① -2 ② -1 ③ 0
④ 1 ⑤ 2

127

출제율 ◖▮▮▮▮◗

함수 $y=\log_{\frac{1}{3}}(1-x)+\log_{\frac{1}{3}}(x+3)$의 최솟값은?

① $-\log_3 4$ ② $-\log_3 2$ ③ $\log_3 2$
④ $\log_3 4$ ⑤ $2\log_3 4$

128

출제율 ◖▮▮▮▮◗

$1\leq x\leq27$일 때, 함수 $y=(\log_3 x)^2-\log_3 x^4+5$는 $x=a$에서 최댓값 b를 갖고 $x=c$에서 최솟값 d를 갖는다. $ab+cd$의 값을 구하여라.

129

출제율 ◖▮▮▮▮◗

함수 $y=\left(\log_{\frac{1}{2}} x\right)^2+a\log_{\frac{1}{2}} x+b$는 $x=\dfrac{1}{8}$일 때 최솟값 -7을 갖는다. ab의 값을 구하여라.
(단, $a,\,b$는 상수이다.)

130

출제율 ◖▮▮▮▮◗

함수 $y=6x^{2-\log_6 x}$은 $x=a$일 때 최댓값 b를 갖는다. $\dfrac{b}{a}$의 값을 구하여라.

로그에 미지수가 있는 방정식

(1) **밑을 같게 할 수 있는 경우**
  ① $\log_a f(x) = \log_a g(x)$ $(a>0, a \neq 1)$ 꼴로 변형한다.
  ② 방정식 $f(x) = g(x)$를 푼다.

(2) **$\log_a f(x)$ 꼴이 반복되는 경우**
  ① $\log_a f(x) = t$로 치환한다.
  ② t에 대한 방정식을 푼 후 x의 값을 구한다.

(3) **$\log_{f(x)} h(x) = \log_{g(x)} h(x)$ 꼴인 경우**
  $f(x) = g(x)$ 또는 $h(x) = 1$을 푼다.

(4) **지수에 로그가 있는 경우**
  양변에 로그를 취한다.

등급업 TIP
x에 대한 방정식 $(\log_a x)^2 + m \log_a x + n = 0$의 두 근을 α, β라고 하면 $\log_a x = t$로 치환하여 얻은 $t^2 + mt + n = 0$의 두 근은 $\log_a \alpha$, $\log_a \beta$이다.

131
출제율 ◖▬▬◗

방정식 $\log_2(x-1) + \log_2(3x-1) = 4$를 풀어라.

132
출제율 ◖▬▬◗

방정식 $\log_3 x + \log_3 x \times \log_{\frac{5}{4}} x = 0$의 서로 다른 두 근을 α, β라고 할 때, $32^{\alpha\beta}$의 값은?

① 8   ② 10   ③ 12
④ 14   ⑤ 16

133
출제율 ◖▬▬◗

방정식 $2(\log_{\frac{1}{2}} x)^2 - \log_{\frac{1}{2}} x^3 = 2$를 풀면?

① $x = -\dfrac{1}{2}$ 또는 $x = 1$

② $x = -\dfrac{1}{4}$ 또는 $x = \sqrt{2}$

③ $x = \dfrac{1}{4}$ 또는 $x = \sqrt{2}$

④ $x = \dfrac{1}{2}$ 또는 $x = 1$

⑤ $x = 1$ 또는 $x = \sqrt{2}$

134
출제율 ◖▬▬◗

방정식 $\log_{\frac{1}{3}} x \times \log_3 x + 6\log_3 x + k = 0$의 한 근이 3^9일 때, 다른 한 근은 m이다. km의 값은?
(단, k는 상수이다.)

① $\dfrac{1}{81}$ ② $\dfrac{1}{27}$ ③ 1
④ 27   ⑤ 81

135
출제율 ◖▬▬◗

방정식 $x^{\log_3 x} = \dfrac{16}{x^3}$의 서로 다른 두 근을 α, β라고 할 때, $\beta - \alpha$의 값을 구하여라. (단, $\alpha < \beta$)

개념 ⑧ 로그에 미지수가 있는 부등식

(1) 밑을 같게 할 수 있는 경우
 ① $\log_a f(x) > \log_a g(x)\,(a>0,\,a\neq1)$ 꼴로 변형한다.
 ② $a>1$일 때, $f(x)>g(x)>0$을 푼다.
  $0<a<1$일 때, $0<f(x)<g(x)$를 푼다.

(2) $\log_a f(x)$ 꼴이 반복되는 경우
 ① $\log_a f(x)=t$로 치환한다.
 ② t에 대한 부등식을 푼 후 x의 값의 범위를 구한다.

(3) 지수에 로그가 있는 경우
 양변에 로그를 취하여 푼다.
 └─ 로그의 밑이 $0<$ (밑) <1이면 부등호의 방향이 바뀜에 주의한다.

136

부등식 $\log_{\frac{1}{5}}(2x-6)>\log_{\frac{1}{5}}(x+2)$를 만족시키는 정수 x의 개수는?

① 1　　② 2　　③ 3
④ 4　　⑤ 5

137

부등식 $1-\log_{\frac{1}{2}}(x-1)<\log_2(x+4)$를 만족시키는 모든 정수 x의 값의 합은?

① 10　　② 11　　③ 12
④ 13　　⑤ 14

138

부등식 $5\log_3 x-6\geq(\log_3 x)^2$의 해가 $\alpha\leq x\leq\beta$일 때, $\alpha\beta$의 값은?

① 240　　② 241　　③ 242
④ 243　　⑤ 244

139

부등식 $x^{\log_5 x}<125x^2$을 만족시키는 정수 x의 최댓값을 구하여라.

140 평가원 기출

이차함수 $y=f(x)$의 그래프와 직선 $y=x-1$이 오른쪽 그림과 같을 때, 부등식
$\log_3 f(x)+\log_{\frac{1}{3}}(x-1)\leq0$
을 만족시키는 모든 자연수 x의 값의 합을 구하여라.

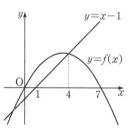

(단, $f(0)=f(7)=0,\,f(4)=3$)

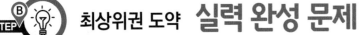
개념 1 지수함수의 뜻과 그래프

141 학교 기출 신 유형

함수 $f(x)=\dfrac{4^x}{4^x+2}$ 에 대하여

$f\left(\dfrac{2}{201}\right)+f\left(\dfrac{3}{201}\right)+\cdots+f\left(\dfrac{198}{201}\right)+f\left(\dfrac{199}{201}\right)$ 의 값을 구하여라.

142

함수 $f(x)=\left(\dfrac{1}{3}\right)^x$ 에 대하여 |보기|에서 옳은 것만을 있는 대로 고른 것은? (단, a, b는 서로 다른 실수이다.)

보기

ㄱ. $f(a)f(-a)=1$

ㄴ. $f(a^2)=\{f(a)\}^2$

ㄷ. $f(a+b)=f(a)+f(b)$

① ㄱ   ② ㄴ   ③ ㄱ, ㄷ

④ ㄴ, ㄷ   ⑤ ㄱ, ㄴ, ㄷ

143

함수 $y=(a^2+3a+3)^x$에서 x의 값이 증가할 때, y의 값이 감소하도록 하는 실수 a의 값의 범위는?

① $-3<a<-2$ ② $-2<a<-1$

③ $-1<a<0$ ④ $0<a<1$

⑤ $1<a<2$

144 다빈출

함수 $y=a^x$ $(a>0,\ a\neq 1)$의 그래프를 평행이동 또는 대칭이동하여 겹쳐질 수 있는 그래프의 식을 |보기|에서 있는 대로 고른 것은?

보기

ㄱ. $y=\dfrac{1}{a^x}$

ㄴ. $y=a^{3x+6}$

ㄷ. $y=\sqrt{2}\times a^x+5$

① ㄱ   ② ㄱ, ㄴ   ③ ㄱ, ㄷ

④ ㄴ, ㄷ   ⑤ ㄱ, ㄴ, ㄷ

145 학교 기출 신 유형

직선 $y=a$가 두 곡선 $y=3^x$, $y=27\times 3^x$과 만나는 점을 각각 A, B라 하고, 선분 AB의 길이를 $f(a)$라고 할 때, $f(1)+f(2)+f(3)+\cdots+f(10)$의 값은?

(단, a는 상수이다.)

① 28   ② 29   ③ 30

④ 31   ⑤ 32

146

함수 $f(x)=2^{x-m}+n$의 그래프와 그 역함수의 그래프가 두 점에서 만나고, 이 두 점의 x좌표가 각각 1, 2일 때, $m+n$의 값은? (단, m, n은 상수이다.)

① -2 ② -1 ③ 0
④ 1 ⑤ 2

147

함수 $y=\left(\dfrac{1}{3}\right)^{|x-1|}-4$의 그래프와 직선 $y=k$가 만나지 않도록 하는 실수 k의 값의 범위를 구하여라.

148

함수 $y=5^x$의 그래프 위의 두 점 A, B에 대하여 직선 AB의 기울기가 5이고 $\overline{AB}=2\sqrt{13}$이다. 두 점 A, B의 x좌표를 각각 a, b라고 할 때, 5^a-5^b의 값은?
(단, $a<b$)

① $4\sqrt{2}$ ② $5\sqrt{2}$ ③ $6\sqrt{2}$
④ $7\sqrt{2}$ ⑤ $8\sqrt{2}$

149

오른쪽 그림과 같이 y축 위의 두 점 A, B에 대하여 두 함수 $y=4^x$, $y=a^x$ $(1<a<4)$의 그래프와 점 B를 지나는 직선 $y=k$ $(k>1)$가 만나는 점을 각각 C, D라고 하자. 삼각형 ACB의 넓이가 삼각형 ADC의 넓이의 2배일 때, 상수 a의 값은?

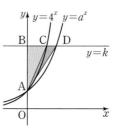

① $\sqrt[3]{2}$ ② $\sqrt[3]{4}$ ③ $\sqrt[3]{6}$
④ $\sqrt[3]{9}$ ⑤ $\sqrt[3]{16}$

150

오른쪽 그림과 같이 $a>1$인 실수 a에 대하여 두 곡선 $y=a^x+4$, $y=a^{x-2}$과 직선 $y=-2x+5$가 만나는 점을 각각 A, B라고 할 때, 점 A는 y축 위에 있다. 점 B를 지나고 x축에 수직인 직선이 곡선 $y=a^x+4$와 만나는 점을 C라고 하자. 세 점 A, B, C는 선분 BC를 지름으로 하는 한 원 위에 있을 때, 삼각형 ABC의 넓이를 구하여라.

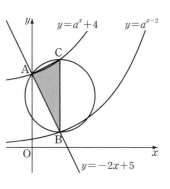

151

두 함수 $y=2^x$, $y=-\left(\dfrac{1}{2}\right)^x+k$의 그래프가 서로 다른

두 점 A, B에서 만날 때, 선분 AB의 중점의 좌표가

$\left(0, \dfrac{5}{4}\right)$이다. 상수 k의 값은?

① $\dfrac{1}{2}$ 　　② 1 　　③ $\dfrac{3}{2}$

④ 2 　　⑤ $\dfrac{5}{2}$

152 　교육청 기출

다음 그림과 같이 곡선 $y=2^x$을 y축에 대하여 대칭이동
한 후, x축의 방향으로 $\dfrac{1}{4}$만큼, y축의 방향으로 $\dfrac{1}{4}$만큼
평행이동한 곡선을 $y=f(x)$라고 하자. 곡선 $y=f(x)$와
직선 $y=x+1$이 만나는 점 A와 점 B$(0, 1)$ 사이의 거
리를 k라고 할 때, $\dfrac{1}{k^2}$의 값을 구하여라.

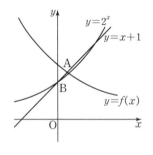

153

$-1 \le x \le 2$일 때, 함수 $y=\left(\dfrac{1}{5}\right)^{x^2-2x+a}$의 최댓값은 M,

최솟값을 m이다. $\dfrac{M}{m}$의 값을 구하여라.

(단, a는 상수이다.)

154 　◀다빈출▶

$-1 \le x \le 1$일 때, 함수 $y=9^x-4\times 3^x+a$의 최솟값은
-5, 최댓값은 k이다. ak의 값은? (단, a는 상수이다.)

① $\dfrac{5}{9}$ 　　② $\dfrac{10}{9}$ 　　③ $\dfrac{15}{9}$

④ $\dfrac{20}{9}$ 　　⑤ $\dfrac{25}{9}$

155

두 함수 $y=2^x$, $y=-\left(\dfrac{1}{2}\right)^x$의 그래프와 직선 $x=k$의 교
점을 각각 P, Q라고 할 때, 선분 PQ의 길이의 최솟값은?

① $\dfrac{1}{2}$ 　　② 1 　　③ $\dfrac{3}{2}$

④ 2 　　⑤ $\dfrac{5}{2}$

156

함수 $y=9^x+9^{-x}-6(3^x+3^{-x})+4$의 최솟값은?

① -7 ② -3 ③ 4

④ 8 ⑤ 12

157

A 제품을 새로 구입한 후 유지비와 감가상각비를 고려했을 때, x년 동안의 A 제품의 경제적 실효성을 나타내는 효율지수 $P(x)$는 $P(x)=3^{-0.5x^2+3x-3}$이라고 한다. 새로 구입한 A 제품의 경제적 실효성이 최대가 되는 것은 A 제품을 구입한 후 몇 년 동안 사용했을 때인지 구하여라.

158 다빈출

두 함수
$$f(x)=x^2-4x-1, \quad g(x)=a^x \ (a>0, \ a\neq 1)$$
에 대하여 $1 \leq x \leq 4$일 때, 함수 $(g \circ f)(x)$의 최댓값은 243, 최솟값은 m이다. m의 값은?

① 1 ② 2 ③ 3

④ 4 ⑤ 5

159

$-1 \leq x \leq 2$일 때, 함수 $y=a^{|x-1|+2}$의 최댓값은 $\dfrac{1}{16}$이다. 이 함수의 최솟값은?

① 2^{-10} ② 2^{-8} ③ 2^{-6}

④ 2^{-4} ⑤ 2^{-2}

160 학교 기출 신유형

$x+2y-4=0$을 만족시키는 실수 x, y에 대하여 5^x+25^y은 $x=\alpha$, $y=\beta$일 때 최솟값 γ를 갖는다. $\alpha+\beta+\gamma$의 값을 구하여라.

개념 ③ 지수에 미지수가 있는 방정식

161

방정식 $9^x - 5 \times 3^{x+2} + k = 0$의 서로 다른 두 실근의 합이 4일 때, 상수 k의 값을 구하여라.

162

연립방정식 $\begin{cases} 2^x + 2^y = 10 \\ 2^{x+y-3} = 2 \end{cases}$의 해가 $x = \alpha$, $y = \beta$일 때, $\alpha^2 + \beta^2$의 값은?

① 7   ② 8   ③ 9
④ 10   ⑤ 11

163

방정식 $4^x - a \times 2^{x+2} + 4a^2 + a - 3 = 0$이 서로 다른 두 실근을 갖도록 하는 실수 a의 값의 범위를 구하여라.

164

방정식 $6^{2x} + a \times 6^{x+1} + 15 - 6a = 0$의 두 실근의 비가 $1 : 2$일 때, 실수 a의 값은?

① -3 ② -2 ③ -1
④ 1   ⑤ 2

165 다빈출

두 함수 $y = 2^{x+1}$, $y = 4^x$의 그래프가 직선 $x = k$와 만나는 두 점 A, B라고 하자. $\overline{AB} = 8$일 때, 상수 k의 값은?

① 2   ② 3   ③ 4
④ 5   ⑤ 6

166 [학교 기출] [신유형]

방정식 $(x^2-x-1)^{x+2}=1$을 만족시키는 모든 정수 x의 값의 합은?

① -3 ② -2 ③ -1

④ 1 ⑤ 2

개념 ④ 지수에 미지수가 있는 부등식

167

함수 $f(x)=x^2-x-4$에 대하여 부등식
$9^{f(x)}-8\times3^{f(x)}<9$를 만족시키는 정수 x의 개수는?

① 1 ② 2 ③ 3

④ 4 ⑤ 5

168

모든 실수 x에 대하여 부등식 $4^x-2k\times2^x+4\geq0$이 성립하도록 하는 실수 k의 최댓값을 구하여라.

169 [다빈출]

부등식 $x^{4x+2}\geq x^{x^2-3}$을 만족시키는 자연수 x의 최댓값을 구하여라. (단, $x>0$, $x\neq1$)

170

연립부등식 $\begin{cases} 3^{x^2+x}\leq9^{2-x} \\ 4^x-5\times2^x+4<0 \end{cases}$ 의 해가 $\alpha<x\leq\beta$일 때, $\alpha+2\beta$의 값은?

① -2 ② -1 ③ 0

④ 1 ⑤ 2

171 평가원 기출

이차함수 $y=f(x)$의 그래프와 일차함수 $y=g(x)$의 그래프가 오른쪽 그림과 같을 때, 부등식 $\left(\dfrac{1}{2}\right)^{f(x)g(x)} \geq \left(\dfrac{1}{8}\right)^{g(x)}$ 을 만족시키는 모든 자연수 x의 값의 합은?

① 7   ② 9   ③ 11

④ 13   ⑤ 15

172

초기 방사능이 y_0인 어떤 방사능 물질이 일정한 비율로 붕괴되어 x년 후에는 방사능이 $y=y_0 a^{-x}$이 남는다고 한다. 20년 후의 방사능이 초기 방사능의 $\dfrac{1}{2}$이 되었다고 할 때, 이 물질의 방사능이 초기 방사능의 1 %가 되는 것은 k년 후이다. 다음 중 k의 값의 범위는? (단, $a>1$)

① $100<k<120$ ② $110<k<130$

③ $120<k<140$ ④ $130<k<150$

⑤ $140<k<160$

173 학교 기출 신 유형

두 자연수 m, n에 대하여

$$f(m)=\begin{cases} 1 & (m \neq 2^n) \\ \log_3 m & (m=2^n) \end{cases}$$

이라고 할 때,

$$f(1)+f(2)+f(3)+\cdots+f(99)+f(100)$$
$$=a+b\log_3 2$$

이다. $a+b$의 값을 구하여라. (단, a, b는 자연수이다.)

174 다빈출

함수 $y=\log_6 x$의 그래프를 평행이동 또는 대칭이동하여 겹쳐질 수 있는 그래프의 식을 |보기|에서 있는 대로 고른 것은?

┌─ 보기 ─────────────────────────────┐

ㄱ. $y=\log_6 (6x+12)$ ㄴ. $y=\log_6 \dfrac{1}{3}x$

ㄷ. $y=\log_6 x^2$ ㄹ. $y=2 \times 6^x - 1$

└──────────────────────────────────┘

① ㄱ   ② ㄱ, ㄴ   ③ ㄴ, ㄷ

④ ㄴ, ㄹ   ⑤ ㄱ, ㄴ, ㄹ

175

함수 $y=\log_7 (49-x^2)$의 정의역을 A,
함수 $y=\log_7 (\log_7 x)$의 정의역을 B라고 할 때,
집합 $A \cap B$의 원소 중 정수의 개수는?

① 3   ② 4   ③ 5

④ 6   ⑤ 7

176

오른쪽 그림과 같이 곡선 $y=\log_2 x$ 위에 두 점 A, C가 있고, 곡선 $y=\log_{\sqrt{2}} x$ 위에 두 점 B, D가 있다. $\overline{AB}$, $\overline{CD}$는 y축에 평행하고, $\overline{BC}$는 x축에 평행할 때, $\overline{AB}+\overline{BC}+\overline{CD}$의 값을 구하여라.

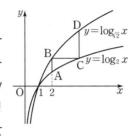

177 다빈출

두 곡선 $y=2^{x+3}-1$과 $y=\log_{\frac{1}{2}}(x+a)$가 제2사분면에서 만나기 위한 상수 a의 값의 범위는?

① $-1<a<2$ ② $-\frac{1}{2}<a<2$

③ $1<a<3$ ④ $2<a<3$

⑤ $3<a<4$

178

함수 $y=\log_4 |x|$의 그래프에 대하여 |보기|에서 옳은 것만을 있는 대로 고른 것은?

• 보기 •

ㄱ. y축에 대하여 대칭이다.

ㄴ. 직선 $y=k\,(0<k<1)$와 서로 다른 두 점에서 만난다.

ㄷ. 함수 $y=|\log_4 x|$의 그래프와 x축에 대하여 대칭이다.

① ㄱ   ② ㄱ, ㄴ   ③ ㄱ, ㄷ

④ ㄴ, ㄷ   ⑤ ㄱ, ㄴ, ㄷ

179

오른쪽 그림은 두 함수 $y=3^x$, $y=\log_9 x$의 그래프와 직선 $y=x$를 나타낸 것이다. $\alpha\beta=64$일 때, $\alpha+\beta$의 값은? (단, 점선은 x축 또는 y축에 평행하다.)

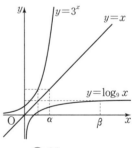

① 10   ② 15   ③ 20

④ 25   ⑤ 30

180

함수 $f(x)=\log_2 \sqrt[3]{x}-3$의 역함수를 $g(x)$라고 할 때, 함수 $f(2x+1)$의 역함수는 $a\{g(x)+b\}$이다. 두 상수 a, b에 대하여 ab의 값을 구하여라.

181 학교 기출 신 유형

$x>0$일 때, 자연수 n에 대하여 함수 $f_n(x)$가 다음 조건을 모두 만족시킬 때, $\log_9\{f_4(27)\}$의 값을 구하여라.

> (가) $f_1(x)=\log_3 x$
>
> (나) $f_{n+1}(x)=f_n(x^2)+f_n(x)$

182

함수 $y=f(x)$의 그래프는 함수 $y=\log_2 (x+1)$의 그래프와 직선 $y=x$에 대하여 대칭이다. 점 P$(4, b)$는 곡선 $y=f(x)$ 위에 있고 점 Q(a, b)는 곡선 $y=\log_2 (x+1)$ 위에 있을 때, $a+b$의 값은?

① $2^{13}+9$ ② $2^{14}+10$ ③ $2^{14}+11$

④ $2^{15}+13$ ⑤ $2^{15}+14$

183

두 함수 $y=\log_3 x$, $y=\log_9 x$의 그래프가 직선 $x=a$와 만나는 점을 각각 A, B라 하고, 직선 $x=b$와 만나는 점을 각각 C, D라고 하자.

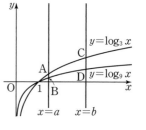

$\overline{AB}:\overline{CD}=1:3$일 때, 다음 중 옳은 것은? (단, $1<a<b$)

① $a=2b$ ② $a=b^2$ ③ $b=3a$

④ $b=a^3$ ⑤ $b=2a^4$

184 다빈출

$1<x<9$일 때, 세 수

$$A=\log_3 x^2,\ B=(\log_3 x)^2,\ C=\log_3 (\log_3 x)$$

의 대소 관계는?

① $A<C<B$ ② $B<A<C$

③ $B<C<A$ ④ $C<A<B$

⑤ $C<B<A$

185 교육청 기출

다음 그림과 같이 직선 $y=-x+a$가 두 곡선 $y=2^x$, $y=\log_2 x$와 만나는 점을 각각 A, B라 하고, x축과 만나는 점을 C라고 할 때, 세 점 A, B, C가 다음 조건을 만족시킨다.

(가) $\overline{AB} : \overline{BC}=3 : 1$

(나) 삼각형 OBC의 넓이는 40이다.

점 A의 좌표를 A(p, q)라고 할 때, $p+q$의 값은?

(단, O는 원점이고, a는 상수이다.)

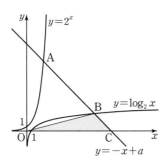

① 10   ② 15   ③ 20

④ 25   ⑤ 30

개념 6 로그함수의 최대·최소

186

정의역이 $\{x \mid 1 \le x \le 4\}$인 함수 $y=\log_{\frac{1}{3}}(2x+1)+k$의 최댓값이 최솟값의 2배일 때, 상수 k의 값은?

① 1   ② 3   ③ 5

④ 7   ⑤ 9

187

$2 \le x \le 16$일 때, 함수 $f(x)=\log_2 x$에 대하여 함수 $(f \circ f)(x)$의 최댓값과 최솟값의 합을 구하여라.

188

정의역이 $\{x \mid 1 \le x \le 3\}$인 함수 $y=\log_{\frac{1}{3}}|-x^2+4x-1|$의 최솟값은?

① -2 ② -1 ③ 0

④ 1   ⑤ 2

189

$x>0$, $y>0$일 때, $\log_5\left(x+\dfrac{1}{y}\right)+\log_5\left(y+\dfrac{25}{x}\right)$의 최솟값은?

① $\log_5 2$ ② 1   ③ $\log_5 15$

④ 2   ⑤ $\log_5 36$

190 학교 기출 신유형

$\dfrac{1}{3} \leq x \leq 9$일 때, 함수 $y = \dfrac{27x^2}{x^{\log_3 x}}$은 $x=a$일 때 최댓값 b 를 갖고 $x=c$일 때 최솟값 d를 갖는다. $a+b-3c+d$ 의 값을 구하여라.

191

두 실수 x, y가 $x \geq 10$, $y \geq 10$, $xy = 10^6$을 만족시킬 때,
$$f(x, y) = \log x \times \log y + \log xy$$
의 최댓값을 M, 최솟값을 m이라고 하자. Mm의 값을 구하여라.

192 다빈출

$x > 1$일 때, 함수
$$y = (\log_6 x)^2 + (\log_x 6)^2 + 2(\log_6 x + \log_x 6) + 7$$의
최솟값을 구하여라.

개념 **7** 로그에 미지수가 있는 방정식

193

방정식 $(6x)^{\log 6} - (5x)^{\log 5} = 0$의 해는?

① $x = -\dfrac{1}{30}$ ② $x = \dfrac{1}{30}$

③ $x = 3$ ④ $x = -\dfrac{1}{30}$ 또는 $x = \dfrac{1}{30}$

⑤ $x = -3$ 또는 $x = 3$

194 교육청 기출

두 실수 x, y에 대한 연립방정식
$$\begin{cases} 2^x - 2 \times 4^{-y} = 7 \\ \log_2 (x-2) - \log_2 y = 1 \end{cases}$$
의 해를 $x = \alpha$, $y = \beta$라고 할 때, $10\alpha\beta$의 값을 구하여라.

195

방정식 $(\log_5 x)^2 - 7\log_5 x - a = 0$의 두 실근이 α, β이고 방정식 $(\log_5 x)^2 + b\log_5 x - 14 = 0$의 두 실근이 $\dfrac{25}{\alpha}$, $\dfrac{25}{\beta}$일 때, $a+b$의 값은? (단, a, b는 상수이다.)

① 4   ② 5   ③ 6
④ 7   ⑤ 8

196

방정식 $3 - |1 - \log_2 x| = \log_2 |x-2| + 1$의 실근의 합은?

① $\dfrac{10}{3}$ ② $\dfrac{11}{3}$ ③ 4
④ $\dfrac{13}{3}$ ⑤ $\dfrac{14}{3}$

197

아날로그 통신의 통신선에서 채널 용량을 C(bit/s), 대역폭을 B(Hz), 수신된 신호 전력을 S(W), 잡음 전력을 N(W)라고 할 때,

$$C = B\log_2\left(1 + \frac{S}{N}\right)$$

가 성립한다고 한다. 현재 사용하는 통신선은 수신된 신호 전력이 4 W이고 잡음 전력이 $\dfrac{2}{3}$ W일 때, 잡음 전력을 a W로 변경하여 채널 용량이 현재의 3배인 통신선을 개발하고자 한다. a의 값은?

① $\dfrac{2}{171}$ ② $\dfrac{4}{171}$ ③ $\dfrac{2}{57}$
④ $\dfrac{8}{171}$ ⑤ $\dfrac{10}{171}$

개념 8 로그에 미지수가 있는 부등식

198

부등식 $\log_{\frac{1}{5}}\{\log_3(\log_2 x)\} > 0$을 만족시키는 정수 x의 개수는?

① 1   ② 2   ③ 3
④ 4   ⑤ 5

199

연립부등식 $\begin{cases} \left(\dfrac{2}{3}\right)^{3x-1} \geq \left(\dfrac{3}{2}\right)^{x-3} \\ \log_3 (x^2-2x+24) < 3 \end{cases}$ 을 풀어라.

200

부등식 $5^{3+x} < 2 \times 4^x$ 을 만족시키는 가장 큰 정수 x의 값을 구하여라. (단, $\log 2 = 0.3$으로 계산한다.)

201 〈다빈출〉

부등식 $\log_3 ax \times \log_3 a^3 x + 4 > 0$이 성립하도록 하는 자연수 a의 최댓값과 최솟값의 합을 구하여라.

(단, $a > 0$)

202 〔학교 기출〕〔신유형〕

두 집합

$\quad A = \{x \mid \log_2 |x-a| < 1\}$,

$\quad B = \{x \mid \log_{\frac{4}{a}} (8x+32) < \log_{\frac{4}{a}} (x^2+12)\}$

에 대하여 $A \subset B$가 되도록 하는 모든 자연수 a의 값의 합은? (단, $a > 4$)

① 25   ② 26   ③ 27

④ 28   ⑤ 29

203

다음 그림과 같이 두 곡선 $y = \log_2 x$, $y = \log_a x$ $(0 < a < 1)$와 x축이 직선 $x = k \,(k > 1)$와 만나는 점을 각각 A, B, C라고 하자. $\overline{AC} : \overline{BC} = 2 : 5$일 때, $a^n < \dfrac{1}{100}$ 을 만족시키는 자연수 n의 최솟값을 구하여라.

(단, $\log 2 = 0.3010$으로 계산한다.)

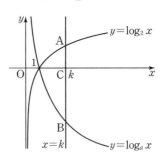

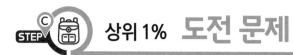

204

함수 $f(x)=(3^x-a)^2$에 대하여 함수
$g(x)=f(x)+f(-x)$의 최솟값이 14일 때, 양수 a의
값은?

① 1 ② 4 ③ 7

④ 8 ⑤ 11

205

두 함수 $f(x)=m^{2x}$, $g(x)=m^{x+1}-2$에 대하여 함수
$h(x)=|f(x)-g(x)|$이다. 함수 $y=h(x)$의 그래프
에 대하여 |보기|에서 옳은 것만을 있는 대로 고른 것은?
(단, m은 1보다 큰 실수이다.)

┌── 보기 ──
ㄱ. $m=2\sqrt{2}$일 때, $y=h(x)$의 그래프는 x축과 한 점
  에서 만난다.
ㄴ. $m=4$일 때, $x_1<x_2<\dfrac{1}{2}$이면 $h(x_1)>h(x_2)$이다.
ㄷ. $y=h(x)$의 그래프와 직선 $y=1$이 오직 한 점에서
  만나는 m의 값이 존재한다.
└──────────

① ㄱ ② ㄴ ③ ㄱ, ㄴ
④ ㄱ, ㄷ ⑤ ㄱ, ㄴ, ㄷ

206

함수 $f(x)=2^{x-k}$에 대하여 $y=f(x)$의 그래프와 그 역
함수 $y=f^{-1}(x)$의 그래프가 $a<b$를 만족시키는 서로
다른 두 점 $A(a, 2^{a-k})$, $B(b, 2^{b-k})$에서 만날 때, 선분
OA를 지름으로 하는 원 C_1의 넓이를 S_1, 선분 OB를
지름으로 하는 원 C_2의 넓이를 S_2라고 하자. $S_2<30S_1$
을 만족시키는 세 실수 a, b, k에 대하여 $\dfrac{2^b-2^a}{2^k}$의 값이
자연수가 되도록 하는 모든 k의 값의 합이 $\dfrac{q}{p}+\log_2 3$일
때, $p+q$의 값을 구하여라.
(단, O는 원점이고, p와 q는 서로소인 자연수이다.)

207

좌표평면 위의 점 (a, a)를 대각선의 교점으로 하는 한 변의 길이가 2인 정사각형과 곡선 $y=\log_2(kx+4)$가 만나도록 하는 상수 k의 최댓값을 $f(a)$, 최솟값을 $g(a)$라고 할 때, $f(5)+g(2)$의 값을 구하여라.

　　(단, 정사각형의 각 변은 x축 또는 y축에 평행하다.)

208

$x \geq 1$, $y \geq 1$인 실수 x, y가

$$(\log_a x)^2 + (\log_a y)^2 = \log_a ax^2 + \log_a ay^2 + 5$$

를 만족시킬 때, $\log_a xy$의 값의 범위에 대한 설명으로 |보기|에서 옳은 것만을 있는 대로 고른 것은?

─ 보기 ─

ㄱ. $0 < a < 1$이면　$2 - 3\sqrt{2} \leq \log_a xy \leq 1 - 2\sqrt{2}$

ㄴ. $a > 1$이면　$1 + 2\sqrt{2} \leq \log_a xy \leq 2 + 3\sqrt{2}$

ㄷ. $a > 0$, $a \neq 1$이면　$2 - 3\sqrt{2} \leq \log_a xy \leq 2 + 3\sqrt{2}$

① ㄱ　　　　　　② ㄴ　　　　　　③ ㄱ, ㄴ

④ ㄴ, ㄷ　　　　⑤ ㄱ, ㄴ, ㄷ

01

다음 두 식 A, B에 대하여 A^3+2B의 값을 구하여라.

[3점]

$$A=\sqrt[3]{81}-\sqrt[3]{24}+\sqrt[3]{3}$$
$$B=4\sqrt[3]{216}+2\sqrt[3]{\sqrt{125^2}}-(\sqrt[6]{49})^3$$

02

세 실수 a, b, c에 대하여 $a=\log_3 8$, $b=\log_3 4$이고, $4^{\frac{3}{a}+\frac{1}{b}}=3^c$일 때, c의 값은? [3점]

① $\dfrac{3}{2}$ ② 2 ③ $\dfrac{5}{2}$

④ 3 ⑤ $\dfrac{7}{2}$

03

$x\leq a$일 때, 함수 $y=2^{x+2}-2^{2x+1}+1$의 최솟값은 -15, 최댓값은 b이다. a^2+b^2의 값은? (단, $a>1$) [3점]

① 8 ② 9 ③ 11

④ 13 ⑤ 16

04

오른쪽 그림은 함수 $f(x)=\log_a x$의 그래프이다. $f(72)$의 값을 p, q에 대한 식으로 나타내면? [3점]

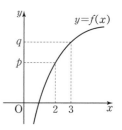

① $p+2q$ ② $2p+q$

③ $2p+3q$ ④ $3p+2q$

⑤ $3p+3q$

05

처음 본 의미 없는 음절을 x초 후까지 기억하는 학생의 비율을 $f(x)$ %라고 할 때,
$$f(x)=80-62\log x$$
가 성립한다고 한다. 의미 없는 음절을 처음 본 100명의 학생 중에서 이것을 기억하는 학생이 18명 이하가 되는 것은 t초 후이다. 이때 t의 값은? (단, $1\leq x\leq 19$) [3점]

① 6 ② 7 ③ 8

④ 9 ⑤ 10

06

$3^{\log_n 4}$이 정수가 되도록 하는 모든 자연수 n의 값의 합은? [4점]

① 16 ② 17 ③ 18

④ 19 ⑤ 20

07

실수 x에 대하여 함수

$$f(x) = (등식 \ t^4 = x^2 - 2x - 8을 \ 만족시키는 \ 서로 \\ 다른 \ 실수 \ t의 \ 개수)$$

라고 하자. 부등식 $\dfrac{1}{4} < 2x^{f(x)} < 64$를 만족시키는 정수 x의 개수는? [4점]

① 3   ② 4   ③ 5

④ 6   ⑤ 7

08

x에 대한 이차방정식

$$(3 + \log_2 a)x^2 + 2(1 + \log_2 a)x + 1 = 0$$

이 서로 다른 두 실근을 가질 때, 다음 중 상수 a의 값이 될 수 <u>없는</u> 것은? [4점]

① $\dfrac{1}{10}$ ② $\dfrac{1}{9}$ ③ $\dfrac{1}{5}$

④ $\dfrac{1}{3}$ ⑤ 3

09

오른쪽 그림과 같이 함수 $y = 3^{-x}$의 그래프 위의 한 점 A를 지나면서 x축에 평행한 직선이 함수 $y = 9^x$의 그래프와 만나는 점을 B, 점 B를 지나면서 y축에 평행한 직선이 $y = 3^{-x}$의 그래프와 만나는 점을 C라고 하자. $\overline{AB} = 3$일 때, $\overline{BC}$의 길이를 구하여라.

(단, 점 A는 제2사분면 위에 있다.) [4점]

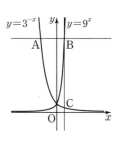

10

오른쪽 그림과 같이 곡선 $y = 2^x - 1$ 위의 점 $A(2, 3)$을 지나고 기울기가 -1인 직선이 곡선 $y = \log_2(x+1)$과 만나는 점을 B라고 하자. 두 점 A, B에서 x축에 내린 수선의 발을 각각 C, D라고 할 때, 사각형 ACDB의 넓이를 구하여라. [4점]

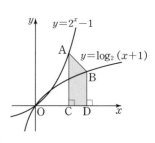

✔ 실력점검

맞힌 개수	/10개	점수	/35점

미니 모의고사 - 2회

01

다음 |보기|에서 옳은 것만을 있는 대로 고른 것은? [3점]

ㄱ. 81의 네제곱근 중 실수인 것은 3이다.
ㄴ. $-\sqrt{64}$의 세제곱근 중 실수인 것은 -4이다.
ㄷ. n이 짝수일 때, 2의 n제곱근 중 실수인 것은 2개이다.
ㄹ. n이 홀수일 때, -3의 n제곱근 중 실수인 것은 $-\sqrt[n]{3}$이다.

① ㄱ ② ㄱ, ㄴ ③ ㄱ, ㄷ
④ ㄷ, ㄹ ⑤ ㄴ, ㄷ, ㄹ

02

$a>0$, $a\neq 1$일 때,
$$(a^{\sqrt{2}})^{\sqrt{8}+1}\times(a^{\sqrt{3}})^{2\sqrt{3}-\sqrt{6}}\div(a^5)^{2-\sqrt{2}}=a^k$$
을 만족시키는 실수 k의 값을 구하여라. [3점]

03

오른쪽 그림은 함수 $y=3^x$의 그래프를 y축에 대하여 대칭이동한 후 x축의 방향으로 a만큼, y축의 방향으로 b만큼 평행이동한 그래프와 그 점근선을 나타낸 것이다. $a-b$의 값을 구하여라. [3점]

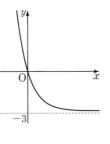

04

다음 중 함수 $y=\log_{\frac{1}{a}}\frac{1}{x}$ $(a>1)$에 대한 설명으로 옳은 것은? [3점]

① 그래프가 함수 $y=-\log_a x$의 그래프와 일치한다.
② 그래프가 점 $(0, 1)$을 지난다.
③ x축을 점근선으로 한다.
④ $x>0$에서 x의 값이 증가하면 y의 값은 감소한다.
⑤ 정의역은 $\{x|x>0\}$이고, 치역은 실수 전체 집합이다.

05

인구 증가율이 매년 2 %일 때, 인구가 현재의 3배 이상이 되는 것은 몇 년 후부터인가?

(단, $\log 1.02=0.0086$, $\log 3=0.4771$로 계산한다.)
[3점]

① 54년 ② 55년 ③ 56년
④ 57년 ⑤ 58년

06

두 실수 x, y에 대하여
$$\log_{x^4} y-\log_{y^2}(1-x)+\log_{y^4}(x-2x^2+x^3)$$
의 최솟값은? (단, $0<y<1$) [4점]

① $\dfrac{1}{4}$ ② $\dfrac{1}{2}$ ③ $\dfrac{\sqrt{2}}{2}$
④ $\sqrt{2}$ ⑤ 2

07

두 집합

$$A=\{x\,|\,x^{3x-1}<x^{2x+3},\ x>0\},$$
$$B=\{x\,|\,x^{-2x-5}\geq x^{-4x+1},\ x>0\}$$

에 대하여 $A\cap B^{C}=\{x\,|\,\alpha<x<\beta\}$일 때, $\beta-\alpha$의 값은? [4점]

① 1   ② 2   ③ 3

④ 4   ⑤ 5

08

연립방정식 $\begin{cases} \log_x 4-\log_y 2=2 \\ \log_x 16+\log_y 8=-1 \end{cases}$ 을 만족시키는 두 실수 x, y에 대하여 xy의 값은? [4점]

① -2 ② -1 ③ 0

④ 1   ⑤ 2

09

다음 그림과 같이 곡선 $y=|\log_2 x|$가 직선 $y=1$과 만나는 두 점을 각각 A, B라 하고 직선 $y=2$와 만나는 두 점을 각각 C, D라고 하자. 또, 두 점 C, D에서 직선 $y=1$에 내린 수선의 발을 각각 E, F라고 하자. 삼각형 ACE의 넓이를 S_1, 삼각형 BDF의 넓이를 S_2라고 할 때, $\log_2 \dfrac{S_2}{S_1}$의 값은? [4점]

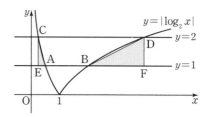

① 1   ② $\dfrac{3}{2}$ ③ 2

④ $\dfrac{5}{2}$ ⑤ 3

10

오른쪽 그림과 같이 함수 $y=\log_4(x-2)$의 그래프 위의 점 A$(a,\ b)$에 대하여 B$(b,\ a)$는 함수 $y=2^x+4$의 그래프 위의 점이다. 삼각형 OAB의 넓이는? (단, O는 원점이다.) [4점]

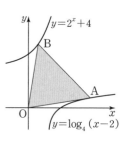

① 17   ② $\dfrac{35}{2}$ ③ 18

④ $\dfrac{27}{2}$ ⑤ 19

✅ 실력점검

맞힌 개수	/10개	점수	/35점

삼각함수

개념 ① 일반각

(1) 시초선과 동경

두 반직선 OX, OP에 의하여 정해진 ∠XOP의 크기는 고정된 반직선 OX의 위치에서 반직선 OP가 점 O를 중심으로 회전한 양으로 정의할 때, 반직선 OX를 시초선, 반직선 OP를 동경이라고 한다.

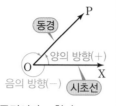

(2) 일반각

시초선 OX에 대하여 동경 OP가 나타내는 한 각의 크기를 $\alpha°$라고 할 때, ∠XOP의 크기는 $360° \times n + \alpha°$ (n은 정수) 꼴로 나타낼 수 있고, 이를 동경 OP가 나타내는 일반각이라고 한다.

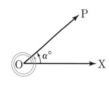

$\alpha°$는 보통 $0° \leq \alpha° \leq 360°$인 각을 택한다.

등급업 TIP

정수 n에 대하여
(1) θ가 제1사분면의 각
➡ $360° \times n < \theta < 360° \times n + 90°$
(2) θ가 제2사분면의 각
➡ $360° \times n + 90° < \theta < 360° \times n + 180°$
(3) θ가 제3사분면의 각
➡ $360° \times n + 180° < \theta < 360° \times n + 270°$
(4) θ가 제4사분면의 각
➡ $360° \times n + 270° < \theta < 360° \times n + 360°$

001

출제율 ●●●●○

다음 |보기|의 각을 나타내는 동경 중 $60°$를 나타내는 동경과 일치하는 것의 개수는?

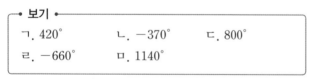

| 보기 |
| ㄱ. $420°$ ㄴ. $-370°$ ㄷ. $800°$ |
| ㄹ. $-660°$ ㅁ. $1140°$ |

① 1   ② 2   ③ 3
④ 4   ⑤ 5

002

출제율 ●●●●○

오른쪽 그림과 같이 시초선 OX와 동경 OP의 위치가 주어질 때, 다음 중 동경 OP가 나타내는 각이 될 수 <u>없는</u> 것은?

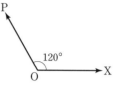

① $-1680°$ ② $-960°$ ③ $480°$
④ $840°$ ⑤ $1540°$

003 학교 기출 신유형

출제율 ●●●●○

좌표평면에서 x축의 양의 방향을 시초선으로 하고 $134°$를 나타내는 동경 OP가 원점 O를 중심으로 음의 방향으로 $680°$만큼 회전한 후, 양의 방향으로 $200°$만큼 회전하였다. 이때 동경 OP는 제몇 사분면에 있는지 구하여라.

004

출제율 ●●●●○

2θ가 제2사분면의 각일 때, θ는 제몇 사분면의 각인지 구하여라.

개념 ② 호도법

(1) 호도법

반지름의 길이가 r인 부채꼴의 호의 길이가 r일 때, 중심각의 크기를 1라디안이라 하고, 라디안을 단위로 하여 각의 크기를 나타내는 것을 호도법이라고 한다.

(2) 호도법과 육십분법의 관계

① $1° = \dfrac{\pi}{180}$ 라디안 —— 도(°)를 단위로 각을 나타내는 방법

② π라디안 $= 180°$

참고 (1) 각의 크기를 호도법으로 나타낼 때 단위인 라디안은 생략한다.

(2) (호도법의 각) $=$ (육십분법의 각) $\times \dfrac{\pi}{180}$

(육십분법의 각) $=$ (호도법의 각) $\times \dfrac{180°}{\pi}$

 등급업 TIP 두 동경의 위치 관계

정수 n에 대하여 두 각 α, β를 나타내는 동경이

(1) 일치한다. ➡ $\alpha - \beta = 2n\pi$

(2) 일직선 위에 있고 방향이 반대이다. (또는 원점에 대하여 대칭이다.) ➡ $\alpha - \beta = 2n\pi + \pi$

(3) x축에 대하여 대칭이다. ➡ $\alpha + \beta = 2n\pi$

(4) y축에 대하여 대칭이다. ➡ $\alpha + \beta = 2n\pi + \pi$

(5) 직선 $y = x$에 대하여 대칭이다.

➡ $\alpha + \beta = 2n\pi + \dfrac{\pi}{2}$

(6) 직선 $y = -x$에 대하여 대칭이다.

➡ $\alpha + \beta = 2n\pi + \dfrac{3}{2}\pi$

005

다음 중 옳지 <u>않은</u> 것은?

① $\dfrac{\pi}{6} = 30°$ ② $105° = \dfrac{7}{12}\pi$

③ $\dfrac{4}{5}\pi = 140°$ ④ $210° = \dfrac{7}{6}\pi$

⑤ $\dfrac{3}{2}\pi = 270°$

006

다음 |보기|에서 옳은 것만을 있는 대로 고른 것은?

보기

ㄱ. $\dfrac{2}{3}\pi = 160°$

ㄴ. $\dfrac{5}{6}\pi$는 제4사분면의 각이다.

ㄷ. $\dfrac{\pi}{4}$, $\dfrac{9}{4}\pi$, $-\dfrac{7}{4}\pi$를 나타내는 동경은 모두 일치한다.

① ㄱ ② ㄴ ③ ㄷ
④ ㄱ, ㄷ ⑤ ㄱ, ㄴ, ㄷ

007

각 θ를 나타내는 동경과 각 7θ를 나타내는 동경이 일치하도록 하는 θ의 크기는? $\left(단, \dfrac{\pi}{2} < \theta < \pi\right)$

① $\dfrac{2}{3}\pi$ ② $\dfrac{3}{4}\pi$ ③ $\dfrac{4}{5}\pi$
④ $\dfrac{5}{6}\pi$ ⑤ $\dfrac{6}{7}\pi$

008

각 θ를 나타내는 동경과 각 4θ를 나타내는 동경이 y축에 대하여 대칭일 때, 모든 θ의 크기의 합은? (단, $0 < \theta < \pi$)

① $\dfrac{2}{5}\pi$ ② $\dfrac{3}{5}\pi$ ③ $\dfrac{4}{5}\pi$
④ π ⑤ $\dfrac{6}{5}\pi$

개념 ③ 부채꼴의 호의 길이와 넓이

반지름의 길이가 r, 중심각의 크기가 θ (라디안)인 부채꼴의 호의 길이를 l, 넓이를 S라고 하면

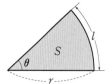

(1) $l = r\theta$

(2) $S = \dfrac{1}{2}r^2\theta = \dfrac{1}{2}rl$

(3) (부채꼴의 둘레의 길이) $= 2r + l = 2r + r\theta$

> **등급업 TIP** 부채꼴의 넓이의 최댓값
> 반지름의 길이가 r, 호의 길이가 l, 넓이가 S인 부채꼴에서 둘레의 길이가 a로 일정한 경우 $2r+l=a$이므로 부채꼴의 넓이의 최댓값은 $S = \dfrac{1}{2}rl = \dfrac{1}{2}r(a-2r)$에서 이차함수의 최대, 최소를 이용하여 구한다.

---

009 교육청 기출   출제율 ▭▭▭▭

반지름의 길이가 3, 중심각의 크기가 $\dfrac{2}{3}\pi$인 부채꼴의 호의 길이는?

① π ② $\dfrac{4}{3}\pi$ ③ $\dfrac{5}{3}\pi$

④ 2π ⑤ $\dfrac{7}{3}\pi$

---

010   출제율 ▭▭▭▭

중심각의 크기가 $\dfrac{\pi}{8}$이고 호의 길이가 $\dfrac{\pi}{2}$인 부채꼴의 넓이는?

① π ② $\dfrac{3}{2}\pi$ ③ 2π

④ $\dfrac{5}{2}\pi$ ⑤ 3π

---

011   출제율 ▭▭▭▭

호의 길이가 6π이고 넓이가 108π인 부채꼴의 중심각의 크기는?

① $\dfrac{\pi}{6}$ ② $\dfrac{\pi}{3}$ ③ $\dfrac{\pi}{2}$

④ $\dfrac{2}{3}\pi$ ⑤ $\dfrac{5}{6}\pi$

---

012 학교 기출 신유형   출제율 ▭▭▭▭

반지름의 길이가 4이고 중심각의 크기가 θ인 부채꼴의 넓이를 S라고 하자. 반지름의 길이가 $\dfrac{4}{3}$이고 넓이가 $\dfrac{1}{2}S$인 부채꼴의 중심각의 크기는? $\left(\text{단, } 0 < \theta < \dfrac{\pi}{4}\right)$

① 3θ ② $\dfrac{7}{2}\theta$ ③ 4θ

④ $\dfrac{9}{2}\theta$ ⑤ 5θ

---

013   출제율 ▭▭▭▭

밑면인 원의 반지름의 길이가 5이고 모선의 길이가 18인 원뿔의 겉넓이는?

① 96π ② 112π ③ 115π

④ 144π ⑤ 160π

014

출제율 ◼◼◻◻◻

다음 그림과 같이 모선의 길이가 13인 원뿔의 전개도의 넓이가 90π일 때, 원뿔의 밑면의 반지름의 길이는?

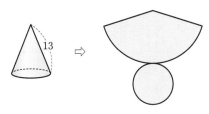

① 2   ② 3   ③ 4

④ 5   ⑤ 6

015

출제율 ◼◼◼◻◻

오른쪽 그림은 어느 자동차의 와이퍼가 $\frac{2}{3}\pi$만큼 회전한 모양을 나타낸 것이다. 이 와이퍼에서 유리창을 닦는 고무판의

길이가 40 cm이고, 고무판이 회전하면서 닦이는 부분의 넓이가 1200π cm²일 때, 고무판이 회전하면서 닦이는 부분의 둘레의 길이는? (단, 고무판이 회전하면서 닦이는 부분의 모양은 부채꼴의 일부이다.)

① $(80+60\pi)$ cm   ② $(80+90\pi)$ cm

③ $(80+120\pi)$ cm   ④ $(100+90\pi)$ cm

⑤ $(100+120\pi)$ cm

016

출제율 ◼◼◼◼◻

둘레의 길이가 48인 부채꼴의 넓이가 최대일 때, 중심각의 크기는?

① 1   ② 2   ③ 3

④ 4   ⑤ 5

개념 ④ 삼각함수

동경 OP가 나타내는 각의 크기를 θ라고 할 때,

$\sin\theta=\dfrac{y}{r}$, $\cos\theta=\dfrac{x}{r}$,

$\tan\theta=\dfrac{y}{x}$ $(x\neq0)$

이들 함수를 차례대로 θ에 대한 사인함수, 코사인함수, 탄젠트함수라 하고, 이 함수들을 θ에 대한 삼각함수라고 한다.

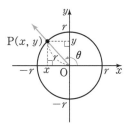

017

출제율 ◼◼◻◻◻

원점 O와 점 $P(-3, 1)$을 지나는 동경 OP가 나타내는 각을 θ라고 할 때, $\sqrt{10}\sin\theta-\sqrt{10}\cos\theta+12\tan\theta$의 값은?

① -2 ② -1 ③ 0

④ 1   ⑤ 2

018

출제율 ◼◼◼◻◻

원점 O와 제2사분면에 있는 점 $P(-9, a)$에 대하여 $\overline{OP}$를 동경으로 하는 각의 크기를 θ라고 하자. $\tan\theta=-\dfrac{4}{3}$일 때, $\cos\theta$의 값은?

① $-\dfrac{4}{5}$ ② $-\dfrac{3}{5}$ ③ $-\dfrac{1}{3}$

④ $\dfrac{3}{5}$ ⑤ $\dfrac{4}{5}$

019

출제율

원점과 점 $P(k,\ -5)$를 이은 선분을 동경으로 하는 각의 크기를 θ라고 할 때, $\sin\theta=-\dfrac{\sqrt{5}}{5}$를 만족시키는 양수 k의 값은?

① 5 　　　② 10 　　　③ 15

④ 20 　　　⑤ 25

020

출제율

오른쪽 그림과 같이 직선 $y=-\sqrt{6}x$ 위의 점 $P(a,\ b)$ $(b>0)$에 대하여 $\overline{OP}$가 x축의 양의 방향과 이루는 각의 크기를 θ라고 할 때, $\sqrt{7}\cos\theta+\sqrt{6}\tan\theta$의 값은?

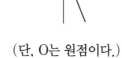

(단, O는 원점이다.)

① -10 　　　② -7 　　　③ -4

④ 4 　　　⑤ 7

021

출제율

θ가 제4사분면의 각이고 $\tan\theta=-\dfrac{5}{12}$일 때, $\sin\theta-\cos\theta$의 값은?

① $-\dfrac{17}{13}$ 　　　② $-\dfrac{12}{13}$ 　　　③ $-\dfrac{5}{13}$

④ $-\dfrac{3}{13}$ 　　　⑤ $-\dfrac{1}{13}$

022 학교 기출 신유형

출제율

오른쪽 그림과 같이 원 $x^2+y^2=25$와 직선 $y=-\dfrac{4}{3}x$가 제2사분면에서 만나는 점을 P라고 한다. 동경 OP가 나타내는 각을 θ라고 할 때, $\sin\theta+\cos\theta$의 값은? (단, O는 원점이다.)

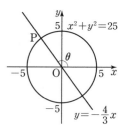

① $-\dfrac{3}{5}$ 　　　② $-\dfrac{2}{5}$ 　　　③ $-\dfrac{1}{5}$

④ $\dfrac{1}{5}$ 　　　⑤ $\dfrac{2}{5}$

개념 ⑤ 삼각함수의 값의 부호

삼각함수의 값의 부호는 각 θ가 제몇 사분면의 각인지에 따라 다음과 같이 정해진다.

사분면 삼각함수	제1사분면 $(x>0, y>0)$	제2사분면 $(x<0, y>0)$	제3사분면 $(x<0, y<0)$	제4사분면 $(x>0, y<0)$
$\sin\theta$	+	+	−	−
$\cos\theta$	+	−	−	+
$\tan\theta$	+	−	+	−

 등급업 TIP

각 사분면에서 삼각함수의 값이 양수인 것을 좌표평면 위에 나타내면 오른쪽 그림과 같다.

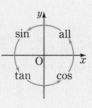

023

출제율 ◖▱▱▱▱◗

$\sin\theta\cos\theta<0$일 때, 다음 중 항상 옳은 것은?

① $\sin\theta>0$　　② $\sin\theta<0$　　③ $\cos\theta>0$

④ $\tan\theta>0$　　⑤ $\tan\theta<0$

024

출제율 ◖▱▱▱▱◗

다음 중 $\sin\theta\cos\theta>0$, $\sin\theta\tan\theta>0$을 동시에 만족시키는 θ의 동경이 존재할 수 있는 사분면은?

① 제1사분면　　　　　② 제2사분면

③ 제3사분면　　　　　④ 제4사분면

⑤ 제1, 4사분면

025

출제율 ◖▱▱▱▱◗

다음 중 $\cos\theta\tan\theta>0$, $\cos\theta+\tan\theta<0$을 동시에 만족시키는 θ의 크기가 될 수 있는 것은?

① $\dfrac{\pi}{6}$　　　　② $\dfrac{7}{8}\pi$　　　　③ $\dfrac{6}{5}\pi$

④ $\dfrac{12}{7}\pi$　　　⑤ $\dfrac{21}{4}\pi$

026

출제율 ◖▱▱▱▱◗

$0<\theta<2\pi$일 때, $\sqrt{\sin\theta}\sqrt{\cos\theta}=-\sqrt{\sin\theta\cos\theta}$를 만족시키는 θ의 크기의 범위를 구하여라.

(단, $\sin\theta\cos\theta\neq0$)

027

출제율 ◖▱▱▱▱◗

$\dfrac{\pi}{2}<\theta<\pi$일 때,

$\sqrt{\cos^2\theta}-\sqrt{(1+\sin\theta)^2}+\sqrt{(1-\cos\theta)^2}$을 간단히 하면?

① $-2\sin\theta-2\cos\theta$　　② $-2\sin\theta-\cos\theta$

③ $-\sin\theta-2\cos\theta$　　　④ $\sin\theta+\cos\theta$

⑤ $\sin\theta+2\cos\theta$

028

출제율 ▱▱▱▱▱

$\pi < \theta < \dfrac{3}{2}\pi$일 때, $|\cos\theta| - |\sin\theta| + \cos\theta + \sin\theta$를 간단히 하면?

① $-2\sin\theta$ ② $-2\cos\theta$ ③ $2\sin\theta$

④ $2\cos\theta$ ⑤ $2\sin\theta - \cos\theta$

029

출제율 ▱▱▱▱▱

θ가 $\cos\theta < 0$, $\tan\theta > 0$을 모두 만족시킬 때, $\dfrac{\theta}{2}$의 동경이 존재할 수 있는 사분면은?

① 제1, 2사분면 ② 제2, 4사분면

③ 제3, 4사분면 ④ 제1, 2, 4사분면

⑤ 제2, 3, 4사분면

030

출제율 ▱▱▱▱▱

$\sin\theta < 0$이고 $\dfrac{1+\tan\theta}{1-\tan\theta} = 3$일 때, $5(\sin\theta + \cos\theta)$의 값은?

① $-3\sqrt{5}$ ② $-2\sqrt{5}$ ③ $\sqrt{5}$

④ $2\sqrt{5}$ ⑤ $3\sqrt{5}$

 개념 ⑥ 삼각함수 사이의 관계

(1) $\tan\theta = \dfrac{\sin\theta}{\cos\theta}$

(2) $\sin^2\theta + \cos^2\theta = 1$

등급업 TIP

삼각함수 사이의 관계를 이용하여 식의 값 구하기
$\sin\theta \pm \cos\theta$의 값이 주어지면 양변을 제곱한 후 $\sin^2\theta + \cos^2\theta = 1$임을 이용하여 먼저 $\sin\theta\cos\theta$의 값을 구한다.

031 ᵒ 교육청 기출

출제율 ▱▱▱▱▱

$(1 - \sin^2\theta)(1 + \tan^2\theta)$를 간단히 하면?

① -1 ② 1 ③ $\sin^2\theta$

④ $\cos^2\theta$ ⑤ $\tan^2\theta$

032

출제율 ▱▱▱▱▱

$\dfrac{1-\cos\theta}{\sin\theta} + \dfrac{\sin\theta}{1-\cos\theta}$를 간단히 하면?

① $\dfrac{1}{\sin\theta}$ ② $\dfrac{2}{\sin\theta}$ ③ $\dfrac{1}{\cos\theta}$

④ $\dfrac{2}{\cos\theta}$ ⑤ $\dfrac{2}{\sin\theta\cos\theta}$

033

출제율 ◖■■■◗

$\sin\theta \neq 0$이고 $\dfrac{\sqrt{\sin\theta}}{\sqrt{\cos\theta}} = -\sqrt{\tan\theta}$일 때, θ의 크기의 범위를 구하여라.

034 ○─ **교육청 기출** ╱

출제율 ◖■■■◗

$\cos\theta = -\dfrac{1}{3}$일 때, $\tan\theta - \sin\theta$의 값은?

$$\left(단,\ \pi < \theta < \frac{3}{2}\pi\right)$$

① $\dfrac{5\sqrt{2}}{3}$ ② $2\sqrt{2}$ ③ $\dfrac{7\sqrt{2}}{3}$

④ $\dfrac{8\sqrt{2}}{3}$ ⑤ $3\sqrt{2}$

035

출제율 ◖■■■◗

$\sin\theta + \cos\theta = \dfrac{2}{3}$일 때, $\dfrac{1}{\cos\theta} + \dfrac{1}{\sin\theta}$의 값은?

① $-\dfrac{12}{5}$ ② $-\dfrac{11}{4}$ ③ -2

④ $-\dfrac{7}{3}$ ⑤ $-\dfrac{5}{2}$

036

출제율 ◖■■■◗

$\sin\theta\cos\theta = -\dfrac{5}{6}$일 때, $\sin\theta - \cos\theta$의 값은?

$$(단,\ \sin\theta > \cos\theta)$$

① $\dfrac{\sqrt{6}}{3}$ ② $\dfrac{2\sqrt{6}}{3}$ ③ $\sqrt{6}$

④ $\dfrac{4\sqrt{6}}{3}$ ⑤ $\dfrac{5\sqrt{6}}{3}$

037

출제율 ◖■■■◗

이차방정식 $4x^2 - 2x + a = 0$의 두 근이 $\sin\theta$, $\cos\theta$일 때, 상수 a의 값은?

① $-\dfrac{3}{2}$ ② $-\dfrac{8}{7}$ ③ $-\dfrac{7}{9}$

④ $-\dfrac{5}{8}$ ⑤ $-\dfrac{1}{2}$

038 다빈출

θ가 제2사분면의 각일 때, $\dfrac{\theta}{3}$의 동경이 존재할 수 <u>없는</u> 사분면은?

① 제1사분면   ② 제2사분면

③ 제3사분면   ④ 제4사분면

⑤ 제1, 3사분면

039

θ가 제3사분면의 각일 때, $\dfrac{\theta}{2}$의 동경이 존재할 수 있는 영역을 바르게 나타낸 것은? (단, 경계선은 제외한다.)

①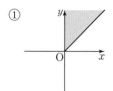   ②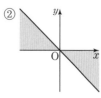

③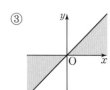   ④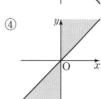

⑤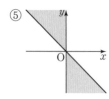

040

좌표평면 위의 한 점 P에 대하여 x축의 양의 방향을 시초선으로 하였을 때, 동경 OP가 나타내는 각 θ의 크기 중 하나가 $-220°$이다. $-400° < \theta < 760°$를 만족시키는 θ의 개수는? (단, O는 원점이다.)

① 1   ② 2   ③ 3

④ 4   ⑤ 5

041

$30° \times n$이 제3사분면의 각이 되도록 하는 두 자리 자연수 n의 최댓값을 M, 최솟값을 m이라고 할 때, $M+m$의 값은?

① 92   ② 96   ③ 103

④ 108   ⑤ 111

042

정수 n에 대하여 $160° \times n + 20°$를 나타내는 서로 다른 동경의 개수는?

① 7   ② 8   ③ 9

④ 10   ⑤ 11

개념 **2** 호도법

043 〈다빈출

각 2θ를 나타내는 동경과 각 4θ를 나타내는 동경이 x축에 대하여 대칭일 때, $\sin(\pi-\theta)\cos(\pi-\theta)$의 값은?

$\left(\text{단, } \dfrac{\pi}{2}<\theta<\pi\right)$

① $\dfrac{\sqrt{3}}{4}$ ② $\dfrac{\sqrt{3}}{2}$ ③ $\dfrac{3\sqrt{3}}{4}$

④ $\sqrt{3}$ ⑤ $\dfrac{5\sqrt{3}}{4}$

044

각 θ를 나타내는 동경과 각 5θ를 나타내는 동경이 직선 $y=-x$에 대하여 대칭일 때, θ의 크기의 최댓값과 최솟값의 차는? (단, $0<\theta<\pi$)

① $\dfrac{3}{8}\pi$ ② $\dfrac{2}{3}\pi$ ③ π

④ $\dfrac{5}{4}\pi$ ⑤ 2π

045

각 θ를 나타내는 동경과 각 7θ를 나타내는 동경이 일직선 위에 있으며 방향이 반대이고, 각 θ를 나타내는 동경과 각 2θ를 나타내는 동경이 직선 $y=x$에 대하여 대칭일 때, 모든 θ의 크기의 합은? (단, $0<\theta<\pi$)

① $\dfrac{\pi}{3}$ ② $\dfrac{\pi}{2}$ ③ $\dfrac{2}{3}\pi$

④ $\dfrac{5}{6}\pi$ ⑤ π

046 〈다빈출

각 2θ를 나타내는 동경과 각 7θ를 나타내는 동경이 이루는 예각의 크기가 $\dfrac{\pi}{3}$가 되도록 하는 θ의 개수는?

(단, $0\le\theta\le2\pi$)

① 7   ② 8   ③ 9

④ 10   ⑤ 11

047 〈학교 기출〉〈신유형〉

오른쪽 그림에서 동경 OP가 나타내는 일반각을 θ라고 할 때, $-4\pi\le\theta\le4\pi$에 속하는 모든 θ의 크기의 합은?

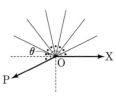

① $-\dfrac{10}{7}\pi$ ② $-\dfrac{4}{7}\pi$ ③ $-\dfrac{1}{14}\pi$

④ $\dfrac{1}{14}\pi$ ⑤ $\dfrac{4}{7}\pi$

048

좌표평면에서 크기가 $(2n+1)\pi+(-1)^n\times\dfrac{n}{4}\pi$인 각을 나타내는 동경을 OP_n이라고 하자. 동경 OP_2, OP_3, $\cdots$, OP_{100} 중에서 동경 OP_1과 일치하는 동경의 개수는?

(단, O는 원점이다.)

① 11   ② 12   ③ 13
④ 14   ⑤ 15

049

100 이하의 자연수 n에 대하여 $\dfrac{n}{7}\pi$가 제2사분면의 각이 되도록 하는 n의 최솟값을 m, $\dfrac{n}{9}\pi$가 제3사분면의 각이 되도록 하는 n의 최댓값을 M이라고 할 때, $M+m$의 값은?

① 85   ② 89   ③ 92
④ 100   ⑤ 104

개념 ❸ 부채꼴의 호의 길이와 넓이

050

중심각의 크기가 각각 θ_1, θ_2인 두 부채꼴의 반지름의 길이의 비는 $4:5$이고 넓이의 비는 $6:5$일 때, $\dfrac{\theta_2}{\theta_1}$의 값은?

① $\dfrac{1}{3}$ ② $\dfrac{2}{5}$ ③ $\dfrac{7}{15}$
④ $\dfrac{8}{15}$ ⑤ $\dfrac{3}{5}$

051 ◀다빈출

넓이가 25인 부채꼴의 둘레의 길이의 최솟값을 구하여라.

052

호의 길이가 16π이고 넓이가 80π인 부채꼴로 원뿔을 만들 때, 이 원뿔의 부피는?

① 120π ② 128π ③ 132π
④ 136π ⑤ 144π

053

길이가 12인 끈을 사용하여 넓이가 8 이상이 되는 부채꼴을 만들려고 한다. 이때 부채꼴의 중심각의 크기의 최댓값은?

① 1   ② 2   ③ 3
④ 4   ⑤ 5

055 교육청 기출

오른쪽 그림과 같이 반지름의 길이가 4이고 중심각의 크기가 $\frac{\pi}{6}$인 부채꼴 OAB가 있다. 선분 OA 위의 점 P에 대하여 선

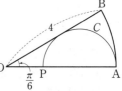

분 PA를 지름으로 하고 선분 OB에 접하는 반원을 C라고 할 때, 부채꼴 OAB의 넓이를 S_1, 반원 C의 넓이를 S_2라고 하자. S_1-S_2의 값은?

① $\frac{\pi}{9}$ ② $\frac{2}{9}\pi$ ③ $\frac{\pi}{3}$
④ $\frac{4}{9}\pi$ ⑤ $\frac{5}{9}\pi$

054

오른쪽 그림과 같이 반지름의 길이가 4이고 중심각의 크기가 $\frac{\pi}{3}$인 부채꼴 OAB의 현 AB에 호 A′B′이 접하도록 부채꼴 OA′B′을 만들었을 때, 부채꼴 OA′B′의 넓이는?

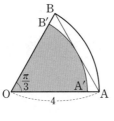

① π ② $\frac{4}{3}\pi$ ③ 2π
④ $\frac{8}{3}\pi$ ⑤ 3π

056

오른쪽 그림과 같은 부채꼴 OAB에서 중심각의 크기를 40 % 늘이고 반지름의 길이를 10 % 줄였을 때, 부채꼴의 넓이는 어떻게 변하는가?

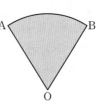

① 11.3 % 증가한다.   ② 12 % 감소한다.
③ 12 % 증가한다.   ④ 13.4 % 감소한다.
⑤ 13.4 % 증가한다.

057

오른쪽 그림과 같이 중심각의 크기가 θ이고 반지름의 길이가 12인 부채꼴 PAB가 있다. 반지름의 길이가 1인 원을 점 P에서 시작하여 부채꼴의 둘레를 따라 6바퀴를 굴렸더니 점 P로 되돌아왔다. 이때 θ의 값은?

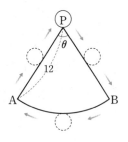

① $\pi-2$ ② $\pi-\dfrac{3}{2}$ ③ $\pi-1$

④ $\pi-\dfrac{1}{2}$ ⑤ π

058 학교 기출 신 유형

오른쪽 그림과 같이 부채꼴 OAB의 변 OA를 지름으로 하는 반원과 변 OB를 지름으로 하는 반원이 있다. 세 호 OA, AB, OB로 둘러싸인 도형의 둘레의 길이가 10π이고 넓이가 21π일 때, 부채꼴 OAB의 중심각 θ의 크기는?

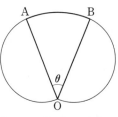

① $\dfrac{2}{3}\pi$ ② π ③ $\dfrac{4}{3}\pi$

④ $\dfrac{5}{3}\pi$ ⑤ 2π

059 다빈출

오른쪽 그림과 같이 반지름의 길이가 각각 r_1, r_2이고 중심이 O인 두 부채꼴이 있다. 색칠한 부분의 둘레의 길이가 6일 때, 색칠한 부분의 넓이의 최댓값은?

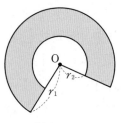

① $\dfrac{9}{4}$ ② $\dfrac{5}{2}$ ③ $\dfrac{11}{4}$

④ 3   ⑤ $\dfrac{13}{4}$

개념 4 삼각함수

060

θ가 제2사분면의 각이고 $\dfrac{3-\tan\theta}{1+\tan\theta}=4+\sqrt{5}$일 때, $\sin^2\theta-\cos^2\theta$의 값은?

① -1 ② $-\dfrac{2}{3}$ ③ 0

④ 14   ⑤ $\dfrac{1}{2}$

061 다빈출

$\dfrac{3}{2}\pi < \theta < 2\pi$이고 $\cos\theta = \dfrac{5}{13}$일 때, $\dfrac{1}{\tan\theta} - \dfrac{1}{\sin\theta}$의 값은?

① $\dfrac{1}{3}$ ② $\dfrac{5}{13}$ ③ $\dfrac{2}{3}$

④ $\dfrac{17}{13}$ ⑤ $\dfrac{8}{3}$

062

오른쪽 그림과 같이 가로와 세로의 길이가 각각 6, 2인 직사각형 ABCD가 원 $x^2+y^2=10$에 내접하고 있다. 두 동경 OA, OC가 나타내는 각의 크기를 각각 α, β라고 할 때,

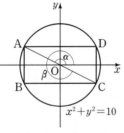

$\sin\alpha\cos\beta + \sin\beta\cos\alpha$의 값은? (단, O는 원점이고, 직사각형의 각 변은 좌표축과 평행하다.)

① $\dfrac{1}{5}$ ② $\dfrac{2}{5}$ ③ $\dfrac{3}{5}$

④ $\dfrac{4}{5}$ ⑤ 1

063

오른쪽 그림과 같이 중심각의 크기가 6θ이고 반지름의 길이가 1인 부채꼴에 내접하는 원을 그렸다. 이 원의 반지름의 길이를 θ에 대한 식으로 나타내면?

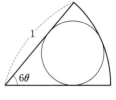

① $\dfrac{1}{1+\sin 3\theta}$ ② $\dfrac{1}{2(1+\sin 3\theta)}$

③ $\dfrac{\sin\theta}{1+\sin 3\theta}$ ④ $\dfrac{\sin 3\theta}{1+\sin 3\theta}$

⑤ $\dfrac{\sin 3\theta}{2(1+\sin 3\theta)}$

064

오른쪽 그림과 같이 원 $x^2+y^2=1$과 두 직선 $y=\dfrac{1}{4}x\ (x>0)$, $y=-4x\ (x<0)$의 교점을 각각 P, Q라고 하자. 점 A(1, 0)에 대하여 $\angle AOP=\alpha$, $\angle AOQ=\beta$라고 할 때, $3\sin\alpha + \cos\beta$의 값을 구하여라. (단, O는 원점이다.)

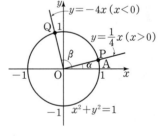

065 학교 기출 신 유형

다음 그림과 같이 좌표평면 위의 점 P$(1, 2\sqrt{2})$에 대하여 선분 OP를 x축의 방향으로 $m\,(m>0)$만큼 평행이동한 선분을 $\overline{AQ}$, 선분 OP를 x축의 방향으로 $n\,(n<0)$만큼 평행이동한 선분을 $\overline{BR}$이라고 하면 두 사각형 OAQP, OPRB는 모두 마름모이다. 두 동경 OQ, OR가 나타내는 각의 크기를 각각 α, β라고 할 때, $\sin\alpha\cos\beta$의 값은? (단, O는 원점이다.)

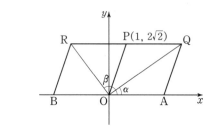

① $-\dfrac{1}{15}$　　② $-\dfrac{\sqrt{15}}{15}$　　③ $-\dfrac{1}{3}$

④ $\dfrac{\sqrt{3}}{15}$　　⑤ $\dfrac{\sqrt{5}}{15}$

066

원점 O와 점 $(3, a)$를 지나는 직선 l이 x축의 양의 방향과 이루는 각의 크기를 α라 하고 직선 l과 수직인 직선이 x축의 양의 방향과 이루는 각의 크기를 β라고 하자. $\sin\alpha\cos\beta=-\dfrac{4}{5}$일 때, 양수 a의 값은?

① 3　　② 4　　③ 5

④ 6　　⑤ 7

067

오른쪽 그림과 같이 선분 AB는 원 O의 지름이다. $\angle\mathrm{AOP}=x°$이고 호 AP의 길이가 $\overline{\mathrm{PN}}$의 길이의 4배일 때, $\sin x°$의 값은?

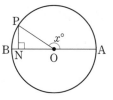

① $\dfrac{x}{360}\pi$　　② $\dfrac{x}{480}\pi$　　③ $\dfrac{x}{540}\pi$

④ $\dfrac{x}{620}\pi$　　⑤ $\dfrac{x}{720}\pi$

068

원점 O와 점 P$(-6, 8)$을 지나는 동경 OP가 나타내는 각의 크기를 θ라고 할 때, $\sin\theta$, $\cos\theta$를 두 근으로 하는 이차방정식은 $ax^2+bx-12=0$이다. $a+b$의 값은? (단, a, b는 상수이다.)

① 18　　② 19　　③ 20

④ 21　　⑤ 22

개념 5 삼각함수의 값의 부호

069

다음 중 $\sin \theta \cos \theta < 0$, $\cos \theta \tan \theta < 0$을 동시에 만족시키는 각 θ에 대하여 $\dfrac{\theta}{2}$의 동경이 존재할 수 있는 사분면은?

① 제1사분면 　　② 제2사분면
③ 제3사분면 　　④ 제4사분면
⑤ 제2, 4사분면

070 ◀다빈출

$\pi < \theta < \dfrac{3}{2}\pi$일 때,

$|1+\sin \theta| + \sqrt{\sin^2 \theta} - \sqrt{(\sin \theta + \cos \theta)^2}$을 간단히 하면?

① $\sin \theta + 1$ 　　② $\cos \theta + 1$
③ $\sin \theta + \cos \theta$ 　　④ $\sin \theta - \cos \theta + 1$
⑤ $\sin \theta + \cos \theta + 1$

071

θ가 $\sqrt{\tan \theta} \sqrt{\sin \theta} = -\sqrt{\tan \theta \sin \theta}$를 만족시킬 때, 다음 중 옳지 <u>않은</u> 것은? (단, $\tan \theta \neq 0$)

① $\sin \theta \cos \theta < 0$ 　　② $\sin \theta + \tan \theta < 0$
③ $\cos \theta - \tan \theta > 0$ 　　④ $\sin \theta \tan \theta < 0$
⑤ $\sin \theta - \cos \theta < 0$

072

θ가 $\dfrac{\sqrt{\cos \theta}}{\sqrt{\sin \theta}} = -\sqrt{\dfrac{\cos \theta}{\sin \theta}}$를 만족시킬 때,

$\sqrt{\tan^2 \theta} - \sqrt{(1-\tan \theta)^2}$을 간단히 하면?
(단, $\cos \theta \neq 0$)

① $-1-2\tan \theta$ 　　② -1
③ $1-\tan \theta$ 　　④ 1
⑤ $1+2\tan \theta$

073 학교 기출 신유형

함수 $f(x) = \begin{cases} -1 & (x<0) \\ 1 & (x \geq 0) \end{cases}$일 때, 다음 식을 만족시키는 θ는 제몇 사분면의 각인지 구하여라.

$$f(\sin \theta) + f(\cos \theta) - 2f(\tan \theta) = -4$$

074

$\sin\theta\cos\theta<0$, $\dfrac{\cos\theta}{\tan\theta}>0$일 때, |보기|에서 옳은 것만을 있는 대로 고른 것은?

> **• 보기 •**
>
> ㄱ. $\cos\theta<0$
>
> ㄴ. $\tan\dfrac{\theta}{2}>0$
>
> ㄷ. $\sin2\theta<0$

① ㄱ   ② ㄴ   ③ ㄷ

④ ㄱ, ㄷ   ⑤ ㄱ, ㄴ, ㄷ

개념 ❻ 삼각함수 사이의 관계

075

$|\theta|\leq\dfrac{\pi}{6}$에서 $k=\tan\theta+\dfrac{1}{\cos\theta}$의 최댓값이 M, 최솟값이 m일 때, $M+m$의 값은?

① $\dfrac{\sqrt{3}}{3}$ ② $\dfrac{2\sqrt{3}}{3}$ ③ $\sqrt{3}$

④ $\dfrac{4\sqrt{3}}{3}$ ⑤ $\dfrac{5\sqrt{3}}{3}$

076

이차방정식 $3x^2+kx+2=0$의 두 근이 $\sin\theta$, $\cos\theta$일 때, $\tan\theta$, $\dfrac{1}{\tan\theta}$을 두 근으로 하고 x^2의 계수가 4인 이차방정식을 구하여라. (단, k는 상수이다.)

077 ◀다빈출▶

$\sin\theta\cos\theta=\dfrac{1}{6}$일 때,

$(1+\sin\theta)(1-\sin\theta)(1-\tan^2\theta)$은 값은?

$$\left(\text{단, } 0<\theta<\dfrac{\pi}{4}\right)$$

① $\dfrac{\sqrt{2}}{6}$ ② $\dfrac{\sqrt{2}}{3}$ ③ $\dfrac{\sqrt{2}}{2}$

④ $\dfrac{2\sqrt{2}}{3}$ ⑤ $\dfrac{5\sqrt{2}}{6}$

078

θ가 제2사분면의 각이고 $\dfrac{3}{\cos^2\theta}+\tan^2\theta=19$일 때, $\dfrac{\tan\theta}{\sin\theta+\cos\theta}$의 값은?

① $-2\sqrt{5}$ ② $-\sqrt{5}$ ③ $\sqrt{5}$

④ $2\sqrt{5}$ ⑤ $3\sqrt{5}$

079

$\dfrac{\pi}{2}<\theta<\pi$이고 $\sin\theta+\cos\theta=a$일 때, $\sin\theta-\cos\theta$를 a로 바르게 나타낸 것은?

① $-\sqrt{2-a^2}$ ② $-\sqrt{1-a^2}$ ③ $\sqrt{1-a^2}$

④ $\sqrt{1+a^2}$ ⑤ $\sqrt{2-a^2}$

080

$(\sin\theta-\cos\theta)(\sin\theta+\cos\theta)(\sin^n\theta+\cos^n\theta)$
$=\sin^8\theta-\cos^8\theta$

일 때, 자연수 n의 값은?

① 4   ② 5   ③ 6

④ 7   ⑤ 8

081 〈다빈출〉

$0<\sin\theta<\cos\theta$일 때,

$\sqrt{1+2\sin\theta\cos\theta}-\sqrt{1-2\sin\theta\cos\theta}$를 간단히 하면?

① $2\sin\theta$ ② $2\cos\theta$

③ $2+\sin\theta\cos\theta$ ④ $2\sin\theta\cos\theta$

⑤ $4\sin\theta\cos\theta$

082

$0<\theta<\dfrac{\pi}{2}$인 θ에 대하여

$$\log_3\cos\theta+\log_3\tan\theta=-1$$

일 때, $\tan\theta$의 값은?

① $\dfrac{\sqrt{2}}{4}$ ② $\dfrac{\sqrt{2}}{2}$ ③ $\dfrac{3\sqrt{2}}{4}$

④ $\sqrt{2}$ ⑤ $\dfrac{5\sqrt{2}}{4}$

083 학교 기출 신유형

이차함수 $y=x^2+\dfrac{1}{2}$의 그래프에 접하고 기울기가 -1인 직선 l이 원 $x^2+y^2=1$ 위의 점 P를 지난다. 원점 O와 점 P를 지나는 동경 OP가 나타내는 각의 크기를 θ라고 할 때, $\sin\theta\cos\theta$의 값을 구하여라.

STEP A 상위권 보장 **개념+필수 기출 문제**

개념 ① 함수 $y=\sin x$, $y=\cos x$의 성질

(1) **주기함수**

함수 $f(x)$의 정의역에 속하는 모든 실수 x에 대하여 $f(x+p)=f(x)$를 만족시키는 0이 아닌 상수 p가 존재할 때, 함수 $f(x)$를 주기함수라 하고 이러한 상수 p 중에서 최소인 양수를 그 함수의 주기라고 한다.

(2) **함수 $y=\sin x$, $y=\cos x$의 성질**

① 정의역: 실수 전체의 집합

② 치역: $\{y\,|\,-1\le y\le 1\}$

③ 주기가 2π인 주기함수이다.

➡ $\sin(2n\pi+x)=\sin x$, $\cos(2n\pi+x)=\cos x$

(단, n은 정수)

④ $y=\sin x$의 그래프는 원점에 대하여 대칭이고, $y=\cos x$의 그래프는 y축에 대하여 대칭이다.

➡ $\sin(-x)=-\sin x$, $\cos(-x)=\cos x$

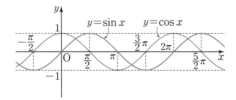

등급업 TIP

$y=a\sin(bx+c)+d$, $y=a\cos(bx+c)+d$에서

(1) 그래프는 $y=a\sin bx$, $y=a\cos bx$의 그래프를 x축의 방향으로 $-\dfrac{c}{b}$만큼, y축의 방향으로 d만큼 평행이동한 것이다.

(2) 최댓값은 $|a|+d$, 최솟값은 $-|a|+d$, 주기는 $\dfrac{2\pi}{|b|}$이다.

---

084 출제율 ▬▬▬

함수 $y=\sin 2x$에 대한 다음 설명 중 옳은 것은?

① 정의역은 $\{x\,|\,-1\le x\le 1\}$이다.

② 치역은 실수 전체의 집합이다.

③ 주기는 $\dfrac{\pi}{2}$이다.

④ 그래프는 y축에 대하여 대칭이다.

⑤ 그래프는 $y=\sin x$의 그래프를 x축의 방향으로 $\dfrac{1}{2}$배 한 것이다.

---

085 출제율 ▬▬▬

함수 $y=-4\sin\left(-\dfrac{1}{3}x\right)$의 그래프를 x축의 방향으로 a만큼, y축의 방향으로 b만큼 평행이동한 그래프가 나타내는 함수의 식이 $y=-4\sin\left(-\dfrac{1}{3}x+\dfrac{1}{6}\right)+3$일 때, $a+b$의 값은?

① $\dfrac{5}{2}$ ② 3 ③ $\dfrac{7}{2}$

④ 4 ⑤ $\dfrac{9}{2}$

---

086 출제율 ▬▬▬

함수 $y=2\cos\left(3x+\dfrac{\pi}{4}\right)-1$에 대한 설명으로 |보기|에서 옳은 것만을 있는 대로 고른 것은?

보기

ㄱ. 그래프는 $y=2\cos 3x$의 그래프를 x축의 방향으로 $-\dfrac{\pi}{12}$만큼, y축의 방향으로 -1만큼 평행이동한 것이다.

ㄴ. 주기는 $\dfrac{2}{3}\pi$이다.

ㄷ. 그래프가 점 $\left(\dfrac{\pi}{12},\,1\right)$에 대하여 대칭이다.

① ㄱ ② ㄴ ③ ㄷ

④ ㄱ, ㄴ ⑤ ㄱ, ㄴ, ㄷ

087

출제율

함수 $f(x)=\sin\dfrac{\pi}{2}x+\cos\dfrac{\pi}{3}x+5$의 주기를 p라고 할 때, $f(p)$의 값은?

① 3　　　　② 4　　　　③ 5

④ 6　　　　⑤ 7

090

출제율

함수 $f(x)=a\sin bx+c$의 주기가 $\dfrac{\pi}{4}$이고 최솟값이 2 이다. $f\left(\dfrac{\pi}{16}\right)=6$일 때, $ab+c$의 값은?

(단, $a>0$, $b>0$이고 c는 상수이다.)

① 17　　　　② 18　　　　③ 19

④ 20　　　　⑤ 21

088

출제율

함수 $f(x)$가 다음 조건을 만족시킬 때, $f(9)$의 값은?

> (가) 모든 실수 x에 대하여 $f(x-2)=f(x)$
> (나) $-1\le x\le 1$일 때, $f(x)=\sin \pi x$

① -1　　　　② $-\dfrac{1}{2}$　　　　③ 0

④ $\dfrac{1}{2}$　　　　⑤ 1

091 교육청 기출

출제율

세 양수 a, b, c에 대하여 함수 $y=a\cos bx+c$의 그래프가 다음 그림과 같을 때, $2a+b+c$의 값은?

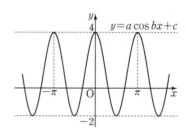

① 7　　　　② 8　　　　③ 9

④ 10　　　　⑤ 11

089

출제율

함수 $y=-\dfrac{1}{3}\cos\left(\dfrac{\pi}{4}x-\dfrac{\pi}{5}\right)+2$의 최댓값을 M, 최솟값을 m이라고 할 때, Mm의 값은?

① $\dfrac{5}{3}$　　　　② $\dfrac{7}{3}$　　　　③ $\dfrac{23}{9}$

④ $\dfrac{29}{9}$　　　　⑤ $\dfrac{35}{9}$

개념 ② 함수 $y=\tan x$의 성질

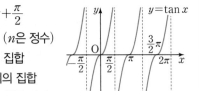

(1) 정의역: $x \neq n\pi + \dfrac{\pi}{2}$

                   (n은 정수)

    인 실수 전체의 집합

(2) 치역: 실수 전체의 집합

(3) 주기가 π인 주기함수이다.

    ➡ $\tan(n\pi+x)=\tan x$ (단, n은 정수)

(4) 원점에 대하여 대칭이다.

    ➡ $\tan(-x)=-\tan x$

(5) 그래프의 점근선은 직선 $x=n\pi+\dfrac{\pi}{2}$ (n은 정수)이다.

등급업 TIP

$y=a\tan(bx+c)+d$에서

(1) 그래프는 $y=a\tan bx$의 그래프를 x축의 방향으로 $-\dfrac{c}{b}$만큼, y축의 방향으로 d만큼 평행이동한 것이다.

(2) 최댓값, 최솟값은 없고, 주기는 $\dfrac{\pi}{|b|}$이다.

092

출제율 ▰▰▰▱

함수 $y=-\tan 3x$에 대한 다음 설명 중 옳은 것은?

① 정의역은 실수 전체의 집합이다.

② 치역은 $\{y \mid -1 \leq y \leq 1\}$이다.

③ 주기는 $\dfrac{\pi}{2}$이다.

④ 그래프는 y축에 대하여 대칭이다.

⑤ 그래프의 점근선의 방정식은 $x=\dfrac{n}{3}\pi+\dfrac{\pi}{6}$ (n은 정수)이다.

093

출제율 ▰▰▰▰

함수 $f(x)=a\tan(bx+c)+d$가 다음 조건을 만족시킬 때, $abcd$의 값은?

$$\left(\text{단, } b>0, \ -\frac{\pi}{2}<c<\frac{\pi}{2}, \ a, \ d\text{는 상수이다.}\right)$$

(가) 주기는 $\dfrac{\pi}{6}$이다.

(나) $y=f(x)$의 그래프는 $y=a\tan bx$의 그래프를 x축의 방향으로 $\dfrac{\pi}{18}$만큼, y축의 방향으로 -3만큼 평행이동한 것이다.

(다) $f\left(\dfrac{\pi}{9}\right)=2\sqrt{3}-3$

① -9π ② $-\dfrac{\pi}{6}$ ③ $\dfrac{\pi}{3}$

④ 9π ⑤ 12π

094

출제율 ▰▰▰▱

함수 $y=4\tan(ax-b)+5$의 주기는 3π이고 그래프의 점근선의 방정식이 $x=3n\pi$ (n은 정수)일 때, ab의 값은? (단, $a>0$, $-\pi<b<0$)

① $-\dfrac{\pi}{2}$ ② $-\dfrac{\pi}{3}$ ③ $-\dfrac{\pi}{6}$

④ $\dfrac{\pi}{6}$ ⑤ $\dfrac{\pi}{3}$

095 학교 기출 신유형   출제율 ▭▭▭▭

함수 $y=\tan(ax+b)$의 그래프가 다음 그림과 같을 때, ab의 값은? (단, $a>0$, $0<b<\pi$)

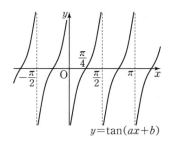

① $\dfrac{\pi}{3}$ ② $\dfrac{\pi}{2}$ ③ π

④ $\dfrac{4}{3}\pi$ ⑤ $\dfrac{3}{2}\pi$

096   출제율 ▭▭▭▭

함수 $y=|\tan ax|$의 주기와 함수 $y=5\cos 2x$의 주기가 같을 때, 양수 a의 값을 구하여라.

097 학교 기출 신유형   출제율 ▭▭▭▭

세 함수 $f(x)=\sin x$, $g(x)=\cos x$, $h(x)=\tan x$에 대하여 다음 중 옳은 것은?

① $f(1)<g(1)<h(1)$ ② $f(1)<h(1)<g(1)$
③ $g(1)<f(1)<h(1)$ ④ $g(1)<h(1)<f(1)$
⑤ $h(1)<f(1)<g(1)$

개념 ③ 여러 가지 각의 삼각함수

(1) $\pi\pm\theta$의 삼각함수

① $\sin(\pi\pm\theta)=\mp\sin\theta$ (복부호동순)

② $\cos(\pi\pm\theta)=-\cos\theta$

③ $\tan(\pi\pm\theta)=\pm\tan\theta$ (복부호동순)

(2) $\dfrac{\pi}{2}\pm\theta$의 삼각함수

① $\sin\left(\dfrac{\pi}{2}\pm\theta\right)=\cos\theta$

② $\cos\left(\dfrac{\pi}{2}\pm\theta\right)=\mp\sin\theta$ (복부호동순)

③ $\tan\left(\dfrac{\pi}{2}\pm\theta\right)=\mp\dfrac{1}{\tan\theta}$ (복부호동순)

등급업 TIP $\dfrac{\pi}{2}\times n\pm\theta$ (n은 정수) 꼴의 삼각함수의 변환

(1) n이 홀수이면 $\sin \Rightarrow \cos$, $\cos \Rightarrow \sin$

    n이 짝수이면 $\sin \Rightarrow \sin$, $\cos \Rightarrow \cos$

    으로 변형한다.

(2) θ는 항상 예각으로 생각하고 $\dfrac{\pi}{2}\times n\pm\theta$가 나타내는 동경이 속하는 사분면에서 원래 주어진 삼각함수의 부호를 따른다.

098   출제율 ▭▭▭▭

$\sin\dfrac{5}{6}\pi+\cos\dfrac{2}{3}\pi+\cos\left(-\dfrac{10}{3}\pi\right)\tan\dfrac{7}{4}\pi$의 값은?

① $\dfrac{1}{2}$ ② 1 ③ $\dfrac{3}{2}$

④ 2 ⑤ $\dfrac{5}{2}$

099   출제율 ▭▭▭▭

$\sin\left(\dfrac{\pi}{2}+\theta\right)\cos(\pi-\theta)-\cos\left(\dfrac{3}{2}\pi+\theta\right)\sin(\pi+\theta)$

의 값은?

① -1 ② 0 ③ 1
④ $1-2\cos^2\theta$ ⑤ $2\cos^2\theta+1$

100

출제율 ▱▱▱▱▱

$\dfrac{\sin 150°}{\sin 120° + \cos 135°} + \dfrac{\cos 240°}{\cos 390° - \sin 225°}$의 값을 구하여라.

101

출제율 ▱▱▱▱▱

θ가 제2사분면의 각이고 $\tan \theta = -\dfrac{3}{4}$일 때,

$\sin\left(\dfrac{\pi}{2} - \theta\right) + \cos\left(\dfrac{\pi}{2} + \theta\right) - \tan\left(\dfrac{3}{2}\pi + \theta\right)$의 값은?

① $-\dfrac{67}{15}$ ② $-\dfrac{41}{15}$ ③ $-\dfrac{4}{13}$

④ $\dfrac{41}{15}$ ⑤ $\dfrac{67}{15}$

102

출제율 ▱▱▱▱▱

$\sin^2 10° + \sin^2 20° + \sin^2 30° + \cdots + \sin^2 80°$의 값은?

① 1 ② 2 ③ 3
④ 4 ⑤ 5

103 교육청 기출

출제율 ▱▱▱▱▱

$0 < A < \pi$, $0 < B < \pi$인 서로 다른 두 각 A, B에 대하여 $\sin A = \sin B$를 만족시킬 때, |보기|에서 옳은 것만을 있는 대로 고른 것은?

┌─ 보기 ───────────────────┐

ㄱ. $\sin \dfrac{A+B}{2} = 1$

ㄴ. $\sin \dfrac{A}{2} - \cos \dfrac{B}{2} = 0$

ㄷ. $\tan A + \tan B = 0$

└─────────────────────────┘

① ㄱ ② ㄴ ③ ㄷ
④ ㄴ, ㄷ ⑤ ㄱ, ㄴ, ㄷ

104

출제율 ▱▱▱▱▱

다음 중 함수 $y = \tan x$의 그래프를 x축에 대하여 대칭이동한 후 x축의 방향으로 π만큼, y축의 방향으로 -2만큼 평행이동한 그래프가 나타내는 함수의 식은?

① $y = -\tan x - 2$ ② $y = -\tan \dfrac{x}{2} + 2$

③ $y = \tan \dfrac{x}{2} - 2$ ④ $y = \tan x + 2$

⑤ $y = \tan 2x$

개념 ④ 삼각함수를 포함한 식의 최대·최소

삼각함수를 포함한 식의 최댓값과 최솟값은 다음과 같은 방법으로 구한다.

① 삼각함수의 각이 $\pi+x$, $2\pi-x$, $\frac{\pi}{2}+x$ 등과 같이 여러 가지로 표현되어 있으면 각을 x로 통일한다.

② 삼각함수 사이의 관계를 이용하여 주어진 식을 한 종류의 삼각함수의 식으로 변형한다.

③ 삼각함수를 t로 치환하고 t의 값의 범위를 구한다.

④ t에 대한 함수의 최댓값과 최솟값을 구한다.

등급업 TIP 절댓값 기호를 포함한 삼각함수의 최대·최소는 $0 \leq |\sin x| \leq 1$, $0 \leq |\cos x| \leq 1$, $|\tan x| \geq 0$임을 이용한다.

105   출제율 ◀▭▭▭▭

함수 $y=\cos\left(\frac{3}{4}\pi-x\right)+2\sin\left(x-\frac{\pi}{4}\right)+4$는 $x=a$일 때, 최댓값 b를 갖는다. ab의 값은? (단, $0 \leq x \leq 2\pi$)

① $\dfrac{13}{4}\pi$　　② $\dfrac{15}{4}\pi$　　③ $\dfrac{17}{4}\pi$

④ $\dfrac{19}{4}\pi$　　⑤ $\dfrac{21}{4}\pi$

106   출제율 ◀▭▭▭▭

함수 $y=(\cos x+a)^2+\sin^2 x$의 최댓값이 9일 때, 최솟값을 구하여라. (단, $a>0$)

107   출제율 ◀▭▭▭▭

$-\dfrac{\pi}{4} \leq x \leq \dfrac{\pi}{4}$일 때, 함수 $y=\tan^2 x-2\tan(\pi-x)+3$의 최댓값을 M, 최솟값을 m이라고 하자. Mm의 값을 구하여라.

108   교육청 기출   출제율 ◀▭▭▭▭

함수 $f(x)=\sin^2 x+\sin\left(x+\dfrac{\pi}{2}\right)+1$의 최댓값을 M이라고 할 때, $4M$의 값을 구하여라.

109   출제율 ◀▭▭▭▭

함수 $y=\dfrac{\sin x+2}{\sin x-3}$의 최댓값과 최솟값의 차는?

① -2　　② $-\dfrac{5}{4}$　　③ -1

④ $\dfrac{5}{4}$　　⑤ 2

110

출제율 ●●●○○

함수 $y = -\dfrac{\cos x + a}{\cos x - 2}$ 의 최솟값이 $\dfrac{2}{3}$ 일 때, 상수 a의 값을 구하여라. (단, $a > -2$)

111

출제율 ●●●○○

함수 $y = a\cos^2 x - a\sin x + b$ 의 최댓값이 3, 최솟값이 $-\dfrac{3}{2}$ 일 때, $a - 2b$의 값은? (단, $a > 0$이고, b는 상수이다.)

① -3 ② -2 ③ -1
④ 1 ⑤ 2

112

출제율 ●●●○○

함수 $y = a|\cos x + 2| + 1$ 의 최댓값과 최솟값의 합이 10일 때, 양수 a의 값은?

① 1 ② 2 ③ 3
④ 4 ⑤ 5

 개념 ⑤ 삼각함수가 포함된 방정식과 부등식

(1) 삼각함수가 포함된 방정식

① $\sin x = a$의 해: $y = \sin x$의 그래프와 직선 $y = a$의 교점의 x좌표를 구한다.

② $a\sin^2 x + b\sin x + c = 0$의 해: $\sin x = t$로 치환한 후 $at^2 + bt + c = 0$의 해를 구한다. (단, $-1 \le t \le 1$)

(2) 삼각함수가 포함된 부등식

① $\sin x > a$의 해: $y = \sin x$의 그래프가 직선 $y = a$보다 위쪽에 있는 x의 값의 범위를 구한다.

② $a\sin^2 x + b\sin x + c > 0$의 해: $\sin x = t$로 치환한 후 $at^2 + bt + c > 0$의 해를 구한다. (단, $-1 \le t \le 1$)

등급업 TIP 삼각함수가 포함된 방정식 또는 부등식이 이차식의 꼴인 경우, 삼각함수 사이의 관계를 이용하여 한 종류의 삼각함수에 대한 방정식 또는 부등식으로 고친 후 해를 구한다.

113

출제율 ●●●○○

$0 \le x < 2\pi$일 때, 방정식 $2\sin x = 1$의 모든 실근의 합은 $k\pi$이다. 실수 k의 값은?

① $\dfrac{1}{2}$ ② 1 ③ $\dfrac{3}{2}$
④ 2 ⑤ $\dfrac{5}{2}$

114

출제율 ●●●○○

$0 \le x < 2\pi$일 때, 방정식 $\cos\left(x + \dfrac{\pi}{3}\right) = \dfrac{\sqrt{3}}{2}$ 의 두 근을 α, β라고 할 때, $2\alpha - 6\beta$의 값을 구하여라. (단, $\alpha < \beta$)

115

출제율 ▭▭▭▭

$0 \le x < 2\pi$일 때, 방정식 $2\cos^2 x + \sin x - 1 = 0$의 모든 실근의 합은?

① 2π ② $\dfrac{5}{2}\pi$ ③ 3π

④ $\dfrac{7}{2}\pi$ ⑤ 4π

116

출제율 ▭▭▭▭

$0 \le x < \pi$일 때, 부등식 $\tan\left(x + \dfrac{\pi}{6}\right) > 1$을 만족시키는 x의 값의 범위는 $\alpha < x < \beta$이다. $\beta - \alpha$의 값은?

① $\dfrac{\pi}{6}$ ② $\dfrac{\pi}{4}$ ③ $\dfrac{\pi}{3}$

④ $\dfrac{\pi}{2}$ ⑤ π

117

출제율 ▭▭▭▭

$0 \le x \le 2\pi$일 때, 부등식

$2\cos^2\left(x - \dfrac{\pi}{3}\right) - \cos\left(x - \dfrac{\pi}{3}\right) - 1 \ge 0$을 풀어라.

118

출제율 ▭▭▭▭

$0 \le \theta < 2\pi$일 때, 모든 실수 x에 대하여 부등식 $x^2 - 2(2\cos\theta + 1)x + 4 > 0$이 항상 성립하도록 하는 θ의 크기의 범위는?

① $\dfrac{\pi}{3} < \theta < \pi$ ② $\dfrac{\pi}{3} < \theta < \dfrac{5}{3}\pi$

③ $\dfrac{2}{3}\pi < \theta < \pi$ ④ $\dfrac{2}{3}\pi < \theta < \dfrac{4}{3}\pi$

⑤ $\dfrac{2}{3}\pi < \theta < \dfrac{5}{3}\pi$

119 ◦ 평가원 기출

출제율 ▭▭▭▭

어떤 건물의 난방기에는 자동 온도 조절 장치가 있어서 실내 온도가 2시간 주기로 변한다. 이 난방기의 온도를 $B(℃)$로 설정하였을 때, 가동한 지 t분 후의 실내 온도는 $T(℃)$가 되어 다음 식이 성립한다고 한다.

$$T = B - \dfrac{k}{6}\cos\dfrac{\pi}{60}t \text{ (단, } B, k \text{는 양의 상수이다.)}$$

이 난방기를 가동한 지 20분 후의 실내 온도가 18 ℃이었고, 40분 후의 실내 온도가 20 ℃이었다. k의 값은?

① 11   ② 12   ③ 13

④ 14   ⑤ 15

최상위권 도약 **실력 완성 문제**

개념 **1** 함수 $y=\sin x$, $y=\cos x$의 성질

120

모든 실수 x에 대하여 $f(x+1)=f(x-1)$을 만족시키는 함수 $f(x)$에 대하여 $f(0)=2$, $f(1)=-4$일 때,
$$f(997)+f(998)+f(999)+f(1000)$$
의 값은?

① -8 ② -6 ③ -4

④ 2 ⑤ 4

121

두 함수 $y=\sin \dfrac{x}{a}$와 $y=\tan 2ax$의 주기가 같을 때, 양수 a의 값은?

① $\dfrac{1}{2}$ ② $\dfrac{\sqrt{2}}{2}$ ③ $\sqrt{2}$

④ 2 ⑤ $3\sqrt{2}$

122 학교 기출 신 유형

$\dfrac{\pi}{4}<x<\dfrac{\pi}{2}$, $\dfrac{\pi}{4}<y<\dfrac{\pi}{2}$일 때, 두 식
$$A=x \sin y+y \sin x,\ B=x \cos x+y \cos y$$
의 대소를 비교하여라. (단, $x \neq y$)

123

두 함수 $y=3 \sin 3x$, $y=2 \cos 2x$의 그래프가 x축과 만나는 점을 각각 $\mathrm{A}(a, 0)$, $\mathrm{B}(b, 0)$라고 하자. 함수 $y=3 \sin 3x$의 그래프 위의 임의의 점 P에 대하여 삼각형 ABP의 넓이의 최댓값은? $\left(\text{단, } 0<a<\dfrac{\pi}{2}<b<\pi\right)$

① $\dfrac{\pi}{4}$ ② $\dfrac{3}{8}\pi$ ③ $\dfrac{1}{2}\pi$

④ $\dfrac{5}{8}\pi$ ⑤ π

124

다음 |보기|에서 두 함수의 그래프가 일치하는 것만을 있는 대로 고른 것은?

> **보기**
>
> ㄱ. $y=\sin |x|$, $y=|\sin x|$
>
> ㄴ. $y=\cos x$, $y=\cos |x|$
>
> ㄷ. $y=|\sin (x-\pi)|$, $y=\left|\cos \left(x-\dfrac{\pi}{2}\right)\right|$

① ㄱ   ② ㄴ   ③ ㄷ

④ ㄱ, ㄴ   ⑤ ㄴ, ㄷ

정답과 풀이 058쪽

125 〈다빈출〉

함수 $f(x)=a|\cos bx|+c$의 주기가 $\dfrac{\pi}{3}$, 최댓값이 5이고, $f\left(\dfrac{\pi}{6}\right)=2$일 때, $a+b-c$의 값은?

(단, $a>0$, $b>0$, c는 상수이다.)

① 3   ② 4   ③ 5

④ 6   ⑤ 7

126 〈교육청 기출〉

함수 $f(x)=\sin \pi x \, (x\geq 0)$의 그래프와 직선 $y=\dfrac{2}{3}$가 만나는 점의 x좌표를 작은 것부터 차례대로 α, β, γ라고 할 때, $f(\alpha+\beta+\gamma+1)+f\left(\alpha+\beta+\dfrac{1}{2}\right)$의 값은?

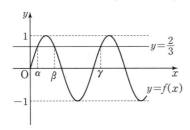

① $-\dfrac{2}{3}$ ② $-\dfrac{1}{3}$ ③ 0

④ $\dfrac{1}{3}$ ⑤ $\dfrac{2}{3}$

127

$0\leq x\leq 6$에서 함수 $y=2\sin \pi x$의 그래프 위의 점 중 y좌표가 정수인 점의 개수는?

① 24   ② 25   ③ 26

④ 27   ⑤ 28

128

함수 $f(x)=\cos \dfrac{\pi}{2}x \, (0<x<8)$에 대하여 $y=f(x)$의 그래프와 직선 $y=k \, (0<k<1)$가 만나는 점의 x좌표를 작은 것부터 순서대로 x_1, x_2, $\cdots$, x_n이라고 할 때, |보기|에서 옳은 것만을 있는 대로 고른 것은?

┌─ 보기 ─────────────────────────┐

ㄱ. $n=4$

ㄴ. $x_1+x_2+x_3+x_4<16$

ㄷ. $f\left(\dfrac{x_1+x_2}{2}\right)=-1$

└──────────────────────────────┘

① ㄱ   ② ㄴ   ③ ㄷ

④ ㄱ, ㄷ   ⑤ ㄴ, ㄷ

129

주기가 같은 두 삼각함수 $y=f(x)$, $y=g(x)$의 그래프가 다음 그림과 같을 때, $g(x)=af(x-b)$이다. 상수 a, b에 대하여 $a+b$의 값은? (단, $a>0$, $-8<b<8$)

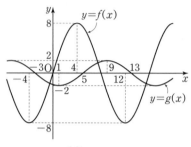

① 4
② $\dfrac{19}{4}$
③ 5

④ $\dfrac{21}{4}$
⑤ 6

개념 ② 함수 $y=\tan x$의 성질

130

$0 \le x \le 4\pi$에서 함수 $y=\tan\left(\dfrac{1}{2}x-\dfrac{\pi}{4}\right)$의 그래프와 직선 $x=k$가 만나지 않도록 하는 모든 실수 k의 값의 합은? (단, $0 \le k \le 4\pi$)

① 3π
② $\dfrac{7}{2}\pi$
③ 4π

④ $\dfrac{9}{2}\pi$
⑤ 5π

131

오른쪽 그림과 같이 $0 \le x < \dfrac{3}{2}\pi$에서 함수 $y=\tan x$의 그래프와 x축 및 직선 $y=k$로 둘러싸인 부분의 넓이가 4π일 때, 상수 k의 값을 구하여라. (단, $k>0$)

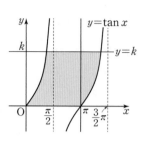

132 ◀다빈출

다음 그림은 두 함수 $y=\tan x$와 $y=a\sin bx$의 그래프이다. 두 함수의 그래프가 점 $\left(\dfrac{\pi}{6}, c\right)$에서 만날 때, 상수 a, b에 대하여 abc의 값은? (단, $a>0$, $b>0$)

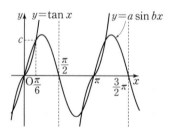

① $\dfrac{\sqrt{3}}{9}$
② $\dfrac{2\sqrt{3}}{9}$
③ $\dfrac{\sqrt{3}}{3}$

④ $\dfrac{4\sqrt{3}}{9}$
⑤ $\dfrac{5\sqrt{3}}{9}$

133 <다빈출>

다음 |보기|에서 $f(x+4)=f(x)$를 만족시키는 것만을 있는 대로 고른 것은?

┌─ 보기 ────────────────────┐
ㄱ. $f(x)=\sin \dfrac{3}{4}\pi x$

ㄴ. $f(x)=\cos \dfrac{5}{2}\pi x$

ㄷ. $f(x)=\tan 2\pi x$
└────────────────────────┘

① ㄱ   ② ㄴ   ③ ㄷ

④ ㄴ, ㄷ   ⑤ ㄱ, ㄴ, ㄷ

134

함수 $f(x)=a \tan \dfrac{\pi}{6}x$에 대하여 $f(1)=-1$, $f(4)=3$일 때, $f(2)+f\left(\dfrac{5}{2}\right)+f\left(\dfrac{7}{2}\right)+f(5)$의 값을 구하여라.

(단, a는 상수이다.)

135

다음 |보기|의 함수 중 주기함수인 것만을 있는 대로 고른 것은?

┌─ 보기 ────────────────────┐
ㄱ. $y=|\sin x|$ ㄴ. $y=\cos |x|$

ㄷ. $y=|\tan x|$ ㄹ. $y=\tan |x|$
└────────────────────────┘

① ㄱ, ㄷ   ② ㄴ, ㄹ   ③ ㄱ, ㄴ, ㄷ

④ ㄴ, ㄷ, ㄹ   ⑤ ㄱ, ㄴ, ㄷ, ㄹ

136

다음 |보기|에서 $f(-x)=-f(x)$를 만족시키는 함수인 것만을 있는 대로 고른 것은?

┌─ 보기 ────────────────────┐
ㄱ. $f(x)=x^2 \tan x$

ㄴ. $f(x)=-\cos x+\tan x$

ㄷ. $f(x)=|\tan x|\sin x$
└────────────────────────┘

① ㄱ   ② ㄷ   ③ ㄱ, ㄷ

④ ㄴ, ㄷ   ⑤ ㄱ, ㄴ, ㄷ

137 <학교 기출> <신유형>

함수 $f(x)=a \tan (bx+c)$가 다음 조건을 만족시킬 때, 상수 a, b, c에 대하여 $a+b+c$의 값을 구하여라.

(단, $a>0$, $b>0$, $-2<c<-1$)

┌───────────────────────────┐
㈎ 함수 $y=f(x)$의 그래프는 점 $(1, 0)$에 대하여 대칭이다.

㈏ 함수 $y=f(x)$의 점근선의 방정식은
$x=2n$ (n은 정수)이다.

㈐ $f\left(\dfrac{3}{2}\right)=7$
└───────────────────────────┘

개념 3 여러 가지 각의 삼각함수

138

$$\frac{\sin\left(\frac{3}{2}\pi-\theta\right)}{\cos(\pi-\theta)\cos^2(-\theta)}+\frac{\sin(\pi+\theta)\tan^2(\pi+\theta)}{\cos\left(\frac{\pi}{2}-\theta\right)}$$

의 값은?

① -2 ② -1 ③ 0

④ 1 ⑤ 2

139 학교 기출 신 유형

실수에서 정의된 함수 $f(x)$가 임의의 실수 x에 대하여
$f(\cos x)=\sin 4x$를 만족시킬 때,
$3\{f(\cos x)\}^2+\{f(\sin x)\}^2=3$을 만족시키는 양수 x
의 최솟값은?

① $\dfrac{\pi}{30}$ ② $\dfrac{\pi}{24}$ ③ $\dfrac{\pi}{18}$

④ $\dfrac{\pi}{12}$ ⑤ $\dfrac{\pi}{6}$

140

$-\dfrac{\pi}{2}\le x\le\dfrac{\pi}{2}$에서 함수 $y=\sin x$의 역함수를 $y=f(x)$
라고 할 때, $f\left(\dfrac{1}{5}\right)+f(a)=\dfrac{\pi}{2}$를 만족시키는 실수 a의
값을 구하여라.

141

삼각형 ABC에서 $\cos\dfrac{B}{2}=\dfrac{1}{3}$일 때,

$\sin\dfrac{A+C+\pi}{2}-\cos\dfrac{A+C-\pi}{2}$의 값은?

① $-\dfrac{2\sqrt{2}+1}{3}$ ② $-\dfrac{2\sqrt{2}-1}{3}$ ③ $\dfrac{2}{3}$

④ $\dfrac{2\sqrt{2}-1}{3}$ ⑤ $\dfrac{2\sqrt{2}+1}{3}$

142

오른쪽 그림과 같이 원 $x^2+y^2=1$
위의 점 P에서 x축에 내린 수선
의 발을 A라고 하자.
$\angle POA=\alpha$, $\angle OPA=\beta$라고 할
때, $\sin^2\alpha+\sin^2\beta+\tan^2\alpha=2$를
만족시키는 선분 OA의 길이는?

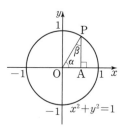

(단, O는 원점이고 점 P는 제1사분면 위의 점이다.)

① $\dfrac{\sqrt{2}}{4}$ ② $\dfrac{\sqrt{6}}{6}$ ③ $\dfrac{1}{2}$

④ $\dfrac{\sqrt{3}}{3}$ ⑤ $\dfrac{\sqrt{2}}{2}$

143 교육청 기출

직선 $y=-\dfrac{4}{3}x$ 위의 점 P$(a,\ b)\ (a<0)$에 대하여 선분 OP가 x축의 양의 방향과 이루는 각의 크기를 θ라고 할 때, $\sin(\pi-\theta)+\cos(\pi+\theta)$의 값은?

(단, O는 원점이다.)

① $-\dfrac{7}{5}$ ② $-\dfrac{1}{5}$ ③ 0

④ $\dfrac{1}{5}$ ⑤ $\dfrac{7}{5}$

144 다빈출

오른쪽 그림과 같이 좌표평면 위의 단위원을 10등분하여 각 분점을 차례대로 P$_1$, P$_2$, $\cdots$, P$_{10}$이라고 하자. P$_1(1,\ 0)$, $\angle$P$_1$OP$_2=\theta$일 때, |보기|에서 옳은 것만을 있는 대로 고른 것은?

(단, O는 원점이다.)

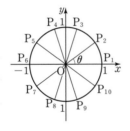

보기

ㄱ. $\sin\theta+\sin(-5\theta)=0$

ㄴ. $\cos 4\theta-\cos 6\theta=0$

ㄷ. $\tan 6\theta+\tan 9\theta=0$

① ㄱ   ② ㄴ   ③ ㄱ, ㄴ

④ ㄴ, ㄷ   ⑤ ㄱ, ㄴ, ㄷ

145 학교 기출 신유형

오른쪽 그림과 같이 원에 내접하는 사각형 ABCD에서 $\angle$A$=\alpha$, $\angle$C$=\beta$라고 할 때, $\cos\alpha=\dfrac{4}{5}$이다. $16\tan^2\alpha+25\sin^2\beta$의 값은?

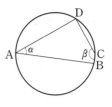

① 15   ② 16   ③ 17

④ 18   ⑤ 19

146

오른쪽 그림과 같이 함수 $y=\tan x\left(-\dfrac{\pi}{2}<x<\dfrac{\pi}{2}\right)$의 그래프가 두 직선 $y=4$, $y=-\dfrac{1}{4}$과 만나는 점의 x좌표를 각각 α, β라고 할 때, $\alpha-\beta$의 값은?

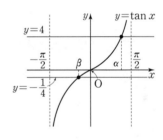

① $\dfrac{\pi}{4}$ ② $\dfrac{\pi}{3}$ ③ $\dfrac{\pi}{2}$

④ $\dfrac{2}{3}\pi$ ⑤ $\dfrac{4}{3}\pi$

147 [학교 기출] [신 유형]

다음 중 함수 $y=\dfrac{2}{\tan\left(\dfrac{\pi}{2}-x\right)(\tan x-3)}$ 의 함숫값

이 될 수 없는 것은? (단, $\tan x\neq 3$)

① $\dfrac{1}{2}$ ② 1 ③ $\dfrac{3}{2}$

④ 2 ⑤ $\dfrac{5}{2}$

개념 4 삼각함수를 포함한 식의 최대·최소

148

$0\leq x\leq \pi$일 때, 함수 $y=\cos(\sin x)$의 최댓값과 최솟값의 합은?

① -1 ② $-\cos 1$ ③ 1

④ $\cos 1$ ⑤ $1+\cos 1$

149

실수 a, b에 대하여 함수 $y=a\sin^2 x+b\cos^2 x$의 최솟값이 2, 최댓값이 5일 때, a^2+b^2의 값을 구하여라.

(단, $a\neq b$)

150

두 함수 $f(x)=x^2-6x+a$, $g(x)=\sin^2 x-2\sin x$가 있다. 모든 실수 x에 대하여 부등식 $(f\circ g)(x)\geq 0$이 성립하도록 하는 실수 a의 최솟값은?

① 8 ② 9 ③ 10

④ 11 ⑤ 12

151 [교육청 기출]

두 함수 $f(x)=\log_3 x+2$, $g(x)=3\tan\left(x+\dfrac{\pi}{6}\right)$가 있다. $0\leq x\leq \dfrac{\pi}{6}$에서 정의된 합성함수 $(f\circ g)(x)$의 최댓값과 최솟값을 각각 M, m이라고 할 때, $M+m$의 값을 구하여라.

152 다빈출

함수 $y=\cos^2 x+2a\sin x-1+6a$는 $x=b$일 때 최댓값 -9를 갖는다. ab의 값은? (단, $0 \le x < 2\pi$)

① -3π ② -2π ③ π

④ 2π ⑤ 3π

153

a, b는 양수이고 $\alpha+\beta+\gamma=\pi$이다. $a^2+b^2=3ab\cos\gamma$일 때, $36\sin^2(\pi+\alpha+\beta)+36\cos\gamma$의 최댓값은?

① 12   ② 28   ③ 36

④ 44   ⑤ 50

개념 ⑤ 삼각함수가 포함된 방정식과 부등식

154 다빈출

$0 \le x < 2\pi$일 때, 방정식 $3\tan x+\dfrac{\sqrt{3}}{\tan x}=3+\sqrt{3}$의 해의 개수는?

① 1   ② 2   ③ 3

④ 4   ⑤ 5

155

$0 < x < 2\pi$일 때, 방정식 $4\cos^2 x-3=0$과 부등식 $\sin x \cos x < 0$을 동시에 만족시키는 모든 x의 값의 합은?

① 2π ② $\dfrac{7}{3}\pi$ ③ $\dfrac{8}{3}\pi$

④ 3π ⑤ $\dfrac{10}{3}\pi$

156

x에 대한 이차함수 $y=x^2-2x\sin\theta+\cos^2\theta$의 그래프의 꼭짓점이 직선 $y=\sqrt{2}x+1$ 위에 있도록 하는 θ의 값을 모두 구하여라. (단, $0 < \theta < 2\pi$)

157

방정식 $\sin^2\theta - 4\cos\left(\theta + \dfrac{3}{2}\pi\right) - a - 2 = 0$을 만족시키는 θ가 존재할 때, 상수 a의 값의 범위가 $\alpha \le a \le \beta$이다. $\beta - \alpha$의 값을 구하여라.

158

방정식 $\sin(\pi\cos x) = 0$의 해의 개수는?

$$\text{(단, } 0 \le x < 2\pi)$$

① 1   ② 2   ③ 3
④ 4   ⑤ 5

159

방정식 $\sin x = -\dfrac{1}{4\pi}x + 1$의 실근의 개수는?

① 7   ② 8   ③ 9
④ 10   ⑤ 11

160 ◁다빈출▷

x에 대한 이차방정식 $x^2 - (2\cos\theta - 1)x + 1 = 0$이 실근을 갖도록 하는 θ의 값의 범위는 $\alpha \le \theta \le \beta$이다. $\beta - \alpha$의 값은? (단, $0 \le \theta < 2\pi$)

① $\dfrac{\pi}{2}$ ② $\dfrac{2}{3}\pi$ ③ $\dfrac{6}{5}\pi$
④ $\dfrac{3}{2}\pi$ ⑤ 2π

161

다음 중 연립부등식 $\begin{cases} |\sin x| < \dfrac{\sqrt{3}}{2} \\ \tan x < 1 \end{cases}$ 의 해가 될 수 있는 것은? (단, $0 \le x < 2\pi$)

① $\dfrac{\pi}{3}$ ② $\dfrac{\pi}{2}$ ③ π
④ $\dfrac{4}{3}\pi$ ⑤ $\dfrac{3}{2}\pi$

162

x에 대한 이차방정식 $6x^2-4x\sin\theta+2\cos\theta-1=0$이 서로 다른 부호의 두 실근을 갖고 양수인 근이 음수인 근의 절댓값보다 클 때, θ의 값의 범위는? (단, $0<\theta<2\pi$)

① $0<\theta<\dfrac{\pi}{3}$ 　　　 ② $0<\theta<\pi$

③ $\dfrac{\pi}{3}<\theta<\pi$ 　　　 ④ $\dfrac{2}{3}\pi<\theta<\pi$

⑤ $\dfrac{\pi}{3}<\theta<\dfrac{5}{3}\pi$

163 교육청 기출

함수 $f(x)$가 다음 조건을 만족시킨다.

(가) 모든 실수 x에 대하여 $f(x+\pi)=f(x)$이다.

(나) $0\le x\le\dfrac{\pi}{2}$일 때, $f(x)=\sin 4x$

(다) $\dfrac{\pi}{2}<x\le\pi$일 때, $f(x)=-\sin 4x$

이때 함수 $f(x)$의 그래프와 직선 $y=\dfrac{x}{\pi}$가 만나는 점의 개수는?

① 4 　　 ② 5 　　 ③ 6

④ 7 　　 ⑤ 8

164

함수 $y=2\sin\dfrac{1}{3}(x-\pi)$ $(0\le x\le 10\pi)$의 그래프 위에 점 P가 있다. 이 그래프와 직선 $y=1$이 만나는 점들 중 서로 다른 두 점 A, B에 대하여 삼각형 PAB의 넓이의 최댓값을 구하여라.

(단, 점 P는 직선 $y=1$ 위의 점이 아니다.)

165 학교 기출 신유형

두 함수 $f(x)=\sin x+|\sin x|$,
$g(x)=\cos x+|\cos x|$에 대하여 부등식 $f(x)>g(x)$가 성립하는 x의 값의 범위는? (단, $0\le x\le 2\pi$)

① $0<x<\dfrac{\pi}{6}$ 　　　 ② $\dfrac{\pi}{6}<x<\dfrac{\pi}{4}$

③ $\dfrac{\pi}{6}<x<\dfrac{\pi}{3}$ 　　　 ④ $\dfrac{3}{4}\pi<x<\dfrac{7}{6}\pi$

⑤ $\dfrac{\pi}{4}<x<\pi$

상위권 보장 **개념+필수 기출 문제**

개념 ① 사인법칙

(1) 사인법칙

삼각형 ABC의 외접원의 반지름의 길이를 R라고 할 때,

$$\frac{a}{\sin A}=\frac{b}{\sin B}=\frac{c}{\sin C}=2R$$

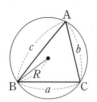

(2) 사인법칙의 변형

삼각형 ABC의 외접원의 반지름의 길이를 R라고 할 때

① $\sin A=\dfrac{a}{2R}$, $\sin B=\dfrac{b}{2R}$, $\sin C=\dfrac{c}{2R}$

② $a=2R\sin A$, $b=2R\sin B$, $c=2R\sin C$

③ $a:b:c=\sin A:\sin B:\sin C$

[참고] 삼각형 ABC에서 ∠A, ∠B, ∠C의 크기를 각각 A, B, C로 나타내고, 이들의 대변의 길이를 각각 a, b, c로 나타내기로 한다.

등급업 TIP
(1) 한 변의 길이와 두 각의 크기가 주어질 때, 나머지 두 변의 길이는 사인법칙을 이용하여 구한다.
(2) 두 변의 길이와 한 대각의 크기가 주어질 때, 나머지 두 각의 크기는 사인법칙을 이용하여 구한다.
(3) 외접원의 반지름의 길이와 한 변의 길이 (또는 한 각의 크기)가 주어질 때, 대각의 크기 (또는 대변의 길이)는 사인법칙을 이용하여 구한다.

166 교육청 기출 / 　　출제율 ▮▮▮▮▯

반지름의 길이가 5인 원에 내접하는 삼각형 ABC에 대하여 $\angle\mathrm{BAC}=\dfrac{\pi}{4}$일 때, $\overline{\mathrm{BC}}$의 길이는?

① $3\sqrt{2}$ 　　② $\dfrac{7\sqrt{2}}{2}$ 　　③ $4\sqrt{2}$

④ $\dfrac{9\sqrt{2}}{2}$ 　　⑤ $5\sqrt{2}$

167 　　出제율 ▮▮▮▮▯

삼각형 ABC에서 $B=30°$, $\overline{\mathrm{AB}}=2\sqrt{6}$, $\overline{\mathrm{AC}}=2\sqrt{2}$일 때, $\overline{\mathrm{BC}}$의 길이는? (단, $\overline{\mathrm{BC}}>3$)

① $2\sqrt{3}$ 　　② 4 　　③ $2\sqrt{5}$

④ $4\sqrt{2}$ 　　⑤ $4\sqrt{3}$

168 　　出제율 ▮▮▮▮▯

오른쪽 그림과 같이 사각형 ABCD의 변 BC를 지름으로 하는 원 O가 사각형 ABCD에 외접한다. $\overline{\mathrm{BC}}=17$, $\overline{\mathrm{CD}}=8$일 때, $\sin A$의 값을 구하여라.

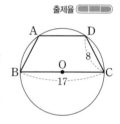

169 학교 기출 신유형 　　出제율 ▮▮▮▮▯

오른쪽 그림과 같이 높이가 5 cm인 원기둥 모양의 물통이 있다. 밑면인 원의 둘레 위의 세 점 A, B, C를 꼭짓점으로 하는 삼각형 ABC에 대하여 $\overline{\mathrm{BC}}=4$ cm, $\angle\mathrm{ABC}=65°$, $\angle\mathrm{ACB}=85°$일 때, 이 물통의 부피를 구하여라.

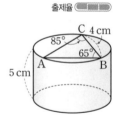

170

출제율

오른쪽 그림과 같이 반지름의 길이가 8인 원 O에 내접하는 삼각형 ABC에서 $\angle ABC = 45°$, $\angle CAB = 60°$일 때, $\overline{AB}$의 길이는?

① $\sqrt{2}(1+\sqrt{2})$ ② $2\sqrt{2}(1+\sqrt{3})$

③ $4(\sqrt{2}+\sqrt{3})$ ④ $4\sqrt{2}(1+\sqrt{3})$

⑤ $4\sqrt{3}(1+\sqrt{2})$

171

출제율

삼각형 ABC의 세 변의 길이 a, b, c 사이에

$$\frac{a+b}{5} = \frac{b+c}{7} = \frac{c+a}{6}$$

가 성립할 때, $\sin A : \sin B : \sin C$는?

① $1:2:3$ ② $2:3:4$ ③ $3:4:5$

④ $4:6:5$ ⑤ $5:7:6$

172

출제율

등식 $\cos^2 A - \cos^2 B = 1 - \cos^2 C$를 만족시키는 삼각형 ABC는 어떤 삼각형인가?

① $a=b$인 이등변삼각형

② $b=c$인 이등변삼각형

③ $c=a$인 이등변삼각형

④ $A=90°$인 직각삼각형

⑤ $B=90°$인 직각삼각형

개념 ② 코사인법칙

(1) 코사인법칙

삼각형 ABC에서

① $a^2 = b^2 + c^2 - 2bc \cos A$

② $b^2 = c^2 + a^2 - 2ca \cos B$

③ $c^2 = a^2 + b^2 - 2ab \cos C$

(2) 코사인법칙의 변형

삼각형 ABC에서

① $\cos A = \dfrac{b^2+c^2-a^2}{2bc}$

② $\cos B = \dfrac{c^2+a^2-b^2}{2ca}$

③ $\cos C = \dfrac{a^2+b^2-c^2}{2ab}$

등급업 TIP

(1) 두 변의 길이와 그 끼인각의 크기가 주어질 때, 나머지 한 변의 길이는 코사인법칙을 이용하여 구한다.

(2) 세 변의 길이가 주어질 때, 각의 크기는 코사인법칙의 변형을 이용하여 구한다.

173

출제율

삼각형 ABC에서 $\overline{AB}=10$, $\overline{BC}=8$, $B=60°$일 때, $\sin A + \sin C$의 값은?

① $\dfrac{5\sqrt{7}}{14}$ ② $\dfrac{3\sqrt{7}}{7}$ ③ $\dfrac{\sqrt{7}}{2}$

④ $\dfrac{4\sqrt{7}}{7}$ ⑤ $\dfrac{9\sqrt{7}}{14}$

174

출제율

오른쪽 그림과 같이 원에 내접하는 사각형 ABCD에서 $\overline{AB}=\overline{AD}=9$, $\overline{CD}=4$, $D=120°$일 때, $\overline{BC}$의 길이를 구하여라.

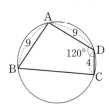

175

출제율 ▰▰▰▱▱

오른쪽 그림과 같이 한 변의 길이 가 4인 정사각형 ABCD의 두 변 BC, CD의 사등분점 중 두 점 B, D에 가장 가까운 점을 각각 E, F 라고 하자. ∠EAF=θ라고 할 때, cos θ의 값은?

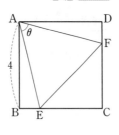

① $\dfrac{8}{17}$ ② $\dfrac{9}{17}$ ③ $\dfrac{10}{17}$

④ $\dfrac{11}{17}$ ⑤ $\dfrac{12}{17}$

176

출제율 ▰▰▰▱▱

삼각형의 세 변의 길이가 각각 6, 7, 8일 때, 이 삼각형 의 외접원의 넓이는?

① $\dfrac{84}{5}\pi$ ② $\dfrac{253}{15}\pi$ ③ $\dfrac{254}{15}\pi$

④ 17π ⑤ $\dfrac{256}{15}\pi$

177 평가원 기출

출제율 ▰▰▰▱▱

$\triangle$ABC에서 $6\sin A = 2\sqrt{3}\sin B = 3\sin C$가 성립할 때, ∠A의 크기는?

① $120°$ ② $90°$ ③ $60°$

④ $45°$ ⑤ $30°$

178

출제율 ▰▰▰▱▱

삼각형 ABC에서 $c\cos B - b\cos C = a$가 성립할 때, 삼각형 ABC는 어떤 삼각형인가?

① 정삼각형
② $a=b$인 이등변삼각형
③ $b=c$인 이등변삼각형
④ $A=90°$인 직각삼각형
⑤ $C=90°$인 직각삼각형

179

출제율 ▰▰▰▱▱

오른쪽 그림과 같은 삼각형 ABC 에서 $\overline{\text{AD}}$의 길이는?

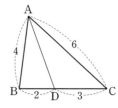

① $\sqrt{2}$ ② $\sqrt{3}$

③ $2\sqrt{2}$ ④ $2\sqrt{3}$

⑤ $3\sqrt{2}$

개념 ③ 삼각형과 사각형의 넓이

(1) **삼각형의 넓이**

① 삼각형의 넓이 S는
$$S=\frac{1}{2}ab\sin C=\frac{1}{2}bc\sin A$$
$$=\frac{1}{2}ca\sin B$$

② 외접원의 반지름의 길이가 R인 삼각형의 넓이 S는
$$S=\frac{abc}{4R}=2R^2\sin A\sin B\sin C$$

(2) **사각형의 넓이**

① 평행사변형의 넓이

평행사변형의 이웃하는 두 변의 길이가 a, b이고 그 끼인각의 크기가 θ일 때, 평행사변형의 넓이 S는
$$S=ab\sin\theta$$

② 사각형의 넓이

사각형의 두 대각선의 길이가 a, b이고 두 대각선이 이루는 각의 크기가 θ일 때, 사각형의 넓이 S는
$$S=\frac{1}{2}ab\sin\theta$$

 등급업 TIP

(1) 세 변의 길이와 내접원의 반지름의 길이 r가 주어진 경우
$$S=rs\left(\text{단, } s=\frac{a+b+c}{2}\right)$$

(2) 세 변의 길이가 주어진 경우 (헤론의 공식)
$$S=\sqrt{s(s-a)(s-b)(s-c)}\left(\text{단, } s=\frac{a+b+c}{2}\right)$$

180

출제율

삼각형 ABC에서 $\overline{AC}=12$, $\overline{BC}=7$이고 넓이가 $21\sqrt{3}$일 때, $\overline{AB}$의 길이는? $\left(\text{단, } 0<C<\dfrac{\pi}{2}\right)$

① $\sqrt{43}$ ② 10 ③ $\sqrt{109}$

④ 12 ⑤ $2\sqrt{43}$

181

출제율

삼각형 ABC에서 $b=6$, $c=10$, $A=120°$일 때, 삼각형 ABC의 내접원의 반지름의 길이는?

① $\sqrt{2}$ ② $\sqrt{3}$ ③ 2

④ $\sqrt{5}$ ⑤ $\sqrt{6}$

182

출제율

원에 내접하는 사각형 ABCD에서 $\overline{AB}=2$, $\overline{BC}=4$, $\overline{CD}=6$, $\overline{DA}=8$일 때, 사각형 ABCD의 넓이는?

① $3\sqrt{3}$ ② $4\sqrt{3}$ ③ $5\sqrt{6}$

④ $7\sqrt{6}$ ⑤ $8\sqrt{6}$

183 학교 기출 신유형

출제율

오른쪽 그림과 같이 두 대각선의 길이가 각각 a, b이고 두 대각선이 이루는 각의 크기가 $45°$인 사각형 ABCD가 있다. 사각형 ABCD의 넓이가 $3\sqrt{2}$이고 $a+b=9$일 때, a^3+b^3의 값은?

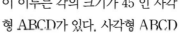

① 401 ② 402 ③ 403

④ 404 ⑤ 405

최상위권 도약 **실력 완성 문제**

개념 **1** 사인법칙

184

반지름의 길이가 3인 원에 내접하는 삼각형 ABC에 대하여 $\cos^2 A + \cos^2 B + \cos^2 C = 1$이 성립할 때, $\overline{AB}^2 + \overline{BC}^2 + \overline{CA}^2$의 값은?

① 64   ② 66   ③ 68

④ 70   ⑤ 72

185   다빈출

삼각형 ABC에 대하여 x에 대한 이차방정식 $ax^2 - 6\sqrt{b}\,x \sin B + 9\sin^2 A = 0$이 중근을 가질 때, 삼각형 ABC는 어떤 삼각형인가?

① 정삼각형

② $A = 90°$인 직각삼각형

③ $B = 90°$인 직각삼각형

④ $a = b$인 이등변삼각형

⑤ $b = c$인 이등변삼각형

186

오른쪽 그림에서 $\overline{AC} = 6$, $\angle AEC = \angle ACD = 90°$, $\angle CAD = 30°$이고 $\overline{BD} = \overline{EC}$일 때, $\overline{BC}$의 길이는?

① $2\sqrt{2}$ ② $2\sqrt{3}$ ③ $3\sqrt{2}$

④ $3\sqrt{3}$ ⑤ $4\sqrt{2}$

187   학교 기출 신유형

다음 그림과 같이 중심이 각각 O_1, O_2인 두 원 C_1, C_2가 있다. 두 원 C_1, C_2의 두 교점을 A, B라 하고, C_1, C_2의 넓이를 각각 S_1, S_2라고 하자. 원 C_1 위의 한 점 C에 대하여 $\angle ACB = \angle AO_2B = \dfrac{\pi}{3}$일 때, $\dfrac{S_2}{S_1}$의 값을 구하여라.

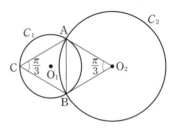

188

오른쪽 그림과 같은 삼각형 ABC에서 $\angle C = 60°$, $\overline{AB} = 12$일 때, $\overline{BC}$의 길이의 최댓값은?

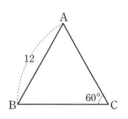

① $6\sqrt{2}$ ② $\dfrac{13\sqrt{3}}{2}$

③ $7\sqrt{3}$ ④ $\dfrac{15\sqrt{3}}{2}$

⑤ $8\sqrt{3}$

189 교육청 기출

오른쪽 그림과 같이 $\overline{AB}=10$, $\overline{BC}=6$, $\overline{CA}=8$인 삼각형 ABC와 그 삼각형의 내부에 $\overline{AP}=6$인 점 P가 있다. 점 P에서 변 AB와 변 AC에 내린 수선의 발을 각각 Q, R라고 할 때, $\overline{QR}$의 길이는?

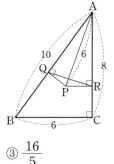

① $\dfrac{14}{5}$ ② 3   ③ $\dfrac{16}{5}$

④ $\dfrac{17}{5}$ ⑤ $\dfrac{18}{5}$

190

오른쪽 그림과 같이 원에 내접하는 사각형 ABCD에서 $\angle BAC=45°$, $\angle DBC=15°$, $\angle ACD=75°$이고 $\overline{AC}=4\sqrt{6}$일 때, $\overline{BD}$의 길이는?

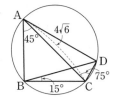

① $2\sqrt{2}$ ② $3\sqrt{2}$

③ $4\sqrt{2}$ ④ $5\sqrt{2}$

⑤ $6\sqrt{2}$

191 다빈출

오른쪽 그림과 같이 두 직선 $y=\sqrt{3}x$, $y=\dfrac{\sqrt{3}}{3}x$가 있다. 두 직선 위에 $\overline{AB}=2$가 되도록 두 점 A, B를 잡을 때, $\overline{OA}$의 길이의 최댓값은? (단, O는 원점이고, A, B는 제1사분면 위의 점이다.)

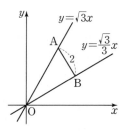

① 1   ② 2   ③ 3

④ 4   ⑤ 5

개념 ② 코사인법칙

192 교육청 기출

오른쪽 그림과 같이 한 변의 길이가 3인 정육각형 F_1의 각 변을 2 : 1로 내분하는 점들을 이어 정육각형 F_2를 만들었다. F_1, F_2의 넓이를 각각 S_1, S_2라고 할 때, $\dfrac{S_2}{S_1}$의 값은?

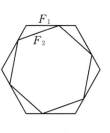

① $\dfrac{1}{3}$ ② $\dfrac{4}{9}$ ③ $\dfrac{5}{9}$

④ $\dfrac{2}{3}$ ⑤ $\dfrac{7}{9}$

193

오른쪽 그림과 같이 삼각형 ABC에서 ∠A의 이등분선이 변 BC와 만나는 점을 D라 하고 $\overline{AB}=\overline{AD}=4$, $\overline{AC}=6$일 때, $\overline{BD}$의 길이는?

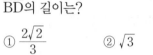

① $\dfrac{2\sqrt{2}}{3}$
② $\sqrt{3}$
③ $\dfrac{4\sqrt{3}}{3}$
④ $\dfrac{5\sqrt{3}}{3}$
⑤ $2\sqrt{2}$

194

삼각형 ABC에서 $B=60°$, $\overline{AB}=\dfrac{1}{x}$, $\overline{BC}=4x$일 때, $\overline{AC}$의 길이의 최솟값은?

① $\sqrt{2}$
② $\sqrt{3}$
③ 2
④ $2\sqrt{2}$
⑤ 3

195

삼각형 ABC에서 $a=8$, $c=3$이고 C의 크기가 최대일 때, b의 값은?

① $\sqrt{37}$
② $3\sqrt{5}$
③ $4\sqrt{3}$
④ $5\sqrt{2}$
⑤ $\sqrt{55}$

196 교육청 기출

다음 그림과 같이 $\overline{AB}=3$, $\overline{BC}=6$인 직사각형 ABCD에서 선분 BC를 $1:5$로 내분하는 점을 E라고 하자. $\angle EAC=\theta$라고 할 때, $50\sin\theta\cos\theta$의 값을 구하여라.

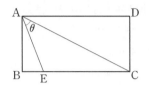

197 학교 기출 신유형

오른쪽 그림과 같이 삼각형 ABC의 두 꼭짓점 A, B를 각각 중심으로 하고 반지름의 길이가 같은 두 원이 외접한다. $\angle A=\dfrac{\pi}{3}$, $\overline{BC}=6\sqrt{6}$, $\overline{CD}=6\sqrt{3}$일 때, 삼각형 ABC의 내부의 색칠한 두 부채꼴의 넓이의 합은 $\dfrac{q}{p}\pi$이다. $p+q$의 값은?

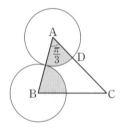

(단, p, q는 서로소인 자연수이다.)

① 27
② 29
③ 31
④ 33
⑤ 35

198

오른쪽 그림은 모선의 길이가 4이고 밑면의 반지름의 길이가 $\dfrac{4}{3}$인 원뿔이다. 점 P가 $\overline{OB}$를 3 : 1로 내분하는 점일 때, 원뿔의 옆면을 따라 두 점 A, P를 잇는 거리의 최솟값은? (단, 두 점 A, B는 밑면의 지름의 양 끝 점이다.)

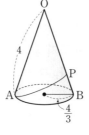

① 2 ② $\sqrt{6}$ ③ $2\sqrt{2}$

④ $2\sqrt{3}$ ⑤ $\sqrt{13}$

199

오른쪽 그림과 같이 각각 다른 두 원에 외접하는 세 원 O_1, O_2, O_3이 있다. $\overline{O_2O_3}$을 빗변으로 하는 직각삼각형 $O_1O_2O_3$의 넓이가 24이고 둘레의 길이가 24이다. 두 원 O_2, O_3의 접점을 T라고 할 때, $\overline{O_1T}^2$의 값은?

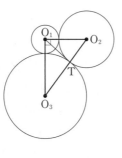

① $\dfrac{114}{5}$ ② 23 ③ $\dfrac{116}{5}$

④ $\dfrac{117}{5}$ ⑤ $\dfrac{118}{5}$

200 학교 기출 신유형

오른쪽 그림과 같이 성현이는 A 지점에서 출발하여 B 지점을 향하여 일정한 속력으로 가고, 민지는 C 지점에서 출발하여 성현의 두 배의 속력으로 A 지점을 향하여 간다. ∠BAC=60°이고 두 지점 A, B 사이의 거리는 14 km, 두 지점 A, C 사이의 거리는 21 km일 때, 성현의 위치와 민지의 위치를 잇는 선분이 변 BC와 평행한 순간 두 사람 사이의 거리를 구하여라.

개념 3 삼각형과 사각형의 넓이

201 다빈출

오른쪽 그림과 같이 반지름의 길이가 5인 원에 두 내각의 크기가 30°, 120°인 삼각형 ABC가 내접하고 있다. 이때 삼각형 ABC의 넓이는?

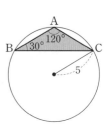

① $\dfrac{11\sqrt{3}}{2}$ ② $\dfrac{23\sqrt{3}}{4}$

③ $6\sqrt{3}$ ④ $\dfrac{25\sqrt{3}}{4}$

⑤ $\dfrac{13\sqrt{3}}{2}$

202

반지름의 길이가 8인 원에 내접하고

$$\sin A + \sin B + \sin C = \frac{\sqrt{2}}{4}$$

인 삼각형 ABC의 내접원의 반지름의 길이가 $\frac{7}{2}$일 때, 삼각형 ABC의 넓이를 구하여라.

203

오른쪽 그림과 같은 사각형 ABCD에서 $\overline{AB}=9$, $\overline{BC}=5$, $\overline{CD}=3$, $\overline{DA}=8$, $C=120°$일 때, 삼각형 ABD의 넓이는?

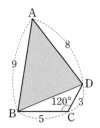

① $11\sqrt{5}$　　② $12\sqrt{5}$

③ $13\sqrt{5}$　　④ $14\sqrt{5}$

⑤ $15\sqrt{5}$

204

세 변의 길이가 6, 7, 9인 삼각형 ABC의 외접원의 반지름의 길이를 R, 내접원의 반지름의 길이를 r라고 할 때, rR의 값을 구하여라.

205 교육청 기출

반지름의 길이가 3인 원의 둘레를 6등분하는 점 중에서 연속된 세 개의 점을 각각 A, B, C라고 하자. 점 B를 포함하지 않는 호 AC 위의 점 P에 대하여 $\overline{AP}+\overline{CP}=8$이다. 사각형 ABCP의 넓이는?

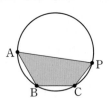

① $\frac{13\sqrt{3}}{3}$　　② $\frac{16\sqrt{3}}{3}$　　③ $\frac{19\sqrt{3}}{3}$

④ $\frac{22\sqrt{3}}{3}$　　⑤ $\frac{25\sqrt{3}}{3}$

206 학교 기출 신 유형

오른쪽 그림과 같이 이웃하는 두 변의 길이가 각각 5, 11인 평행사변형 ABCD의 두 대각선이 이루는 각의 크기가 135°일 때, 평행사변형 ABCD의 넓이는?

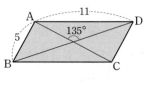

① 36　　② 40　　③ 44

④ 48　　⑤ 52

207

$0 \le x \le \pi$일 때, 함수 $y = \dfrac{\sin x + 4}{\cos x + 3}$의 최댓값을 M, 최솟값을 m이라고 하자. $M + m$의 값은?

① $\dfrac{1}{2} + \dfrac{\sqrt{6}}{8}$ ② $\dfrac{3}{2} + \dfrac{\sqrt{6}}{4}$ ③ $\dfrac{5}{2} + \dfrac{\sqrt{6}}{4}$

④ $\dfrac{3 + \sqrt{6}}{2}$ ⑤ $\dfrac{5 + \sqrt{6}}{2}$

208

자연수 n에 대하여 방정식 $m \sin nx = -\sin nx + 3$ $(0 < x < 2\pi)$의 서로 다른 실근이 존재하고 실근의 개수가 짝수가 되도록 하는 자연수 m의 최솟값을 $f(n)$이라고 하자. 이때 $f(1) + f(2) + f(3) + \cdots + f(7)$의 값을 구하여라.

209

$-2\pi \leq x \leq 2\pi$에서 함수 $f(x) = \sin x$에 대하여 함수

$$g(x) = \frac{f(x) + |f(x)|}{2}$$

라고 할 때, |보기|에서 옳은 것만을 있는 대로 고른 것은?

> **● 보기 ●**
>
> ㄱ. $g(x) = g(x+4\pi)$
>
> ㄴ. 방정식 $g(x) = 1$의 실근의 개수는 2이다.
>
> ㄷ. 방정식 $g(x) = k \, (0 < k < 1)$의 모든 실근의 합은 2π이다.

① ㄱ   ② ㄴ   ③ ㄱ, ㄴ

④ ㄴ, ㄷ   ⑤ ㄱ, ㄴ, ㄷ

210

$\overline{AB} = 8$, $\overline{BC} = 2\sqrt{13}$, $\overline{AC} = 6$인 삼각형 ABC에서 변 AC를 한 변으로 하는 정삼각형 ACP와 변 AB를 한 변으로 하는 정삼각형 ABQ를 다음 그림과 같이 그린다. 두 정삼각형 ACP, ABQ의 외접원의 중심을 각각 O_1, O_2라고 할 때, $\overline{O_1O_2}^2$의 값을 구하여라.

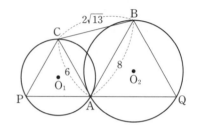

01

각 θ를 나타내는 동경과 각 9θ를 나타내는 동경이 일직선 위에 있고 방향이 반대이다. 이때 모든 $\cos\left(\theta - \dfrac{\pi}{8}\right)$의 값의 합은? $\left(\text{단, } \dfrac{\pi}{2} < \theta < \pi\right)$ [3점]

① $-\dfrac{\sqrt{2}}{2}$ ② $-\dfrac{1}{2}$ ③ $\dfrac{1}{2}$

④ $\dfrac{\sqrt{2}}{2}$ ⑤ $\dfrac{\sqrt{3}}{2}$

02

다음 |보기|에서 함수 $y = \sin \pi x + 1$과 주기가 같은 함수인 것만을 있는 대로 고른 것은? [3점]

┌─ 보기 ─────────────────
ㄱ. $y = |\sin 2\pi x|$

ㄴ. $y = \cos \dfrac{\pi}{2} x - 2$

ㄷ. $y = \tan \left(\dfrac{\pi}{2} x - \dfrac{\pi}{4}\right)$
└──────────────────────

① ㄱ ② ㄴ ③ ㄷ

④ ㄴ, ㄷ ⑤ ㄱ, ㄴ, ㄷ

03

직선 $y = \dfrac{1}{9} x$와 함수 $y = \cos x$의 그래프의 교점의 개수는? [3점]

① 3 ② 4 ③ 5

④ 6 ⑤ 7

04

$-\dfrac{\pi}{2} < x < \dfrac{\pi}{2}$일 때, 부등식

$3 \sin^2 x - 2\sqrt{3} \sin x \cos x - 3 \cos^2 x < 0$의 해는 $\alpha < x < \beta$이다. $\alpha + \beta$의 값은? [3점]

① $-\dfrac{\pi}{2}$ ② $-\dfrac{\pi}{3}$ ③ $-\dfrac{\pi}{6}$

④ $\dfrac{\pi}{6}$ ⑤ $\dfrac{\pi}{3}$

05

오른쪽 그림과 같이 정육각형 ABCDEF에서 변 BC와 변 EF의 중점을 각각 M, N이라고 하자. $\angle MDN = \theta$라고 할 때, $\cos \theta$의 값은? [3점]

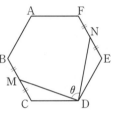

① $\dfrac{1}{7}$ ② $\dfrac{2}{7}$ ③ $\dfrac{3}{7}$

④ $\dfrac{4}{7}$ ⑤ $\dfrac{5}{7}$

06

오른쪽 그림과 같이 원 $x^2 + y^2 = 9$ $(x \geq 0, y \geq 0)$를 30등분하여 각 분점을 차례대로 $P_1, P_2, \cdots, P_{29}$라 하고, 각 분점 P_i $(i = 1, 2, \cdots, 29)$의 좌표를 (x_i, y_i)라고 할 때,

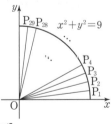

$\dfrac{y_1 \times y_2 \times y_3 \times \cdots \times y_{29}}{x_1 \times x_2 \times x_3 \times \cdots \times x_{29}}$의 값은? [4점]

① 1 ② $\sqrt{2}$ ③ $\sqrt{3}$

④ 2 ⑤ 3

07

$0 \le x \le \dfrac{\pi}{3}$일 때, 함수 $y = \dfrac{\cos x - \sin x}{\cos x + \sin x}$의 최댓값을 M, 최솟값을 m이라고 하자. $M + m$의 값은? **[4점]**

① $-2 + \sqrt{3}$ ② $-1 + \sqrt{3}$ ③ $\sqrt{3}$

④ $1 + \sqrt{3}$ ⑤ $2 + \sqrt{3}$

08

삼각형 ABC에 대하여 x에 대한 이차방정식
$ax^2 - 10\sqrt{b}\,x \sin(B+C) + 25\sin^2 A = 0$이 중근을 가질 때, 삼각형 ABC는 어떤 삼각형인가? **[4점]**

① 정삼각형

② $A = 90°$인 직각삼각형

③ $B = 90°$인 직각삼각형

④ $a = b$인 이등변삼각형

⑤ $b = c$인 이등변삼각형

09

오른쪽 그림과 같이 반지름의 길이가 2이고 중심각의 크기가 30°인 부채꼴 OAB에서 호 AB 위에 한 점 P를 잡고, 선분 OA, OB 위에 각각 점 Q, R를 잡을 때, 삼각형 PQR의 둘레의 길이의 최솟값은 k이다. k^2의 값을 구하여라. **[4점]**

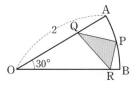

10

$0 \le x \le \pi$에서 함수
$f(x) = \sqrt{1 - 2\sin x \cos x} + \sqrt{1 + 2\sin x \cos x}$의 그래프와 직선 $y = k$의 교점의 개수가 4가 되도록 하는 실수 k의 값의 범위는 $\alpha < k < \beta$이다. $\alpha^2 + \beta^2$의 값은? **[4점]**

① 6 ② $\dfrac{13}{2}$ ③ 7

④ $\dfrac{15}{2}$ ⑤ 8

✅ 실력점검

맞힌 개수	/10개	점수	/35점

미니 모의고사 - 2회

제한시간 : 30분

01

둘레의 길이가 36이고 넓이가 12인 서로 다른 두 부채꼴의 반지름의 길이의 합은? [3점]

① 15   ② 16   ③ 17

④ 18   ⑤ 19

02

직선 $y=-\dfrac{\sqrt{5}}{2}x$ 위의 점 $\mathrm{P}(a, b)$ $(b>0)$에 대하여 $\overline{\mathrm{OP}}$가 x축의 양의 방향과 이루는 각의 크기를 θ라고 할 때, $3\sqrt{5}\sin\theta-6\cos\theta$의 값은? (단, O는 원점이다.)

[3점]

① 8   ② 9   ③ 10

④ 11   ⑤ 12

03

$\sin\theta+\cos\theta=-\dfrac{1}{2}$일 때, $\sin^3\theta+\cos^3\theta$의 값은? [3점]

① $-\dfrac{13}{16}$ ② $-\dfrac{11}{16}$ ③ $-\dfrac{1}{4}$

④ $\dfrac{4}{3}$ ⑤ $\dfrac{35}{16}$

04

함수 $y=a\cos(bx+c)+d$의 그래프가 다음 그림과 같을 때, 상수 a, b, c, d에 대하여 $a+b+c+d$의 값을 구하여라. $\left(\text{단, } a<0, \ b>0, \ 0<c<\dfrac{\pi}{2}\right)$ [3점]

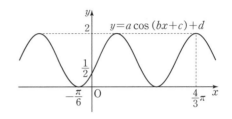

05

함수 $y=1-4\cos^2 x-4\sin x$의 최댓값을 M, 최솟값을 m이라고 할 때, $M+m$의 값은? [3점]

① 1   ② 2   ③ 3

④ 4   ⑤ 5

06

점 $\mathrm{P}(3, 4)$를 원점 O를 중심으로 $90°$만큼 시계 반대 방향으로 회전한 점을 P_1, 점 P를 원점에 대칭이동한 점을 P_2, 점 P를 x축에 대하여 대칭이동한 점을 P_3이라고 하자. 동경 OP_1, OP_2, OP_3이 나타내는 각의 크기를 각각 θ_1, θ_2, θ_3이라고 할 때, $\cos\theta_1+\sin\theta_2+\tan\theta_3$의 값은? [4점]

① $-\dfrac{44}{15}$ ② $-\dfrac{7}{5}$ ③ $-\dfrac{5}{4}$

④ $\dfrac{3}{7}$ ⑤ $\dfrac{23}{15}$

07

함수 $f(x) = \sin kx \left(0 \leq x \leq \dfrac{5\pi}{2k}\right)$의 그래프와 직선

$y = \dfrac{3}{4}$이 만나는 점의 x좌표의 합을 p라고 할 때, $f(p)$

의 값은? (단, k는 양의 실수이다.) **[4점]**

① -1 　　② $-\dfrac{7}{8}$ 　　③ $-\dfrac{3}{4}$

④ 0 　　⑤ $\dfrac{3}{4}$

08

$0 \leq x < 2\pi$일 때, 방정식

$\cos^2 x - (2a+3)\sin x - a + 2 = 0$을 만족시키는 x의 값

이 적어도 2개 존재하도록 하는 실수 a의 값의 범위는?

[4점]

① $a < -5$ 　　② $a < -5$ 또는 $a > -\dfrac{1}{3}$

③ $a > -\dfrac{1}{3}$ 　　④ $a < -5$ 또는 $a > \dfrac{1}{3}$

⑤ $a > 5$

09

삼각형 ABC가 $b^2 \tan A = a^2 \tan B$를 만족시킬 때,
|보기|에서 삼각형 ABC가 될 수 있는 것만을 있는 대로
고른 것은? **[4점]**

┌─ 보기 ─
ㄱ. $a = b$인 이등변삼각형
ㄴ. $b = c$인 이등변삼각형
ㄷ. $A = 90°$인 직각삼각형
ㄹ. $B = 90°$인 직각삼각형
ㅁ. $C = 90°$인 직각삼각형
└

① ㄱ, ㄷ 　　② ㄱ, ㅁ 　　③ ㄴ, ㄷ

④ ㄷ, ㅁ 　　⑤ ㄱ, ㄹ, ㅁ

10

오른쪽 그림과 같이 원
$x^2 + y^2 = 4$가 x축과 만나는 두
점을 A, B라 하고, 점 A와 원
위의 점 $C(1, \sqrt{3})$을 이은 선
분 AC가 y축과 만나는 점을
D라고 하자. 원 $x^2 + y^2 = 4$가
y축의 양의 부분과 만나는 점을 E라고 할 때, 호 EC와
두 선분 DC, DE로 둘러싸인 도형의 넓이는? **[4점]**

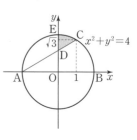

① $\dfrac{\pi}{4} - \dfrac{\sqrt{2}}{4}$ 　　② $\dfrac{\pi}{4} - \dfrac{\sqrt{3}}{4}$ 　　③ $\dfrac{\pi}{3} - \dfrac{\sqrt{2}}{3}$

④ $\dfrac{\pi}{3} - \dfrac{\sqrt{3}}{3}$ 　　⑤ $\dfrac{\pi}{2} - \dfrac{\sqrt{2}}{2}$

✓ 실력점검

맞힌 개수	/10개	점수	/35점

수열

개념 1 등차수열의 일반항

(1) 수열

　① 수열: 차례로 나열한 수의 열

　② 항: 수열에서 나열된 각각의 수

　③ 수열 $\{a_n\}$에서 제n항이 n에 대한 식으로 주어졌을
　　 때, 이 식을 수열 $\{a_n\}$의 일반항이라고 한다.

(2) 등차수열

　① 등차수열: 첫째항부터 차례로 일정한 수를 더해 만들
　　 어진 수열

　② 공차: 등차수열에서 더하는 일정한 수

(3) 등차수열의 일반항

　첫째항이 a, 공차가 d인 등차수열의 일반항 a_n은

　$$a_n = a + (n-1)d \ (n=1, 2, 3, \cdots)$$

등급업 TIP 등차수열은 제$n+1$항인 a_{n+1}에서 바로 앞의 항인 제m항
　　　　 a_n을 뺀 차가 항상 일정하다.
　　　　 즉, $a_{n+1} - a_n = $(공차)이다.

001　　　　　　　　　　출제율 ━━━

수열 $\{a_n\}$의 일반항을 $a_n = (n$을 3으로 나눈 나머지$)$로
정의할 때, a_{500}의 값은?

① 0　　　　　② 1　　　　　③ 2

④ 3　　　　　⑤ 4

002　　　　　　　　　　출제율 ━━━

수열 1, $\dfrac{3}{4}$, $\dfrac{5}{9}$, $\dfrac{7}{16}$, $\cdots$의 제15항을 $\dfrac{q}{p}$이라고 할 때,
$p-q$의 값을 구하여라. (단, p, q는 서로소인 자연수이다.)

003　　　　　　　　　　출제율 ━━━

수열 9, 99, 999, 9999, $\cdots$의 제n항 a_n이
$a_n = \alpha \times 10^n - \beta$일 때, $\alpha\beta$의 값은?

（단, α, β는 10 이하의 자연수이다.）

① -1　　　　② 0　　　　　③ 1

④ 2　　　　　⑤ 3

004　　　　　　　　　　출제율 ━━━

제7항이 8, 제11항이 -8인 등차수열의 첫째항을 a, 공
차를 d라고 할 때, $a+5d$의 값은?

① 10　　　　　② 12　　　　　③ 14

④ 16　　　　　⑤ 18

005

출제율 ◖▭▭▭◗

등차수열 15, 13, 11, …에서 처음으로 음수가 되는 항은 제몇 항인가?

① 제6항   ② 제7항   ③ 제8항
④ 제9항   ⑤ 제10항

006

출제율 ◖▭▭▭◗

공차가 0이 아닌 등차수열 $\{a_n\}$에 대하여 $a_2+a_5=10$, $(a_6)^2=25$일 때, a_7의 값은?

① -9 ② -7 ③ -5
④ -3 ⑤ -1

개념 **2** 등차중항

세 수 a, b, c가 이 순서대로 등차수열을 이룰 때, b를 a와 c의 등차중항이라고 한다.

즉, $b-a=c-b$이므로 $b=\dfrac{a+c}{2}$

└─ $a>0$, $c>0$일 때
b는 a와 c의 산술평균이다.

등급업 TIP 등차수열을 이루는 수는 다음과 같이 놓는다.

(1) 세 수가 등차수열을 이룰 때
　　$a-d$, a, $a+d$

(2) 네 수가 등차수열을 이룰 때
　　$a-3d$, $a-d$, $a+d$, $a+3d$

(3) 다섯 수가 등차수열을 이룰 때
　　$a-2d$, $a-d$, a, $a+d$, $a+2d$

007

출제율 ◖▭▭▭◗

세 수 $6x-6$, x^2, $-x+4$가 이 순서대로 등차수열을 이룰 때, 정수 x의 값은?

① -2 ② -1 ③ 0
④ 1 ⑤ 2

008

출제율 ◖▭▭▭◗

다섯 개의 수 a, b, 4, c, d가 이 순서대로 등차수열을 이룰 때, $a+b+c+d$의 값은?

① 8   ② 12   ③ 16
④ 20   ⑤ 24

009　　　　　　　　출제율 ◖▬▬▬▬◗

등차수열을 이루는 세 수의 합이 9이고 제곱의 합이 59일 때, 세 수의 곱은?

① -21　　　　② -9　　　　③ 0

④ 9　　　　　⑤ 21

010　　　　　　　　출제율 ◖▬▬▬▬◗

삼차방정식 $x^3 - kx - k + 4 = 0$의 세 근이 등차수열을 이룰 때, 실수 k의 값은?

① 1　　　　　② 2　　　　③ 3

④ 4　　　　　⑤ 5

011　　　　　　　　출제율 ◖▬▬▬▬◗

세 변의 길이가 등차수열을 이루는 직각삼각형이 있다. 빗변의 길이가 10일 때, 이 직각삼각형의 넓이를 구하여라.

개념 ③ **등차수열의 합**

(1) 첫째항이 a, 공차가 d인 등차수열의 첫째항부터 제n항까지의 합 S_n은

$$S_n = \frac{n\{2a + (n-1)d\}}{2}$$

(2) 첫째항이 a, 제n항이 l인 등차수열의 첫째항부터 제n항까지의 합 S_n은

$$S_n = \frac{n(a+l)}{2}$$

참고 등차수열의 첫째항부터 제n항까지의 합 S_n은
$S_n = An^2 + Bn$ (A, B는 상수) 꼴로 나타난다.

012　　　　　　　　출제율 ◖▬▬▬▬◗

제2항이 -2, 제5항이 22인 등차수열의 첫째항부터 제n항까지의 합이 60일 때, n의 값은?

① 4　　　　　② 5　　　　③ 6

④ 7　　　　　⑤ 8

013　　　　　　　　출제율 ◖▬▬▬▬◗

등차수열 $\{a_n\}$의 첫째항부터 제n항까지의 합 S_n에 대하여 $S_{10} = 40$, $S_{20} = 120$일 때, S_{30}의 값은?

① 240　　　　② 260　　　　③ 280

④ 300　　　　⑤ 320

014

출제율 ▰▰▰▱

첫째항이 46, 공차가 -4인 등차수열의 첫째항부터 제 n항까지의 합이 S_n일 때, S_n의 최댓값은?

① 162　　　　② 200　　　　③ 242

④ 288　　　　⑤ 338

015

출제율 ▰▰▰▱

15와 45 사이에 10개의 수를 넣어 등차수열을 만들 때, 이 등차수열의 합은?

① 220　　　　② 240　　　　③ 280

④ 320　　　　⑤ 360

016

출제율 ▰▰▰▱

두 등차수열 $\{a_n\}$, $\{b_n\}$의 첫째항의 합이 4이고 공차의 합이 5일 때,

$$(a_1+a_2+\cdots+a_{12})+(b_1+b_2+\cdots+b_{12})$$

의 값을 구하여라.

017 [학교 기출 신 유형]

출제율 ▰▰▰▰

두 자리의 자연수 중 4로 나누었을 때 나머지가 2인 자연수의 총합은?

① 1134　　　　② 1188　　　　③ 1242

④ 1296　　　　⑤ 1350

018

출제율 ▰▰▰▱

등차수열 $\{a_n\}$의 항 1, 3, 5, $\cdots$, a_{21}에 대하여 짝수 번째 항들의 합은?

① 200　　　　② 210　　　　③ 220

④ 230　　　　⑤ 240

019

출제율 ▰▰▰▰

첫째항이 12, 공차가 -3인 등차수열 $\{a_n\}$에서

$$|a_1|+|a_2|+|a_3|+\cdots+|a_{10}|$$ 의 값은?

① 55　　　　② 60　　　　③ 65

④ 70　　　　⑤ 75

 4 수열의 합과 일반항 사이의 관계

수열 $\{a_n\}$의 첫째항부터 제n항까지의 합을 S_n이라 하면
$$a_1=S_1, \ a_n=S_n-S_{n-1} \ (n\geq 2)$$

참고 $a_1=S_1$이 $a_n=S_n-S_{n-1} \ (n\geq 2)$에 $n=1$을 대입한 것과 같으면 $a_n=S_n-S_{n-1} \ (n\geq 1)$이다.

등급업 TIP 등차수열의 첫째항부터 제n항까지의 합 S_n이
$S_n=An^2+Bn+C \ (A, B, C$는 상수) 꼴일 때
(1) $C=0$이면 수열 $\{a_n\}$은 첫째항부터 등차수열을 이룬다.
(2) $C\neq 0$이면 수열 $\{a_n\}$은 제2항부터 등차수열을 이룬다.

020
출제율

수열 $\{a_n\}$의 첫째항부터 제n항까지의 합 S_n이
$S_n=n^2-3n$일 때, a_7+a_8의 값은?

① 22 　　　 ② 24 　　　 ③ 26
④ 28 　　　 ⑤ 30

021
출제율

등차수열 $\{a_n\}$의 첫째항부터 제10항까지의 합이 90이고, 첫째항부터 제n항까지의 합이 $S_n=kn^2-n$일 때, 일반항 $a_n=\alpha n+\beta$에 대하여 $\alpha+\beta$의 값은?

(단, k, α, β는 상수이다.)

① -4 　　　 ② -2 　　　 ③ 0
④ 2 　　　 ⑤ 4

022
출제율

두 수열 $\{a_n\}$, $\{b_n\}$의 첫째항부터 제n항까지의 합이 각각 $n^2-\alpha n$, $3n^2+2n$일 때, 두 수열의 제4항이 서로 같도록 하는 상수 α의 값을 구하여라.

023
출제율

수열 $\{a_n\}$의 첫째항부터 제n항까지의 합이
$S_n=-2n^2+8n$일 때, 처음으로 음수가 되는 항은 제몇 항인가?

① 제2항 　　　 ② 제3항 　　　 ③ 제4항
④ 제5항 　　　 ⑤ 제6항

개념 5 등비수열의 일반항

(1) 등비수열

① 등비수열: 첫째항부터 차례로 일정한 수를 곱해 만들어진 수열

② 공비: 등비수열에서 곱하는 일정한 수

(2) 등비수열의 일반항

첫째항이 a, 공비가 r $(r \neq 0)$인 등비수열의 일반항 a_n은

$$a_n = ar^{n-1} \ (n=1, 2, 3, \cdots)$$

TIP 등비수열은 제$n+1$항인 a_{n+1}을 바로 앞의 항인 제n항 a_n으로 나눈 값이 항상 일정하다.

즉, $\dfrac{a_{n+1}}{a_n} = (공비)$이다.

024

제3항이 6, 제5항이 18인 등비수열 $\{a_n\}$의 제9항은?

① 36 　　② 54 　　③ 162

④ 486 　　⑤ 1458

025

세 양수 a_1, a_2, a_3에 대하여 3, a_1, a_2, a_3, 48이 이 순서대로 등비수열을 이루도록 할 때, $a_1 + a_2 + a_3$의 값은?

① 21 　　② 36 　　③ 42

④ 58 　　⑤ 66

026

모든 항이 실수인 등비수열 $\{a_n\}$에 대하여 $a_4 = 6a_1$, $a_5 + a_8 = 21$일 때, 108은 제몇 항인가?

① 제8항 　　② 제9항 　　③ 제10항

④ 제11항 　　⑤ 제12항

027

공비가 실수인 등비수열 $\{a_n\}$에 대하여

$a_1 + a_2 + a_3 = \dfrac{2}{3}$, $a_4 + a_5 + a_6 = \dfrac{128}{3}$이 성립할 때,

$a_2 + a_4 + a_6 = \dfrac{q}{p}$이다. $p+q$의 값을 구하여라.

(단, p와 q는 서로소인 자연수이다.)

028

출제율

공비가 양수인 등비수열 $\{a_n\}$의 첫째항이 $\sqrt[5]{2}$, 제3항이 2일 때, 제k항에서 그 값이 정수가 된다. k의 최솟값은?

(단, $k>3$)

① 4 ② 5 ③ 6

④ 7 ⑤ 8

029

출제율

1시간마다 일정한 비율로 그 수가 증가하는 바이러스가 있다. 2시간 후에는 36만 마리, 6시간 후에는 81만 마리였을 때, 4시간 후의 바이러스의 수는?

① 53만 ② 54만 ③ 55만

④ 56만 ⑤ 57만

개념 6 등비중항

세 수 a, b, c가 이 순서대로 등비수열을 이룰 때, b를 a와 c의 등비중항이라고 한다.

즉, $\dfrac{b}{a}=\dfrac{c}{b}$이므로 $b^2=ac$

$a>0$, $c>0$일 때 b는 a와 c의 기하평균이다.

등급업 TIP 등비수열을 이루는 세 수는 a, ar, ar^2으로 놓는다.

030

출제율

등비수열을 이루는 세 수의 합이 $\dfrac{7}{4}$이고 곱이 $-\dfrac{27}{64}$일 때, 세 수의 제곱의 합은?

① $\dfrac{16}{91}$ ② $\dfrac{9}{16}$ ③ $\dfrac{16}{9}$

④ $\dfrac{91}{16}$ ⑤ $\dfrac{91}{4}$

031

출제율

세 수 a, b, 11이 이 순서대로 등차수열을 이루고, 세 수 -25, b, a가 이 순서대로 등비수열을 이룰 때, $a+b$의 값은? (단, $b>0$)

① 4 ② 5 ③ 6

④ 7 ⑤ 8

032

출제율 ◖▬▬▬▬◗

공차가 0이 아닌 등차수열 $\{a_n\}$의 세 항 a_2, a_4, a_{10}이 이 순서대로 공비가 r인 등비수열을 이룰 때, r의 값을 구하여라.

033

출제율 ◖▬▬▬▬◗

이차방정식 $2x^2-5x+k=0$의 두 실근 α, β에 대하여 세 수 α^2, 1, β^2이 이 순서대로 등비수열을 이룬다. 이때 양수 k의 값은?

① 1　　　　② 2　　　　③ 3
④ 4　　　　⑤ 5

034

출제율 ◖▬▬▬▬◗

두 곡선 $y=x^3-6x^2-21x$, $y=x^2+k$가 서로 다른 세 점에서 만나고, 교점의 x좌표가 등비수열을 이룰 때, 상수 k의 값은? (단, $k\neq0$)

① -64　　　② -27　　　③ -8
④ 8　　　　⑤ 27

개념 7 등비수열의 합

첫째항이 a, 공비가 r $(r\neq0)$인 등비수열의 첫째항부터 제n항까지의 합 S_n은

(1) $r\neq1$일 때, $S_n=\dfrac{a(1-r^n)}{1-r}=\dfrac{a(r^n-1)}{r-1}$

(2) $r=1$일 때, $S_n=na$

참고 등비수열의 첫째항부터 제n항까지의 합 S_n은
$S_n=Ar^n+B$ (A, B는 상수) 꼴로 나타난다.

 등급업 TIP 등비수열의 첫째항부터 제n항까지의 합 S_n이 $S_n=Ar^n+B$ (A, B는 상수) 꼴일 때
(1) $A+B=0$이면 수열 $\{a_n\}$은 첫째항부터 등비수열을 이룬다.
(2) $A+B\neq0$이면 수열 $\{a_n\}$은 제2항부터 등비수열을 이룬다.

035

출제율 ◖▬▬▬▬◗

첫째항이 1, 공비가 r $(r>0)$인 등비수열의 첫째항부터 제8항까지의 곱이 2^{14}일 때, 이 등비수열의 첫째항부터 제8항까지의 합은?

① 15　　　　② $15(\sqrt{2}-1)$　　　③ $15(\sqrt{2}+1)$
④ $31(\sqrt{2}-1)$　　　⑤ $31(\sqrt{2}+1)$

036

출제율 ◖▬▬▬▬◗

각 항이 실수인 등비수열 $\{a_n\}$에서 제4항이 9이고 제7항이 27일 때, $a_1{}^3+a_2{}^3+a_3{}^3+\cdots+a_{10}{}^3$의 값은?

① $9(3^9-1)$　　　　② $\dfrac{27}{2}(3^9-1)$

③ $9(3^{10}-1)$　　　　④ $\dfrac{27}{2}(3^{10}-1)$

⑤ $27(3^{10}-1)$

037 출제율 ●●●●●

모든 항이 실수인 등비수열 $\{a_n\}$의 첫째항부터 제n항까지의 합을 S_n이라고 할 때, $S_4=12$이고 $S_8=60$이다. S_6의 값은?

① 28   ② 42   ③ 56

④ 70   ⑤ 84

038 출제율 ●●●●●

공비가 1이 아닌 등비수열 $\{a_n\}$의 첫째항부터 제n항까지의 합을 S_n이라고 할 때, $\dfrac{S_{2n}}{S_n}=4$이다. $\dfrac{S_{4n}}{S_n}$의 값은?

① 28   ② 32   ③ 36

④ 40   ⑤ 44

039 출제율 ●●●●●

수열 $\{a_n\}$의 첫째항부터 제n항까지의 합을 S_n이라고 할 때, $S_n=2^n-1$이다. 이때 $a_2+a_4+a_6+a_8+a_{10}$의 값을 구하여라.

040 학교 기출 신유형 출제율 ●●●●●

두 함수 $f(x)=\sqrt{3}^{\,2x-4}$, $g(x)=2x-2$에 대하여 $(f\circ g)(1)+(f\circ g)(2)+\cdots+(f\circ g)(10)$의 값은?

① $\dfrac{1}{72}(9^{10}-1)$ ② $\dfrac{8}{9}(9^{10}-1)$ ③ $9^{10}-1$

④ $\dfrac{9}{8}(9^{10}-1)$ ⑤ $\dfrac{1}{72}(9^{11}-1)$

041 출제율 ●●●●●

공비가 실수인 등비수열 $\{a_n\}$의 첫째항부터 제n항까지의 합을 S_n이라고 하자. $S_3=4$일 때, S_9의 최솟값은?

① 1   ② 2   ③ 3

④ 4   ⑤ 5

개념 8 등비수열의 합의 활용

연이율이 r이고 1년마다 복리로 a원씩 n년 동안 적립할 때, n년 말까지의 적립금의 원리합계 S는

(1) 매년 초에 적립하는 경우

$$S=\frac{a(1+r)\{(1+r)^n-1\}}{r}$$

└ 첫째항이 $a(1+r)$, 끝항이 $a(1+r)^n$, 공비가 $1+r$, 항의 수가 n인 등비수열의 합이다.

(2) 매년 말에 적립하는 경우

$$S=\frac{a\{(1+r)^n-1\}}{r}$$

└ 첫째항이 a, 끝항이 $a(1+r)^{n-1}$, 공비가 $1+r$, 항의 수가 n인 등비수열의 합이다.

042
출제율 ◖▬▬◗

월이율 1 %, 한 달마다 복리로 매월 말 5만 원씩 적립할 때, 1년 후의 원리합계는? (단, $1.01^{12}=1.12$로 계산한다.)

① 50만 원   ② 55만 원   ③ 60만 원
④ 65만 원   ⑤ 70만 원

043
출제율 ◖▬▬▬◗

수진이는 오늘부터 달리기 운동을 하기로 하고, 다음 날은 전날의 1.5배의 시간을 달리기로 정했다. 10일 동안 달린 전체 시간이 1120분일 때, 수진이가 첫째 날 달린 시간은? (단, $1.5^{10}=57$로 계산한다.)

① 10분   ② 11분   ③ 12분
④ 13분   ⑤ 14분

044
출제율 ◖▬▬▬◗

다음 그림과 같이 $\overline{AB}=2$, $\overline{BC}=3$인 직각삼각형 ABC에 내접하는 정사각형의 한 변의 길이를 차례로 a_1, a_2, a_3, …라고 할 때, $a_1+a_2+\cdots+a_{10}$의 값은?

(단, 정사각형의 한 변은 $\overline{BC}$ 위에 있다.)

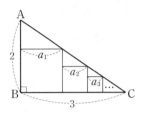

① $1-\left(\dfrac{3}{5}\right)^{10}$ ② $3\left\{1-\left(\dfrac{3}{5}\right)^{10}\right\}$

③ $9\left\{1-\left(\dfrac{3}{5}\right)^{10}\right\}$ ④ $1-\left(\dfrac{3}{5}\right)^{11}$

⑤ $3\left\{1-\left(\dfrac{3}{5}\right)^{11}\right\}$

045
출제율 ◖▬▬▬◗

지혁이는 매년 초에 일정한 금액을 적립하여 10년 후 말에 630만 원을 마련하려고 한다. 연이율이 5 %일 때, 매년 적립할 일정한 금액을 구하여라. (단, $1.05^{10}=1.6$으로 계산하고, 1년마다 복리로 계산한다.)

개념 1 등차수열의 일반항

046

제3항이 13, 제7항이 25인 등차수열 $\{a_n\}$에서 처음으로 그 값이 50 이상이 되는 항은 제몇 항인가?

① 제14항　　　② 제15항　　　③ 제16항

④ 제17항　　　⑤ 제18항

047

등차수열 $\{a_n\}$에서 $a_2=1$, $a_1-a_3+a_5-a_7+a_9=10$일 때, $a_1-a_2+a_3-a_4+a_5$의 값은?

① 1　　　② 2　　　③ 3

④ 4　　　⑤ 5

048

두 등차수열 $\{a_n\}$, $\{b_n\}$의 일반항 a_n, b_n이 다음과 같다.

$$a_n=n+3,\ b_n=-4n+8\ (n=1,\ 2,\ 3,\ \cdots)$$

수열 $\{2a_n+b_n\}$의 제10항의 값은?

① -6　　　② -5　　　③ -4

④ -3　　　⑤ -2

049

등차수열 $\{a_n\}$에서 $a_2=-6$, $a_6:a_8=5:9$일 때, a_{15}의 값은?

① 30　　　② 34　　　③ 38

④ 42　　　⑤ 46

050

다음 조건을 만족시키는 공차가 음수인 등차수열 $\{a_n\}$에 대하여 a_3의 값은?

> (가) $|a_5|=|a_9|$
> (나) $|a_9|=|a_{10}|-6$

① 24   ② 27   ③ 30
④ 33   ⑤ 36

051 다빈출

두 수 5와 29 사이에 n개의 수를 넣어서 공차가 자연수인 등차수열을 만들려고 한다. 이때 자연수 n의 최댓값을 구하여라.

개념 2 등차중항

052

이차방정식 $x^2-8x-2=0$의 두 근 α, β에 대하여 $\dfrac{1}{\alpha}$, k, $\dfrac{1}{\beta}$이 이 순서대로 등차수열을 이루도록 하는 k의 값은?

① -4 ② -2 ③ 1
④ 2   ⑤ 4

053

네 수 a, b, c, d가 이 순서대로 등차수열을 이룬다. 네 수의 합이 24이고 $3(a+b)=c+d$가 성립할 때, d의 값을 구하여라.

054

어떤 사다리꼴의 내각의 크기를 순서대로 나열하면 등차수열을 이룬다고 한다. 이 사다리꼴의 내각 중 가장 큰 각의 크기가 120°일 때, 가장 작은 각의 크기는?

① 30°   ② 45°   ③ 60°
④ 75°   ⑤ 90°

055 교육청 기출

다음 그림과 같이 함수 $y=|x^2-9|$의 그래프가 직선 $y=k$와 서로 다른 네 점에서 만날 때, 네 점의 x좌표를 a_1, a_2, a_3, a_4라 하자. 네 수 a_1, a_2, a_3, a_4가 이 순서대로 등차수열을 이룰 때, 상수 k의 값은?

(단, $a_1<a_2<a_3<a_4$)

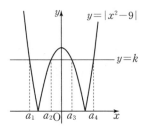

① $\dfrac{34}{5}$　　　② 7　　　③ $\dfrac{36}{5}$

④ $\dfrac{37}{5}$　　　⑤ $\dfrac{38}{5}$

개념 ③ 등차수열의 합

056

다음 조건을 만족시키는 등차수열 $\{a_n\}$에 대하여 a_{10}의 값을 구하여라.

㈎ $a_1+a_2+\cdots+a_{20}=590$

㈏ $a_1-a_2+a_3-a_4+\cdots+a_{19}-a_{20}=-30$

---

057 학교 기출 신유형

함수 $f(x)=x+3$에 대하여 수열 $\{a_n\}$의 일반항이 $a_n=4^{f(n)}$일 때, $\log_2 (a_1a_2\cdots a_9)$의 값을 구하여라.

---

058 다빈출

첫째항이 50이고 공차가 정수인 등차수열 $\{a_n\}$에 대하여 $a_{13}a_{14}<0$이 성립한다. 이 수열의 첫째항부터 제n항까지의 합 S_n에 대하여 $S_n>0$을 만족시키는 n의 최댓값은?

① 13　　　② 14　　　③ 24

④ 25　　　⑤ 26

059

첫째항이 -2이고 공차가 $\dfrac{5}{2}$인 등차수열 $\{a_n\}$의 첫째항부터 제n항까지의 합 S_n에 대하여 S_3, $\dfrac{17}{4}$, S_n이 이 순서대로 등차수열을 이룰 때, n의 값은?

① 4   ② 5   ③ 6

④ 7   ⑤ 8

060

등차수열 $\{a_n\}$에 대하여 $a_1=k^2-3k$, $a_2=k^2+k$, $a_3=4k+2$일 때, $a_{11}+a_{12}+\cdots+a_{15}$의 최댓값은?

① 230   ② 280   ③ 330

④ 380   ⑤ 430

061

다음 그림과 같이 두 함수 $f(x)=x^2+ax+b$, $g(x)=x^2+cx+d$의 그래프의 교점에서부터 x축의 양의 방향으로 간격이 일정하게 y축에 평행한 10개의 선분을 그었다. 이 선분 중 가장 짧은 것의 길이가 5, 가장 긴 것의 길이가 25일 때, 10개의 선분의 길이의 합을 구하여라. (단, $a \neq c$)

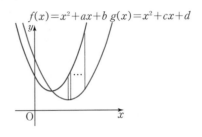

062

1에서 100까지의 자연수에서 2의 배수를 지우고, 7의 배수를 지웠을 때 남아 있는 수의 합을 구하여라.

063

첫째항이 20이고 공차가 $-d$인 등차수열 $\{a_n\}$에 대하여 등식 $a_k+a_{k+1}+a_{k+2}+\cdots+a_{2k+4}=0$을 만족시키는 자연수 k의 개수는? (단, d는 자연수이다.)

① 1   ② 2   ③ 3

④ 4   ⑤ 5

064 학교 기출 신유형

자연수 m, n에 대하여 m에서 n까지의 모든 수의 합이 50일 때, $m+n$의 값은? (단, $10<m<n$)

① 10   ② 20   ③ 25

④ 50   ⑤ 100

개념 4 수열의 합과 일반항 사이의 관계

065 다빈출

첫째항부터 제n항까지의 합이 $S_n=n^2+3n$인 수열 $\{a_n\}$에서 $a_1+a_3+\cdots+a_{2n-1}=312$를 만족시키는 n의 값은?

① 9   ② 10   ③ 11

④ 12   ⑤ 13

066

두 등차수열 $\{a_n\}$, $\{b_n\}$의 첫째항부터 제n항까지의 합을 각각 S_n, T_n이라고 할 때, $S_n=pn^2$, $T_n=qn^2+rn$이다. $a_1=b_1+2$, $a_3=b_3+14$일 때, $a_5=b_5+k$를 만족시키는 k의 값은? (단, p, q, r, k는 상수이다.)

① 18   ② 20   ③ 22

④ 24   ⑤ 26

067

수열 $\{a_n\}$의 첫째항부터 제n항까지의 합 S_n에 대하여 수열 $\{S_{2n-1}\}$은 공차가 -4인 등차수열이고, 수열 $\{S_{2n}\}$은 공차가 5인 등차수열이다. $a_3=4$일 때, a_{10}의 값을 구하여라.

068

수열 $\{a_n\}$의 첫째항부터 제n항까지의 합 S_n이 $S_n=-n^2+8n-3$일 때, |보기|에서 옳은 것만을 있는 대로 고른 것은?

┌─ 보기 ──────────────────────┐
ㄱ. 수열 $\{S_{n+1}-S_n\}$은 첫째항부터 등차수열을 이룬다.
ㄴ. 수열 $\{a_n\}$은 첫째항부터 등차수열을 이룬다.
ㄷ. S_n은 $n=4$일 때 최댓값을 갖는다.
└─────────────────────────────┘

① ㄱ   ② ㄷ   ③ ㄱ, ㄴ
④ ㄱ, ㄷ   ⑤ ㄱ, ㄴ, ㄷ

069 학교 기출 신유형

모든 항이 양수인 수열 $\{a_n\}$의 첫째항부터 제n항까지의 합 S_n에 대하여 $2S_n=a_n+\dfrac{4}{a_n}$가 성립할 때, S_{25}의 값은?

① 10   ② 15   ③ 20
④ 25   ⑤ 30

개념 5 등비수열의 일반항

070

등비수열 $\{a_n\}$에 대하여
$$a_3=3, \quad \frac{1}{a_1}+\frac{1}{a_2}+\frac{1}{a_3}+\frac{1}{a_4}+\frac{1}{a_5}=\frac{35}{9}$$
일 때, $a_1+a_2+a_3+a_4+a_5$의 값은?

① $\dfrac{35}{9}$ ② $\dfrac{70}{9}$ ③ $\dfrac{105}{9}$
④ 35   ⑤ 70

071

등비수열 $\{a_n\}$에 대하여 등비수열 $\{5a_n - 2a_{n+1}\}$의 첫째항이 36, 공비가 $-\dfrac{1}{2}$일 때, 수열 $\{a_n\}$의 제4항은?

① $-\dfrac{3}{2}$ ② $-\dfrac{3}{4}$ ③ $\dfrac{3}{4}$

④ $\dfrac{3}{2}$ ⑤ 3

072

$a_3 = 12$, $a_5 = 48$인 등비수열 $\{a_n\}$에 대하여 이차방정식 $x^2 - a_n x - 2 = 0$의 두 근을 α_n, β_n이라고 할 때, $\alpha_3{}^2 + \beta_3{}^2$의 값을 구하여라.

073 ◀다빈출

한 변의 길이가 16인 정삼각형이 있다. 다음 그림과 같이 첫 번째 시행에서 정삼각형의 각 변의 중점을 이어서 만든 정삼각형을 오려내고, 두 번째 시행에서는 남은 3개의 작은 정삼각형에서 첫 번째 시행과 같은 방법으로 만든 정삼각형을 오려낸다. 이와 같은 시행을 반복할 때, 30회 반복한 후 남아 있는 도형의 넓이는?

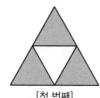 

[첫 번째]   [두 번째]

① $\sqrt{3} \times \left(\dfrac{3}{4}\right)^{27}$ ② $\sqrt{3} \times \dfrac{3^{30}}{4^{27}}$

③ $\sqrt{3} \times \left(\dfrac{3}{4}\right)^{30}$ ④ $\sqrt{3} \times \dfrac{3^{31}}{4^{28}}$

⑤ $\sqrt{3} \times \left(\dfrac{3}{4}\right)^{31}$

074

수열 $\{a_n\}$의 첫째항부터 제n항까지의 합 S_n에 대하여 $a_1 = 8$, $a_n = -S_n$ $(n \geq 2)$이 성립할 때, a_{50}의 값은?

① $-\left(\dfrac{1}{2}\right)^{46}$ ② $-\left(\dfrac{1}{2}\right)^{45}$ ③ $-\left(\dfrac{1}{2}\right)^{44}$

④ 2^{51} ⑤ 2^{52}

075

공차가 자연수인 등차수열 $\{a_n\}$과 공비가 자연수인 등비수열 $\{b_n\}$이 다음 조건을 만족시킨다.

> (가) $a_5 = b_4 = 3$
> (나) $a_6 = b_6$
> (다) $28 < a_{10} < 128$

$a_7 + b_7$의 최솟값을 구하여라.

076 [학교 기출] [신유형]

자연수 a, r에 대하여 두 집합 $A = \{ar^{n-1} \mid n$은 자연수$\}$와 $B = \{6n \mid n$은 20 이하의 자연수$\}$의 교집합 $A \cap B$의 원소의 개수의 최댓값은?

① 2   ② 3   ③ 4
④ 5   ⑤ 6

개념 6 등비중항

077

$\cos\theta - \dfrac{3}{2}$, 1, $2\cos\theta - 2$가 이 순서대로 등비수열을 이룰 때, $\sin^2\theta - \cos^2\theta$의 값은?

① $-\dfrac{1}{2}$ ② $-\dfrac{1}{4}$ ③ 0
④ $\dfrac{1}{4}$ ⑤ $\dfrac{1}{2}$

078

10 미만의 자연수 a, b, c에 대하여 세 수 $0.\dot{a}$, $0.0\dot{b}$, $0.00\dot{c}$가 이 순서대로 등비수열을 이룰 때, 순서쌍 (a, b, c)의 개수는? (단, $a < b < c$)

① 1   ② 2   ③ 3
④ 4   ⑤ 5

079

1000 이하의 서로 다른 자연수 a, b에 대하여 세 수 $2a$, b, 12가 이 순서대로 등비수열을 이룰 때, b의 개수를 구하여라.

080

a, b, c가 서로 다른 세 실수일 때, 이차함수 $f(x)=ax^2-bx+c$에 대하여 |보기|에서 옳은 것만을 있는 대로 고른 것은?

┌─ 보기 ────────────────────────────┐
ㄱ. $f(1)=b$이면 a, b, c가 이 순서대로 등차수열을 이룬다.
ㄴ. a, b, c가 이 순서대로 등비수열을 이루면 함수 $y=f(x)$의 그래프는 x축과 만나지 않는다.
ㄷ. a, b, c가 이 순서대로 등비수열을 이루면 함수 $y=f(x)$의 그래프와 직선 $y=bx$가 접한다.
└────────────────────────────────┘

① ㄱ   ② ㄷ   ③ ㄱ, ㄴ
④ ㄴ, ㄷ   ⑤ ㄱ, ㄴ, ㄷ

081   교육청 기출

0이 아닌 세 실수 α, β, γ가 이 순서대로 등차수열을 이룬다. $x^{\frac{1}{\alpha}}=y^{-\frac{1}{\beta}}=z^{\frac{2}{\gamma}}$일 때, $16xz^2+9y^2$의 최솟값을 구하여라. (단, x, y, z는 1이 아닌 양수이다.)

개념 7 등비수열의 합

082

공비가 양수인 등비수열 $\{a_n\}$의 첫째항부터 제n항까지의 합을 S_n이라고 하자. $S_{3k}=31S_k$를 만족시키는 k에 대하여 $\dfrac{S_{2k}}{S_k}$의 값은?

① 6   ② 7   ③ 8
④ 9   ⑤ 10

083

수열 $\{a_n\}$의 첫째항부터 제n항까지의 합을 S_n이라고 할 때, $S_n = 2 \times 3^{n+2} + k$이다. 수열 $\{a_n\}$이 첫째항부터 등비수열을 이루도록 하는 상수 k의 값은?

① -36　　　② -18　　　③ 0
④ 18　　　⑤ 36

084

수열 $\{a_n\}$이 $3a_1 + 3^2 a_2 + 3^3 a_3 + \cdots + 3^n a_n = 2^n - 1$을 만족시킬 때, $\dfrac{a_1}{2} + \dfrac{a_2}{2^2} + \dfrac{a_3}{2^3} + \cdots + \dfrac{a_n}{2^n} = \dfrac{1 - \left(\dfrac{1}{\alpha}\right)^n}{\beta}$이다. 이때 $\alpha + \beta$의 값을 구하여라. (단, α, β는 상수이다.)

085

10개의 수 $\dfrac{1}{2}$, $\dfrac{1}{2^2}$, $\dfrac{1}{2^3}$, $\cdots$, $\dfrac{1}{2^{10}}$ 중에서 두 개의 수를 제외한 나머지 8개의 수를 모두 더하면 그 합이 $\dfrac{957}{1024}$이다. 제외한 두 수가 $\dfrac{1}{2^a}$, $\dfrac{1}{2^b}$일 때, $a+b$의 값을 구하여라.

(단, a, b는 자연수이다.)

086 학교 기출 신유형

첫째항이 2인 등비수열 $\{a_n\}$의 첫째항부터 제n항까지의 합을 S_n, 수열 $\left\{\dfrac{1}{a_n}\right\}$의 첫째항부터 제$n$항까지의 합을 T_n이라고 하자. $S_{10} = 64$, $T_{10} = 16$일 때, a_{10}의 값은?

① 1　　　② 2　　　③ 4
④ 6　　　⑤ 8

087 교육청 기출

첫째항이 2인 등비수열 $\{a_n\}$의 첫째항부터 제n항까지의 합 S_n이 다음 조건을 만족시킬 때, a_4의 값을 구하여라.

> (가) $S_{12}-S_2=25S_{10}$
> (나) $S_{12}<S_{10}$

088

공비가 양수인 등비수열 $\{a_n\}$의 첫째항부터 제n항까지의 합을 S_n이라고 하자. $S_1=2$, $S_6=7S_3$일 때, a_k가 정수가 되도록 하는 k의 최댓값은? (단, $k<100$)

① 95 ② 96 ③ 97
④ 98 ⑤ 99

개념 **8** 등비수열의 합의 활용

089

2^9, 5^9의 양의 약수의 합을 각각 a, b라고 할 때, 20^{10}의 양의 약수의 합을 a, b로 나타내면?

① $(a+1)(b+1)$
② $(a+1)^2(b+1)$
③ $\dfrac{1}{3}(2a+1)(2a+3)(5b+1)$
④ $\dfrac{1}{4}(a+1)^2(5b+1)$
⑤ $(2a^2+4a+1)(5b+1)$

090

200만 원짜리 냉장고를 구입하고 100만 원은 구입 시 지불하고 잔금은 월이율 0.5 %의 할부로 1개월마다 복리로 계산하여 지불하기로 하였다. 매월 말에 일정액씩 24개월 동안 갚기로 했을 때, 매달 갚아야 하는 일정한 금액은 얼마인가? (단, $1.005^{24}=1.12$로 계산하고, 백의 자리에서 반올림한다.)

① 45000원 ② 46000원 ③ 47000원
④ 48000원 ⑤ 49000원

091

어떤 병에 걸리는 사람의 수가 매년 일정한 비율로 감소한다고 한다. 2001년부터 2020년까지 20년 동안은 12만 명의 새로운 환자가 발생하였고, 이 중 2만 명은 2011년부터 2020년까지 10년 동안에 발생했다고 할 때, 2021년에 발생하는 새로운 환자 수는 2001년에 발생한 새로운 환자의 수의 몇 배인가?

① $\frac{1}{4}$배   ② $\frac{1}{9}$배   ③ $\frac{1}{25}$배

④ $\frac{1}{36}$배   ⑤ $\frac{1}{49}$배

092

어떤 공장의 기계는 7개월 동안 매달 생산량이 A개로 일정했으나, 노후화에 따라 8개월째부터 매달 생산량이 3 %씩 줄어들었다고 한다. 이 기계의 2년 6개월 동안의 생산량의 합이 42000개일 때, A의 값을 구하여라.

(단, $0.97^{24}=0.48$로 계산한다.)

093

점 P_1의 좌표가 $(1, 0)$일 때, 다음 그림과 같이 점 P_1에서 직선 $y=x$에 내린 수선의 발을 P_2, 점 P_2에서 y축에 내린 수선의 발을 P_3, 점 P_3에서 직선 $y=-x$에 내린 수선의 발을 P_4, 점 P_4에서 x축에 내린 수선의 발을 P_5라고 하자. 이와 같은 시행을 반복할 때, 수열 $\{\overline{P_nP_{n+1}}\}$의 첫째항부터 제$n$항까지의 합이 1.92보다 크도록 하는 자연수 n의 최솟값은? (단, $\sqrt{2}=1.4$로 계산한다.)

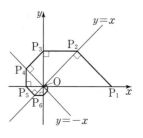

① 2   ② 3   ③ 4

④ 5   ⑤ 6

094

연이율 1 %의 복리로 계산되는 통장을 개설하여 연초에 50만 원을 적립하고, 다음 해부터는 전년 적립한 금액보다 5 % 많은 금액을 예금하기로 하였다. 20년 후 연말까지 적립한 금액의 원리합계는? (단, $1.01^{21}=1.2$, $1.05^{21}=2.7$로 계산하고, 십만의 자리에서 반올림한다.)

① 1900만 원   ② 2000만 원   ③ 2100만 원

④ 2200만 원   ⑤ 2300만 원

STEP A 상위권 보장 **개념+필수 기출 문제**

개념 ① ∑의 뜻과 성질

(1) 합의 기호 ∑

수열 $\{a_n\}$의 첫째항부터 제n항까지의 합
$a_1+a_2+a_3+\cdots+a_n$은 기호 $\sum$를 사용하여 $\sum\limits_{k=1}^{n} a_k$로
나타낼 수 있다. 즉,

$$a_1+a_2+a_3+\cdots+a_n=\sum_{k=1}^{n} a_k$$

참고 $\sum\limits_{k=1}^{n} a_k$에서 k 대신 i, j 등 다른 문자를 사용하여 나타낼
수 있다. 즉, $\sum\limits_{k=1}^{n} a_k=\sum\limits_{i=1}^{n} a_i=\sum\limits_{j=1}^{n} a_j$이다.

(2) 합의 기호 ∑의 성질

① $\sum\limits_{k=1}^{n}(a_k\pm b_k)=\sum\limits_{k=1}^{n} a_k\pm\sum\limits_{k=1}^{n} b_k$ (복부호동순)

② $\sum\limits_{k=1}^{n} ca_k=c\sum\limits_{k=1}^{n} a_k$ (단, c는 상수이다.)

③ $\sum\limits_{k=1}^{n} c=cn$ (단, c는 상수이다.)

주의 (1) $\sum\limits_{k=1}^{n} a_k b_k\neq\sum\limits_{k=1}^{n} a_k\sum\limits_{k=1}^{n} b_k$

(2) $\sum\limits_{k=1}^{n}\dfrac{a_k}{b_k}\neq\dfrac{\sum\limits_{k=1}^{n} a_k}{\sum\limits_{k=1}^{n} b_k}$

(3) $\sum\limits_{k=1}^{n} a_k^2\neq\left(\sum\limits_{k=1}^{n} a_k\right)^2$

등급업 TIP

(1) $\sum\limits_{k=m}^{n} a_k=a_m+a_{m+1}+a_{m+2}+\cdots+a_n$ (단, $m\leq n$)

(2) $\sum\limits_{k=1}^{n}(pa_k\pm qb_k\pm r)=p\sum\limits_{k=1}^{n} a_k\pm q\sum\limits_{k=1}^{n} b_k\pm rn$

(단, p, q, r는 상수이고, 복부호동순이다.)

---

095 출제율 ◖▬▬▬◗

수열 $\{a_n\}$이 $\sum\limits_{k=1}^{6}(a_k+1)=\sum\limits_{k=1}^{5}(a_k-1)$을 만족시킬 때,
a_6의 값은?

① -11 　　② -6 　　③ 5

④ 6 　　⑤ 11

---

096 출제율 ◖▬▬▬◗

두 수열 $\{a_n\}$, $\{b_n\}$이 모든 자연수 n에 대하여
$a_n+b_n=4$를 만족시키고 $\sum\limits_{k=1}^{10} b_k=30$일 때, $\sum\limits_{k=1}^{10}(a_k-b_k)$
의 값은?

① -50 　　② -40 　　③ -30

④ -20 　　⑤ -10

---

097 출제율 ◖▬▬▬▬◗

등차수열 $\{a_n\}$에 대하여 $a_1+a_2+a_3=8$,
$a_5+a_7+a_9=83$이 성립할 때, $\sum\limits_{k=1}^{20}(a_{k+1}-a_k)$의 값은?

① 20 　　② 40 　　③ 60

④ 80 　　⑤ 100

098

출제율 ▰▰▱▱

수열 $\{a_n\}$에 대하여 $a_1=3$, $a_{10}=70$일 때,

$\sum\limits_{k=1}^{9} a_{k+1} - \sum\limits_{k=2}^{10} a_{k-1}$의 값을 구하여라.

099

출제율 ▰▰▰▱

수열 $\{a_n\}$에 대하여 $\sum\limits_{k=1}^{24} a_k = \dfrac{13}{2}$, $a_{25}=\dfrac{7}{48}$일 때,

$\sum\limits_{k=1}^{24} k(a_k - a_{k+1})$의 값은?

① -6 ② -3 ③ 3

④ 6 ⑤ 12

개념 ② 자연수의 거듭제곱의 합

(1) $\sum\limits_{k=1}^{n} k = \dfrac{n(n+1)}{2}$

(2) $\sum\limits_{k=1}^{n} k^2 = \dfrac{n(n+1)(2n+1)}{6}$

(3) $\sum\limits_{k=1}^{n} k^3 = \left\{ \dfrac{n(n+1)}{2} \right\}^2$

$\quad \sum\limits_{k=1}^{n} k^3 = \left(\sum\limits_{k=1}^{n} k \right)^2$

100

출제율 ▰▰▱▱

$\sum\limits_{k=1}^{6} \dfrac{k^3}{k-1} - \sum\limits_{k=1}^{6} \dfrac{1}{k-1}$의 값은?

① 117 ② 118 ③ 119

④ 120 ⑤ 121

101

출제율 ▰▰▱▱

$\sum\limits_{k=1}^{10} \dfrac{1+2+3+\cdots+(k-1)}{k}$의 값은?

① $\dfrac{9}{2}$ ② 91 ③ $\dfrac{43}{2}$

④ 22 ⑤ $\dfrac{45}{2}$

102

출제율 ▰▰▰▱▱

$\displaystyle\sum_{k=5}^{10} k^2$의 값은?

① 315   ② 325   ③ 335

④ 345   ⑤ 355

103

출제율 ▰▰▱▱▱

함수 $f(x)=2x^2-4x$에 대하여 $\displaystyle\sum_{k=1}^{12} f\left(\dfrac{k}{2}\right)$의 값은?

① 145   ② 157   ③ 169

④ 181   ⑤ 193

104

출제율 ▰▰▰▱▱

제3항이 4, 제6항이 13인 등차수열 $\{a_n\}$에 대하여 $\displaystyle\sum_{k=2}^{m} a_{k+1}=34$를 만족시키는 자연수 m의 값은?

① 5   ② 6   ③ 7

④ 8   ⑤ 9

105

출제율 ▰▰▰▰▱

$\displaystyle\sum_{n=1}^{5}\left(\sum_{m=1}^{n} mn\right)$의 값을 구하여라.

106

출제율 ▰▰▰▱▱

수열 $\{a_n\}$에 대하여 $\displaystyle\sum_{k=1}^{n} a_k=n(n+1)$일 때, $\displaystyle\sum_{k=1}^{8} ka_{2k-1}$의 값은?

① 622   ② 744   ③ 866

④ 988   ⑤ 1110

107

출제율 ▰▰▰▱▱

x에 대한 이차방정식 $x^2+(n-2)x-(2n-1)=0$의 두 근 $\alpha_n,\ \beta_n$에 대하여 $\displaystyle\sum_{n=1}^{6}(\alpha_n-\beta_n)^2$의 값은?

① 75   ② 100   ③ 125

④ 150   ⑤ 175

개념 3 분수 꼴의 수열의 합

(1) 분수 꼴의 수열의 합은 부분분수로 변형하여 구한다.

$$\sum_{k=1}^{n} \frac{1}{k(k+1)} = \sum_{k=1}^{n} \left(\frac{1}{k} - \frac{1}{k+1} \right) = 1 - \frac{1}{n+1}$$

(2) 분모에 근호가 포함된 분수 꼴의 수열의 합은 분모를 유리화하여 구한다.

$$\sum_{k=1}^{n} \frac{1}{\sqrt{k}+\sqrt{k+1}} = \sum_{k=1}^{n} (\sqrt{k+1}-\sqrt{k}) = \sqrt{n+1}-1$$

등급업 TIP

(1) $\displaystyle\sum_{k=1}^{n} \frac{1}{(k+a)(k+b)} = \frac{1}{b-a} \sum_{k=1}^{n} \left(\frac{1}{k+a} - \frac{1}{k+b} \right)$

(2) $\displaystyle\sum_{k=1}^{n} \frac{1}{\sqrt{k+a}+\sqrt{k+b}} = \frac{1}{a-b} \sum_{k=1}^{n} (\sqrt{k+a}-\sqrt{k+b})$

108 출제율 ●●●●

$\displaystyle\sum_{k=1}^{9} \frac{1}{k(k+1)} = \frac{m}{5}$ 일 때, m의 값은?

① 3　　　　　② $\dfrac{7}{2}$　　　　　③ 4

④ $\dfrac{9}{2}$　　　　　⑤ 5

109 출제율 ●●●●

수열 $\dfrac{1}{1\times 5}$, $\dfrac{1}{5\times 9}$, $\dfrac{1}{9\times 13}$, …의 첫째항부터 제25항까지의 합이 $\dfrac{q}{p}$일 때, $p-q$의 값을 구하여라.

(단, p, q는 서로소인 자연수이다.)

110 출제율 ●●●●

$\displaystyle\sum_{k=5}^{16} \frac{2}{\sqrt{k-1}+\sqrt{k}}$ 의 값은?

① $\sqrt{2}$　　　　　② 2　　　　　③ $2\sqrt{2}$

④ 4　　　　　⑤ $4\sqrt{2}$

111 평가원 기출 출제율 ●●●●

n이 자연수일 때, x에 대한 다항식 $x^3+(1-n)x^2+n$을 $x-n$으로 나눈 나머지를 a_n이라고 하자. $\displaystyle\sum_{n=1}^{10} \frac{1}{a_n}$의 값은?

① $\dfrac{7}{8}$　　　　　② $\dfrac{8}{9}$　　　　　③ $\dfrac{9}{10}$

④ $\dfrac{10}{11}$　　　　　⑤ $\dfrac{11}{12}$

112 출제율 ●●●●

수열 $\{a_n\}$의 첫째항부터 제n항까지의 합 S_n에 대하여 $S_n = n^2 - 2n$일 때, $\displaystyle\sum_{k=1}^{10} \frac{1}{a_k a_{k+1}}$의 값은?

① $-\dfrac{10}{19}$　　　　　② $-\dfrac{5}{19}$　　　　　③ $\dfrac{5}{19}$

④ $\dfrac{10}{19}$　　　　　⑤ $\dfrac{20}{19}$

113

출제율

함수 $f(x)=\log_2 x$에 대하여 $\sum_{k=3}^{32} \dfrac{f\left(\dfrac{k}{k-1}\right)}{f(k)f(k-1)}$ 의 값은?

① $-\dfrac{4}{5}$ ② $-\dfrac{1}{5}$ ③ $\dfrac{1}{5}$

④ $\dfrac{4}{5}$ ⑤ 1

114

출제율

수열 $\{a_n\}$에 대하여 $a_n=\dfrac{2n^3+2n^2-3}{n^2+n}$ 일 때, $\sum_{k=1}^{10} a_k$의 값은?

① $\dfrac{1150}{11}$ ② $\dfrac{1160}{11}$ ③ $\dfrac{1170}{11}$

④ $\dfrac{1180}{11}$ ⑤ $\dfrac{1190}{11}$

 개념 4 **여러 가지 수열의 합**

여러 가지 수열의 합은 다음과 같은 순서로 구한다.
(ⅰ) 주어진 수열의 일반항 a_n을 구한다.
(ⅱ) 구하는 합을 $\sum$로 나타내어 $\sum$의 성질과 자연수의 거듭제곱의 합을 이용하여 구한다.

등급업 TIP 각 항이 (등차수열)×(등비수열) 꼴로 이루어진 수열의 합은 다음과 같은 순서로 구한다.
(ⅰ) 주어진 수열의 합을 S로 놓고 양변에 등비수열의 공비 r를 곱한다.
(ⅱ) $S-rS$를 계산한 후 이 식으로부터 S의 값을 구한다.

115

출제율

수열 $1^2\times3$, $2^2\times4$, $3^2\times5$, $4^2\times6$, $\cdots$의 첫째항부터 제6항까지의 합은?

① 532 ② 623 ③ 714

④ 805 ⑤ 896

116

출제율

수열 1, $2+4$, $3+6+9$, $4+8+12+16$, $\cdots$의 첫째항부터 제10항까지의 합은?

① 1685 ② 1690 ③ 1695

④ 1700 ⑤ 1705

117

출제율 ▭▭▭

수열 $\{a_n\}$은 첫째항이 1, 공비가 2인 등비수열이고, 수열 $\{b_n\}$은 자연수 n을 2로 나눈 나머지이다. $a_1b_1+a_2b_2+\cdots+a_{10}b_{10}$의 값을 구하여라.

118

출제율 ▭▭▭▭

다항식 $\dfrac{(x+1)^n}{2}$을 $x-3$으로 나눈 나머지를 a_n이라고 할 때, $\displaystyle\sum_{n=1}^{8}\dfrac{a_n}{2^n}$의 값은?

① 255   ② 256   ③ 257

④ 258   ⑤ 259

119 학교 기출 신 유형

출제율 ▭▭▭

1부터 10까지의 자연수를 적당히 나열한 것을 각각 a_1, a_2, a_3, $\cdots$, a_{10}이라고 할 때, $a_1+2a_2+3a_3+\cdots+10a_{10}$의 최솟값은? (단, $n\neq m$인 n, m에 대하여 $a_n\neq a_m$이다.)

① 200   ② 220   ③ 240

④ 260   ⑤ 280

120

출제율 ▭▭▭

자연수 n에 대하여 8^n의 모든 양의 약수의 합을 a_n이라고 할 때, $\displaystyle\sum_{k=1}^{5}a_k$의 값은?

① $\dfrac{2^{19}-51}{49}$ ② $\dfrac{2^{19}-8}{49}$ ③ $\dfrac{2^{19}-51}{7}$

④ $\dfrac{2^{19}-8}{7}$ ⑤ $2^{19}-8$

121 교육청 기출

출제율 ▭▭▭

다음 그림과 같이 좌표평면에 x축 위의 두 점 F, F$'$과 점 P$(0,\ n)$ $(n>0)$이 있다. 삼각형 PF$'$F가 $\angle$FPF$'=90°$인 직각이등변삼각형이고 n이 자연수일 때, 삼각형 PF$'$F의 세 변 위에 있는 점 중에서 x좌표와 y좌표가 모두 정수인 점의 개수를 a_n이라고 하자. $\displaystyle\sum_{n=1}^{5}a_n$의 값은?

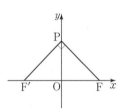

① 40   ② 45   ③ 50

④ 55   ⑤ 60

최상위권 도약 실력 완성 문제

개념 ① ∑의 뜻과 성질

122

x_1, x_2, x_3, $\cdots$, x_{25}의 값이 각각 0, 1, 2 중 하나일 때, $\sum\limits_{k=1}^{25} x_k = 13$, $\sum\limits_{k=1}^{25} x_k^2 = 17$이다. 이때 $\sum\limits_{k=1}^{25} x_k^4$의 값은?

① 35   ② 37   ③ 39

④ 41   ⑤ 43

123

$\sum\limits_{k=1}^{n} a_k = n^2 - 1$, $\sum\limits_{i=1}^{n} b_i = 2n + 2$일 때, $\sum\limits_{k=6}^{12} (2a_k - 3b_k)$의 값을 구하여라.

124

$\sum\limits_{k=1}^{n} \dfrac{1}{1+a_k} = n^2 - 7n$일 때, $\sum\limits_{k=6}^{n} \dfrac{2a_k}{1+a_k} = 30$을 만족시키는 자연수 n의 값의 합은?

① 6   ② 7   ③ 8

④ 9   ⑤ 10

125

수열 $\{a_n\}$에 대하여 $a_1 = -3$이고
$$\sum_{k=1}^{n} (a_{3k-1} + a_{3k} + a_{3k+1}) = (n-2)^2$$
을 만족시킬 때, $\sum\limits_{k=1}^{16} a_k$의 값은?

① 2   ② 3   ③ 4

④ 5   ⑤ 6

126 학교 기출 신유형

함수 $f(n) = \sin \dfrac{n\pi}{2}$에 대하여
$\sum\limits_{k=1}^{18} f(k+3) - \sum\limits_{k=4}^{20} f(k-1)$의 값은?

① -2 ② -1 ③ 0

④ 1   ⑤ 2

127 학교 기출 신유형

첫째항이 1인 수열 $\{a_n\}$이 다음 조건을 만족시킨다.

> (가) $a_{n+2}=a_n+3$ $(n=1, 2, 3, 4, 5, 6)$
> (나) 모든 자연수 n에 대하여 $a_{n+8}=a_n$

$\sum\limits_{k=1}^{40} a_k = 120$일 때, a_6의 값은?

① -4 ② -2 ③ 2
④ 4 ⑤ 6

128 평가원 기출

수열 $\{a_n\}$이 모든 자연수 m에 대하여 $\sum\limits_{k=m}^{m^2} a_k = m^2$을 만족시킨다. $\sum\limits_{k=1}^{677} a_k = 777$일 때, a_{677}의 값은?

① 71 ② 75 ③ 79
④ 83 ⑤ 87

정답과 풀이 101쪽

개념 2 자연수의 거듭제곱의 합

129

$\sum\limits_{m=1}^{12}\left\{\sum\limits_{l=1}^{m}\left(\sum\limits_{k=1}^{l} 3\right)\right\}$의 값은?

① 1080 ② 1092 ③ 1104
④ 1116 ⑤ 1128

130 학교 기출 신유형

x에 대한 이차방정식

$$x^2-(2n+7)x+n^2+7n+12=0$$

의 두 근을 α_n, β_n이라고 할 때, $\sum\limits_{k=1}^{20}(\alpha_k^{\,2}-\beta_k^{\,2})$의 값은?

(단, $\alpha_n > \beta_n$이고, n은 자연수이다.)

① 520 ② 540 ③ 560
④ 580 ⑤ 600

131 학교 기출 신유형

$\sum\limits_{k=1}^{20} k i^k$의 값을 구하여라. (단, $i=\sqrt{-1}$이다.)

132

등차수열 $\{a_n\}$에 대하여 $\sum\limits_{k=1}^{5} a_{4k+1} = -80$,

$\sum\limits_{k=1}^{5} a_{4k+2} = -90$일 때, $\sum\limits_{k=5}^{10} a_{3k-1}$의 값은?

① -206 ② -204 ③ -202

④ -200 ⑤ -198

133 ◀다빈출

이차함수 $f(x) = a\sum\limits_{k=1}^{15}(x-k)^2$이 $x=m$에서 최댓값

-70을 가질 때, ma의 값은? (단, a는 상수이다.)

① -3 ② -2 ③ -1

④ 2 ⑤ 3

134

수열 $\{a_n\}$이 $\sum\limits_{k=1}^{n} a_{2k-1} = n^2 - 2n$, $\sum\limits_{k=1}^{n} a_{2k} = 3n^2 + 1$을 만

족시킬 때, $\sum\limits_{k=1}^{3} a_{4k-1} + \sum\limits_{k=1}^{3} a_{4k}$의 값은?

① 78 ② 79 ③ 80

④ 81 ⑤ 82

135

자연수 n에 대하여 등식

$$\left(\frac{n+1}{n}\right)^2 + \left(\frac{n+2}{n}\right)^2 + \cdots + \left(\frac{3n}{n}\right)^2 = \frac{pn^2 + qn + r}{3n}$$

가 성립할 때, 상수 p, q, r에 대하여 $p-q-r$의 값은?

① 9 ② 11 ③ 13

④ 15 ⑤ 17

136

1에서 n까지의 자연수를 적은 다음, 이 중에서 하나의
수를 지우고 남은 수의 평균을 계산하였더니 5.8이었다
고 한다. 이때 지운 수는?

① 7 ② 8 ③ 9

④ 10 ⑤ 11

개념 ③ 분수 꼴의 수열의 합

137

크기가 R_n $(n=1, 2, \cdots, 8)$인 저항을 병렬로 연결할 때, 합성 저항 R는 $\dfrac{1}{R}=\displaystyle\sum_{n=1}^{8}\dfrac{1}{R_n}$을 만족시킨다고 한다. 크기 R_n에 대하여 $R_n=\sqrt{n}+\sqrt{n+1}$인 8개의 저항 R_1, R_2, R_3, $\cdots$, R_8을 병렬로 연결하였을 때, 합성 저항 R의 크기는?

① $\dfrac{\sqrt{2}}{2}$ ② $\dfrac{1}{2}$ ③ $\sqrt{2}$

④ 2 ⑤ 3

138

x에 대한 이차방정식 $x^2+5nx+n^2+5=0$의 두 근을 α_n, β_n이라고 할 때, $\displaystyle\sum_{k=1}^{10}\dfrac{1}{(\alpha_k-1)(\beta_k-1)}$의 값은?

① $\dfrac{10}{39}$ ② $\dfrac{20}{39}$ ③ $\dfrac{10}{11}$

④ $\dfrac{12}{13}$ ⑤ $\dfrac{14}{15}$

139

수열 $\{a_n\}$이 모든 자연수 n에 대하여
$$\sum_{k=1}^{n} a_k = \log\{(n+1)(n+2)\}$$
를 만족시킨다. $\displaystyle\sum_{k=1}^{14} a_{2k}=\alpha$일 때, 10^α의 값은?
(단, α는 상수이다.)

① 13 ② 14 ③ 15

④ 16 ⑤ 17

140

$$\dfrac{1}{1\times3\times5}+\dfrac{1}{2\times4\times6}+\dfrac{1}{3\times5\times7}+\cdots+\dfrac{1}{6\times8\times10}$$
$$=\dfrac{2167}{2^a\times3^b\times5^c\times7^d}$$
일 때, 상수 a, b, c, d에 대하여 $abcd$의 값은?

① 4 ② 6 ③ 9

④ 12 ⑤ 20

141

수열 $\{a_n\}$이 $a_1^2+a_2^2+\cdots+a_n^2=n^2$을 만족할 때, $\displaystyle\sum_{k=1}^{24}\dfrac{1}{a_k+a_{k+1}}$의 값은? (단, $a_n>0$)

① 3 ② 4 ③ 5

④ 6 ⑤ 7

142

다음 그림과 같이 유리함수 $y=\dfrac{1}{x}$의 그래프와 직선 $x=n$, $x=n+1$의 교점을 각각 A_n, B_n, 유리함수 $y=\dfrac{1}{x+1}$의 그래프와 직선 $x=n$의 교점을 C_n이라고 하자. 직각삼각형 $A_nB_nC_n$의 넓이의 합을 구하여라.

(단, $n=1, 2, \cdots, 15$)

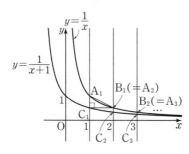

143

함수 $f(x)=\dfrac{1}{\sqrt{x+2}+\sqrt{x+1}}$에 대하여 $\displaystyle\sum_{k=0}^{n} f(k)$의 값이 정수가 되도록 하는 n의 개수는?

(단, n은 100 이하의 자연수이다.)

① 6   ② 7   ③ 8
④ 9   ⑤ 10

144

부등식 $\dfrac{3}{2}-2\displaystyle\sum_{k=2}^{n+1}\dfrac{1}{k^2-1}\leq\dfrac{1}{4}$을 만족시키는 자연수 n의 최솟값은?

① 3   ② 4   ③ 5
④ 6   ⑤ 7

개념 ④ 여러 가지 수열의 합

145

수열 2×1, $4\times(1+3)$, $6\times(1+3+5)$, $8\times(1+3+5+7)$, $\cdots$의 첫째항부터 제n항까지의 합이 6050일 때, 자연수 n의 값은?

① 9   ② 10   ③ 11
④ 12   ⑤ 13

146 학교 기출 신유형

수열의 합

$$\frac{3^4}{1+3+5}+\frac{4^4}{1+3+5+7}+\frac{5^4}{1+3+5+7+9}$$
$$+\cdots+\frac{12^4}{1+3+5+\cdots+23}$$

의 값은?

① 630 ② 635 ③ 640

④ 645 ⑤ 650

147

다음 조건을 만족시키는 수열 $\{a_n\}$에 대하여 $\sum\limits_{n=1}^{20}a_n$의 값을 구하여라.

> (가) $a_1=1$, $a_2=3$
> (나) 수열 $\{a_n+a_{n+1}\}$은 공차가 3인 등차수열이다.
> $(n=1, 2, 3, \cdots)$

148

일반항이 $a_n=(-1)^{n-1}$인 수열 $\{a_n\}$에 대하여 수열 $\{b_n\}$을 $b_n=a_1a_2a_3\cdots a_{n+1}$로 정의할 때, |보기|에서 옳은 것만을 있는 대로 고른 것은? (단, n은 자연수이다.)

> • 보기 •
> ㄱ. $b_3=-1$
> ㄴ. $\sum\limits_{n=1}^{12}b_n=0$
> ㄷ. $\sum\limits_{n=1}^{30}b_{3n}=0$

① ㄱ ② ㄴ ③ ㄱ, ㄷ

④ ㄴ, ㄷ ⑤ ㄱ, ㄴ, ㄷ

149

자연수 n에 대하여 10^n의 모든 양의 약수 중에서 홀수인 약수의 개수를 $f(n)$, 짝수인 약수의 개수를 $g(n)$이라고 하자. $\sum\limits_{n=1}^{10}\{g(n)-f(n)\}$의 값은?

① 370 ② 375 ③ 380

④ 385 ⑤ 390

150

자연수 n에 대하여 n^2을 4로 나눈 나머지를 a_n이라고 할 때, $\sum\limits_{n=1}^{100} a_n$의 값은?

① 25   ② 50   ③ 75

④ 100   ⑤ 125

151

자연수 n에 대하여 $n(n+1)$을 6으로 나눈 나머지를 a_n이라고 할 때, $\sum\limits_{k=1}^{n} a_k = 30$을 만족시키는 모든 n의 값의 합을 구하여라.

152

자연수 n에 대하여 원 $(x-2)^2+(y+1)^2=16$과 직선 $y=\dfrac{5x-n}{12}$의 교점의 개수를 a_n이라고 할 때, $\sum\limits_{n=1}^{100} a_n$의 값은?

① 51   ② 75   ③ 99

④ 123   ⑤ 147

153

2 이상의 자연수 n으로 나누었을 때 몫과 나머지가 같은 자연수의 합을 a_n이라고 하자. 예를 들어 3으로 나누었을 때 몫과 나머지가 같은 자연수는 4, 8이므로 $a_3 = 4 + 8 = 12$이다. $a_n > 350$을 만족시키는 자연수 n의 최솟값은?

① 9   ② 10   ③ 11

④ 12   ⑤ 13

154

자연수 m, n에 대하여 $2^m < n$을 만족시키는 m의 개수를 a_n이라고 할 때, $\sum\limits_{n=1}^{30} a_n$의 값은?

① 84   ② 86   ③ 88
④ 90   ⑤ 92

155

수열 $\{a_n\}$에 대하여 $a_n = 1 + \sqrt{1+8n}$일 때,
$$a_1 + a_{1+2} + a_{1+2+3} + \cdots + a_{1+2+\cdots+n} = 238$$
을 만족시키는 자연수 n의 값을 구하여라.

156

수열 $1, \dfrac{1}{3}, 1, \dfrac{1}{3}, \dfrac{1}{9}, 1, \dfrac{1}{3}, \dfrac{1}{9}, \dfrac{1}{27}, \cdots$의 첫째항부터 제20항까지의 곱이 $\left(\dfrac{1}{3}\right)^m$일 때, 자연수 m의 값은?

① 25   ② 30   ③ 35
④ 40   ⑤ 45

157

수열의 합 $1 + 2 \times \left(\dfrac{1}{2}\right)^2 + 3 \times \left(\dfrac{1}{2}\right)^4 + \cdots + 10 \times \left(\dfrac{1}{2}\right)^{18}$을 S라고 할 때, $S = \dfrac{16}{9}\left\{1 - \dfrac{b}{a}\left(\dfrac{1}{2}\right)^{20}\right\}$을 만족시키는 자연수 a, b에 대하여 $a+b$의 값은? (단, a, b는 서로소이다.)

① 17   ② 18   ③ 19
④ 20   ⑤ 21

158

$f(x) = 2 + 5x + 8x^2 + 11x^3 + \cdots + 29x^{10}$일 때,
$f(3) = \dfrac{a \times 3^{11} + b}{4}$이다. 상수 a, b에 대하여 $a+b$의 값을 구하여라.

개념 ① 수열의 귀납적 정의

(1) 수열의 귀납적 정의
처음 몇 개의 항과 이웃하는 여러 항 사이의 관계식으로 수열을 정의하는 것을 수열의 귀납적 정의라고 한다. 즉, 수열 $\{a_n\}$을
① 첫째항 a_1의 값
② 이웃하는 두 항 a_n과 a_{n+1} 사이의 관계식

$$(n=1, 2, 3, \cdots)$$

으로 정의할 수 있다.

(2) 등차수열과 등비수열의 귀납적 정의
① 공차가 d인 등차수열에 대하여
$$a_{n+1}=a_n+d, \underline{2a_{n+1}=a_n+a_{n+2}}$$
가 성립한다. └─ a_{n+1}은 a_n과 a_{n+2}의 등차중항
② 공비가 r인 등비수열에 대하여
$$a_{n+1}=ra_n, \underline{a_{n+1}{}^2=a_na_{n+2}}$$
가 성립한다. └─ a_{n+1}은 a_n과 a_{n+2}의 등비중항

159 출제율 ●●●●○

수열 $\{a_n\}$이 모든 자연수 n에 대하여
$a_{n+1}=(n+1)(1+a_n)-3$을 만족시키고 $a_1=1$일 때, a_5의 값은?

① 13   ② 25   ③ 67
④ 218   ⑤ 405

160 출제율 ●●●●○

수열 $\{a_n\}$을
$$a_1=3, a_2=9, a_{n+1}{}^2=a_na_{n+2} (n=1, 2, 3, \cdots)$$
로 정의할 때, $\log_9 a_5$의 값은?

① 2   ② $\dfrac{5}{2}$ ③ 3

④ $\dfrac{7}{2}$ ⑤ 4

161 출제율 ●●●●○

$$a_1=10, a_{n+1}=\begin{cases} \dfrac{1}{2}a_n & (a_n\text{이 짝수}) \\ a_n+1 & (a_n\text{이 홀수}) \end{cases} (n=1, 2, 3, \cdots)$$

로 정의된 수열 $\{a_n\}$에 대하여 a_{100}의 값은?

① 1   ② 2   ③ 3
④ 4   ⑤ 5

162 출제율 ●●●●○

수열 $\{a_n\}$을
$$a_1=84, a_{n+1}+4=a_n (n=1, 2, 3, \cdots)$$
으로 정의할 때, $a_k=60$을 만족시키는 자연수 k의 값은?

① 4   ② 5   ③ 6
④ 7   ⑤ 8

개념 ② 여러 가지 수열의 귀납적 정의

(1) $a_{n+1}=a_n+f(n)$ 꼴

  n 대신 $1, 2, 3, \cdots, n-1$을 대입하여 변끼리 더한다.

  ➡ $a_n=a_1+f(1)+f(2)+\cdots+f(n-1)$

(2) $a_{n+1}=a_n f(n)$ 꼴

  n 대신 $1, 2, 3, \cdots, n-1$을 대입하여 변끼리 곱한다.

  ➡ $a_n=a_1 f(1)f(2)\cdots f(n-1)$

등급업 TIP

(1) $a_{n+1}=pa_n+q \ (p\neq1, \ pq\neq0)$ 꼴

  $a_{n+1}-\alpha=p(a_n-\alpha)$ 꼴로 변형하여 수열 $\{a_n-\alpha\}$는 첫째항이 $a_1-\alpha$, 공비가 p인 등비수열임을 이용한다.

(2) $pa_{n+2}+qa_{n+1}+ra_n=0 \ (p+q+r=0, \ pqr\neq0)$ 꼴

  $a_{n+2}-a_{n+1}=\dfrac{r}{p}(a_{n+1}-a_n)$ 꼴로 변형하여 수열 $\{a_{n+1}-a_n\}$은 첫째항이 a_2-a_1, 공비가 $\dfrac{r}{p}$인 등비수열임을 이용한다.

163

출제율 ◖▭▭▭▭▭◗

수열 $\{a_n\}$을

$$a_1=-2, \ a_{n+1}-a_n=-3n \ (n=1, 2, 3, \cdots)$$

으로 정의할 때, a_6의 값은?

① -65 ② -47 ③ -32

④ -20 ⑤ -11

164

출제율 ◖▭▭▭▭▭◗

수열 $\{a_n\}$이

$$a_1=1, \ a_{n+1}=\frac{n+2}{n+1}a_n \ (n=1, 2, 3, \cdots)$$

을 만족시킬 때, a_{15}의 값은?

① 4 ② 6 ③ 8

④ 10 ⑤ 12

165 학교 기출 신 유형

출제율 ◖▭▭▭▭▭◗

모든 자연수 n에 대하여 각 항이 실수인 수열 $\{a_n\}$이 $(a_{n+1}-a_n-n)^2+(a_1-1)^2=0$을 만족시킬 때, a_8의 값은?

① 21 ② 25 ③ 29

④ 33 ⑤ 37

166

출제율 ◖▭▭▭▭▭◗

수열 $\{a_n\}$이

$$a_1=-1, \ a_{n+1}=3a_n+8 \ (n=1, 2, 3, \cdots)$$

을 만족시킬 때, a_{10}의 값은?

① 3^9-8 ② 3^9-4 ③ 3^9+4

④ $3^{10}-4$ ⑤ $3^{10}+4$

167

출제율 ●●●○○

수열 $\{a_n\}$이

$$a_1=1,\ a_2=2,\ 2a_{n+2}-3a_{n+1}+a_n=0$$
$$(n=1,\ 2,\ 3,\ \cdots)$$

을 만족시키고 $a_{12}=a-\left(\dfrac{1}{2}\right)^b$일 때, 상수 a, b에 대하여 $a+b$의 값은?

① 7   ② 10   ③ 13

④ 16   ⑤ 19

168

출제율 ●●●●○

$a_1=1$인 수열 $\{a_n\}$의 첫째항부터 제n항까지의 합을 S_n이라고 하면 $a_n=2n+S_{n-1}\ (n=2,\ 3,\ 4,\ \cdots)$이 성립한다. 이때 a_5의 값을 구하여라.

169

출제율 ●●●●○

실험 용기 안에 어떤 박테리아 10마리가 들어 있다. 이 박테리아는 1시간마다 세 마리가 죽고, 나머지는 각각 4마리로 증식한다고 한다. 1시간마다 박테리아의 수를 측정한다고 할 때, 살아 있는 박테리아의 수가 처음으로 1500마리를 넘는 것은 몇 시간 후인가?

① 3시간   ② 4시간   ③ 5시간

④ 6시간   ⑤ 7시간

 개념 ③ 수학적 귀납법

자연수 n에 대한 명제가 모든 자연수 n에 대하여 성립함을 증명할 때는

(i) $n=1$일 때, 명제가 성립함을 확인한다.

(ii) $n=k$일 때, 명제가 성립한다고 가정하여 $n=k+1$일 때 명제가 성립함을 보인다.

이와 같은 방법으로 자연수에 대한 어떤 명제가 참임을 증명하는 방법을 수학적 귀납법이라고 한다.

> **등급업 TIP** 자연수 n에 대한 명제 $p(n)$이 $m\ (m\geq2)$ 이상의 모든 자연수 n에 대하여 성립함을 증명할 때는
>
> (i) $n=m$일 때, 명제 $p(n)$이 성립함을 확인한다.
>
> (ii) $n=k\,(k\geq m)$일 때, 명제가 성립한다고 가정하여 $n=k+1$일 때 명제가 성립함을 보인다.

170

출제율 ●●●●○

자연수 n에 대하여 명제 $p(n)$은 다음 두 조건을 만족시킨다.

> (가) $p(1)$이 참이다.
>
> (나) $p(n)$ 또는 $p(n+1)$이 참이면 $p(n+2)$가 참이다.

다음 중 반드시 참이라고 할 수 없는 명제는?

① $p(2)$ ② $p(3)$ ③ $p(4)$

④ $p(5)$ ⑤ $p(6)$

171

출제율 ●●●○

다음은 자연수 n에 대하여 등식

$$1+3+5+\cdots+(2n-1)=n^2$$

이 성립함을 수학적 귀납법으로 증명한 것이다.

(i) $n=1$일 때, (좌변)$=1$, (우변)$=1^2$이므로 주어진 등식이 성립한다.

(ii) $n=k$일 때, 주어진 등식이 성립한다고 가정하면

$$1+3+5+\cdots+(2k-1)=k^2$$

양변에 $\boxed{(가)}$ 을 더하면

$$\{1+3+5+\cdots+(2k-1)\}+\boxed{(가)}$$
$$=k^2+\boxed{(가)}=\boxed{(나)}$$

즉, $n=k+1$일 때에도 주어진 등식이 성립한다.

(i), (ii)에 의하여 모든 자연수 n에 대하여 주어진 등식이 성립한다.

위의 증명에서 (가), (나)에 알맞은 것은?

	(가)	(나)
①	$2k-1$	k^2
②	$2k-1$	$(k+1)^2$
③	$2k+1$	k^2
④	$2k+1$	$(k+1)^2$
⑤	$k+1$	$(k+1)^2$

172

출제율 ●●●○

다음은 $h>0$일 때 $n\geq 2$인 자연수 n에 대하여 부등식

$$(1+h)^n>1+nh$$

가 성립함을 수학적 귀납법으로 증명한 것이다.

(i) $n=2$일 때,

(좌변)$=(1+h)^2=1+2h+h^2$

(우변)$=\boxed{(가)}$

이때 $h^2>0$이므로 $1+2h+h^2>\boxed{(가)}$

따라서 주어진 부등식이 성립한다.

(ii) $n=k\,(k\geq 2)$일 때, 주어진 부등식이 성립한다고 가정하면

$$(1+h)^k>1+kh$$

위 식의 양변에 $\boxed{(나)}$ 를 곱하면

$$(1+h)^{\boxed{(다)}}>(1+kh)(\boxed{(나)})$$

우변을 전개하여 정리하면 $kh^2>0$이므로

$$(1+h)^{k+1}>1+(k+1)h$$

즉, $n=k+1$일 때에도 주어진 부등식이 성립한다.

(i), (ii)에 의하여 $n\geq 2$인 모든 자연수 n에 대하여 주어진 부등식이 성립한다.

위의 (가), (나), (다)에 알맞은 식을 각각 $f(h)$, $g(h)$, $t(k)$라고 할 때, $\dfrac{f(10)}{g(2)t(6)}$의 값은?

① 1 　　② 2 　　③ 3

④ 4 　　⑤ 5

최상위권 도약 실력 완성 문제

개념 ① 수열의 귀납적 정의

173

수열 $\{a_n\}$을
$$a_1=1,\ a_2=1,\ a_{n+2}=a_n+a_{n+1}\ (n=1,\ 2,\ 3,\ \cdots)$$
로 정의할 때, $a_1,\ a_2,\ a_3,\ \cdots,\ a_{100}$ 중 짝수의 개수를 구하여라.

174 ◀ 다빈출

수열 $\{a_n\}$을
$$a_2=36,\ a_{10}=12,$$
$$a_n-2a_{n+1}+a_{n+2}=0\ (n=1,\ 2,\ 3,\ \cdots)$$
으로 정의하자. 수열 $\{a_n\}$의 첫째항부터 제n항까지의 합을 S_n이라고 할 때, S_n이 최댓값을 갖는 n의 값의 합을 구하여라.

175 교육청 기출

수열 $\{a_n\}$은 다음 조건을 만족시킨다.

> (가) $a_1=1,\ a_2=2$
> (나) a_n은 a_{n-2}와 a_{n-1}의 합을 4로 나눈 나머지이다.
> $(n\geq3)$

$\sum\limits_{k=1}^{m} a_k=166$일 때, m의 값을 구하여라.

176 학교 기출 신유형

$a_1=1,\ a_2=2$인 수열 $\{a_n\}$에 대하여 이차방정식 $a_{n+2}x^2-2a_{n+1}x+a_n=0\ (n=1,\ 2,\ 3,\ \cdots)$이 중근 b_n을 가진다고 한다. 이때 $\sum\limits_{k=1}^{12} b_k$의 값은?

① 6　　　　② 12　　　　③ 18
④ 24　　　　⑤ 30

177

$a_1=-2,\ a_2=1$인 수열 $\{a_n\}$의 첫째항부터 제n항까지의 합을 S_n이라고 하면
$$(S_{n+1}-S_{n-1})^2=4a_na_{n+1}+9\ (n=2,\ 3,\ 4,\ \cdots)$$
가 성립한다. 이때 S_{10}의 값은?

(단, $a_1<a_2<a_3<\cdots<a_n<\cdots$)

① 55　　　　② 70　　　　③ 85
④ 100　　　　⑤ 115

개념 2 여러 가지 수열의 귀납적 정의

178

수열 $\{a_n\}$에 대하여 $a_n+a_{n+1}=n^2-1\,(n=1,\ 2,\ 3,\ \cdots)$

일 때, $\displaystyle\sum_{k=1}^{20} a_k$의 값은?

① 1200　　　② 1240　　　③ 1280

④ 1320　　　⑤ 1360

179

수열 $\{a_n\}$이

$\qquad a_1=1,\ a_{n+1}=(n+1)a_n\,(n=1,\ 2,\ 3,\ \cdots)$

으로 정의될 때, $a_1+a_2+a_3+\cdots+a_{500}$을 120으로 나눈 나머지는?

① 30　　　② 31　　　③ 32

④ 33　　　⑤ 34

180

수열 $\{a_n\}$에 대하여

$\qquad a_1=5,\ a_{n+1}=-4a_n+5\,(n=1,\ 2,\ 3,\ \cdots)$

가 성립할 때, $a_{k+1}-a_k\geq 3000$을 만족시키는 자연수 k의 최솟값은?

① 5　　　② 6　　　③ 7

④ 8　　　⑤ 9

181

$a_1=3,\ a_{n+1}=3a_n{}^2\,(n=1,\ 2,\ 3,\ \cdots)$으로 정의된 수열 $\{a_n\}$에 대하여 $a_k=3^{15}$을 만족시키는 자연수 k의 값은?

① 4　　　② 8　　　③ 12

④ 16　　　⑤ 20

182

$a_1=8,\ a_{n+1}=24a_n-8^{n+1}\,(n=1,\ 2,\ 3,\ \cdots)$으로 정의된 수열 $\{a_n\}$에 대하여 a_{10}의 값은?

① $2^{29}(3^9-1)$　　② $2^{29}(3^9+1)$　　③ $2^{30}(3^9-1)$

④ $2^{30}(3^9+1)$　　⑤ $2^{30}(3^{10}+1)$

183

수열 $\{a_n\}$을 $a_1=1,\ a_n-a_{n+1}=(n+1)a_{n+1}a_n$

$(n=1,\ 2,\ 3,\ \cdots)$으로 정의할 때, $\displaystyle\sum_{k=1}^{49} a_k$의 값은?

① $\dfrac{49}{50}$　　　② $\dfrac{50}{51}$　　　③ $\dfrac{98}{50}$

④ $\dfrac{100}{51}$　　　⑤ $\dfrac{200}{101}$

개념 ③ 수학적 귀납법

184

다음은 자연수 n에 대하여 $3^{2n}-1$이 8로 나누어떨어짐을 수학적 귀납법으로 증명한 것이다.

(i) $n=1$일 때, $3^2-1=8$이므로 8로 나누어떨어진다.

(ii) $n=k$일 때, $3^{2k}-1$이 8로 나누어떨어진다고 가정하면

$3^{2k}-1=8m$ (단, m은 자연수)

$3^{2k}=$ $\boxed{\text{(가)}}$

이때 $n=k+1$이면

$3^{2(k+1)}-1=9\times3^{2k}-1$

$\qquad\qquad=9(\boxed{\text{(가)}})-1$

$\qquad\qquad=\boxed{\text{(나)}}$

$\qquad\qquad=8(9m+\boxed{\text{(다)}})$

따라서 $n=k+1$일 때에도 $3^{2n}-1$은 8로 나누어떨어진다.

(i), (ii)에 의하여 모든 자연수 n에 대하여 $3^{2n}-1$은 8로 나누어떨어진다.

위의 (가), (나)에 알맞은 식을 각각 $f(m)$, $g(m)$, (다)에 알맞은 수를 p라고 할 때, $\dfrac{g(p)+p}{f(p)}$의 값은?

① 6   ② 7   ③ 8

④ 9   ⑤ 10

185   교육청 기출

수열 $\{a_n\}$은 $a_1=1$이고,

$$\frac{a_{n+1}}{n+2}=\frac{a_n}{n}+\frac{1}{2} \quad (n\geq1) \qquad \cdots\cdots \ \text{㉠}$$

을 만족시킨다. 다음은 모든 자연수 n에 대하여

$$a_n=(1+2+3+\cdots+n)\left(1+\frac{1}{2}+\frac{1}{3}+\cdots+\frac{1}{n}\right)$$

$$\qquad\qquad\qquad\qquad\qquad\qquad \cdots\cdots \ \text{㉡}$$

이 성립함을 수학적 귀납법으로 증명한 것이다.

(i) $n=1$일 때,

(좌변)$=a_1=1$, (우변)$=1\times1=1$

따라서 ㉡이 성립한다.

(ii) $n=k$일 때, ㉡이 성립한다고 가정하면

$a_k=(1+2+3+\cdots+k)\left(1+\dfrac{1}{2}+\dfrac{1}{3}+\cdots+\dfrac{1}{k}\right)$

이다. ㉠에서

$a_{k+1}=\boxed{\text{(가)}}\,a_k+\dfrac{k+2}{2}$

$\qquad=\boxed{\text{(가)}}(1+2+3+\cdots+k)$

$\qquad\quad\times\left(1+\dfrac{1}{2}+\dfrac{1}{3}+\cdots+\dfrac{1}{k}\right)+\dfrac{k+2}{2}$

$\qquad=\boxed{\text{(나)}}\left(1+\dfrac{1}{2}+\dfrac{1}{3}+\cdots+\dfrac{1}{k}\right)+\dfrac{k+2}{2}$

$\qquad=\{1+2+3+\cdots+(k+1)\}$

$\qquad\quad\times\left(1+\dfrac{1}{2}+\dfrac{1}{3}+\cdots+\dfrac{1}{k+1}\right)$

이다.

따라서 $n=k+1$일 때에도 ㉡이 성립한다.

(i), (ii)에 의하여 모든 자연수 n에 대하여 ㉡이 성립한다.

위의 (가), (나)에 알맞은 식을 각각 $f(k)$, $g(k)$라고 할 때, $f(10)\times g(9)$의 값은?

① 66   ② 68   ③ 70

④ 72   ⑤ 74

186

다음은 $n \geq 2$인 자연수 n에 대하여 부등식

$$\frac{1}{1^2} + \frac{1}{2^2} + \frac{1}{3^2} + \cdots + \frac{1}{n^2} < 2 - \frac{1}{n}$$

이 성립함을 증명한 것이다.

(i) $n=2$일 때

$$(\text{좌변}) = \frac{1}{1^2} + \frac{1}{2^2} = \frac{5}{4}, \quad (\text{우변}) = 2 - \frac{1}{2} = \frac{3}{2}$$

따라서 $\frac{5}{4} < \frac{3}{2}$이므로 주어진 부등식이 성립한다.

(ii) $n=k$ ($k \geq 2$)일 때, 주어진 부등식이 성립한다고 가정하면

$$\frac{1}{1^2} + \frac{1}{2^2} + \frac{1}{3^2} + \cdots + \frac{1}{k^2} < 2 - \frac{1}{k}$$

위 식의 양변에 $\frac{1}{(k+1)^2}$을 더하면

$$\frac{1}{1^2} + \frac{1}{2^2} + \frac{1}{3^2} + \cdots + \frac{1}{k^2} + \frac{1}{(k+1)^2}$$
$$< 2 - \frac{1}{k} + \frac{1}{(k+1)^2}$$

이때 $\dfrac{1}{(k+1)^2} < \dfrac{1}{\boxed{(가)}}$이므로 우변에서

$$2 - \frac{1}{k} + \frac{1}{(k+1)^2} < 2 - \frac{1}{\boxed{(나)}}$$

$$\therefore 1 + \frac{1}{2^2} + \cdots + \frac{1}{(k+1)^2} < 2 - \frac{1}{k+1}$$

따라서 $n=k+1$일 때에도 주어진 부등식이 성립한다.

(i), (ii)에 의하여 $n \geq 2$인 자연수 n에 대하여 주어진 부등식이 성립한다.

위의 (가), (나)에 알맞은 식을 각각 $f(k)$, $g(k)$라고 할 때, $\dfrac{f(k)}{g(k)}$를 정리하면?

① $k-2$ ② $k-1$ ③ k

④ $k+1$ ⑤ $k+2$

187

다음은 자연수 n에 대하여 부등식

$$\frac{1}{2} \times \frac{3}{4} \times \frac{5}{6} \times \cdots \times \frac{2n-1}{2n} \leq \frac{1}{\sqrt{3n+1}}$$

이 성립함을 증명한 것이다.

(i) $n=1$일 때,

$$(\text{좌변}) = \frac{1}{2}, \quad (\text{우변}) = \frac{1}{\sqrt{4}} = \frac{1}{2}$$

$(\text{좌변}) = (\text{우변})$이므로 주어진 부등식이 성립한다.

(ii) $n=k$일 때, 주어진 부등식이 성립한다고 가정하면

$$\frac{1}{2} \times \frac{3}{4} \times \frac{5}{6} \times \cdots \times \frac{2k-1}{2k} \leq \frac{1}{\sqrt{3k+1}}$$

양변에 $\dfrac{2k+1}{2k+2}$을 곱하면

$$\frac{1}{2} \times \frac{3}{4} \times \frac{5}{6} \times \cdots \times \frac{2k+1}{2k+2} \leq \frac{2k+1}{(2k+2) \times \boxed{(가)}}$$

이때

$$\left\{ \frac{2k+1}{(2k+2) \times \boxed{(가)}} \right\}^2$$

$$= \frac{(2k+1)^2}{12k^3 + 28k^2 + \boxed{(나)}}$$

$$= \frac{(2k+1)^2}{(2k+1)^2(3k+4)+k} < \frac{1}{\boxed{(다)}}$$

이므로

$$\frac{1}{2} \times \frac{3}{4} \times \frac{5}{6} \times \cdots \times \frac{2k+1}{2k+2} < \frac{1}{\sqrt{3(k+1)+1}}$$

따라서 $n=k+1$일 때도 주어진 부등식이 성립한다.

(i), (ii)에 의하여 자연수 n에 대하여 주어진 부등식이 성립한다.

위의 증명에서 (가), (나), (다)에 알맞은 것은?

	(가)	(나)	(다)
①	$\sqrt{3k+1}$	$10k+4$	$3k+3$
②	$\sqrt{3k+1}$	$20k+4$	$3k+4$
③	$\sqrt{3k+1}$	$20k+4$	$3k+3$
④	$\sqrt{3k+4}$	$10k+4$	$3k+3$
⑤	$\sqrt{3k+4}$	$20k+4$	$3k+4$

188

공차가 1보다 큰 자연수 p인 등차수열 $\{a_n\}$과 공비가 p인 등비수열 $\{b_n\}$에 대하여 $a_1=b_1=4$이고, 수열 $\{b_n\}$의 모든 항이 수열 $\{a_n\}$의 항이 된다고 한다. 이때 $\sum\limits_{k=1}^{5} b_k$의 최솟값은?

① 62   ② 124   ③ 508

④ 1364   ⑤ 4092

189

양의 실수 x에 대하여 $\log x$의 소수 부분, $\log x$의 정수 부분, $\log x$가 이 순서대로 등비수열을 이룬다. 이때 $(\log x)^2-\log x+3$의 값은? (단, $x\neq1$)

① 3   ② 4   ③ 5

④ 6   ⑤ 7

190

다음 조건을 만족시키는 두 수열 $\{a_n\}$, $\{b_n\}$에 대하여 $\sum\limits_{k=1}^{8} kb_k$의 최댓값을 구하여라.

(가) $\sum\limits_{k=1}^{8}(a_k^{\,2}+1)(b_k^{\,2}+1)=\sum\limits_{k=1}^{8}4a_kb_k$

(나) $\sum\limits_{k=1}^{8}a_k=2$

191

자연수 n에 대하여 부등식

$$\left(2^{x-1}-\sqrt{n}\right)\left(2^{x+1}-\frac{1}{n}\right) \leq 0$$

을 만족시키는 정수 x의 개수를 a_n이라고 하자. $\sum\limits_{n=1}^{50} a_n$의 값을 구하여라.

192

방정식 $x^3-1=0$의 한 허근 ω에 대하여 $f(n)$을 ω^n의 실수부분으로 정의할 때, $\sum\limits_{k=1}^{m}\{f(k)+1\}^2=50$이 되도록 하는 자연수 m의 값을 구하여라. (단, n은 자연수이다.)

193

모든 항이 양수인 수열 $\{a_n\}$의 첫째항부터 제n항까지의 합을 S_n이라고 하자. 자연수 n에 대하여 등식

$$a_2 a_n = S_2 + S_n$$

이 성립할 때, 부등식 $a_n < 20a_1$을 만족시키는 n의 최댓값은?

① 6   ② 7   ③ 8

④ 9   ⑤ 10

미니 모의고사 - 1회

01

다음 |보기|의 수열에서 등차수열인 것만을 있는 대로 고른 것은? [3점]

보기
ㄱ. $\{n^2-1\}$ 　　　　ㄴ. $\{1-3n\}$
ㄷ. $\{2^{n-1}\}$ 　　　　ㄹ. $\{n+5\}$

---

① ㄱ, ㄴ　　　　② ㄱ, ㄷ　　　　③ ㄴ, ㄷ

④ ㄴ, ㄹ　　　　⑤ ㄷ, ㄹ

02

다항식 $f(x)=x^2-x+a$를 일차식 $x-1$, $x-2$, $x+2$ 로 나누었을 때의 나머지를 각각 R_1, R_2, R_3이라고 할 때, R_1, R_2, R_3은 이 순서대로 등비수열을 이룬다. 이때 상수 a의 값은? [3점]

① 1　　　　② 2　　　　③ 3

④ 4　　　　⑤ 5

03

등식 $\sum_{k=1}^{10} \dfrac{5^k-2^k}{4^k}=a+b\left(\dfrac{5}{4}\right)^{10}+c\left(\dfrac{1}{2}\right)^{10}$ 을 만족시키는 정수 a, b, c에 대하여 $a+b+c$의 값은? [3점]

① -2　　　　② -1　　　　③ 0

④ 1　　　　⑤ 2

04

수열 $\{a_n\}$에 대하여 $a_n=2n-4$일 때, $a_1^2+a_3^2+a_5^2+\cdots+a_{2n-1}^2$을 n에 대한 식으로 나타내면? [3점]

① $8n^3+10n$　　　　② $8n^3+10n+18$

③ $16n^3+20n$　　　　④ $16n^3+20n+36$

⑤ $16n^3+24n$

05

수열 $\{a_n\}$에 대하여 $a_n=\sum_{k=1}^{n} \dfrac{k+\dfrac{1}{2}}{1^2+2^2+3^2+\cdots+k^2}$일 때, a_{10}의 값은? [3점]

① $\dfrac{20}{11}$　　　　② 2　　　　③ $\dfrac{30}{11}$

④ 3　　　　⑤ $\dfrac{40}{11}$

06

6^7의 양의 약수 중에서 3^2으로 나누어떨어지지만 3^4으로는 나누어떨어지지 않는 수의 합은? **[4점]**

① 9120   ② 9140   ③ 9160

④ 9180   ⑤ 9200

07

수열 $\{a_n\}$에 대하여 $\sum\limits_{k=1}^{n} a_k = (n+1)^2$ $(n=1,\ 2,\ 3,\ \cdots)$ 일 때, |보기|에서 옳은 것만을 있는 대로 고른 것은?

[4점]

┌ 보기 ────────────────────
ㄱ. $a_9 = 100$

ㄴ. 수열 $\{a_{2n}\}$은 등차수열이다.

ㄷ. $\sum\limits_{k=1}^{n} a_{2k-1} = 2n^2 + n + 1$
└──────────────────────────

① ㄱ   ② ㄷ   ③ ㄱ, ㄴ

④ ㄴ, ㄷ   ⑤ ㄱ, ㄴ, ㄷ

08

$a_1 = 3$, $a_{n+1} = (9a_n$을 7로 나눈 나머지$)$

$(n=1,\ 2,\ 3,\ \cdots)$

로 정의된 수열 $\{a_n\}$에 대하여 $\sum\limits_{k=1}^{20} a_k$의 값을 구하여라.

[4점]

09

등식

$$na_1 + (n-1)a_2 + (n-2)a_3 + \cdots + 2a_{n-1} + a_n = n^3 - 2n^2 + 3n$$

이 성립할 때, $\sum\limits_{k=1}^{10} a_k$의 값은? **[4점]**

① 280   ② 230   ③ 232

④ 234   ⑤ 236

10

2 이상의 자연수 n에 대하여 다항식 $x^n - nx + n - 1$은 항상 $(x-1)^2$으로 나누어떨어짐을 증명하여라. **[4점]**

✅ 실력점검

맞힌 개수	/10개	점수	/35점

01

-4와 36 사이에 9개의 수를 넣어 등차수열이 되도록 할 때, 넣어야 할 수 중 가장 큰 수는? [3점]

① 16   ② 20   ③ 24

④ 28   ⑤ 32

02

첫째항부터 제n항까지의 합 S_n이 $S_n=an^2+2n$인 등차수열 $\{a_n\}$의 제7항이 28일 때, 상수 a의 값을 구하여라.

[3점]

03

첫째항이 144, 공차가 -3인 등차수열 $\{a_n\}$에 대하여 $\displaystyle\sum_{k=1}^{45}\frac{1}{\sqrt{a_k}+\sqrt{a_{k+1}}}$의 값은? [3점]

① $\dfrac{8}{3}$ ② 3   ③ $\dfrac{10}{3}$

④ $\dfrac{11}{3}$ ⑤ 4

04

수열 $\{a_n\}$에서 $a_1=4$, $a_2=2$, $a_3=2$이고 $a_{n-1}a_{n+1}=a_na_{n+2}$ $(n=2,\ 3,\ 4,\ \cdots)$일 때, $\displaystyle\sum_{k=1}^{15}a_k$의 값은? [3점]

① 44   ② 48   ③ 52

④ 56   ⑤ 60

05

자연수 n에 대한 명제 $p(n)$은 다음 두 조건을 만족시킨다.

> ㈎ $p(1)$이 참이다.
> ㈏ $p(n)$이 참이면 $p(2n)$과 $p(7n)$이 참이다.

다음 중 반드시 참이라고 할 수 없는 명제는? [3점]

① $p(8)$ ② $p(14)$ ③ $p(45)$

④ $p(49)$ ⑤ $p(196)$

06

$\angle C = 90°$인 직각삼각형 ABC의 세 변의 길이는 공차가 d인 등차수열을 이룬다고 한다. 삼각형 ABC의 외접원의 반지름의 길이를 R, 내접원의 반지름의 길이를 r라고 할 때, 다음 중 옳은 것은? [4점]

① $d > r$ ② $d < r$ ③ $d > R - r$
④ $d = R - r$ ⑤ $d < R - r$

07

첫째항이 80, 공차가 d인 등차수열 $\{a_n\}$의 첫째항부터 제n항까지의 합을 S_n, 첫째항부터 제n항까지의 절댓값의 합을 T_n이라고 할 때, $2S_8 - S_{10} = T_{10}$이다. 이때 정수 d의 값은? (단, 자연수 k, m에 대하여 $k \neq m$이면 $a_k \neq a_m$이고, $a_k \neq 0$) [4점]

① -14 ② -13 ③ -12
④ -11 ⑤ -10

08

함수 $f(x) = x^{10} + x^9 + \cdots + x^3 + x^2 + x + 2$에 대하여 합성함수 $f(f(x))$의 상수항을 구하여라. [4점]

09

숫자 1, 2로 만들 수 있는 수를 작은 수부터 순서대로 나열하면 다음과 같다.

1, 2, 11, 12, 21, 22, 111, 112, 121, 122, …

이 수열의 제70항은? [4점]

① 111211   ② 111222   ③ 121121
④ 211211   ⑤ 212112

10

자연수 n에 대하여 $f(n)$을 $f(n) = (3n+1)7^n - 1$이라고 하자. 다음은 $f(n)$이 9의 배수임을 수학적 귀납법으로 증명한 것이다.

(i) $n=1$일 때, $f(1) = 27$이므로 9의 배수이다.
(ii) $n=k$일 때, $f(k)$가 9의 배수라고 가정하면

$$f(k+1) = \{\boxed{\text{(가)}} \times (k+1) + 7\}7^k - 1$$
$$= \{(3k+1)7^k - 1\} + (\boxed{\text{(나)}}) \times 7^k$$
$$= f(k) + (\boxed{\text{(나)}}) \times 7^k$$

이므로 $f(k+1)$도 9의 배수이다.
(i), (ii)에 의하여 자연수 n에 대하여 $f(n)$은 9의 배수이다.

위의 증명에서 ㈎에 알맞은 수를 a, ㈏에 알맞은 식을 $h(k)$라고 할 때, $h(a)$의 값은? [4점]

① 189   ② 387   ③ 405
④ 495   ⑤ 513

● 실력점검

맞힌 개수	/10개	점수	/35점

수	0	1	2	3	4	5	6	7	8	9
1.0	.0000	.0043	.0086	.0128	.0170	.0212	.0253	.0294	.0334	.0374
1.1	.0414	.0453	.0492	.0531	.0569	.0607	.0645	.0682	.0719	.0755
1.2	.0792	.0828	.0864	.0899	.0934	.0969	.1004	.1038	.1072	.1106
1.3	.1139	.1173	.1206	.1239	.1271	.1303	.1335	.1367	.1399	.1430
1.4	.1461	.1492	.1523	.1553	.1584	.1614	.1644	.1673	.1703	.1732
1.5	.1761	.1790	.1818	.1847	.1875	.1903	.1931	.1959	.1987	.2014
1.6	.2041	.2068	.2095	.2122	.2148	.2175	.2201	.2227	.2253	.2279
1.7	.2304	.2330	.2355	.2380	.2405	.2430	.2455	.2480	.2504	.2529
1.8	.2553	.2577	.2601	.2625	.2648	.2672	.2695	.2718	.2742	.2765
1.9	.2788	.2810	.2833	.2856	.2878	.2900	.2923	.2945	.2967	.2989
2.0	.3010	.3032	.3054	.3075	.3096	.3118	.3139	.3160	.3181	.3201
2.1	.3222	.3243	.3263	.3284	.3304	.3324	.3345	.3365	.3385	.3404
2.2	.3424	.3444	.3464	.3483	.3502	.3522	.3541	.3560	.3579	.3598
2.3	.3617	.3636	.3655	.3674	.3692	.3711	.3729	.3747	.3766	.3784
2.4	.3802	.3820	.3838	.3856	.3874	.3892	.3909	.3927	.3945	.3962
2.5	.3979	.3997	.4014	.4031	.4048	.4065	.4082	.4099	.4116	.4133
2.6	.4150	.4166	.4183	.4200	.4216	.4232	.4249	.4265	.4281	.4298
2.7	.4314	.4330	.4346	.4362	.4378	.4393	.4409	.4425	.4440	.4456
2.8	.4472	.4487	.4502	.4518	.4533	.4548	.4564	.4579	.4594	.4609
2.9	.4624	.4639	.4654	.4669	.4683	.4698	.4713	.4728	.4742	.4757
3.0	.4771	.4786	.4800	.4814	.4829	.4843	.4857	.4871	.4886	.4900
3.1	.4914	.4928	.4942	.4955	.4969	.4983	.4997	.5011	.5024	.5038
3.2	.5051	.5065	.5079	.5092	.5105	.5119	.5132	.5145	.5159	.5172
3.3	.5185	.5198	.5211	.5224	.5237	.5250	.5263	.5276	.5289	.5302
3.4	.5315	.5328	.5340	.5353	.5366	.5378	.5391	.5403	.5416	.5428
3.5	.5441	.5453	.5465	.5478	.5490	.5502	.5514	.5527	.5539	.5551
3.6	.5563	.5575	.5587	.5599	.5611	.5623	.5635	.5647	.5658	.5670
3.7	.5682	.5694	.5705	.5717	.5729	.5740	.5752	.5763	.5775	.5786
3.8	.5798	.5809	.5821	.5832	.5843	.5855	.5866	.5877	.5888	.5899
3.9	.5911	.5922	.5933	.5944	.5955	.5966	.5977	.5988	.5999	.6010
4.0	.6021	.6031	.6042	.6053	.6064	.6075	.6085	.6096	.6107	.6117
4.1	.6128	.6138	.6149	.6160	.6170	.6180	.6191	.6201	.6212	.6222
4.2	.6232	.6243	.6253	.6263	.6274	.6284	.6294	.6304	.6314	.6325
4.3	.6335	.6345	.6355	.6365	.6375	.6385	.6395	.6405	.6415	.6425
4.4	.6435	.6444	.6454	.6464	.6474	.6484	.6493	.6503	.6513	.6522
4.5	.6532	.6542	.6551	.6561	.6571	.6580	.6590	.6599	.6609	.6618
4.6	.6628	.6637	.6646	.6656	.6665	.6675	.6684	.6693	.6702	.6712
4.7	.6721	.6730	.6739	.6749	.6758	.6767	.6776	.6785	.6794	.6803
4.8	.6812	.6821	.6830	.6839	.6848	.6857	.6866	.6875	.6884	.6893
4.9	.6902	.6911	.6920	.6928	.6937	.6946	.6955	.6964	.6972	.6981
5.0	.6990	.6998	.7007	.7016	.7024	.7033	.7042	.7050	.7059	.7067
5.1	.7076	.7084	.7093	.7101	.7110	.7118	.7126	.7135	.7143	.7152
5.2	.7160	.7168	.7177	.7185	.7193	.7202	.7210	.7218	.7226	.7235
5.3	.7243	.7251	.7259	.7267	.7275	.7284	.7292	.7300	.7308	.7316
5.4	.7324	.7332	.7340	.7348	.7356	.7364	.7372	.7380	.7388	.7396

수	0	1	2	3	4	5	6	7	8	9
5.5	.7404	.7412	.7419	.7427	.7435	.7443	.7451	.7459	.7466	.7474
5.6	.7482	.7490	.7497	.7505	.7513	.7520	.7528	.7536	.7543	.7551
5.7	.7559	.7566	.7574	.7582	.7589	.7597	.7604	.7612	.7619	.7627
5.8	.7634	.7642	.7649	.7657	.7664	.7672	.7679	.7686	.7694	.7701
5.9	.7709	.7716	.7723	.7731	.7738	.7745	.7752	.7760	.7767	.7774
6.0	.7782	.7789	.7796	.7803	.7810	.7818	.7825	.7832	.7839	.7846
6.1	.7853	.7860	.7868	.7875	.7882	.7889	.7896	.7903	.7910	.7917
6.2	.7924	.7931	.7938	.7945	.7952	.7959	.7966	.7973	.7980	.7987
6.3	.7993	.8000	.8007	.8014	.8021	.8028	.8035	.8041	.8048	.8055
6.4	.8062	.8069	.8075	.8082	.8089	.8096	.8102	.8109	.8116	.8122
6.5	.8129	.8136	.8142	.8149	.8156	.8162	.8169	.8176	.8182	.8189
6.6	.8195	.8202	.8209	.8215	.8222	.8228	.8235	.8241	.8248	.8254
6.7	.8261	.8267	.8274	.8280	.8287	.8293	.8299	.8306	.8312	.8319
6.8	.8325	.8331	.8338	.8344	.8351	.8357	.8363	.8370	.8376	.8382
6.9	.8388	.8395	.8401	.8407	.8414	.8420	.8426	.8432	.8439	.8445
7.0	.8451	.8457	.8463	.8470	.8476	.8482	.8488	.8494	.8500	.8506
7.1	.8513	.8519	.8525	.8531	.8537	.8543	.8549	.8555	.8561	.8567
7.2	.8573	.8579	.8585	.8591	.8597	.8603	.8609	.8615	.8621	.8627
7.3	.8633	.8639	.8645	.8651	.8657	.8663	.8669	.8675	.8681	.8686
7.4	.8692	.8698	.8704	.8710	.8716	.8722	.8727	.8733	.8739	.8745
7.5	.8751	.8756	.8762	.8768	.8774	.8779	.8785	.8791	.8797	.8802
7.6	.8808	.8814	.8820	.8825	.8831	.8837	.8842	.8848	.8854	.8859
7.7	.8865	.8871	.8876	.8882	.8887	.8893	.8899	.8904	.8910	.8915
7.8	.8921	.8927	.8932	.8938	.8943	.8949	.8954	.8960	.8965	.8971
7.9	.8976	.8982	.8987	.8993	.8998	.9004	.9009	.9015	.9020	.9025
8.0	.9031	.9036	.9042	.9047	.9053	.9058	.9063	.9069	.9074	.9079
8.1	.9085	.9090	.9096	.9101	.9106	.9112	.9117	.9122	.9128	.9133
8.2	.9138	.9143	.9149	.9154	.9159	.9165	.9170	.9175	.9180	.9186
8.3	.9191	.9196	.9201	.9206	.9212	.9217	.9222	.9227	.9232	.9238
8.4	.9243	.9248	.9253	.9258	.9263	.9269	.9274	.9279	.9284	.9289
8.5	.9294	.9299	.9304	.9309	.9315	.9320	.9325	.9330	.9335	.9340
8.6	.9345	.9350	.9355	.9360	.9365	.9370	.9375	.9380	.9385	.9390
8.7	.9395	.9400	.9405	.9410	.9415	.9420	.9425	.9430	.9435	.9440
8.8	.9445	.9450	.9455	.9460	.9465	.9469	.9474	.9479	.9484	.9489
8.9	.9494	.9499	.9504	.9509	.9513	.9518	.9523	.9528	.9533	.9538
9.0	.9542	.9547	.9552	.9557	.9562	.9566	.9571	.9576	.9581	.9586
9.1	.9590	.9595	.9600	.9605	.9609	.9614	.9619	.9624	.9628	.9633
9.2	.9638	.9643	.9647	.9652	.9657	.9661	.9666	.9671	.9675	.9680
9.3	.9685	.9689	.9694	.9699	.9703	.9708	.9713	.9717	.9722	.9727
9.4	.9731	.9736	.9741	.9745	.9750	.9754	.9759	.9763	.9768	.9773
9.5	.9777	.9782	.9786	.9791	.9795	.9800	.9805	.9809	.9814	.9818
9.6	.9823	.9827	.9832	.9836	.9841	.9845	.9850	.9854	.9859	.9863
9.7	.9868	.9872	.9877	.9881	.9886	.9890	.9894	.9899	.9903	.9908
9.8	.9912	.9917	.9921	.9926	.9930	.9934	.9939	.9943	.9948	.9952
9.9	.9956	.9961	.9965	.9969	.9974	.9978	.9983	.9987	.9991	.9996

각	sin	cos	tan	각	sin	cos	tan
0°	.0000	1.0000	.0000	45°	.7071	.7071	1.0000
1°	.0175	.9998	.0175	46°	.7193	.6947	1.0355
2°	.0349	.9994	.0349	47°	.7314	.6820	1.0724
3°	.0523	.9986	.0524	48°	.7431	.6691	1.1106
4°	.0698	.9976	.0699	49°	.7547	.6561	1.1504
5°	.0872	.9962	.0875	50°	.7660	.6428	1.1918
6°	.1045	.9945	.1051	51°	.7771	.6293	1.2349
7°	.1219	.9925	.1228	52°	.7880	.6157	1.2799
8°	.1392	.9903	.1405	53°	.7986	.6018	1.3270
9°	.1564	.9877	.1584	54°	.8090	.5878	1.3764
10°	.1736	.9848	.1763	55°	.8192	.5736	1.4281
11°	.1908	.9816	.1944	56°	.8290	.5592	1.4826
12°	.2079	.9781	.2126	57°	.8387	.5446	1.5399
13°	.2250	.9744	.2309	58°	.8480	.5299	1.6003
14°	.2419	.9703	.2493	59°	.8572	.5150	1.6643
15°	.2588	.9659	.2679	60°	.8660	.5000	1.7321
16°	.2756	.9613	.2867	61°	.8746	.4848	1.8040
17°	.2924	.9563	.3057	62°	.8829	.4695	1.8807
18°	.3090	.9511	.3249	63°	.8910	.4540	1.9626
19°	.3256	.9455	.3443	64°	.8988	.4384	2.0503
20°	.3420	.9397	.3640	65°	.9063	.4226	2.1445
21°	.3584	.9336	.3839	66°	.9135	.4067	2.2460
22°	.3746	.9272	.4040	67°	.9205	.3907	2.3559
23°	.3907	.9205	.4245	68°	.9272	.3746	2.4751
24°	.4067	.9135	.4452	69°	.9336	.3584	2.6051
25°	.4226	.9063	.4663	70°	.9397	.3420	2.7475
26°	.4384	.8988	.4877	71°	.9455	.3256	2.9042
27°	.4540	.8910	.5095	72°	.9511	.3090	3.0777
28°	.4695	.8829	.5317	73°	.9563	.2924	3.2709
29°	.4848	.8746	.5543	74°	.9613	.2756	3.4874
30°	.5000	.8660	.5774	75°	.9659	.2588	3.7321
31°	.5150	.8572	.6009	76°	.9703	.2419	4.0108
32°	.5299	.8480	.6249	77°	.9744	.2250	4.3315
33°	.5446	.8387	.6494	78°	.9781	.2079	4.7046
34°	.5592	.8290	.6745	79°	.9816	.1908	5.1446
35°	.5736	.8192	.7002	80°	.9848	.1736	5.6713
36°	.5878	.8090	.7265	81°	.9877	.1564	6.3138
37°	.6018	.7986	.7536	82°	.9903	.1392	7.1154
38°	.6157	.7880	.7813	83°	.9925	.1219	8.1443
39°	.6293	.7771	.8098	84°	.9945	.1045	9.5144
40°	.6428	.7660	.8391	85°	.9962	.0872	11.4301
41°	.6561	.7547	.8693	86°	.9976	.0698	14.3007
42°	.6691	.7431	.9004	87°	.9986	.0523	19.0811
43°	.6820	.7314	.9325	88°	.9994	.0349	28.6363
44°	.6947	.7193	.9657	89°	.9998	.0175	57.2900
45°	.7071	.7071	1.0000	90°	1.0000	.0000	

Ⅰ 지수함수와 로그함수

001 0 002 20 003 ④ 004 ④ 005 189
006 ④ 007 2 008 ⑤ 009 ③ 010 1276
011 ⑤ 012 $3\sqrt{2}$ 013 $\frac{31}{32}$ 014 -15 015 17
016 12 017 2 018 ⑤ 019 ③ 020 ①
021 ① 022 ② 023 ④ 024 40 025 ②
026 ④ 027 ② 028 ⑤ 029 ⑤ 030 51
031 ⑤ 032 120 033 6 034 16
035 $C<B<A$ 036 ④ 037 0.702 038 4
039 900000 040 ③ 041 24 042 4 043 ⑤
044 15 045 4 046 ③ 047 37 048 ②
049 3 050 ⑤ 051 ④ 052 $-2\sqrt[3]{2}+5\sqrt{3}$
053 20 054 $\frac{1}{6}$ 055 ③ 056 648 057 ①
058 32 059 ④ 060 ② 061 ③ 062 $\sqrt{6}$
063 ④ 064 ④ 065 ① 066 $\frac{1}{32}$ 067 ④
068 ① 069 ③ 070 ⑤ 071 4 072 ③
073 9 074 2 075 4 076 12 077 ②
078 ⑤ 079 3 080 ① 081 ④ 082 -1
083 ③ 084 70 085 ② 086 2 087 1
088 ① 089 10자리 090 24 091 ② 092 ②
093 ⑤ 094 2 095 80 096 ③ 097 27
098 6 099 -5 100 $C<B<A$ 101 ②
102 0 103 1 104 ① 105 -16 106 ④
107 4 108 10 109 7 110 ② 111 ②
112 ② 113 -4 114 ② 115 20 116 $a>9$
117 ④ 118 ③ 119 20 120 $\frac{5}{2}$ 121 12
122 5 123 64 124 ④ 125 ① 126 ③
127 ① 128 14 129 -12 130 6 131 $x=3$
132 ⑤ 133 ④ 134 ③ 135 $\frac{31}{16}$ 136 ④
137 ⑤ 138 ④ 139 124 140 15 141 99
142 ① 143 ② 144 ③ 145 ③ 146 ④
147 $k\leq-4$ 또는 $k>-3$ 148 ② 149 ⑤ 150 5
151 ⑤ 152 8 153 625 154 ④ 155 ④
156 ① 157 3년 158 ③ 159 ② 160 53
161 81 162 ④ 163 $\frac{4}{3}<a<3$ 164 ②
165 ① 166 ③ 167 ④ 168 2 169 5
170 ⑤ 171 ④ 172 ③ 173 115 174 ⑤
175 ③ 176 5 177 ⑤ 178 ② 179 ③
180 $-\frac{1}{2}$ 181 2 182 ⑤ 183 ④ 184 ⑤
185 ③ 186 ② 187 2 188 ② 189 ③
190 84 191 165 192 13 193 ② 194 15
195 ④ 196 ⑤ 197 ① 198 ⑤
199 $-1<x\leq1$ 200 -19 201 10 202 ②
203 17

상위 1% 도전 문제
204 ② 205 ④ 206 5 207 13 208 ③

미니 모의고사 - 1회
01 78 02 ④ 03 ④ 04 ④ 05 ⑤
06 ③ 07 ④ 08 ④ 09 $\frac{26}{3}$ 10 $\frac{5}{2}$

미니 모의고사 - 2회
01 ④ 02 $3\sqrt{2}$ 03 4 04 ⑤ 05 ③
06 ② 07 ② 08 ⑤ 09 ⑤ 10 ②

Ⅱ 삼각함수

001 ③ 002 ⑤ 003 제1사분면
004 제1사분면 또는 제3사분면 005 ③ 006 ③
007 ① 008 ③ 009 ④ 010 ① 011 ①
012 ④ 013 ③ 014 ④ 015 ① 016 ①
017 ③ 018 ② 019 ④ 020 ① 021 ①
022 ④ 023 ⑤ 024 ① 025 ②
026 $\pi<\theta<\frac{3}{2}\pi$ 027 ③ 028 ② 029 ③
030 ① 031 ② 032 ② 033 $\frac{\pi}{2}<\theta<\pi$
034 ④ 035 ① 036 ② 037 ④ 038 ③
039 ⑤ 040 ③ 041 ⑤ 042 ② 043 ①
044 ② 045 ⑤ 046 ④ 047 ⑤ 048 ②
049 ⑤ 050 ② 051 20 052 ② 053 ④
054 ③ 055 ④ 056 ⑤ 057 ③ 058 ②
059 ① 060 ② 061 ③ 062 ③ 063 ④
064 $\frac{2\sqrt{17}}{17}$ 065 ③ 066 ④ 067 ⑤ 068 ③
069 ⑤ 070 ④ 071 ③ 072 ④
073 제3사분면 074 ⑤ 075 ④
076 $4x^2-6x+4=0$ 077 ④ 078 ① 079 ⑤
080 ① 081 ① 082 ① 083 $-\frac{15}{32}$ 084 ⑤
085 ③ 086 ④ 087 ④ 088 ③ 089 ⑤
090 ④ 091 ④ 092 ② 093 ⑤ 094 ④
095 ③ 096 1 097 ③ 098 ① 099 ③
100 $2\sqrt{2}$ 101 ② 102 ④ 103 ⑤ 104 ①
105 ⑤ 106 1 107 12 108 9 109 ④
110 3 111 ④ 112 ④ 113 ② 114 -8π
115 ④ 116 ② 117 $x=\frac{\pi}{3}$ 또는 $\pi\leq x\leq\frac{5}{3}\pi$
118 ② 119 ② 120 ③ 121 ① 122 $A>B$

123 ④ 124 ⑤ 125 ② 126 ② 127 ②
128 ④ 129 ④ 130 ⑤ 131 4 132 ④
133 ④ 134 −2 135 ③ 136 ③ 137 7
138 ④ 139 ④ 140 $\dfrac{2\sqrt{6}}{5}$ 141 ④ 142 ⑤
143 ⑤ 144 ④ 145 ④ 146 ③ 147 ④
148 ⑤ 149 29 150 ② 151 6 152 ①
153 ④ 154 ④ 155 ③ 156 $\pi, \dfrac{5}{4}\pi, \dfrac{7}{4}\pi$
157 8 158 ④ 159 ③ 160 ② 161 ③
162 ③ 163 ⑤ 164 12π 165 ⑤ 166 ⑤
167 ④ 168 $\dfrac{15}{17}$ 169 80π cm³ 170 ④ 171 ②
172 ⑤ 173 ⑤ 174 13 175 ① 176 ⑤
177 ⑤ 178 ⑤ 179 ⑤ 180 ③ 181 ②
182 ⑤ 183 ⑤ 184 ⑤ 185 ④ 186 ④
187 3 188 ⑤ 189 ⑤ 190 ⑤ 191 ④
192 ⑤ 193 ③ 194 ③ 195 ⑤ 196 25
197 ② 198 ⑤ 199 ③ 200 $3\sqrt{7}$ km 201 ④
202 $7\sqrt{2}$ 203 ② 204 $\dfrac{189}{22}$ 205 ② 206 ④

상위 1% 도전 문제

207 ③ 208 18 209 ③ 210 $\dfrac{148}{3}$

미니 모의고사 - 1회

01 ① 02 ③ 03 ③ 04 ④ 05 ①
06 ① 07 ② 08 ④ 09 4 10 ①

미니 모의고사 - 2회

01 ④ 02 ② 03 ② 04 $2+\dfrac{\pi}{3}$ 05 ①
06 ① 07 ③ 08 ② 09 ② 10 ④

III 수열

001 ③ 002 196 003 ③ 004 ② 005 ④
006 ① 007 ⑤ 008 ③ 009 ① 010 ④
011 24 012 ③ 013 ① 014 ④ 015 ⑤
016 378 017 ③ 018 ② 019 ⑤ 020 ①
021 ③ 022 −16 023 ② 024 ④ 025 ③
026 ④ 027 107 028 ⑤ 029 ② 030 ④
031 ① 032 3 033 ② 034 ② 035 ③
036 ④ 037 ① 038 ④ 039 682 040 ①
041 ③ 042 ② 043 ① 044 ②
045 50만 원 046 ③ 047 ④ 048 ① 049 ⑤
050 ① 051 23 052 ② 053 $\dfrac{21}{2}$ 054 ③
055 ③ 056 28 057 144 058 ④ 059 ①

060 ① 061 150 062 2157 063 ③ 064 ③
065 ④ 066 ⑤ 067 28 068 ④ 069 ①
070 ④ 071 ② 072 148 073 ② 074 ①
075 45 076 ④ 077 ⑤ 078 ④ 079 11
080 ⑤ 081 24 082 ① 083 ③ 084 7
085 13 086 ② 087 −250 088 ③ 089 ⑤
090 ③ 091 ① 092 1800 093 ④ 094 ①
095 ① 096 ④ 097 ⑤ 098 67 099 ③
100 ② 101 ⑤ 102 ⑤ 103 ③ 104 ①
105 140 106 ② 107 ⑤ 108 ④ 109 76
110 ④ 111 ④ 112 ① 113 ④ 114 ①
115 ② 116 ⑤ 117 341 118 ① 119 ②
120 ③ 121 ⑤ 122 ④ 123 196 124 ④
125 ① 126 ⑤ 127 ③ 128 ① 129 ④
130 ③ 131 $10-10i$ 132 ⑤ 133 ②
134 ① 135 ③ 136 ② 137 ② 138 ①
139 ③ 140 ④ 141 ① 142 $\dfrac{15}{32}$ 143 ④
144 ⑤ 145 ② 146 ④ 147 310 148 ④
149 ② 150 ② 151 132 152 ⑤ 153 ①
154 ④ 155 14 156 ③ 157 ③ 158 60
159 ③ 160 ② 161 ① 162 ④ 163 ②
164 ③ 165 ③ 166 ④ 167 ③ 168 46
169 ② 170 ① 171 ④ 172 ① 173 33
174 27 175 123 176 ① 177 ⑤ 178 ②
179 ④ 180 ② 181 ① 182 ② 183 ③
184 ④ 185 ① 186 ③ 187 ②

상위 1% 도전 문제

188 ② 189 ② 190 24 191 425 192 35
193 ④

미니 모의고사 - 1회

01 ④ 02 ② 03 ③ 04 ③ 05 ③
06 ④ 07 ④ 08 93 09 ⑤
10 풀이 참조

미니 모의고사 - 2회

01 ⑤ 02 2 03 ② 04 ① 05 ③
06 ⑤ 07 ④ 08 2048 09 ② 10 ③

풍산자와 함께하면
어떤 시험 문제도 익숙해집니다.

풍산자의 1등급 로드맵

	풍산자 반복수학		풍산자 필수유형	
풍산자의 1등급 로드맵	개념 기본서 1위	기초 반복 훈련서	단기 특강서	유형서 만족도 1위	상위권 필독서
	풍산자		풍산자 라이트		풍산자 일등급유형

풍산자의 1등급 로드맵

		하	중하	중	상	최상
상위권 필독서 **풍산자 일등급유형**				내신과 수능 1등급 도전, 상위권 실력 완성		
유형서 만족도 1위 **풍산자 필수유형**	강남구청 인터넷수능방송 강의교재			기출 문제 유형 정복, 시험 준비 완료		
단기 특강서 **풍산자 라이트**			개념 및 기본 체크, 단기 실력 점검			
기초 반복훈련서 **풍산자 반복수학**		개념 및 기본 연산 정복, 기본 실력 완성				
개념 기본서 1위 **풍산자**	강남구청 인터넷수능방송 강의교재	필수 문제로 개념 정복, 개념 학습 완성				

풍산자
일등급
유형

- 최신 기출 문제 분석을 통한 문제 엄선
- 난이도별 구성으로 상위권 실력 완성
- 실력 점검용 미니모의고사 2회 수록

정답과
풀이

수학 I

지학사

풍산자
일등급
유형

정답과
풀이

수학 I

I.
지수함수와 로그함수

01 지수와 로그

001

$\sqrt[3]{(-3)^3}+\sqrt[4]{(-4)^4}-\sqrt[5]{(-5)^5}-\sqrt[6]{(-6)^6}$
$=-3+4-(-5)-6=0$

답 0

풍쌤 비법

실수 a와 2 이상의 자연수 n에 대하여

$$\sqrt[n]{a^n}=\begin{cases} a & (n\text{은 홀수}) \\ |a| & (n\text{은 짝수}) \end{cases}$$

002

-125의 세제곱근을 x라고 하면
$x^3=-125,\ x^3+125=0,\ (x+5)(x^2-5x+25)=0$
$\therefore x=-5$ 또는 $x=\dfrac{5\pm5\sqrt{3}i}{2}$
따라서 -125의 세제곱근 중 실수인 것은 -5이므로
$a=-5$
256의 네제곱근을 x라고 하면
$x^4=256,\ x^4-256=0,\ (x^2-16)(x^2+16)=0$
$(x-4)(x+4)(x^2+16)=0$
$\therefore x=\pm4$ 또는 $x=\pm4i$
따라서 256의 네제곱근 중 음수인 것은 -4이므로
$b=-4$
$\therefore ab=-5\times(-4)=20$

답 20

풍쌤 비법

a의 n제곱근 중 실수인 것
$\iff$ 방정식 $x^n=a$의 실근
$\iff$ 방정식 $y=x^n$의 그래프와 직선 $y=a$의 교점의 x좌표

    (1) n이 홀수일 때   (2) n이 짝수일 때

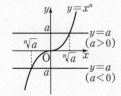 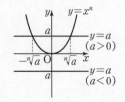

003

①은 옳다.
  $(\sqrt[3]{2})^3=2$이므로 $\sqrt[3]{2}$는 2의 세제곱근이다.

②도 옳다.
  -8의 세제곱근을 x라고 하면
  $x^3=-8,\ x^3+8=0,\ (x+2)(x^2-2x+4)=0$
  $\therefore x=-2$ 또는 $x=1\pm\sqrt{3}i$
  따라서 -8의 세제곱근 중 실수인 것은 -2의 1개이다.

③도 옳다.
  16의 네제곱근을 x라고 하면
  $x^4=16,\ x^4-16=0,\ (x^2-4)(x^2+4)=0$
  $(x-2)(x+2)(x^2+4)=0$
  $\therefore x=\pm2$ 또는 $x=\pm2i$

④는 옳지 않다.
  $\sqrt{81}=9$의 네제곱근을 x라고 하면
  $x^4=9,\ x^4-9=0,\ (x^2-3)(x^2+3)=0$
  $\therefore x=\pm\sqrt{3}$ 또는 $x=\pm\sqrt{3}i$
  따라서 $\sqrt{81}$의 네제곱근 중 실수인 것은 $\sqrt{3},\ -\sqrt{3}$이다.

⑤도 옳다.
  $-20<0$이므로 -20의 네제곱근은 없다.
  └── n이 짝수이고 $a<0$일 때, 방정식 $x^n=a$를 만족시키는
      실수 x는 존재하지 않는다.

답 ④

004

① $x^3=-1,\ x^3+1=0,\ (x+1)(x^2-x+1)=0$
  $\therefore x=-1$ 또는 $x=\dfrac{1\pm\sqrt{3}i}{2}$
  즉, 원소의 개수는 3이다.

② $x^3=27,\ x^3-27=0,\ (x-3)(x^2+3x+9)=0$
  $\therefore x=3$ 또는 $x=\dfrac{-3\pm3\sqrt{3}i}{2}$
  즉, 원소의 개수는 3이다.

③ $x^4=100,\ x^4-100=0,\ (x^2-10)(x^2+10)=0$
  $\therefore x=\pm\sqrt{10}$ 또는 $x=\pm\sqrt{10}i$
  즉, 원소의 개수는 4이다.

④ $x^3=64,\ x^3-64=0,\ (x-4)(x^2+4x+16)=0$
  $\therefore x=4$ 또는 $x=-2\pm2\sqrt{3}i$
  즉, 64의 세제곱근 중 실수인 것은 4이므로 원소의 개수는 1이다.

⑤ $x^4=625,\ x^4-625=0,\ (x^2-25)(x^2+25)=0$
  $(x-5)(x+5)(x^2+25)=0$
  $\therefore x=\pm5$ 또는 $x=\pm5i$
  즉, 625의 네제곱근 중 실수인 것은 $5,\ -5$이므로 원소의 개수는 2이다.

따라서 원소의 개수가 가장 작은 것은 ④이다.

답 ④

005

접근

자연수 x에 대하여 $\sqrt[3]{x}$가 정수가 되려면 $x=a^3$ (a는 자연수) 꼴이어야 한다.

$\sqrt[3]{x}$가 정수가 되기 위해서는 x는 어떤 자연수의 세제곱이어야 한다.
$3^3<50\leq x\leq130<6^3$이므로
$x=4^3=64$ 또는 $x=5^3=125$
따라서 모든 x의 값의 합은

$64+125=189$

탑 189

006

$$\sqrt[3]{64}+\sqrt[3]{8^2}-(\sqrt[6]{9})^3=\sqrt[3]{64}+\sqrt[6]{64}-\sqrt[6]{9^3}$$
$$=\sqrt[3]{4^3}+\sqrt[6]{2^6}-\sqrt[6]{3^6}$$
$$=4+2-3=3$$

탑 ④

007

$$\sqrt[6]{a^2b^3}\times\sqrt{ab}\div\sqrt[12]{a^8b^9}=\sqrt[12]{a^4b^6}\times\sqrt[12]{a^6b^6}\div\sqrt[12]{a^8b^9}$$
$$=\sqrt[12]{\frac{a^{10}b^{12}}{a^8b^9}}$$
$$=\sqrt[12]{a^2b^3}$$
$$=\sqrt[6]{a}\sqrt[4]{b}$$

따라서 $m=6$, $n=4$이므로
$m-n=6-4=2$

탑 2

008

$$\sqrt{\frac{\sqrt{x}}{\sqrt[4]{x}}}\times\sqrt[4]{\frac{\sqrt{x}}{\sqrt[3]{x}}}\times\sqrt{\frac{\sqrt[6]{x}}{\sqrt{x}}}=\frac{\sqrt{\sqrt{x}}}{\sqrt{\sqrt[4]{x}}}\times\frac{\sqrt[4]{\sqrt{x}}}{\sqrt[4]{\sqrt[3]{x}}}\times\frac{\sqrt{\sqrt[6]{x}}}{\sqrt{\sqrt{x}}}$$
$$=\frac{\sqrt[4]{x}}{\sqrt[8]{x}}\times\frac{\sqrt[8]{x}}{\sqrt[12]{x}}\times\frac{\sqrt[12]{x}}{\sqrt[4]{x}}$$
$$=1$$

탑 ⑤

009

$$\sqrt[18]{\frac{4^5+8^6}{4^8+8^8}}=\sqrt[18]{\frac{2^{10}+2^{18}}{2^{16}+2^{24}}}$$
$$=\sqrt[18]{\frac{2^{10}(1+2^8)}{2^{16}(1+2^8)}}$$
$$=\sqrt[18]{\frac{1}{2^6}}=\frac{1}{\sqrt[18]{2^6}}=\frac{1}{\sqrt[3]{2}}$$

탑 ③

010

$$\sqrt{2\sqrt{2}}=\sqrt{\sqrt{2^2\times2}}=\sqrt[4]{8}=\sqrt[12]{8^3}=\sqrt[12]{512}$$
$$\sqrt[3]{3\sqrt{2}}=\sqrt[3]{\sqrt{3^2\times2}}=\sqrt[6]{18}=\sqrt[12]{18^2}=\sqrt[12]{324}$$
$$\sqrt{2\sqrt[3]{5}}=\sqrt{\sqrt[3]{2^3\times5}}=\sqrt[6]{40}=\sqrt[12]{40^2}=\sqrt[12]{1600}$$
$\sqrt[12]{1600}>\sqrt[12]{512}>\sqrt[12]{324}$이므로
$$\sqrt{2\sqrt[3]{5}}>\sqrt{2\sqrt{2}}>\sqrt[3]{3\sqrt{2}}$$
따라서 $M=\sqrt{2\sqrt[3]{5}}$, $m=\sqrt[3]{3\sqrt{2}}$이므로
$$M^{12}-m^{12}=(\sqrt{2\sqrt[3]{5}})^{12}-(\sqrt[3]{3\sqrt{2}})^{12}$$
$$=(\sqrt[12]{1600})^{12}-(\sqrt[12]{324})^{12}$$
$$=1600-324$$
$$=1276$$

탑 1276

011

$$\left\{\left(\frac{8}{125}\right)^{-\frac{1}{3}}\right\}^{\frac{3}{2}}\times\left(\frac{5}{8}\right)^{-\frac{1}{2}}=\left[\left\{\left(\frac{2}{5}\right)^3\right\}^{-\frac{1}{3}}\right]^{\frac{3}{2}}\times\left(\frac{8}{5}\right)^{\frac{1}{2}}$$
$$=\left\{\left(\frac{2}{5}\right)^{-1}\right\}^{\frac{3}{2}}\times\left(\frac{8}{5}\right)^{\frac{1}{2}}$$
$$=\left(\frac{5}{2}\right)^{\frac{3}{2}}\times\left(\frac{2^3}{5}\right)^{\frac{1}{2}}$$
$$=\frac{5^{\frac{3}{2}}}{2^{\frac{3}{2}}}\times\frac{2^{\frac{3}{2}}}{5^{\frac{1}{2}}}$$
$$=5^{\frac{3}{2}-\frac{1}{2}}=5$$

탑 ⑤

012

$$(a^{\sqrt{2}})^{\sqrt{8}+1}\times(a^{\sqrt{3}})^{2\sqrt{3}-\sqrt{6}}\div(a^5)^{2-\sqrt{2}}$$
$$=a^{\sqrt{2}(\sqrt{8}+1)}\times a^{\sqrt{3}(2\sqrt{3}-\sqrt{6})}\div a^{5(2-\sqrt{2})}$$
$$=a^{4+\sqrt{2}}\times a^{6-3\sqrt{2}}\div a^{10-5\sqrt{2}}$$
$$=a^{4+\sqrt{2}+6-3\sqrt{2}-(10-5\sqrt{2})}$$
$$=a^{3\sqrt{2}}$$
$$\therefore k=3\sqrt{2}$$

탑 $3\sqrt{2}$

013

▶ 접근
근호가 여러 개 있으므로 $2^{\frac{m}{n}}$ 꼴로 변형한다.

$$\sqrt{2\sqrt{2\sqrt{2\sqrt{2\sqrt{2}}}}}=\sqrt{2}\times\sqrt[4]{2}\times\sqrt[8]{2}\times\sqrt[16]{2}\times\sqrt[32]{2}$$
$$=2^{\frac{1}{2}}\times2^{\frac{1}{4}}\times2^{\frac{1}{8}}\times2^{\frac{1}{16}}\times2^{\frac{1}{32}}$$
$$=2^{\frac{1}{2}+\frac{1}{4}+\frac{1}{8}+\frac{1}{16}+\frac{1}{32}}$$
$$=2^{\frac{31}{32}}$$
$$\therefore k=\frac{31}{32}$$

탑 $\frac{31}{32}$

> **풍쌤 비법**
> $a>0$이고 m, n이 2 이상의 자연수일 때
> (1) $\sqrt[n]{a}=a^{\frac{1}{n}}$　　　　　　(2) $\sqrt[m]{\sqrt[n]{a}}=a^{\frac{1}{mn}}$

014

$\left(\frac{1}{256}\right)^{\frac{1}{n}}=(2^{-8})^{\frac{1}{n}}=2^{-\frac{8}{n}}$이 자연수가 되려면 $-\frac{8}{n}$이 양의 정수가
되어야 한다.
따라서 n의 값은 -1, -2, -4, -8이므로 그 합은
$$-1+(-2)+(-4)+(-8)=-15$$

탑 -15

015

$2^{-a}+2^{-b}=\frac{9}{4}$에서 $\frac{1}{2^a}+\frac{1}{2^b}=\frac{9}{4}$

$$\frac{2^a+2^b}{2^a \times 2^b}=\frac{9}{4}$$

$$\frac{2}{2^{a+b}}=\frac{9}{4}\ (\because 2^a+2^b=2)$$

$$\therefore 2^{a+b}=\frac{8}{9}$$

따라서 $p=9$, $q=8$이므로

$$p+q=9+8=17$$

답 17

016

$a^{\frac{1}{2}}-a^{-\frac{1}{2}}=3$의 양변을 제곱하면

$$(a^{\frac{1}{2}}-a^{-\frac{1}{2}})^2=9$$

$$a-2+a^{-1}=9$$

$$\therefore a+a^{-1}=11$$

$a+a^{-1}=11$의 양변을 제곱하면

$$(a+a^{-1})^2=121$$

$$a^2+2+a^{-2}=121$$

$$\therefore a^2+a^{-2}=119$$

$$\therefore \frac{a^2+a^{-2}+1}{a+a^{-1}-1}=\frac{119+1}{11-1}=12$$

답 12

참고

양수 a에 대하여 지수법칙과 곱셈 공식에 의하여

(1) $(a^{\frac{1}{2}} \pm a^{-\frac{1}{2}})^2=a+a^{-1} \pm 2$ (복부호동순)

(2) $(a^{\frac{1}{3}} \pm a^{-\frac{1}{3}})^3=a \pm a^{-1} \pm 3(a^{\frac{1}{3}} \pm a^{-\frac{1}{3}})$ (복부호동순)

017

$$\underbrace{\frac{1}{3^{-4}+1}}_{\text{분모, 분자에 } 3^4 \text{을 곱한다.}}+\frac{1}{3^{-2}+1}+\frac{1}{3^2+1}+\frac{1}{3^4+1}$$

분모, 분자에 3^2을 곱한다.

$$=\frac{3^4}{1+3^4}+\frac{3^2}{1+3^2}+\frac{1}{3^2+1}+\frac{1}{3^4+1}$$

$$=\frac{3^4+1}{3^4+1}+\frac{3^2+1}{3^2+1}$$

$$=1+1=2$$

답 2

다른 풀이

$$\frac{1}{3^{-4}+1}+\frac{1}{3^{-2}+1}+\frac{1}{3^2+1}+\frac{1}{3^4+1}$$

$$=\frac{1}{3^{-4}+1}+\frac{1}{3^4+1}+\frac{1}{3^{-2}+1}+\frac{1}{3^2+1}$$

$$=\frac{3^4+1+3^{-4}+1}{(3^{-4}+1)(3^4+1)}+\frac{3^2+1+3^{-2}+1}{(3^{-2}+1)(3^2+1)}$$

$$=\frac{3^4+3^{-4}+2}{3^4+3^{-4}+2}+\frac{3^2+3^{-2}+2}{3^2+3^{-2}+2}$$

$$=1+1=2$$

018

$\dfrac{a^{3x}-a^{-3x}}{a^x-a^{-x}}$의 분모와 분자에 a^x을 곱하면

$$\frac{a^{3x}-a^{-3x}}{a^x-a^{-x}}=\frac{a^{4x}-a^{-2x}}{a^{2x}-1}=\frac{(a^{2x})^2-(a^{2x})^{-1}}{a^{2x}-1}$$

$$=\frac{5^2-\frac{1}{5}}{5-1}=\frac{31}{5}\ (\because a^{2x}=5)$$

답 ⑤

다른 풀이

$$\frac{a^{3x}-a^{-3x}}{a^x-a^{-x}}=\frac{(a^x-a^{-x})(a^{2x}+1+a^{-2x})}{a^x-a^{-x}}$$

$$=a^{2x}+1+a^{-2x}$$

$$=5+1+\frac{1}{5}=\frac{31}{5}$$

019

$a=\sqrt{2}$, $b^3=\sqrt{3}$에서 $a=2^{\frac{1}{2}}$, $b=(3^{\frac{1}{2}})^{\frac{1}{3}}=3^{\frac{1}{6}}$

$$\therefore (ab)^2=(2^{\frac{1}{2}} \times 3^{\frac{1}{6}})^2=(2^{\frac{1}{2}})^2 \times (3^{\frac{1}{6}})^2=2 \times 3^{\frac{1}{3}}$$

답 ④

다른 풀이

$a=\sqrt{2}$에서 $a^2=2$

$b^3=\sqrt{3}$에서 $b^2=(\sqrt{3})^{\frac{2}{3}}=(3^{\frac{1}{2}})^{\frac{2}{3}}=3^{\frac{1}{3}}$

$$\therefore (ab)^2=a^2b^2=2 \times 3^{\frac{1}{3}}$$

020

$2^x=12$에서 $12^{\frac{1}{x}}=2$ ······ ㉠

$6^{-y}=12$에서 $12^{-\frac{1}{y}}=6$ ······ ㉡

㉠, ㉡의 양변을 각각 곱하면

$$12^{\frac{1}{x}} \times 12^{-\frac{1}{y}}=2 \times 6$$

$$12^{\frac{1}{x}-\frac{1}{y}}=12$$

$$\therefore \frac{1}{x}-\frac{1}{y}=1$$

답 ①

풍쌤 비법

$a>0$, $b>0$, $k>0$이고 x, y가 실수일 때

$$a^x=b^y=k$$

➡ $a=k^{\frac{1}{x}}$, $b=k^{\frac{1}{y}}$

➡ $ab=k^{\frac{1}{x}+\frac{1}{y}}$, $a \div b=k^{\frac{1}{x}-\frac{1}{y}}$

021

$\log_4 \dfrac{a}{16}=b$에서 $4^b=\dfrac{a}{16}$

$$\therefore \frac{4^b}{a}=\frac{1}{16}$$

답 ①

022

$\log_{\sqrt{2}} x=4$에서

$$x=(\sqrt{2})^4=4$$

$\log_{\frac{1}{5}} 125 = y$에서

$\left(\frac{1}{5}\right)^y = 125$, $5^{-y} = 5^3$

$-y = 3$ $\therefore y = -3$

$\log_z 9 = 2$에서

$z^2 = 9 = 3^2$ $\therefore z = 3 \; (\because z > 0)$

$\therefore x + y + z = 4 + (-3) + 3 = 4$

답 ②

023

$\log_4 \{\log_3 (\log_2 x)\} = 0$에서

$\log_3 (\log_2 x) = 4^0 = 1$

$\log_2 x = 3^1 = 3$

$\therefore x = 2^3 = 8$

답 ④

024

$\log_3 \dfrac{81}{n} = m$ (m은 자연수)이라고 하면

$3^m = \dfrac{81}{n} = \dfrac{3^4}{n}$

이때 $\dfrac{3^4}{n}$ 은 3의 거듭제곱이므로 자연수 n은

$3^0 = 1$, $3^1 = 3$, $3^2 = 9$, $3^3 = 27$이다.

$\therefore 1 + 3 + 9 + 27 = 40$ ⌐ $n = 3^4$이면 $\log_3 \dfrac{81}{3^4} = \log_3 1 = 0$

이므로 자연수가 아니다.

답 40

025

밑의 조건에 의하여

$x - 3 > 0$, $x - 3 \neq 1$, 즉 $x > 3$, $x \neq 4$

$\therefore 3 < x < 4$ 또는 $x > 4$ ...... ㉠

진수의 조건에 의하여

$-x^2 + 10x - 21 > 0$, $x^2 - 10x + 21 < 0$

$(x - 3)(x - 7) < 0$ $\therefore 3 < x < 7$ ...... ㉡

㉠, ㉡의 공통부분을 구하면

$3 < x < 4$ 또는 $4 < x < 7$

따라서 정수 x는 5, 6의 2개이다.

답 ②

풍쌤 비법

$\log_{f(x)} g(x)$가 정의되려면 밑과 진수의 조건을 확인해야 한다.

(1) 밑의 조건: 1이 아닌 양수 ➡ $f(x) > 0$, $f(x) \neq 1$

(2) 진수의 조건: 양수 ➡ $g(x) > 0$

026

$\log_3 3\sqrt{3} + \dfrac{1}{2} \log_3 \sqrt{6} - \dfrac{1}{4} \log_3 2$

$= \log_3 3^{\frac{3}{2}} + \dfrac{1}{2} \log_3 \sqrt{6} - \dfrac{1}{2} \log_3 \sqrt{2}$

$= \dfrac{3}{2} + \dfrac{1}{2} \log_3 \dfrac{\sqrt{6}}{\sqrt{2}}$

$= \dfrac{3}{2} + \dfrac{1}{2} \log_3 \sqrt{3}$

$= \dfrac{3}{2} + \dfrac{1}{2} \log_3 3^{\frac{1}{2}}$

$= \dfrac{3}{2} + \dfrac{1}{2} \times \dfrac{1}{2} = \dfrac{7}{4}$

답 ④

027

$\log_5 \sqrt{1.2} = \dfrac{1}{2} \log_5 1.2 = \dfrac{1}{2} \log_5 \dfrac{2 \times 3}{5}$

$= \dfrac{1}{2} (\log_5 2 + \log_5 3 - \log_5 5)$

$= \dfrac{1}{2} (a + b - 1)$

답 ②

028

▸ 접근

$x + y$, $x - y$를 구한 후 곱셈 공식을 이용하여 주어진 로그의 값을 구한다.

$x + y = a + 3a^{\frac{1}{3}} b^{\frac{2}{3}} + b + 3a^{\frac{2}{3}} b^{\frac{1}{3}} = \left(a^{\frac{1}{3}} + b^{\frac{1}{3}}\right)^3$,

$x - y = a + 3a^{\frac{1}{3}} b^{\frac{2}{3}} - b - 3a^{\frac{2}{3}} b^{\frac{1}{3}} = \left(a^{\frac{1}{3}} - b^{\frac{1}{3}}\right)^3$

이므로

$\log_2 \{(x + y)^{\frac{2}{3}} + (x - y)^{\frac{2}{3}}\}$

$= \log_2 \{(a^{\frac{1}{3}} + b^{\frac{1}{3}})^2 + (a^{\frac{1}{3}} - b^{\frac{1}{3}})^2\}$

$= \log_2 \{2(a^{\frac{2}{3}} + b^{\frac{2}{3}})\}$

$= \log_2 (2 \times 16) = \log_2 32$

$= \log_2 2^5 = 5$

답 ⑤

029

$\log_2 \left(1 - \dfrac{1}{2}\right) + \log_2 \left(1 - \dfrac{1}{3}\right) + \cdots + \log_2 \left(1 - \dfrac{1}{128}\right)$

$= \log_2 \dfrac{1}{2} + \log_2 \dfrac{2}{3} + \cdots + \log_2 \dfrac{127}{128}$

$= \log_2 \left(\dfrac{1}{2} \times \dfrac{2}{3} \times \cdots \times \dfrac{127}{128}\right)$

$= \log_2 \dfrac{1}{128}$

$= \log_2 2^{-7}$

$= -7$

답 ⑤

030

▸ 접근

주어진 조건 $a^3 = b^4$을 변형하여 $\log_a b$를 간단히 한다.

또, 주어진 조건 $b^4 = c^5$을 변형하여 $\log_b c$를 간단히 한다.

$a^3 = b^4$에서 $b = a^{\frac{3}{4}}$

$b^4=c^5$에서 $c=b^{\frac{4}{5}}$

$\therefore \log_a b+\log_b c=\log_a a^{\frac{3}{4}}+\log_b b^{\frac{4}{5}}$

$\qquad\qquad\qquad\quad=\dfrac{3}{4}+\dfrac{4}{5}=\dfrac{31}{20}$

따라서 $p=20$, $q=31$이므로

$p+q=20+31=51$

답 51

다른 풀이

$a^3=b^4$의 양변에 밑이 a인 로그를 취하면

$\log_a a^3=\log_a b^4$, $3=4\log_a b$

$\therefore \log_a b=\dfrac{3}{4}$

또, $b^4=c^5$의 양변에 밑이 b인 로그를 취하면

$\log_b b^4=\log_b c^5$, $4=5\log_b c$

$\therefore \log_b c=\dfrac{4}{5}$

$\therefore \log_a b+\log_b c=\dfrac{3}{4}+\dfrac{4}{5}=\dfrac{31}{20}$

031

$(\log_5 4+\log_{25} 8)(\log_2 5+\log_4 125)$

$=\left(2\log_5 2+\dfrac{3}{2}\log_5 2\right)\left(\log_2 5+\dfrac{3}{2}\log_2 5\right)$

$=\dfrac{7}{2}\log_5 2\times\dfrac{5}{2}\log_2 5$

$=\dfrac{7}{2}\times\dfrac{5}{2}\times\log_5 2\times\log_2 5$

$=\dfrac{7}{2}\times\dfrac{5}{2}\times 1=\dfrac{35}{4}$

답 ⑤

032

$\dfrac{1}{\log_2 x}+\dfrac{1}{\log_3 x}+\dfrac{1}{\log_4 x}+\dfrac{1}{\log_5 x}=\dfrac{1}{\log_a x}$에서

$\log_x 2+\log_x 3+\log_x 4+\log_x 5=\log_x a$

$\log_x (2\times 3\times 4\times 5)=\log_x a$

$\log_x 120=\log_x a$

$\therefore a=120$

답 120

033

$\log_3 a=\dfrac{1}{\log_{2\sqrt{2}} 2}$에서

$\log_3 a=\log_2 2\sqrt{2}=\log_2 2^{\frac{3}{2}}=\dfrac{3}{2}$ ...... ㉠

$\log_3 \sqrt[3]{b}=\dfrac{1}{\log_{27} 3}$에서

$\log_3 b^{\frac{1}{3}}=\log_3 27=\log_3 3^3=3$

$\dfrac{1}{3}\log_3 b=3 \quad\therefore \log_3 b=9$ ...... ㉡

$\therefore \log_a b=\dfrac{\log_3 b}{\log_3 a}=\dfrac{9}{\frac{3}{2}}=6 \ (\because ㉠, ㉡)$

답 6

034

$\dfrac{\log_a b}{2a}=\dfrac{3}{4}$에서 $4\log_a b=6a$

$\therefore \log_a b=\dfrac{3}{2}a$ ...... ㉠

$\dfrac{18\log_b a}{b}=\dfrac{3}{4}$에서 $72\log_b a=3b$

$\therefore \log_b a=\dfrac{b}{24}$ ...... ㉡

㉠, ㉡에 의하여

$\log_a b\times\log_b a=\dfrac{3}{2}a\times\dfrac{b}{24}=\dfrac{ab}{16}$

이때 $\log_a b\times\log_b a=1$이므로 $\dfrac{ab}{16}=1$

$\therefore ab=16$

답 16

035

$A=2^{\log_2 36-\log_2 9}=2^{\log_2 \frac{36}{9}}=2^{\log_2 4}$

$\quad=4$

$B=\log_9 3+\log_8 64=\log_{3^2} 3+\log_8 8^2$

$\quad=\dfrac{1}{2}+2=\dfrac{5}{2}$

$C=\log_4 (\log_{\sqrt{2}} 16)=\log_4 (\log_{2^{\frac{1}{2}}} 2^4)$

$\quad=\log_4 8=\log_{2^2} 2^3=\dfrac{3}{2}$

$\therefore C<B<A$

답 $C<B<A$

036

$\log A=m\log 2+n\log 3$

$\qquad=\log 2^m+\log 3^n$

$\qquad=\log (2^m\times 3^n)$

$0<\log A<1$에서 $1<A<10$이므로 정수 A는 2, 3, 2^2, 2×3, 2^3, 3^2의 6개이다.

답 ④

037

$\log 70.2-\log x=1.8463-(-0.1537)=2$

$\log\dfrac{70.2}{x}=\log 100$, $\dfrac{70.2}{x}=100$

$\therefore x=\dfrac{70.2}{100}=0.702$

답 0.702

038

$\log 15^4=4\log 15$

$\qquad\quad=4(\log 3+\log 5)$

$\qquad\quad=4(0.4771+0.6990)$

$\qquad\quad=4\times 1.1761=4.7044$

따라서 $4<\log 15^4<5$이므로

$n=4$

답 4

039

$\dfrac{1}{N}$은 소수 여섯 번째 자리에서 처음으로 0이 아닌 숫자가 나타나

므로 $\dfrac{1}{N}$의 정수 부분은 -6이다.

$-6 \leq \log \dfrac{1}{N} < -5$이므로

$-6 \leq -\log N < -5$

$5 < \log N \leq 6$

$\log 10^5 < \log N \leq \log 10^6$

$\therefore 10^5 < N \leq 10^6$

따라서 자연수 N의 개수는

$10^6 - 10^5 = 10^5(10-1) = 900000$

답 900000

참고

수능에서는 상용로그를 이용하여 정수 부분 또는 소수 부분을 구하는 문제나 자리의 수를 구하는 문제가 자주 출제되지 않지만, 학교 시험에서는 고난도 문제로 출제될 가능성이 높다.

040

두 원본 A, B를 압축했을 때, 최대 신호 대 잡음비는 각각 P_A, P_B이고 평균제곱오차는 각각 E_A, E_B이므로 주어진 식에 대입하면

$P_A = 20 \log 255 - 10 \log E_A$

$P_B = 20 \log 255 - 10 \log E_B$

두 식을 변끼리 빼면

$P_A - P_B = -10 \log E_A + 10 \log E_B$

$\qquad = 10 \log \dfrac{E_B}{E_A}$

$\qquad = 10 \log \dfrac{100 E_A}{E_A} \ (\because E_B = 100 E_A)$

$\qquad = 10 \log 100$

$\qquad = 10 \log 10^2$

$\qquad = 10 \times 2$

$\qquad = 20$

답 ③

041

실수 a의 n제곱근은 방정식 $x^n = a$의 근이므로 복소수의 범위에서 n개이다.

$\therefore l = n(A) + n(B) + n(C)$

$\qquad = 8 + 7 + 6 = 21$

집합 A에서 $(-7)^6 > 0$이므로 $(-7)^6$의 여덟제곱근 중 실수인 것은 $\pm \sqrt[8]{(-7)^6}$의 2개이다.

집합 B에서 $(-7)^5 < 0$이므로 $(-7)^5$의 일곱제곱근 중 실수인 것은 $\sqrt[7]{(-7)^5}$의 1개이다.

집합 C에서 $(-7)^9 < 0$이므로 $(-7)^9$의 여섯제곱근 중 실수인 것은 존재하지 않는다.

$\therefore m = 2 + 1 = 3$

$\therefore l + m = 21 + 3 = 24$

답 24

풍쌤 비법

실수 a의 n제곱근 중 실수의 개수

a \ n	n이 짝수	n이 홀수
$a > 0$	2	1
$a = 0$	1	1
$a < 0$	0	1

042

6의 6제곱근 중 실수인 것은 $\pm\sqrt[6]{6}$이므로

$P(6, 6) = 2$

$\sqrt{6}$의 3제곱근 중 실수인 것은 $\sqrt[3]{\sqrt{6}}$이므로

$P(\sqrt{6}, 3) = 1$

$-\sqrt{6}$의 3제곱근 중 실수인 것은 $\sqrt[3]{-\sqrt{6}}$이므로

$P(-\sqrt{6}, 3) = 1$

-6의 6제곱근 중 실수인 것은 존재하지 않으므로

$P(-6, 6) = 0$

$\therefore P(6, 6) + P(\sqrt{6}, 3) + P(-\sqrt{6}, 3) + P(-6, 6)$

$\qquad = 2 + 1 + 1 + 0 = 4$

답 4

043

(i) $a = 2, 3, 5, 6, 7, 8, 10$인 경우

b가 짝수인 경우에 $\sqrt{a^b}$이 자연수가 되므로

$b = 2, 4, 6, 8, 10$

이때의 순서쌍 (a, b)의 개수는 $7 \times 5 = 35$

(ii) $a = 4, 9$인 경우

$4 = 2^2$, $9 = 3^2$이므로 $b = 1, 2, 3, \cdots, 10$인 경우에 $\sqrt{a^b}$이 자연수가 된다.

이때의 순서쌍 (a, b)의 개수는 $2 \times 10 = 20$

(i), (ii)에서 구하는 순서쌍 (a, b)의 개수는

$35 + 20 = 55$

답 ⑤

044

$B = \{4, 9, 25\}$이므로

(i) $n = 4$일 때, $\sqrt[n]{m}$이 실수이려면 m의 값은 음수가 아니어야 하므로 순서쌍 (m, n)은 $(2, 4)$, $(3, 4)$, $(5, 4)$의 3개이다.

(ii) $n = 9$일 때, $\sqrt[n]{m}$은 m의 값에 관계없이 실수이고 집합 A의 원소가 6개이므로 순서쌍 (m, n)은 6개이다.

(iii) $n = 25$일 때, (ii)와 마찬가지로 순서쌍 (m, n)은 6개이다.

(i), (ii), (iii)에서 구하는 순서쌍 (m, n)의 개수는

$3 + 6 + 6 = 15$

답 15

045

방정식 $x^n = \dfrac{9}{2} - n$의 실근의 개수는 $\dfrac{9}{2} - n$의 n제곱근 중 실수인 것의 개수와 같다.

$n=3$ 또는 $n=4$이면 $\dfrac{9}{2}-n>0$이고

$n=5$ 또는 $n=6$이면 $\dfrac{9}{2}-n<0$이다.

$n=3$일 때, n제곱근 중 실수인 것의 개수는 1이므로 $f(3)=1$

$n=4$일 때, n제곱근 중 실수인 것의 개수는 2이므로 $f(4)=2$

$n=5$일 때, n제곱근 중 실수인 것의 개수는 1이므로 $f(5)=1$

$n=6$일 때, n제곱근 중 실수인 것은 존재하지 않으므로 $f(6)=0$

$\therefore f(3)+f(4)+f(5)+f(6)=1+2+1+0=4$

탑 4

046

자연수 n의 값에 관계없이 $n(n-4)$의 세제곱근 중 실수인 것의 개수는 1이므로 $f(n)=1$

$n(n-4)$의 네제곱근 중 실수인 것의 개수는

(ⅰ) $n(n-4)>0$일 때, 2

(ⅱ) $n(n-4)=0$일 때, 1

(ⅲ) $n(n-4)<0$일 때, 0

$f(n)>g(n)$에서 $g(n)=0$이어야 하므로

$n(n-4)<0$ $\therefore 0<n<4$

따라서 자연수 n은 1, 2, 3이므로 그 합은

$1+2+3=6$

탑 ③

047

> **접근**
>
> $1\le x\le 9$에서 x에 대한 이차식 $x^2-6x+a+1$의 최솟값과 최댓값을 구한다. 이때 $k=x^2-6x+a+1$이라고 하면 $-2\in A$이므로 $\sqrt[3]{(k\text{의 최솟값})}\le -2\le \sqrt[3]{(k\text{의 최댓값})}$을 만족시켜야 한다.

$k=x^2-6x+a+1$이라고 하면

$k=(x-3)^2+a-8$이므로 $1\le x\le 9$에서

$a-8\le k\le a+28$

$\sqrt[3]{a-8}\le\sqrt[3]{k}\le\sqrt[3]{a+28}$

$x=1$일 때 $k=a-4$
$x=3$일 때 $k=a-8$
$x=9$일 때 $k=a+28$
즉, $1\le x\le 9$일 때
k의 최솟값은 $a-8$,
최댓값은 $a+28$이다.

$\therefore A=\{\sqrt[3]{k}\,|\,\sqrt[3]{a-8}\le\sqrt[3]{k}\le\sqrt[3]{a+28}\}$

-2가 집합 A의 원소가 되려면

$\sqrt[3]{a-8}\le -2\le\sqrt[3]{a+28}$

(ⅰ) $\sqrt[3]{a-8}\le -2$에서 $a-8\le -8$

  $\therefore a\le 0$

(ⅱ) $\sqrt[3]{a+28}\ge -2$에서 $a+28\ge -8$

  $\therefore a\ge -36$

(ⅰ), (ⅱ)에서 $-36\le a\le 0$

따라서 정수 a의 개수는 37이다.

탑 37

048

모든 실수 x에 대하여 $\sqrt[3]{ax^2+2ax-1}<0$이려면

$ax^2+2ax-1<0$이어야 한다. $\quad$ n이 홀수일 때, $A>0 \iff \sqrt[n]{A}>0$
$\quad\quad\quad\quad\quad\quad\quad\quad\quad\quad\quad\quad$ $A<0 \iff \sqrt[n]{A}<0$

(ⅰ) $a=0$일 때, $-1<0$이므로 모든 실수 x에 대하여 성립한다.

  $\therefore a=0$

(ⅱ) $a\ne 0$일 때, 모든 실수 x에 대하여 $ax^2+2ax-1<0$이려면

  $a<0$이고, 이차방정식 $ax^2+2ax-1=0$의 판별식을 D_1이라고 하면

  $\dfrac{D_1}{4}=a^2+a<0$, $a(a+1)<0$

  $\therefore -1<a<0$

(ⅰ), (ⅱ)에서 $-1<a\le 0$ $\quad\quad\quad\quad$ ······ ㉠

모든 실수 x에 대하여 $\sqrt[10]{x^2-4(a-1)+16}>0$이려면

$x^2-4(a-1)+16>0$이어야 한다. $\quad$ n이 짝수일 때, $A>0 \iff \sqrt[n]{A}>0$

이차방정식 $x^2-4(a-1)+16=0$의 판별식을 D_2라고 하면

$\dfrac{D_2}{4}=\{-2(a-1)\}^2-16<0$, $a^2-2a-3<0$

$(a-3)(a+1)<0$ $\therefore -1<a<3$ $\quad\quad\quad$ ······ ㉡

㉠, ㉡에 의하여 $-1<a\le 0$

따라서 $\alpha=-1$, $\beta=0$이므로

$\alpha+\beta=-1+0=-1$

탑 ②

> **참고**
>
> 모든 실수 x에 대하여
>
> (1) 부등식 $ax^2+bx+c<0$이 성립하려면
>
> ① $a=0$, $b=0$, $c<0$
>
> ② $a<0$, $b^2-4ac<0$
>
> (2) 부등식 $ax^2+bx+c>0$이 성립하려면
>
> ① $a=0$, $b=0$, $c>0$
>
> ② $a>0$, $b^2-4ac<0$

049

$(\sqrt[a]{\sqrt[b]{12\sqrt{3}}})^{16}=\sqrt[ab]{(12\sqrt{3})^{16}}=\sqrt[ab]{2^{32}\times 3^{24}}$이 자연수가 되려면 ab가 32, 24의 공약수이어야 한다.

이때 a, b는 2 이상의 자연수이므로 ab의 값은 4, 8이다.

(ⅰ) $ab=4$인 경우, $(2, 2)$의 1개

(ⅱ) $ab=8$인 경우, $(2, 4)$, $(4, 2)$의 2개

(ⅰ), (ⅱ)에서 구하는 순서쌍 (a, b)의 개수는

$1+2=3$

탑 3

050

ㄱ은 옳다.

  $S(2, 4)=\sqrt{4}=2$, $S(4, 16)=\sqrt[4]{16}=2$

  $\therefore S(2, 4)=S(4, 16)$

ㄴ도 옳다.

  $S(3, m)\times S(3, n)=\sqrt[3]{m}\times\sqrt[3]{n}=\sqrt[3]{mn}$

  $S(3, mn)=\sqrt[3]{mn}$

  $\therefore S(3, m)\times S(3, n)=S(3, mn)$

ㄷ도 옳다.

  $S(p, p)=\sqrt[p]{p}$

  $S(4p, 625)=\sqrt[4p]{625}=\sqrt[4p]{5^4}=\sqrt[p]{5}$

  $\therefore p=5$

따라서 옳은 것은 ㄱ, ㄴ, ㄷ이다.

탑 ⑤

051

직육면체의 부피는

$$(\sqrt[3]{2\sqrt{128}})^2 \times \sqrt{64} \times \sqrt[3]{256} = \sqrt[3]{2^9} \times \sqrt{2^6} \times \sqrt[3]{2^8}$$
$$= \sqrt[6]{2^{18}} \times \sqrt[6]{2^{18}} \times \sqrt[6]{2^{16}}$$
$$= \sqrt[6]{2^{18} \times 2^{18} \times 2^{16}}$$
$$= \sqrt[6]{2^{52}} = \sqrt[3]{2^{26}}$$

정육면체의 한 모서리의 길이를 x라고 하면

$$x^3 = \sqrt[3]{2^{26}}$$
$$\therefore x = \sqrt[3]{\sqrt[3]{2^{26}}} = \sqrt[9]{2^{26}}$$

따라서 $m=9$, $n=26$이므로

$$m+n = 9+26 = 35$$

답 ④

052

$$A - B = (3\sqrt[3]{2} + \sqrt{3}) - (\sqrt[3]{2} + 3\sqrt{3})$$
$$= 2(\sqrt[3]{2} - \sqrt{3})$$
$$= 2(\sqrt[6]{4} - \sqrt[6]{27}) < 0$$

이므로 $A < B$

$$C - D = (3\sqrt{3} - 2\sqrt[3]{2}) - (-2\sqrt{3} + 3\sqrt[3]{2})$$
$$= 5(\sqrt{3} - \sqrt[3]{2})$$
$$= 5(\sqrt[6]{27} - \sqrt[6]{4}) > 0$$

이므로 $C > D$

$$A - C = (3\sqrt[3]{2} + \sqrt{3}) - (3\sqrt{3} - 2\sqrt[3]{2})$$
$$= 5\sqrt[3]{2} - 2\sqrt{3}$$
$$= \sqrt[3]{250} - \sqrt{12}$$
$$= \sqrt[6]{250^2} - \sqrt[6]{12^3} > 0$$

이므로 $A > C$

$D < C < A < B$이므로 가장 큰 수는 B, 가장 작은 수는 D이다.

따라서 가장 큰 수와 가장 작은 수의 차는

$$B - D = (\sqrt[3]{2} + 3\sqrt{3}) - (-2\sqrt{3} + 3\sqrt[3]{2})$$
$$= -2\sqrt[3]{2} + 5\sqrt{3}$$

답 $-2\sqrt[3]{2} + 5\sqrt{3}$

참고

두 실수 a, b의 대소 관계

(1) $a-b > 0 \iff a > b$

(2) $a-b = 0 \iff a = b$

(3) $a-b < 0 \iff a < b$

053

$$x+y = (2-\sqrt{3}) + (2+\sqrt{3}) = 4,$$
$$xy = (2-\sqrt{3})(2+\sqrt{3}) = 1$$

이므로 주어진 식에서

$$(\text{분자}) = \{(a^4)^x\}^y = a^{4xy} = a^4 \ (\because xy = 1)$$
$$(\text{분모}) = \sqrt{a^x a^y} = a^{\frac{x+y}{2}} = a^{\frac{4}{2}} = a^2 \ (\because x+y = 4)$$
$$\therefore \frac{\{(a^4)^x\}^y}{\sqrt{a^x a^y}} = \frac{a^4}{a^2} = a^2 = 400$$

이때 a는 양수이므로 $a = 20$

답 20

054

$$\frac{a^{-1} + a^{-2} + a^{-3} + a^{-4}}{a + a^2 + a^3 + a^4} = \frac{\dfrac{1}{a} + \dfrac{1}{a^2} + \dfrac{1}{a^3} + \dfrac{1}{a^4}}{a + a^2 + a^3 + a^4}$$
$$= \frac{\dfrac{a^3 + a^2 + a + 1}{a^4}}{a(1 + a + a^2 + a^3)}$$
$$= \frac{a^3 + a^2 + a + 1}{a^5(1 + a + a^2 + a^3)}$$
$$= \frac{1}{a^5} = \frac{1}{(\sqrt[5]{6})^5} = \frac{1}{6}$$

답 $\dfrac{1}{6}$

055

$2^{x+1} - 2^x = a$에서

$$2^x(2-1) = a, \ 2^x = a$$

$3^{x+1} - 3^x = b$에서

$$3^x(3-1) = b, \ 3^x = \frac{b}{2}$$
$$\therefore 18^x = (2 \times 3^2)^x = 2^x \times (3^x)^2$$
$$= a \times \left(\frac{b}{2}\right)^2 = \frac{ab^2}{4}$$

답 ③

056

$f(x)$가 $x - \sqrt{n}$으로 나누어떨어지므로 $f(\sqrt{n}) = 0$

$$(\sqrt{n})^3 - 81 = 0, \ (\sqrt{n})^3 = 81$$
$$n^{\frac{3}{2}} = 3^4 \quad \therefore n = 3^{\frac{8}{3}}$$
$$\sqrt[3]{\sqrt[4]{n^9}} = \sqrt[12]{n^9} = \sqrt[12]{(3^{\frac{8}{3}})^9} = \sqrt[12]{3^{24}} = 3^{\frac{24}{12}} = 3^2 = 9$$

따라서 $f(x)$를 $x - \sqrt[3]{\sqrt[4]{n^9}}$, 즉 $x - 9$로 나눈 나머지는

$$f(9) = 9^3 - 81 = 729 - 81 = 648$$

답 648

참고

(1) 나머지정리

다항식 $f(x)$를 일차식 $x - a$로 나누었을 때의 나머지는 $f(a)$이다.

(2) 인수정리

다항식 $f(x)$에 대하여

① $f(a) = 0$이면 $f(x)$는 일차식 $x - a$로 나누어떨어진다.

② $f(x)$가 일차식 $x - a$로 나누어떨어지면 $f(a) = 0$이다.

057

$$x^3 = \left(\sqrt[6]{2} + \frac{1}{\sqrt[6]{2}}\right)^3 \quad \longleftarrow (a+b)^3 = a^3 + b^3 + 3ab(a+b)$$
$$= (\sqrt[6]{2})^3 + \left(\frac{1}{\sqrt[6]{2}}\right)^3 + 3 \times \sqrt[6]{2} \times \frac{1}{\sqrt[6]{2}} \times \left(\sqrt[6]{2} + \frac{1}{\sqrt[6]{2}}\right)$$
$$= \sqrt{2} + \frac{1}{\sqrt{2}} + 3\left(\sqrt[6]{2} + \frac{1}{\sqrt[6]{2}}\right)$$
$$= \sqrt{2} + \frac{1}{\sqrt{2}} + 3x$$

즉, $x^3-3x=\sqrt{2}+\dfrac{1}{\sqrt{2}}$이므로

$$(x^3-3x)^2=\left(\sqrt{2}+\dfrac{1}{\sqrt{2}}\right)^2$$

$$x^6-6x^4+9x^2=\dfrac{9}{2}$$

$$\therefore 4x^6-24x^4+36x^2-15=4(x^6-6x^4+9x^2)-15$$

$$=4\times\dfrac{9}{2}-15=3$$

답 ①

058

→ 접근

점 A를 지나는 직선의 방정식을 구한 후 a, b에 대한 식을 세운다. 또, $4^a>0$, $2^b>0$이고 4^a, 2^b의 합의 최솟값을 구하는 것이므로 산술평균과 기하평균의 관계를 이용한다.

두 점 $(4,\ 0)$, $(0,\ 8)$을 지나는 직선은

$$y=\dfrac{8-0}{0-4}x+8 \qquad \therefore y=-2x+8$$

점 $A(a,\ b)$가 직선 $y=-2x+8$ 위의 점이므로

$$b=-2a+8 \qquad \therefore 2a+b=8$$

$4^a>0$, $2^b>0$이므로 산술평균과 기하평균의 관계에 의하여

$$4^a+2^b\geq 2\sqrt{4^a\times 2^b}=2\sqrt{2^{2a+b}}=2\sqrt{2^8}=2\times 16=32$$

(단, 등호는 $4^a=2^b$일 때 성립한다.)

따라서 4^a+2^b의 최솟값은 32이다.

답 32

참고

산술평균과 기하평균의 관계

$a>0$, $b>0$일 때, $\dfrac{a+b}{2}\geq\sqrt{ab}$ (단, 등호는 $a=b$일 때 성립한다.)

059

$\dfrac{a^x-a^{-x}}{a^x+a^{-x}}$의 분모와 분자에 a^x을 곱하면

$$\dfrac{a^x-a^{-x}}{a^x+a^{-x}}=\dfrac{a^{2x}-1}{a^{2x}+1}=\dfrac{3}{5}$$

$$3(a^{2x}+1)=5(a^{2x}-1)$$

$$2a^{2x}=8 \qquad \therefore a^{2x}=4$$

$$\therefore (a^x+a^{-x})(a^x-a^{-x})=a^{2x}-a^{-2x}$$

$$=4-\dfrac{1}{4}=\dfrac{15}{4}$$

답 ④

060

→ 접근

주어진 식을 2^x 꼴로 변형하고, 곱셈 공식을 이용한다.

$4^x+4^{-x}=23$에서 $2^{2x}+2^{-2x}=23$이므로 $2^x=a\ (a>0)$라고 하자.

$a^2+a^{-2}=23$에서 $a^2+a^{-2}=(a+a^{-1})^2-2$이므로

$$(a+a^{-1})^2=25$$

이고, $a>0$, $a^{-1}>0$이므로 $a+a^{-1}>0$

$$\therefore a+a^{-1}=5 \qquad \cdots\cdots \text{㉠}$$

$$\dfrac{4^{3x}+1}{4^{2x}+4^x}=\dfrac{2^{6x}+1}{2^{4x}+2^{2x}}=\dfrac{a^6+1}{a^4+a^2}=\dfrac{a^3+a^{-3}}{a+a^{-1}}\text{이고,}$$

분모와 분자를 a^3으로 나누면

$$a^3+a^{-3}=(a+a^{-1})^3-3(a+a^{-1})$$

$$=5^3-3\times 5=110\ (\because \text{㉠})$$

$$\dfrac{a^3+\dfrac{1}{a^3}}{a+\dfrac{1}{a}}=\dfrac{a^3+a^{-3}}{a+a^{-1}}$$

이므로

$$\dfrac{4^{3x}+1}{4^{2x}+4^x}=\dfrac{a^3+a^{-3}}{a+a^{-1}}=\dfrac{110}{5}=22$$

답 ②

061

$240^x=10$에서 $10^{\frac{1}{x}}=240$ $\qquad \cdots\cdots \text{㉠}$

$25^y=100$에서 $10^{\frac{2}{y}}=25$ $\qquad \cdots\cdots \text{㉡}$

$6^z=1000$에서 $10^{\frac{3}{z}}=6$ $\qquad \cdots\cdots \text{㉢}$

㉠$\times$㉡$\div$㉢을 하면

$$10^{\frac{1}{x}}\times 10^{\frac{2}{y}}\div 10^{\frac{3}{z}}=240\times 25\div 6$$

$$10^{\frac{1}{x}+\frac{2}{y}-\frac{3}{z}}=10^3$$

$$\therefore \dfrac{1}{x}+\dfrac{2}{y}-\dfrac{3}{z}=3$$

답 ③

062

$8^a=9^b=x^c=k\ (k>0)$라고 하면

$$k^{\frac{1}{a}}=8,\ k^{\frac{1}{b}}=9,\ k^{\frac{1}{c}}=x$$

$\dfrac{2}{a}+\dfrac{3}{b}=\dfrac{12}{c}$에서

$$k^{\frac{2}{a}+\frac{3}{b}}=k^{\frac{12}{c}},\ k^{\frac{2}{a}}\times k^{\frac{3}{b}}=k^{\frac{12}{c}}$$

$$8^2\times 9^3=x^{12},\ 2^6\times 3^6=6^6=x^{12}$$

$$\therefore x=(6^6)^{\frac{1}{12}}=6^{\frac{1}{2}}=\sqrt{6}$$

답 $\sqrt{6}$

063

→ 접근

주어진 세 등식을 각각 $7^{\frac{3}{x}}$, $7^{\frac{4}{y}}$, $7^{\frac{5}{z}}$에 대한 식으로 변형한 후, 지수법칙을 이용한다.

$a^x=7^3$에서 $a=7^{\frac{3}{x}}$ $\qquad \cdots\cdots \text{㉠}$

$(ab)^y=7^4$에서 $ab=7^{\frac{4}{y}}$ $\qquad \cdots\cdots \text{㉡}$

$(abc)^z=7^5$에서 $abc=7^{\frac{5}{z}}$ $\qquad \cdots\cdots \text{㉢}$

㉠$\div$㉡$\times$㉢을 하면

$$a\div ab\times abc=7^{\frac{3}{x}}\div 7^{\frac{4}{y}}\times 7^{\frac{5}{z}}$$

$$\therefore 7^{\frac{3}{x}-\frac{4}{y}+\frac{5}{z}}=ac$$

답 ④

064

이차방정식 $2x^2-20x-3=0$에서 근과 계수의 관계에 의하여

$$\alpha+\beta=-\dfrac{-20}{2}=10,\ \alpha\beta=-\dfrac{3}{2}$$

주어진 식에서

$(분자)=\sqrt[5]{7^\alpha}\times\sqrt[5]{7^\beta}=7^{\frac{\alpha}{5}}\times7^{\frac{\beta}{5}}=7^{\frac{\alpha+\beta}{5}}=7^{\frac{10}{5}}=7^2,$

$(분모)=(49^\alpha)^\beta=49^{\alpha\beta}=(7^2)^{-\frac{3}{2}}=7^{-3}$이므로

$\dfrac{\sqrt[5]{7^\alpha}\times\sqrt[5]{7^\beta}}{(49^\alpha)^\beta}=\dfrac{7^2}{7^{-3}}=7^5$

답 ④

065

$\sqrt{\dfrac{2^a\times5^b}{2}}=2^{\frac{a-1}{2}}\times5^{\frac{b}{2}}$이 자연수이므로 $a-1=2m$ (m은 음이 아

닌 정수), 즉 $a=2m+1$이어야 한다.

$\therefore a=1,\ 3,\ 5,\ \cdots$

또, $b=2n$ (n은 자연수)이어야 하므로

$b=2,\ 4,\ 6,\ \cdots$

$\sqrt[3]{\dfrac{3^b}{2^{a+1}}}=\dfrac{3^{\frac{b}{3}}}{2^{\frac{a+1}{3}}}$이 유리수이므로 $a+1=3k$ (k는 자연수),

즉 $a=3k-1$이어야 한다.

$\therefore a=2,\ 5,\ 8,\ \cdots$

또, $b=3l$ (l은 자연수)이어야 하므로

$b=3,\ 6,\ 9,\ \cdots$

따라서 주어진 조건을 모두 만족시키는 a의 최솟값은 5, b의 최솟

값은 6이므로 $a+b$의 최솟값은

$5+6=11$

답 ①

066

복용한 지 3일 후 이 약품의 A성분의 양은 $t=3$일 때이므로

$m_0a^{-3}=\dfrac{m_0}{a^3}=\dfrac{m_0}{2}$ ┌ 복용한 지 3일 후 A성분의 양은 처음 양 m_0의 $\frac{1}{2}$이 되므로

$\therefore a^3=2$ └ 3일 후 A성분의 양은 $\frac{m_0}{2}$이다.

따라서 복용한 지 15일 후 이 약품의 A성분의 양은 $t=15$일 때이

므로

$m_0a^{-15}=\dfrac{m_0}{a^{15}}=\dfrac{m_0}{(a^3)^5}=\dfrac{m_0}{2^5}=\dfrac{m_0}{32}$

$\therefore k=\dfrac{1}{32}$

답 $\dfrac{1}{32}$

067

$\log_2(\log_2x-8)=3$에서

$\log_2x-8=2^3$

$\log_2x=16$ $\therefore x=2^{16}$

따라서 $a=2,\ b=16$이므로

$a+b=2+16=18$

답 ④

068

$\log_a2=\log_b3=\log_c5=k$라고 하면

$a^k=2,\ b^k=3,\ c^k=5$이므로

$a^k\times b^k\times c^k=2\times3\times5=30$

$(abc)^k=30$

$\therefore k=\log_{abc}30$

따라서 $\log_{abc}x=\log_{abc}30$이므로

$x=30$

답 ①

069

실수 a의 값에 관계없이 항상 로그가 정의되려면 모든 실수 a에 대

하여 밑은 1이 아닌 양수이고, 진수는 양수이어야 한다.

① 밑은 $a=-1$이면 0이므로 로그가 정의되지 않는다.

② 밑은 $a=7$이면 0이므로 로그가 정의되지 않는다.

③ 밑은 $a^2+2\geq2$이므로 모든 실수 a에 대하여 항상 1이 아닌 양수

　이다. 또, 진수는 $a^2+2a+3=(a+1)^2+2\geq2$이므로 모든 실

　수 a에 대하여 항상 양수이다.

④ 밑은 $a=0$이면 $3|a|-1=-1$이므로 로그가 정의되지 않는다.

⑤ 진수는 $a^2-6a+9=(a-3)^2$이므로 $\underline{a=3}$일 때 로그가 정의되

　지 않는다. └ $a=3$일 때 진수는 0이다.

따라서 실수 a의 값에 관계없이 항상 정의되는 것은 ③이다.

답 ③

070

밑의 조건에 의하여

$a-1>0,\ a-1\neq1$, 즉 $a>1,\ a\neq2$

$\therefore 1<a<2$ 또는 $a>2$ ...... ㉠

진수의 조건에서 모든 실수 x에 대하여 $x^2+ax+2a>0$이어야 하

므로 이차방정식 $x^2+ax+2a=0$의 판별식을 D라고 하면

$D=a^2-4\times2a<0,\ a^2-8a<0$

$a(a-8)<0$ $\therefore 0<a<8$ ...... ㉡

㉠, ㉡의 공통부분을 구하면

$1<a<2$ 또는 $2<a<8$

따라서 정수 a는 3, 4, 5, 6, 7이므로 그 합은

$3+4+5+6+7=25$

답 ⑤

071

밑의 조건에 의하여

$x-2>0,\ x-2\neq1$, 즉 $x>2,\ x\neq3$

$\therefore 2<x<3$ 또는 $x>3$ ...... ㉠

진수의 조건에 의하여

$6-|x|-|y|>0,\ |x|+|y|<6$

㉠의 범위에서 x는 정수이므로

(i) $x=4$일 때, $|y|<2$ $\therefore -2<y<2$

　따라서 정수 y는 -1, 0, 1이므로 순서쌍 $(x,\ y)$는 $(4,\ -1)$,

　$(4,\ 0)$, $(4,\ 1)$의 3개이다.

(ii) $x=5$일 때, $|y|<1$ $\therefore -1<y<1$

　따라서 정수 y는 0이므로 순서쌍 $(x,\ y)$는 $(5,\ 0)$의 1개이다.

(iii) $x\geq6$일 때, $|y|<0$이므로 이를 만족시키는 정수 y는 존재하지

　않는다.

(i), (ii), (iii)에서 구하는 순서쌍 (x, y)의 개수는

$3+1=4$

답 4

072

$\log_3 (x+y)=2$에서

$x+y=3^2=9$

$\log_3 x+\log_3 y=2$에서

$\log_3 xy=2$ $\quad \therefore xy=3^2=9$

$\therefore x^3+y^3=(x+y)^3-3xy(x+y)$

$\qquad =9^3-3\times 9\times 9=486$

답 ③

073

→ 접근

주어진 등식을 인수분해하여 x, y, z가 1이 아닌 양수임을 이용한다.

$x^3+y^3+z^3=3xyz$이므로

$x^3+y^3+z^3-3xyz=0$

$(x+y+z)(x^2+y^2+z^2-xy-yz-zx)=0$

$\dfrac{1}{2}(x+y+z)\{(x-y)^2+(y-z)^2+(z-x)^2\}=0$

이때 x, y, z가 1이 아닌 양수이므로

$x+y+z\neq 0$, $x-y=y-z=z-x=0$

$\therefore x=y=z$

$\therefore \log_x (y-z+x^3)+\log_y (z-x+y^3)+\log_z (x-y+z^3)$

$\quad =\log_x x^3+\log_y y^3+\log_z z^3$

$\quad =3+3+3=9$

답 9

074

이차방정식 $2x^2-6x+3=0$의 근과 계수의 관계에 의하여

$\alpha+\beta=3$, $\alpha\beta=\dfrac{3}{2}$이므로

$\alpha^2+\beta^2=(\alpha+\beta)^2-2\alpha\beta=3^2-2\times \dfrac{3}{2}=6$

$\therefore \log_{\alpha^2+\beta^2} 3\alpha+\log_{\alpha^2+\beta^2} 8\beta$

$\quad =\log_{\alpha^2+\beta^2} 24\alpha\beta$

$\quad =\log_6 \left(24\times \dfrac{3}{2}\right)$

$\quad =\log_6 36=\log_6 6^2=2$

답 2

075

조건 ㈎에서 $ab=4$이므로

$\log_2 ab=2$

$\log_2 a+\log_2 b=2$

또, 조건 ㈏에서 $\log_2 a\times \log_2 b=-3$이므로 x^2의 계수가 1이고 $\log_2 a$, $\log_2 b$를 두 근으로 하는 이차방정식은

$x^2-(\log_2 a+\log_2 b)x+\log_2 a\times \log_2 b=0$

$x^2-2x-3=0$

$(x+1)(x-3)=0$

$\therefore x=-1$ 또는 $x=3$

즉, $\log_2 a=-1$ 또는 $\log_2 b=3$ $(a<b)$이므로

$\log_2 \dfrac{b}{a}=\log_2 b-\log_2 a=3-(-1)=4$

답 4

076

조건 ㈎에서 진수 조건에 의하여

$b-a>0$, $b>0$, 즉 $b>a$, $b>0$ ...... ㉠

$\log_2 (b-a)-\log_2 b=\log_2 \dfrac{b-a}{b}$

$\qquad\qquad =\log_2 \left(1-\dfrac{a}{b}\right)=1$

$1-\dfrac{a}{b}=2$ $\quad \therefore b=-a$ ...... ㉡

조건 ㈏에서

$\log_5 (a+13)+\log_5 (b+13)=\log_5 (a+13)(b+13)$

$\qquad\qquad =\log_5 (a+13)(-a+13)$

$\qquad\qquad =\log_5 (169-a^2)=2$

$169-a^2=25$

$\therefore a^2=144$

㉠, ㉡에 의하여

$a=-12$, $b=12$

$\therefore a+2b=-12+2\times 12=12$

답 12

077

→ 접근

$p(k)$를 로그의 성질을 이용하여 근호를 사용하지 않고 나타낸 후, $p(1)+p(2)+p(3)+\cdots +p(120)$을 로그의 성질을 이용하여 간단히 한다.

$p(k)=\log_a \sqrt{1+\dfrac{2}{2k+1}}$

$\quad =\log_a \sqrt{\dfrac{2k+3}{2k+1}}$

$\quad =\dfrac{1}{2}\log_a \dfrac{2k+3}{2k+1}$

$\therefore p(1)+p(2)+p(3)+\cdots +p(120)$

$\quad =\dfrac{1}{2}\log_a \dfrac{5}{3}+\dfrac{1}{2}\log_a \dfrac{7}{5}+\dfrac{1}{2}\log_a \dfrac{9}{7}+\cdots +\dfrac{1}{2}\log_a \dfrac{243}{241}$

$\quad =\dfrac{1}{2}\log_a \left(\dfrac{5}{3}\times \dfrac{7}{5}\times \dfrac{9}{7}\times \cdots \times \dfrac{243}{241}\right)$

$\quad =\dfrac{1}{2}\log_a \dfrac{243}{3}=\dfrac{1}{2}\log_a 81$

$\quad =\dfrac{1}{2}\log_a 3^4=2\log_a 3=1$

즉, $\log_a 3=\dfrac{1}{2}$이므로

$a^{\frac{1}{2}}=3$

$\therefore a=3^2=9$

답 ②

078

$\log_c a : \log_c b = 3 : 4$에서

$\log_c a = 3k$, $\log_c b = 4k$ (k는 0이 아닌 실수)라고 하면

$\log_a b = \dfrac{\log_c b}{\log_c a} = \dfrac{4k}{3k} = \dfrac{4}{3}$이므로 $\log_b a = \dfrac{1}{\log_a b} = \dfrac{3}{4}$

$\therefore \log_a b + \log_b a = \dfrac{4}{3} + \dfrac{3}{4} = \dfrac{25}{12}$

답 ⑤

079

$\log_3 4 + \log_3 2 = \log_3 8 = \log_3 2^3 = 3\log_3 2$이므로

$(3^{\log_3 4 + \log_3 2})^2 + (a^{\log_3 4 + \log_3 2})^{\log_2 3}$

$= (3^{\log_3 8})^2 + (a^{3\log_3 2})^{\log_2 3}$

$= 8^2 + a^3 = 64 + a^3 = 91$

$a^3 = 27$ $\therefore a = 3$

답 3

080

조건 (가)에서 $\sqrt[3]{a}$는 ab의 네제곱근이므로

$ab = (\sqrt[3]{a})^4 = a^{\frac{4}{3}}$ $\therefore b = a^{\frac{4}{3}-1} = a^{\frac{1}{3}}$

이것을 조건 (나)의 식에 대입하면

$\log_a bc + \log_b ac = \log_a a^{\frac{1}{3}}c + \log_{a^{\frac{1}{3}}} ac$

$\qquad = \dfrac{1}{3}\log_a a + \log_a c + 3(\log_a a + \log_a c)$

$\qquad = \dfrac{1}{3} + \log_a c + 3 + 3\log_a c$

$\qquad = \dfrac{10}{3} + 4\log_a c = 4$

즉, $4\log_a c = \dfrac{2}{3}$, $\log_a c = \dfrac{1}{6}$ $\therefore c = a^{\frac{1}{6}}$

$\therefore a = \left(\dfrac{b}{c}\right)^k = \left(\dfrac{a^{\frac{1}{3}}}{a^{\frac{1}{6}}}\right)^k = (a^{\frac{1}{6}})^k = a^{\frac{k}{6}}$

따라서 $\dfrac{k}{6} = 1$이므로 $k = 6$

답 ①

081

$\log_{ab} x = 5$에서 $\log_x ab = \dfrac{1}{5}$

$\therefore \log_x a + \log_x b = \dfrac{1}{5}$ ······ ㉠

$\log_{bc} x = 3$에서 $\log_x bc = \dfrac{1}{3}$

$\therefore \log_x b + \log_x c = \dfrac{1}{3}$ ······ ㉡

$\log_{ac} x = \dfrac{15}{4}$에서 $\log_x ac = \dfrac{4}{15}$

$\therefore \log_x a + \log_x c = \dfrac{4}{15}$ ······ ㉢

㉠+㉡+㉢을 하면 $2(\log_x a + \log_x b + \log_x c) = \dfrac{4}{5}$

$\log_x a + \log_x b + \log_x c = \dfrac{2}{5}$

$\log_x abc = \dfrac{2}{5}$ $\therefore \log_{abc} x = \dfrac{5}{2}$

답 ④

▌간단 풀이◀

$\log_x ab + \log_x bc + \log_x ac = \dfrac{1}{5} + \dfrac{1}{3} + \dfrac{4}{15} = \dfrac{4}{5}$이므로

$\log_x (ab \times bc \times ac) = \log_x (abc)^2 = 2\log_x abc = \dfrac{4}{5}$

$\therefore \log_{abc} x = \dfrac{5}{2}$

082

$\log_7 (\log_3 2) + \log_7 (\log_4 3) + \log_7 (\log_5 4)$

$\qquad\qquad\qquad + \cdots + \log_7 (\log_{128} 127)$

$= \log_7 (\log_3 2 \times \log_4 3 \times \log_5 4 \times \cdots \times \log_{128} 127)$

$= \log_7 \left(\dfrac{\log_5 2}{\log_5 3} \times \dfrac{\log_5 3}{\log_5 4} \times \dfrac{\log_5 4}{\log_5 5} \times \cdots \times \dfrac{\log_5 127}{\log_5 128}\right)$

$= \log_7 \left(\dfrac{\log_5 2}{\log_5 128}\right) = \log_7 (\log_{128} 2)$

$= \log_7 (\log_{2^7} 2) = \log_7 \dfrac{1}{7}$

$= \log_7 7^{-1} = -1$

답 −1

083

┌▶ 접근 ──────
주어진 분수식의 분모, 분자를 xyz로 나누고, 로그의 성질과 밑의 변환을 이용하여 $\dfrac{1}{x}$, $\dfrac{1}{y}$, $\dfrac{1}{z}$의 값을 각각 구한다.

$\dfrac{xyz}{xy + yz + zx} = \dfrac{1}{\dfrac{1}{z} + \dfrac{1}{x} + \dfrac{1}{y}}$

$a^x = b^y = c^z = 64$에서

$x = \log_a 64$, $y = \log_b 64$, $z = \log_c 64$

$\dfrac{1}{x} = \log_{64} a$, $\dfrac{1}{y} = \log_{64} b$, $\dfrac{1}{z} = \log_{64} c$

$\therefore \dfrac{1}{x} + \dfrac{1}{y} + \dfrac{1}{z} = \log_{64} a + \log_{64} b + \log_{64} c$

$\qquad\qquad = \log_{64} abc = \log_{64} 4 = \dfrac{1}{3}$

$\therefore \dfrac{xyz}{xy + yz + zx} = \dfrac{1}{\dfrac{1}{3}} = 3$

답 ③

084

조건 (가)에서 $a^x = b^y = c^z = 70^w$의 각 변에 밑이 70인 로그를 취하면

$\log_{70} a^x = \log_{70} b^y = \log_{70} c^z = \log_{70} 70^w$

$x\log_{70} a = y\log_{70} b = z\log_{70} c = w$

$\dfrac{1}{x} = \dfrac{\log_{70} a}{w}$, $\dfrac{1}{y} = \dfrac{\log_{70} b}{w}$, $\dfrac{1}{z} = \dfrac{\log_{70} c}{w}$

조건 (나)에서

$\dfrac{1}{x} + \dfrac{1}{y} + \dfrac{1}{z} = \dfrac{\log_{70} a}{w} + \dfrac{\log_{70} b}{w} + \dfrac{\log_{70} c}{w}$

$\qquad\qquad = \dfrac{1}{w}(\log_{70} a + \log_{70} b + \log_{70} c)$

$\qquad\qquad = \dfrac{1}{w} \times \log_{70} abc = \dfrac{1}{w}$

즉, $\log_{70} abc = 1$

$\therefore abc = 70$

답 70

085

$\dfrac{\log_c b}{\log_a b} = \dfrac{1}{3}$에서 $\log_c b = \dfrac{1}{3} \log_a b$

$\log_b c = 3 \log_b a$, $\log_b c = \log_b a^3$

$\therefore c = a^3$ ⎯⎯⎯⎯ $\dfrac{1}{\log_c b} = \log_b c$, $\dfrac{1}{\log_a b} = \log_b a$

$\dfrac{\log_b c}{\log_a c} = \dfrac{1}{4}$에서 $\log_b c = \dfrac{1}{4} \log_a c$

$\log_c b = 4 \log_c a$, $\log_c b = \log_c a^4$

$\therefore b = a^4$ ⎯⎯⎯⎯ $\dfrac{1}{\log_b c} = \log_c b$, $\dfrac{1}{\log_a c} = \log_c a$

세 자연수 a, b, c는 1보다 크고 20보다 작으므로

$a = 2$, $b = 16$, $c = 8$ ⎯⎯ $a > 2$이면 $b > 20$, $c > 20$이므로 $a = 2$

$\therefore a + b - c = 2 + 16 - 8 = 10$

답 ②

086

▸접근

직각삼각형의 빗변의 길이가 c이므로 $c^2 = a^2 + b^2$임을 알 수 있다. 로그의 성질을 이용하여 주어진 등식을 변형하고 $c^2 = a^2 + b^2$임을 이용한다.

주어진 삼각형은 빗변의 길이가 c인 직각삼각형이므로

$a^2 + b^2 = c^2$ ...... ㉠

$\log_{b+c} a + \log_{c-b} a = k \log_{b+c} a \times \log_{c-b} a$에서

(좌변) $= \log_{b+c} a + \log_{c-b} a = \dfrac{1}{\log_a (b+c)} + \dfrac{1}{\log_a (c-b)}$,

(우변) $= k \log_{b+c} a \times \log_{c-b} a = k \times \dfrac{1}{\log_a (b+c)} \times \dfrac{1}{\log_a (c-b)}$

이므로

$\dfrac{1}{\log_a (b+c)} + \dfrac{1}{\log_a (c-b)} = k \times \dfrac{1}{\log_a (b+c)} \times \dfrac{1}{\log_a (c-b)}$

양변에 $\log_a (b+c) \times \log_a (c-b)$를 곱하면

$\log_a (c-b) + \log_a (b+c) = k$

$\log_a (b+c)(c-b) = k$

$\log_a (c^2 - b^2) = k$

$\log_a a^2 = k$ $(\because$ ㉠$)$

$\therefore k = 2$

답 2

087

$x = \log_a b$, $y = \log_b c$, $z = \log_c a$이므로

$xyz = \log_a b \times \log_b c \times \log_c a = 1$

$\therefore z = \dfrac{1}{xy}$

$\therefore \dfrac{x}{xy + x + 1} + \dfrac{y}{yz + y + 1} + \dfrac{z}{zx + z + 1}$

$= \dfrac{x}{xy + x + 1} + \dfrac{y}{y \times \dfrac{1}{xy} + y + 1} + \dfrac{\dfrac{1}{xy}}{\dfrac{1}{xy} \times x + \dfrac{1}{xy} + 1}$

$= \dfrac{x}{xy + x + 1} + \dfrac{y}{\dfrac{1}{x} + y + 1} + \dfrac{\dfrac{1}{xy}}{\dfrac{1}{y} + \dfrac{1}{xy} + 1}$

$= \dfrac{x}{xy + x + 1} + \dfrac{xy}{1 + xy + x} + \dfrac{1}{x + 1 + xy}$

$= \dfrac{x + xy + 1}{xy + x + 1} = 1$

답 1

088

$\log_3 9 < \log_3 15 < \log_3 27$이므로

$2 < \log_3 15 < 3$

$\log_3 15$의 정수 부분은 2, 소수 부분은 $\log_3 15 - 2$이므로

$a = 2$

$b = \log_3 15 - 2$

$\quad = \log_3 15 - \log_3 9$

$\quad = \log_3 \dfrac{15}{9} = \log_3 \dfrac{5}{3}$

$\therefore \dfrac{3^b - 3^{-b}}{3^a - 3^{-a}} = \dfrac{3^{\log_3 \frac{5}{3}} - 3^{-\log_3 \frac{5}{3}}}{3^2 - 3^{-2}}$

$\qquad\qquad = \dfrac{\dfrac{5}{3} - \dfrac{3}{5}}{9 - \dfrac{1}{9}}$

$\qquad\qquad = \dfrac{\dfrac{16}{15}}{\dfrac{80}{9}} = \dfrac{3}{25}$

답 ①

089

$ab = (2^{15} + 3)(3^{10} + 2)$

$\quad = 2^{15} \times 3^{10} + 2^{16} + 3^{11} + 6$

이때

$\log (2^{15} \times 3^{10}) = 15 \log 2 + 10 \log 3$

$\qquad\qquad\qquad = 15 \times 0.3010 + 10 \times 0.4771$

$\qquad\qquad\qquad = 9.286$

이므로 $2^{15} \times 3^{10}$은 10자리 정수이다.

또, $\log 2^{16} = 16 \log 2 = 16 \times 0.3010 = 4.816$

이므로 2^{16}은 5자리 정수이고

$\log 3^{11} = 11 \log 3 = 11 \times 0.4771 = 5.2481$

이므로 3^{11}은 6자리 정수이다.

따라서 ab는 10자리 정수이다.

답 10자리

풍쌤 비법

$N > 1$일 때, $\log N$의 정수 부분이 n이다.

$\Longleftrightarrow \log N = n + \alpha$ (단, $0 \le \alpha < 1$)

$\Longleftrightarrow n \le \log N < n + 1$

$\Longleftrightarrow 10^n \le N < 10^{n+1}$

$\Longleftrightarrow N$은 $(n+1)$자리 정수이다.

090

$1000=2^3 \times 5^3$의 모든 양의 약수의 개수는

$(3+1) \times (3+1)=16$

따라서 1000의 양의 약수를 작은 것부터 순서대로 a_1, a_2, a_3, $\cdots$, a_{16}이라고 하면

$a_1=1$, $a_2=2$, $a_3=4$, $\cdots$, $a_{16}=1000$

이때 $a_1 a_{16}=a_2 a_{15}=\cdots=a_8 a_9=1000$이므로

$a_1 a_2 a_3 \cdots a_{16}=1000^8=10^{24}$

$\therefore \log a_1 + \log a_2 + \log a_3 + \cdots + \log a_n$

$\quad = \log a_1 + \log a_2 + \log a_3 + \cdots + \log a_{16}$

$\quad = \log a_1 a_2 a_3 \cdots a_{16}$

$\quad = \log 10^{24} = 24$

답 24

참고

자연수 N이 $N=a^m b^n$ (a, b는 서로 다른 소수, m, n은 자연수)으로 소인수분해될 때, N의 양의 약수의 개수는

$(m+1)(n+1)$

091

$\log x^3 - \log \sqrt[3]{x} = 3 \log x - \dfrac{1}{3} \log x = \dfrac{8}{3} \log x$

$1 < x < 100$에서

$0 < \log x < 2$, $0 < \dfrac{8}{3} \log x < \dfrac{16}{3}$

$\dfrac{8}{3} \log x = 1$, 2, 3, 4, 5

$\log x = \dfrac{3}{8}$, $\dfrac{3}{4}$, $\dfrac{9}{8}$, $\dfrac{3}{2}$, $\dfrac{15}{8}$

$\therefore x = 10^{\frac{3}{8}}$, $10^{\frac{3}{4}}$, $10^{\frac{9}{8}}$, $10^{\frac{3}{2}}$, $10^{\frac{15}{8}}$

따라서 모든 x의 값의 곱은

$10^{\frac{3}{8}} \times 10^{\frac{3}{4}} \times 10^{\frac{9}{8}} \times 10^{\frac{3}{2}} \times 10^{\frac{15}{8}}$

$= 10^{\frac{3}{8}+\frac{3}{4}+\frac{9}{8}+\frac{3}{2}+\frac{15}{8}}$

$= 10^{\frac{45}{8}}$

답 ⑤

092

열차 B가 지점 P를 통과할 때의 속력을 v라고 하면 열차 A가 지점 P를 통과할 때의 속력은 $0.9v$이고 $d=75$이므로

$L_B = 80 + 28 \log \dfrac{v}{100} - 14 \log \dfrac{75}{25}$ ······ ㉠

$L_A = 80 + 28 \log \dfrac{0.9v}{100} - 14 \log \dfrac{75}{25}$ ······ ㉡

㉠-㉡을 하면

$L_B - L_A = 28 \log \dfrac{v}{100} - 28 \log \dfrac{0.9v}{100}$

$\quad = 28 \log \left(\dfrac{v}{100} \times \dfrac{100}{0.9v} \right) = 28 \log \dfrac{10}{9}$

$\quad = 28(1 - 2 \log 3)$

$\quad = 28 - 56 \log 3$

답 ②

093

⑤ $y = 2^{-x} = \left(\dfrac{1}{2} \right)^x$에서 밑이 1보다 작으므로 x의 값이 증가하면 y의 값은 감소한다.

답 ⑤

094

접근

$f(x+2)=a^{x+2}$, $f(x+1)=a^{x+1}$, $f(x)=a^x$을 주어진 등식에 대입하여 $a^x > 0$임을 이용한다.

$f(x+2) - 4f(x+1) + 4f(x) = 0$에서

$a^{x+2} - 4a^{x+1} + 4a^x = 0$

$a^x(a^2 - 4a + 4) = 0$

$a^x > 0$이므로 $a^2 - 4a + 4 = 0$

$(a-2)^2 = 0$ $\therefore a = 2$

답 2

다른 풀이

$x=0$일 때 $f(2) - 4f(1) + 4f(0) = 0$이므로

$a^2 - 4a + 4 = 0$, $(a-2)^2 = 0$ $\therefore a = 2$

095

$f(1) = 8$에서 $a^2 - b = 8$ $\therefore b = a^2 - 8$ ······ ㉠

$f(2) = 26$에서 $a^3 - b = 26$ ······ ㉡

㉠을 ㉡에 대입하면

$a^3 - (a^2 - 8) = 26$, $a^3 - a^2 - 18 = 0$

$(a-3)(a^2 + 2a + 6) = 0$ $\therefore a = 3$

㉠에서 $b = 3^2 - 8 = 1$

따라서 $f(x) = 3^{x+1} - 1$이므로

$f(3) = 3^{3+1} - 1 = 80$

답 80

096

$y = a^x$의 그래프를 y축에 대하여 대칭이동하면 $y = a^{-x}$

$y = a^{-x}$의 그래프를 x축의 방향으로 -2만큼, y축의 방향으로 1만큼 평행이동하면 $y = a^{-x+2} + 1$

이 그래프가 점 $(1, 4)$를 지나므로

$4 = a + 1$ $\therefore a = 3$

답 ③

참고

지수함수 $y = a^x$ ($a > 0$, $a \neq 1$)의 그래프를

(1) x축의 방향으로 m만큼, y축의 방향으로 n만큼 평행이동하면

➡ $y = a^{x-m} + n$

(2) x축에 대하여 대칭이동하면 ➡ $y = -a^x$

(3) y축에 대하여 대칭이동하면 ➡ $y = a^{-x}$

(4) 원점에 대하여 대칭이동하면 ➡ $y = -a^{-x}$

097

$y=3^x$의 그래프가 두 점 $\left(\dfrac{1}{2},\,a\right)$, $(a,\,b)$를 지나므로

$x=\dfrac{1}{2}$, $y=a$를 $y=3^x$에 대입하면 $a=3^{\frac{1}{2}}=\sqrt{3}$

$x=a=\sqrt{3}$, $y=b$를 $y=3^x$에 대입하면 $b=3^{\sqrt{3}}$

$\therefore\ b^a=(3^{\sqrt{3}})^{\sqrt{3}}=3^3=27$

답 27

098

$y=2^x+3$의 그래프는 $y=2^x$의 그래프를
y축의 방향으로 3만큼 평행이동한 것이므
로 오른쪽 그림에서 빗금 친 두 부분의 넓
이가 같다.
따라서 구하는 넓이는 평행사변형 ABCD
의 넓이와 같으므로

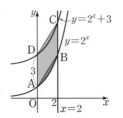

$2\times3=6$

답 6

099

$y=5^{-x+1}+k=\left(\dfrac{1}{5}\right)^{x-1}+k$의 그래프는 $y=\left(\dfrac{1}{5}\right)^x$의 그래프를 x축

의 방향으로 1만큼, y축의 방향으로 k만큼 평행이동한 것이다.
그래프가 제 1사분면을 지나지 않으려면
오른쪽 그림과 같아야 하므로 $x=0$일 때
$y\leq0$이어야 한다.
즉, $x=0$일 때, $y=5+k\leq0$
$\therefore\ k\leq-5$
따라서 k의 최댓값은 -5이다.

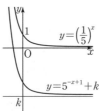

답 -5

100

$A=\sqrt[n+1]{a^n}=a^{\frac{n}{n+1}}$

$B=\sqrt[n+2]{a^{n+1}}=a^{\frac{n+1}{n+2}}$

$C=\sqrt[n+3]{a^{n+2}}=a^{\frac{n+2}{n+3}}$

n이 자연수이므로

$\dfrac{n+2}{n+3}>\dfrac{n+1}{n+2}>\dfrac{n}{n+1}$

$0<a<1$이므로 $a^{\frac{n+2}{n+3}}<a^{\frac{n+1}{n+2}}<a^{\frac{n}{n+1}}$

$\therefore\ C<B<A$

답 $C<B<A$

풍쌤 비법

지수함수를 이용한 대소 관계는 밑을 같게 한 다음 비교한다.
지수함수 $y=a^x\,(a>0,\ a\neq1)$에서
(1) $a>1$일 때, $x_1<x_2\iff a^{x_1}<a^{x_2}$
(2) $0<a<1$일 때, $x_1<x_2\iff a^{x_1}>a^{x_2}$

101

$f(0)=\dfrac{1}{3}$, $g(0)=-1$이므로

$\mathrm{A}\left(0,\,\dfrac{1}{3}\right)$, $\mathrm{B}(0,\,-1)$

두 곡선 $y=f(x)$, $y=g(x)$가 만나는 점 C의 x좌표는

$\dfrac{2^x}{3}=2^x-2$에서

$\dfrac{2^x}{3}-2^x=-2$, $2^x=3$ $\therefore\ x=\log_2 3$

$f(\log_2 3)=\dfrac{2^{\log_2 3}}{3}=1$이므로 $\mathrm{C}(\log_2 3,\,1)$

따라서 삼각형 ABC의 넓이는

$\dfrac{1}{2}\times\left\{\dfrac{1}{3}-(-1)\right\}\times\log_2 3=\dfrac{2}{3}\log_2 3$

답 ②

102

밑이 1보다 크므로 $x=a$일 때 최댓값 7, $x=-2$일 때 최솟값 0을
갖는다.
$x=-2$, $y=0$을 $y=2^{x+2}+b$에 대입하면
$0=1+b$ $\therefore\ b=-1$
$x=a$, $y=7$을 $y=2^{x+2}-1$에 대입하면
$7=2^{a+2}-1$, $2^{a+2}=2^3$
$a+2=3$ $\therefore\ a=1$
$\therefore\ a+b=1+(-1)=0$

답 0

103

밑이 1보다 작으므로
$f(x)=-x^2+6x-7$로 놓으면 $f(x)$가
최소일 때 최댓값, $f(x)$가 최대일 때 최
솟값을 갖는다.
$f(x)=-(x-3)^2+2$이므로 $f(x)$는
$x=1$일 때 최솟값 -2, $x=3$일 때 최댓값
2를 갖는다. ── $x=1,\,x=3,\,x=4$일 때의 y의 값을 구하여
가장 작은 값이 최솟값, 가장 큰 값이 최댓값이다.

함수 $y=\left(\dfrac{2}{5}\right)^{-x^2+6x-7}$은 $f(x)=-2$일 때 최댓값 $\left(\dfrac{2}{5}\right)^{-2}=\dfrac{25}{4}$,

$f(x)=2$일 때 최솟값 $\left(\dfrac{2}{5}\right)^2=\dfrac{4}{25}$를 갖는다.

따라서 $M=\dfrac{25}{4}$, $m=\dfrac{4}{25}$이므로

$Mm=\dfrac{25}{4}\times\dfrac{4}{25}=1$

답 1

104

$y=4^x-2^{x+2}-1$

$\quad=(2^x)^2-4\times2^x-1$

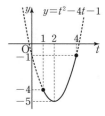

$2^x=t\,(t>0)$로 놓으면

$y=t^2-4t-1=(t-2)^2-5$

$0\leq x\leq2$에서 $1\leq t\leq4$

$y=(t-2)^2-5$는

$t=4$, 즉 $\underline{x=2}$일 때 최댓값 -1,

$t=2$, 즉 $\underline{x=1}$일 때 최솟값 -5를 갖는다.

$2^x=4$에서 $x=2$

$2^x=2$에서 $x=1$

따라서 $a=2$, $b=-1$, $c=1$, $d=-5$이므로

$a+b+c+d=2+(-1)+1+(-5)=-3$

답 ①

105

$f(x)=3^x+3^{-x+4}=3^x+\dfrac{3^4}{3^x}$에서 $3^x>0$, $\dfrac{3^4}{3^x}>0$이므로 산술평균

과 기하평균의 관계에 의하여

$3^x+\dfrac{3^4}{3^x}\geq 2\sqrt{3^x\times\dfrac{3^4}{3^x}}=2\times 9=18$

이때 등호는 $3^x=\dfrac{3^4}{3^x}$일 때 성립하므로

$3^{2x}=3^4$, $2x=4$ $\quad\therefore x=2$

따라서 $x=2$일 때 최솟값 18을 가지므로

$a=2$, $b=18$

$\therefore a-b=2-18=-16$

답 -16

106

(i) $0<a<1$일 때, $m=f(0)$, $n=f(3)$이므로 $m=8n$에서

$f(0)=8f(3)$

$a=8a^4$, $a^3=\left(\dfrac{1}{2}\right)^3$ $\quad\therefore a=\dfrac{1}{2}$

(ii) $a>1$일 때, $m=f(3)$, $n=f(0)$이므로 $m=8n$에서

$f(3)=8f(0)$

$a^4=8a$, $a^3=2^3$ $\quad\therefore a=2$

(i), (ii)에서 모든 실수 a의 값의 합은

$\dfrac{1}{2}+2=\dfrac{5}{2}$

답 ④

107

$\left(\dfrac{3}{4}\right)^{x^2}=\dfrac{3}{4}\times\left(\dfrac{16}{9}\right)^{3(x+1)}$에서

$\left(\dfrac{3}{4}\right)^{x^2}=\dfrac{3}{4}\times\left\{\left(\dfrac{3}{4}\right)^{-2}\right\}^{3(x+1)}$

$=\dfrac{3}{4}\times\left(\dfrac{3}{4}\right)^{-6(x+1)}$

$=\left(\dfrac{3}{4}\right)^{-6(x+1)+1}$

$=\left(\dfrac{3}{4}\right)^{-6x-5}$

즉, $x^2=-6x-5$에서 $x^2+6x+5=0$

$(x+1)(x+5)=0$

$\therefore x=-1$ 또는 $x=-5$

따라서 $\alpha=-1$, $\beta=-5$ $(\alpha>\beta)$이므로

$\alpha-\beta=-1-(-5)=4$

답 4

108

(i) $\underline{x-3=0}$일 때, $x=3$ — 지수가 0인 경우

주어진 방정식은 $1^0=5^0=1$이므로 등식이 성립한다.

(ii) $x-3\neq 0$일 때, $x-2=5$이므로 $x=7$

(i), (ii)에서 모든 근의 합은 — 지수가 0 아닐 때, 양변이 같으므로 밑도 같다.

$3+7=10$

답 10

109

$81^x-9^{x+2}+49=0$에서

$(9^x)^2-81\times 9^x+49=0$

$9^x=t$ $(t>0)$로 놓으면

$t^2-81t+49=0$

이 이차방정식의 두 근이 9^α, 9^β이므로 근과 계수의 관계에 의하여

$9^\alpha\times 9^\beta=49$, $3^{2(\alpha+\beta)}=7^2$

$\therefore 3^{\alpha+\beta}=7$ $(\because 3^{\alpha+\beta}>0)$

답 7

110

▶ 접근

3^x 꼴이 반복되므로 $3^x=t$로 치환하여 $t>0$에서 t에 대한 이차방정식이 오직 하나의 실근을 가질 조건을 생각한다.

$9^x-2k\times 3^{x+1}+9=0$에서

$(3^x)^2-2k\times 3\times 3^x+9=0$

$3^x=t$ $(t>0)$로 놓으면

$t^2-6kt+9=0$

$t>0$이므로 이차방정식 $t^2-6kt+9=0$은 양수인 중근을 갖는다.

이 이차방정식의 판별식을 D라고 하면

$\dfrac{D}{4}=(-3k)^2-9=0$

$k^2-1=0$, $(k+1)(k-1)=0$

$\therefore k=1$ $(\because k>0)$

$t^2-6t+9=0$에서

$(t-3)^2=0$ $\quad\therefore t=3$

즉, $3^x=3$ $\quad\therefore x=1$

따라서 $\alpha=1$이므로

$k+\alpha=1+1=2$

답 ②

111

$Q(t)=Q_0\left(1-2^{-\frac{t}{a}}\right)$에서

$\dfrac{Q(4)}{Q(2)}=\dfrac{Q_0\left(1-2^{-\frac{4}{a}}\right)}{Q_0\left(1-2^{-\frac{2}{a}}\right)}$

$=\dfrac{1-\left(2^{-\frac{2}{a}}\right)^2}{1-2^{-\frac{2}{a}}}$

$=\dfrac{\left(1-2^{-\frac{2}{a}}\right)\left(1+2^{-\frac{2}{a}}\right)}{1-2^{-\frac{2}{a}}}$

$=1+2^{-\frac{2}{a}}$

$1+2^{-\frac{2}{a}}=\frac{3}{2}$이므로 $2^{-\frac{2}{a}}=\frac{1}{2}=2^{-1}$

$-\frac{2}{a}=-1$ $\therefore a=2$

답 ②

다른 풀이

$\frac{Q(4)}{Q(2)}=\frac{3}{2}$에서 $2Q(4)=3Q(2)$이므로

$2Q_0(1-2^{-\frac{4}{a}})=3Q_0(1-2^{-\frac{2}{a}})$

$2\{1-(2^{-\frac{2}{a}})^2\}=3(1-2^{-\frac{2}{a}})$

$2^{-\frac{2}{a}}=t$로 놓으면 $a>0$이므로 $0<t<1$

$2(1-t^2)=3(1-t)$, $2t^2-3t+1=0$

$(2t-1)(t-1)=0$

$\therefore t=\frac{1}{2}(\because 0<t<1)$

즉, $2^{-\frac{2}{a}}=\frac{1}{2}=2^{-1}$이므로

$-\frac{2}{a}=-1$ $\therefore a=2$

112

$\left(\frac{1}{5}\right)^x<\sqrt[5]{5}<\left(\frac{1}{25}\right)^{x-1}$에서

$\left(\frac{1}{5}\right)^x<\left(\frac{1}{5}\right)^{-\frac{1}{5}}<\left(\frac{1}{5}\right)^{2x-2}$

밑이 $\frac{1}{5}$이고 $0<\frac{1}{5}<1$이므로

$2x-2<-\frac{1}{5}<x$

$\therefore -\frac{1}{5}<x<\frac{9}{10}$ $2x-2<-\frac{1}{5}$ $\therefore x<\frac{9}{10}$

답 ②

113

$8^{x^2+2x-4}\leq 4^{x^2+x}$에서

$2^{3(x^2+2x-4)}\leq 2^{2(x^2+x)}$

$2^{3x^2+6x-12}\leq 2^{2x^2+2x}$

밑이 1보다 크므로

$3x^2+6x-12\leq 2x^2+2x$

$x^2+4x-12\leq 0$

$(x+6)(x-2)\leq 0$

$\therefore -6\leq x\leq 2$

따라서 $\alpha=-6$, $\beta=2$이므로

$\alpha+\beta=-6+2=-4$

답 -4

114

$\left(\frac{1}{4}\right)^x-9\times\left(\frac{1}{2}\right)^{x+1}+2<0$에서

$\left\{\left(\frac{1}{2}\right)^x\right\}^2-9\times\frac{1}{2}\times\left(\frac{1}{2}\right)^x+2<0$

$\left(\frac{1}{2}\right)^x=t\ (t>0)$로 놓으면

$t^2-\frac{9}{2}t+2<0$, $2t^2-9t+4<0$

$(2t-1)(t-4)<0$ $\therefore \frac{1}{2}<t<4$

이때 $\frac{1}{2}<\left(\frac{1}{2}\right)^x<\left(\frac{1}{2}\right)^{-2}$이므로

$-2<x<1$

따라서 구하는 정수 x는 -1, 0의 2개이다.

답 ②

115

$x^{5x}\geq x^{x^2-6}$에서 $x>1$이므로

$5x\geq x^2-6$, $x^2-5x-6\leq 0$

$(x+1)(x-6)\leq 0$

$\therefore -1\leq x\leq 6$

이때 $x>1$이므로 $1<x\leq 6$

따라서 자연수 x는 2, 3, 4, 5, 6이고 그 합은

$2+3+4+5+6=20$

답 20

116

$36^x+6^{x+1}+a>0$에서 $(6^x)^2-6\times 6^x+a>0$

$6^x=t\ (t>0)$로 놓으면

$t^2-6t+a>0$, $(t-3)^2+a-9>0$

위의 부등식이 모든 실수 x에 대하여 성립하려면 $a-9>0$이어야 하므로

$a>9$

답 $a>9$

풍쌤 비법

모든 실수 x에 대하여 부등식 $pa^{2x}+qa^x+r>0$이 성립하려면 $a^x=t\ (t>0)$로 치환하여 나타낸 t에 대한 부등식 $pt^2+qt+r>0$이 $t>0$에서 항상 성립해야 한다.

117

① 그래프는 점 $(1, 0)$을 지난다.

② 그래프의 점근선은 $x=0$이다.

③ 밑이 1보다 크므로 $x_1<x_2$이면 $f(x_1)<f(x_2)$이다.

⑤ 그래프는 $y=3^x$의 그래프와 직선 $y=x$에 대하여 대칭이다.

답 ④

118

$f(3)=a$에서 $a=\log_2 3$

$f(8)=b$에서 $b=\log_2 8$

$f(k)=\frac{a+b}{2}=\frac{\log_2 3+\log_2 8}{2}=\frac{1}{2}\log_2 24$

$\log_2 k=\frac{1}{2}\log_2 24$

$\therefore k=\sqrt{24}=2\sqrt{6}$

답 ③

119

$f(64) = \log_4 64 + 1 = \log_4 4^3 + 1 = 3 + 1 = 4$

$f(x) = \log_4 x + 1$의 역함수가 $g(x)$이므로

$g(3) = k$라고 하면 $f(k) = 3$

$f(k) = \log_4 k + 1 = 3$에서

$\log_4 k = 2$ $\therefore k = 16$

$\therefore f(64) + g(3) = 4 + 16 = 20$

> 답 20

참고

함수 $f(x)$의 역함수를 $g(x)$라고 할 때,

$g(a) = b \iff f(b) = a$

120

$y = \log_{\frac{1}{2}} \sqrt{2}(x-3)$

$\quad = \log_{\frac{1}{2}} \sqrt{2} + \log_{\frac{1}{2}} (x-3)$

$\quad = -\frac{1}{2} + \log_{\frac{1}{2}} (x-3)$

$\therefore y + \frac{1}{2} = \log_{\frac{1}{2}} (x-3)$ ⎡ $\log_{\frac{1}{2}} \sqrt{2} = \log_{\frac{1}{2}} 2^{\frac{1}{2}} = \log_{\frac{1}{2}} \left(\frac{1}{2}\right)^{-\frac{1}{2}} = -\frac{1}{2}$

$y = \log_{\frac{1}{2}} \sqrt{2}(x-3)$의 그래프는 $y = \log_{\frac{1}{2}} x$의 그래프를 x축의 방향으로 3만큼, y축의 방향으로 $-\frac{1}{2}$만큼 평행이동한 것이므로

$m = 3, n = -\frac{1}{2}$

$\therefore m + n = 3 + \left(-\frac{1}{2}\right) = \frac{5}{2}$

> 답 $\frac{5}{2}$

121

▶접근

두 함수 $f(x), g(x)$가 역함수 관계임을 알고 합성함수의 성질을 이용한다.

두 함수 $f(x) = \log_5 x, g(x) = 5^x$은 역함수 관계이므로

$(f \circ g)(x) = (g \circ f)(x) = x$ ⎡ $y = \log_5 x$라고 하면 $5^y = x$
⎣ x와 y를 바꾸면 $y = 5^x$

$\therefore (f \circ g)(2) + (g \circ f)(3) + (f \circ g)(7) = 2 + 3 + 7 = 12$

> 답 12

참고

함수 f의 역함수가 f^{-1}일 때,

$(f^{-1} \circ f)(x) = (f \circ f^{-1})(x) = x$

122

$y = \log_2 x$의 그래프는 점 $(1, 0)$을 지나므로

$a = 1$

$\log_2 b = a$에서 $\log_2 b = 1$ $\therefore b = 2$

$\log_2 c = b$에서 $\log_2 c = 2$ $\therefore c = 4$

$\therefore a + b \log_2 c = 1 + 2 \log_2 4 = 1 + 2 \times 2 = 5$

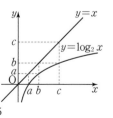

> 답 5

123

$y = \log_3 4x = \log_3 4 + \log_3 x$의 그래프는 $y = \log_3 x$의 그래프를 y축의 방향으로 $\log_3 4$만큼 평행이동한 것이므로 오른쪽 그림에서 빗금 친 두 부분의 넓이가 같다. 따라서 구하는 넓이는 평행사변형 ABCD의 넓이와 같으므로

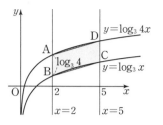

$(5-2) \times \log_3 4 = 3 \log_3 4 = \log_3 4^3 = \log_3 2^6$

$\therefore k = 64$

> 답 64

124

$C = -2 = \log_{\frac{1}{3}} \left(\frac{1}{3}\right)^{-2} = \log_{\frac{1}{3}} 9$

밑이 모두 1보다 작고 $\sqrt{10} < 5 < 9$이므로

$\log_{\frac{1}{3}} \sqrt{10} > \log_{\frac{1}{3}} 5 > \log_{\frac{1}{3}} 9$

즉, $-2 < \log_{\frac{1}{3}} 5 < \log_{\frac{1}{3}} \sqrt{10}$이므로

$C < A < B$

> 답 ④

풍쌤 비법

로그함수를 이용한 대소 관계는 밑을 같게 한 다음 비교한다.

로그함수 $y = \log_a x$ $(a > 0, a \neq 1)$에서

(1) $a > 1$일 때, $x_1 < x_2 \iff \log_a x_1 < \log_a x_2$

(2) $0 < a < 1$일 때, $x_1 < x_2 \iff \log_a x_1 > \log_a x_2$

다른 풀이

$\left(\frac{1}{3}\right)^A = 5, \left(\frac{1}{3}\right)^B = \sqrt{10}, \left(\frac{1}{3}\right)^C = 9$이므로 $\left(\frac{1}{3}\right)^B < \left(\frac{1}{3}\right)^A < \left(\frac{1}{3}\right)^C$

이때 밑 $\frac{1}{3}$이 1보다 작으므로 $C < A < B$

125

두 함수 $y = \log_a x, y = \log_b x$ $(1 < a < b)$의 그래프와 직선 $y = 1$이 만나는 두 점 A_1, B_1의 좌표를 각각 구하면

$\log_a x = 1$에서 $x = a$, $\log_b x = 1$에서 $x = b$

$\therefore A_1(a, 1), B_1(b, 1)$

이때 선분 $A_1 B_1$의 중점의 좌표는 $(2, 1)$이므로

$\frac{a+b}{2} = 2$ $\therefore a + b = 4$ ...... ㉠

한편 $\overline{A_1 B_1} = 1$이므로 $b - a = 1$ ...... ㉡

㉠, ㉡을 연립하여 풀면 $a = \frac{3}{2}, b = \frac{5}{2}$

두 함수 $y = \log_{\frac{3}{2}} x, y = \log_{\frac{5}{2}} x$의 그래프와 직선 $y = 2$가 만나는 두 점 A_2, B_2의 좌표를 각각 구하면

$\log_{\frac{3}{2}} x = 2$에서 $x = \frac{9}{4}$, $\log_{\frac{5}{2}} x = 2$에서 $x = \frac{25}{4}$

$\therefore A_2\left(\frac{9}{4}, 2\right), B_2\left(\frac{25}{4}, 2\right)$

$\therefore \overline{A_2 B_2} = \frac{25}{4} - \frac{9}{4} = 4$

> 답 ①

$\log_a x = 2$에서 $x = a^2$, $\log_b x = 2$에서 $x = b^2$

즉, $A_2(a^2, 2)$, $B_2(b^2, 2)$이므로

$\overline{A_2 B_2} = b^2 - a^2 = (b+a)(b-a)$

$\qquad\qquad = 4 \times 1 \ (\because ㉠, ㉡)$

$\qquad\qquad = 4$

두 점 (x_1, y_1), (x_2, y_2)의 중점의 좌표

$\Rightarrow \left(\dfrac{x_1 + y_1}{2}, \dfrac{x_2 + y_2}{2} \right)$

126

$f(x) = \log_2 (3x+1) - 3$에서 밑이 1보다 크므로

$x = 5$일 때 최댓값 $f(5) = \log_2 16 - 3 = 4 - 3 = 1$,

$x = 1$일 때 최솟값 $f(1) = \log_2 4 - 3 = 2 - 3 = -1$을 갖는다.

따라서 함수 $f(x)$의 최댓값과 최솟값의 합은

$1 + (-1) = 0$

답 ③

127

진수의 조건에 의하여

$1 - x > 0$, $x + 3 > 0$에서 $-3 < x < 1$ $\qquad$ …… ㉠

$y = \log_{\frac{1}{3}} (1-x) + \log_{\frac{1}{3}} (x+3)$

$\quad = \log_{\frac{1}{3}} (1-x)(x+3)$

$\quad = \log_{\frac{1}{3}} (-x^2 - 2x + 3)$

$f(x) = -x^2 - 2x + 3$으로 놓으면

$f(x) = -x^2 - 2x + 3 = -(x+1)^2 + 4$ $\qquad$ …… ㉡

밑이 1보다 작으므로 $f(x)$가 최대일 때 y는 최솟값을 갖는다.

㉠, ㉡에서 $f(x)$는 $x = -1$일 때 최댓값 4를 가지므로 주어진 함수는 최솟값 $y = \log_{\frac{1}{3}} 4 = -\log_3 4$를 갖는다.

답 ①

로그에 미지수가 있는 방정식과 부등식을 풀 때에는 밑과 진수의 조건을 확인해야 한다.

$\log_{f(x)} g(x)$에서

(1) 밑의 조건: $f(x) > 0$, $f(x) \neq 1$

(2) 진수의 조건: $g(x) > 0$

128

$y = (\log_3 x)^2 - \log_3 x^4 + 5$

$\quad = (\log_3 x)^2 - 4\log_3 x + 5$

에서 $\log_3 x = t$로 놓으면

$y = t^2 - 4t + 5 = (t-2)^2 + 1$

$1 \leq x \leq 27$에서 $0 \leq t \leq 3$

$y = (t-2)^2 + 1$은

$t = 0$, 즉 $x = 1$일 때 최댓값 5, $\quad$ $\log_3 x = 0$에서 $x = 1$

$t = 2$, 즉 $x = 9$일 때 최솟값 1을 갖는다. $\quad$ $\log_3 x = 2$에서 $x = 9$

따라서 $a = 1$, $b = 5$, $c = 9$, $d = 1$이므로

$ab + cd = 1 \times 5 + 9 \times 1 = 14$

답 14

129

$y = (\log_{\frac{1}{2}} x)^2 + a\log_{\frac{1}{2}} x + b$에서

$\log_{\frac{1}{2}} x = t$로 놓으면

$y = t^2 + at + b$

$x = \dfrac{1}{8}$일 때, 즉 $t = 3$일 때 최솟값 -7을 가지므로

$y = (t-3)^2 - 7 = t^2 - 6t + 2$

$\quad = (\log_{\frac{1}{2}} x)^2 - 6\log_{\frac{1}{2}} x + 2$

따라서 $a = -6$, $b = 2$이므로

$ab = -6 \times 2 = -12$

답 -12

130

$y = 6x^{2 - \log_6 x}$의 양변에 밑이 6인 로그를 취하면

$\log_6 y = \log_6 6x^{2 - \log_6 x}$

$\qquad\quad = 1 + \log_6 x^{2 - \log_6 x}$

$\qquad\quad = 1 + (2 - \log_6 x)\log_6 x$

$\qquad\quad = -(\log_6 x)^2 + 2\log_6 x + 1$

$\log_6 x = t$로 놓으면

$\log_6 y = -t^2 + 2t + 1 = -(t-1)^2 + 2$

$t = 1$, 즉 $x = 6$일 때 최대이고 $\log_6 y$의 최댓값은 2이므로

$\log_6 y = 2$에서 $y = 36$ $\quad$ $\log_6 x = 1$에서 $x = 6$

따라서 $a = 6$, $b = 36$이므로

$\dfrac{b}{a} = \dfrac{36}{6} = 6$

답 6

$y = x^{f(x)}$ 꼴의 함수의 최대·최소

$\Rightarrow$ 양변에 로그를 취하여 구한다.

131

진수의 조건에 의하여 $\qquad$ $x - 1 > 0$에서 $x > 1$

$x - 1 > 0$, $3x - 1 > 0$에서 $x > 1$ $\quad$ $3x - 1 > 0$에서 $x > \dfrac{1}{3}$

$\log_2 (x-1) + \log_2 (3x-1) = 4$에서 $\quad \therefore x > 1$

$\log_2 (x-1)(3x-1) = \log_2 16$

즉, $(x-1)(3x-1) = 16$에서

$3x^2 - 4x - 15 = 0$

$(3x+5)(x-3) = 0$

$\therefore x = -\dfrac{5}{3}$ 또는 $x = 3$

이때 $x > 1$이므로 $x = 3$

답 $x = 3$

132

$\log_3 x + \log_3 x \times \log_{\frac{5}{4}} x = 0$에서

$\log_3 x(1+\log_{\frac{5}{4}} x)=0$

$\log_3 x=0$ 또는 $\log_{\frac{5}{4}} x=-1$

$\therefore x=3^0=1$ 또는 $x=\left(\dfrac{5}{4}\right)^{-1}=\dfrac{4}{5}$

따라서 주어진 방정식의 두 근 α, β는 1, $\dfrac{4}{5}$이므로

$32^{\alpha\beta}=32^{\frac{4}{5}}=(2^5)^{\frac{4}{5}}=2^4=16$

답 ⑤

133

$2(\log_{\frac{1}{2}} x)^2-\log_{\frac{1}{2}} x^3=2$에서

$2(\log_{\frac{1}{2}} x)^2-3\log_{\frac{1}{2}} x-2=0$

$\log_{\frac{1}{2}} x=t$로 놓으면

$2t^2-3t-2=0$

$(2t+1)(t-2)=0$

$\therefore t=-\dfrac{1}{2}$ 또는 $t=2$

즉, $\log_{\frac{1}{2}} x=-\dfrac{1}{2}$ 또는 $\log_{\frac{1}{2}} x=2$

$\therefore x=\sqrt{2}$ 또는 $x=\dfrac{1}{4}$

답 ③

134

$\log_{\frac{1}{3}} x \times \log_3 x+6\log_3 x+k=0$에 $x=3^9$을 대입하면

$\log_{\frac{1}{3}} 3^9 \times \log_3 3^9+6\log_3 3^9+k=0$

$-9\times 9+6\times 9+k=0$ $\therefore k=27$

$\log_{\frac{1}{3}} x \times \log_3 x+6\log_3 x+27=0$

$-(\log_3 x)^2+6\log_3 x+27=0$

$(\log_3 x)^2-6\log_3 x-27=0$

$\log_3 x=t$로 놓으면

$t^2-6t-27=0$

$(t+3)(t-9)=0$

$\therefore t=-3$ 또는 $t=9$

즉, $\log_3 x=-3$ 또는 $\log_3 x=9$

$\therefore x=\dfrac{1}{27}$ 또는 $x=3^9$

따라서 $m=\dfrac{1}{27}$이므로

$km=27\times\dfrac{1}{27}=1$

답 ③

135

$x^{\log_2 x}=\dfrac{16}{x^3}$의 양변에 밑이 2인 로그를 취하면

$\log_2 x^{\log_2 x}=\log_2 \dfrac{16}{x^3}$

$(\log_2 x)^2=\log_2 16-\log_2 x^3$

$(\log_2 x)^2=4-3\log_2 x$

$\log_2 x=t$로 놓으면

$t^2=4-3t$, $t^2+3t-4=0$

$(t+4)(t-1)=0$

$\therefore t=-4$ 또는 $t=1$

즉, $\log_2 x=-4$ 또는 $\log_2 x=1$

$\therefore x=\dfrac{1}{16}$ 또는 $x=2$

이때 $\alpha<\beta$이므로 $\alpha=\dfrac{1}{16}$, $\beta=2$

$\therefore \beta-\alpha=2-\dfrac{1}{16}=\dfrac{31}{16}$

답 $\dfrac{31}{16}$

136

진수의 조건에 의하여

$2x-6>0$, $x+2>0$에서 $x>3$ $\therefore x>3$ ····· ㉠

($2x-6>0$에서 $x>3$ / $x+2>0$에서 $x>-2$)

$\log_{\frac{1}{5}} (2x-6)>\log_{\frac{1}{5}} (x+2)$에서 밑이 1보다 작으므로

$2x-6<x+2$ $\therefore x<8$ ····· ㉡

㉠, ㉡의 공통부분을 구하면

$3<x<8$

따라서 정수 x는 4, 5, 6, 7의 4개이다.

답 ④

137

진수의 조건에 의하여

$x-1>0$, $x+4>0$에서 $x>1$ $\therefore x>1$ ····· ㉠

($x-1>0$에서 $x>1$ / $x+4>0$에서 $x>-4$)

$1-\log_{\frac{1}{2}} (x-1)<\log_2 (x+4)$에서

(좌변)$=1-\log_{\frac{1}{2}} (x-1)$

$=1+\log_2 (x-1)$

$=\log_2 2+\log_2 (x-1)$

$=\log_2 2(x-1)$

이므로

$\log_2 2(x-1)<\log_2 (x+4)$

$2(x-1)<x+4$

$2x-2<x+4$

$\therefore x<6$ ····· ㉡

㉠, ㉡의 공통부분을 구하면

$1<x<6$

따라서 정수 x는 2, 3, 4, 5이고 그 합은

$2+3+4+5=14$

답 ⑤

138

$5\log_3 x-6\geq(\log_3 x)^2$에서 $\log_3 x=t$로 놓으면

$5t-6\geq t^2$, $t^2-5t+6\leq 0$

$(t-2)(t-3)\leq 0$ $\therefore 2\leq t\leq 3$

즉, $2\leq\log_3 x\leq 3$에서 $9\leq x\leq 27$

따라서 $\alpha=9$, $\beta=27$이므로

$\alpha\beta=9\times 27=243$

답 ④

139

$x^{\log_5 x}<125x^2$의 양변에 밑이 5인 로그를 취하면

$\log_5 x^{\log_5 x}<\log_5 125x^2$

$(\log_5 x)^2<\log_5 125+\log_5 x^2$

$(\log_5 x)^2<3+2\log_5 x$

$\log_5 x=t$로 놓으면

$t^2<3+2t,\ t^2-2t-3<0$

$(t+1)(t-3)<0$ $\quad\therefore -1<t<3$

즉, $-1<\log_5 x<3$에서 $\dfrac{1}{5}<x<125$

따라서 정수 x의 최댓값은 124이다.

답 124

140

진수의 조건에 의하여

$f(x)>0,\ x-1>0$ ...... ㉠

$\log_3 f(x)+\log_{\frac{1}{3}}(x-1)\leq0$에서

$\log_3 f(x)-\log_3(x-1)\leq0$

$\log_3 f(x)\leq\log_3(x-1)$

밑이 1보다 크므로

$f(x)\leq x-1$ ...... ㉡

㉠, ㉡을 동시에 만족시키는 자연수 x는 4, 5, 6이므로 그 합은

$4+5+6=15$

답 15

141

▶ 접근

함숫값을 직접 구하면 식이 복잡해지므로 두 수의 분자의 합이 분모와 같은 두 분수끼리 짝 지어 합을 구한다.

두 실수 a, b에 대하여 $a+b=1$이라고 하면

$$f(a)+f(b)=\frac{4^a}{4^a+2}+\frac{4^b}{4^b+2}$$
$$=\frac{4^a(4^b+2)+4^b(4^a+2)}{(4^a+2)(4^b+2)}$$
$$=\frac{2(4^a+4^b)+2\times4^{a+b}}{4^{a+b}+2(4^a+4^b)+4}$$
$$=\frac{2(4^a+4^b)+2\times4}{4+2(4^a+4^b)+4}$$
$$=\frac{8+2(4^a+4^b)}{8+2(4^a+4^b)}$$
$$=1$$

이므로

$$f\left(\frac{2}{201}\right)+f\left(\frac{3}{201}\right)+\cdots+f\left(\frac{198}{201}\right)+f\left(\frac{199}{201}\right)$$
$$=\left\{f\left(\frac{2}{201}\right)+f\left(\frac{199}{201}\right)\right\}+\left\{f\left(\frac{3}{201}\right)+f\left(\frac{198}{201}\right)\right\}$$
$$\qquad\qquad+\cdots+\left\{f\left(\frac{100}{201}\right)+f\left(\frac{101}{201}\right)\right\}$$
$$=\underbrace{1+1+\cdots+1}_{99개}$$
$$=99$$

답 99

142

ㄱ은 옳다.

$$f(a)f(-a)=\left(\frac{1}{3}\right)^a\times\left(\frac{1}{3}\right)^{-a}=\left(\frac{1}{3}\right)^a\times3^a=1$$

ㄴ은 옳지 않다.

$$f(a^2)=\left(\frac{1}{3}\right)^{a^2},\ \{f(a)\}^2=\left\{\left(\frac{1}{3}\right)^a\right\}^2=\left(\frac{1}{3}\right)^{2a}$$

$$\therefore f(a^2)\neq\{f(a)\}^2$$

ㄷ도 옳지 않다.

$$f(a+b)=\left(\frac{1}{3}\right)^{a+b},\ f(a)+f(b)=\left(\frac{1}{3}\right)^a+\left(\frac{1}{3}\right)^b$$

$$\therefore f(a+b)\neq f(a)+f(b)$$

따라서 옳은 것은 ㄱ이다.

답 ①

143

$y=(a^2+3a+3)^x$에서 x의 값이 증가할 때, y의 값이 감소하려면

$0<a^2+3a+3<1$

(i) $0<a^2+3a+3$에서 $a^2+3a+3=\left(a+\dfrac{3}{2}\right)^2+\dfrac{3}{4}>0$이므로 모든 실수 a에 대하여 항상 성립한다.

(ii) $a^2+3a+3<1$에서 $a^2+3a+2<0$

$(a+1)(a+2)<0$ $\quad\therefore -2<a<-1$

(i), (ii)에서 $-2<a<-1$

답 ②

144

ㄱ. $y=\dfrac{1}{a^x}=a^{-x}$의 그래프는 $y=a^x$의 그래프를 y축에 대하여 대칭이동한 것이다.

ㄴ. $y=a^{3x+6}=a^{3(x+2)}$의 그래프는 $y=a^x$의 그래프를 평행이동 또는 대칭이동하여 겹쳐질 수 없다.

ㄷ. $a^k=\sqrt{2}$ (k는 상수)라고 하면 $y=\sqrt{2}\times a^x+5=a^{x+k}+5$의 그래프는 $y=a^x$의 그래프를 x축의 방향으로 $-k$만큼, y축의 방향으로 5만큼 평행이동한 것이다.

따라서 $y=a^x$의 그래프를 평행이동 또는 대칭이동하여 겹쳐질 수 있는 것은 ㄱ, ㄷ이다.

답 ③

145

▶ 접근

$y=27\times3^x$을 $y=3^{x+m}$ 꼴로 변형하여 $f(a)$의 값을 구한다.

곡선 $y=27\times3^x=3^3\times3^x=3^{x+3}$은 곡선 $y=3^x$을 x축의 방향으로 -3만큼 평행이동한 것이다.

따라서 두 곡선에서 y의 값이 같을 때 x의 값은 3만큼 차이가 나므로 임의의 양수 a에 대하여

$f(a)=3$

$\therefore f(1)+f(2)+f(3)+\cdots+f(10)$

$=3\times10=30$

답 ③

146

함수 $y=f(x)$의 그래프와 그 역함수의 그래프의 교점은 함수 $y=f(x)$의 그래프와 직선 $y=x$의 교점이다.

함수 $f(x)$의 그래프와 그 역함수의 그래프가 두 점에서 만나고 이 두 점의 x좌표가 1, 2이므로 두 교점의 좌표는 $(1, 1)$, $(2, 2)$이다.

$f(1)=2^{1-m}+n=1$ ┐ 직선 $y=x$ 위의 점이므로 ...... ㉠
$f(2)=2^{2-m}+n=2$ ┘ $x=1$일 때 $y=1$, $x=2$일 때 $y=2$ ...... ㉡

㉡-㉠을 하면

$2^{2-m}-2^{1-m}=1$, $4 \times 2^{-m}-2 \times 2^{-m}=1$

$2 \times 2^{-m}=1$, $2^{-m}=\dfrac{1}{2}=2^{-1}$ ∴ $m=1$

$f(1)=2^{1-1}+n=1$, $1+n=1$ ∴ $n=0$

∴ $m+n=1$

答 ④

147

$x \geq 1$일 때, $y=\left(\dfrac{1}{3}\right)^{x-1}-4$

$x < 1$일 때, $y=\left(\dfrac{1}{3}\right)^{-x+1}-4$

따라서 $y=\left(\dfrac{1}{3}\right)^{|x-1|}-4$의 그래프가 오른쪽 그림과 같으므로 직선 $y=k$와 만나지 않으려면

$k \leq -4$ 또는 $k > -3$

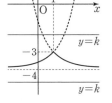

答 $k \leq -4$ 또는 $k > -3$

148

$A(a, 5^a)$, $B(b, 5^b)$이고 직선 AB의 기울기가 5이므로

$\dfrac{5^b-5^a}{b-a}=5$ ∴ $b-a=\dfrac{1}{5}(5^b-5^a)$ ...... ㉠

$\overline{AB}=2\sqrt{13}$이므로

$(b-a)^2+(5^b-5^a)^2=(2\sqrt{13})^2$

위의 식에 ㉠을 대입하면

$\dfrac{1}{25}(5^b-5^a)^2+(5^b-5^a)^2=(2\sqrt{13})^2$

$\dfrac{26}{25}(5^b-5^a)^2=52$

$(5^b-5^a)^2=50$

∴ $5^b-5^a=5\sqrt{2} \ (\because 5^a < 5^b)$

答 ②

149

두 삼각형 ACB, ADC의 높이가 $\overline{AB}$로 같으므로

$\overline{BC} : \overline{CD}=\triangle ACB : \triangle ADC=2 : 1$

따라서 $\overline{BC} : \overline{BD}=2 : 3$이므로 두 점 C, D의 x좌표를 각각 $2m$, $3m \ (m>0)$으로 놓으면

$4^{2m}=a^{3m}=k$

$16^m=(a^3)^m$

$a^3=16$ ∴ $a=\sqrt[3]{16}$

答 ⑤

참고

높이가 같은 두 삼각형의 넓이의 비는 두 삼각형의 밑변의 길이의 비와 같다.

150

함수 $y=a^x+4$의 그래프를 x축의 방향으로 2만큼, y축의 방향으로 -4만큼 평행이동한 그래프의 식은

$y=a^{x-2}+4-4=a^{x-2}$

또, 점 $A(0, 5)$를 x축의 방향으로 2만큼, y축의 방향으로 -4만큼 평행이동한 점의 좌표는 $(2, 1)$이고, 이 점은 곡선 $y=a^{x-2}$ 위의 점이다.

또, 점 $(2, 1)$은 직선 $y=-2x+5$ 위의 점이므로 점 B의 좌표는 $(2, 1)$이다.

두 점 B, C는 직선 $x=2$ 위에 있고 점 C는 곡선 $y=a^x+4$ 위에 있으므로 점 C의 좌표는 $(2, a^2+4)$이다.

세 점 A, B, C가 선분 BC를 지름으로 하는 한 원 위에 있으므로 직선 AC와 직선 AB는 서로 수직이다. ┐ 수직인 두 직선의 기울기의 곱은 -1이다.

직선 AB의 기울기는 -2이므로 직선 AC의 기울기는 $\dfrac{1}{2}$이다.

$A(0, 5)$, $B(2, a^2+4)$에서 $\dfrac{(a^2+4)-5}{2-0}=\dfrac{1}{2}$이므로

$a^2=2$

$a>1$이므로 $a=\sqrt{2}$

따라서 세 점 $A(0, 5)$, $B(2, 1)$, $C(2, 6)$을 꼭짓점으로 하는 삼각형 ABC의 넓이는

$\dfrac{1}{2} \times 5 \times 2=5$

答 5

151

두 함수의 그래프가 만나는 서로 다른 두 점 A, B의 x좌표를 각각 a, b라고 하면

$2^a=-\left(\dfrac{1}{2}\right)^a+k$에서

$2^a+\left(\dfrac{1}{2}\right)^a=k$ ...... ㉠

$2^b=-\left(\dfrac{1}{2}\right)^b+k$에서

$2^b+\left(\dfrac{1}{2}\right)^b=k$ ...... ㉡

㉠+㉡을 하면

$2^a+2^b+\left(\dfrac{1}{2}\right)^a+\left(\dfrac{1}{2}\right)^b=2k$

∴ $k=\dfrac{1}{2}\left\{2^a+2^b+\left(\dfrac{1}{2}\right)^a+\left(\dfrac{1}{2}\right)^b\right\}$

$=\dfrac{1}{2}\left(2^a+2^b+\dfrac{2^a+2^b}{2^a 2^b}\right)$

$=\dfrac{1}{2}\left(2^a+2^b+\dfrac{2^a+2^b}{2^{a+b}}\right)$ ...... ㉢

두 점 $A(a, 2^a)$, $B(b, 2^b)$을 이은 선분 AB의 중점의 좌표가 $\left(0, \dfrac{5}{4}\right)$이므로

$\dfrac{a+b}{2}=0$, $\dfrac{2^a+2^b}{2}=\dfrac{5}{4}$

∴ $a+b=0$, $2^a+2^b=\dfrac{5}{2}$ ...... ㉣

㉣을 ㉢에 대입하면

$k = \frac{1}{2}\left(\frac{5}{2} + \frac{5}{2}\right) = \frac{5}{2}$

답 ⑤

152

곡선 $y = 2^x$을 y축에 대하여 대칭이동한 곡선은 $y = 2^{-x}$이고, 곡선 $y = 2^{-x}$을 x축의 방향으로 $\frac{1}{4}$만큼, y축의 방향으로 $\frac{1}{4}$만큼 평행이동한 곡선은

$y = 2^{-\left(x - \frac{1}{4}\right)} + \frac{1}{4} = 2^{-x + \frac{1}{4}} + \frac{1}{4}$

$\therefore f(x) = 2^{-x + \frac{1}{4}} + \frac{1}{4}$

곡선 $y = f(x)$와 직선 $y = x + 1$이 만나는 점 A는 곡선 $y = 2^{-x}$과 직선 $y = x + 1$이 만나는 점 B(0, 1)을 x축의 방향으로 $\frac{1}{4}$만큼, y축의 방향으로 $\frac{1}{4}$만큼 평행이동한 점이므로

$A\left(\frac{1}{4}, \frac{5}{4}\right)$

따라서 두 점 $A\left(\frac{1}{4}, \frac{5}{4}\right)$, B(0, 1) 사이의 거리는

$\sqrt{\left(0 - \frac{1}{4}\right)^2 + \left(1 - \frac{5}{4}\right)^2} = \frac{\sqrt{2}}{4}$이므로 $k = \frac{\sqrt{2}}{4}$

$\therefore \frac{1}{k^2} = \left(\frac{4}{\sqrt{2}}\right)^2 = 8$

답 8

153

$f(x) = x^2 - 2x + a \ (-1 \le x \le 2)$로 놓으면

$f(x) = x^2 - 2x + a = (x - 1)^2 + a - 1$

함수 $f(x)$는 $x = 1$일 때 최솟값 $a - 1$, $x = -1$일 때 최댓값 $a + 3$을 갖는다.

밑이 1보다 작으므로 함수 $y = \left(\frac{1}{5}\right)^{f(x)}$는 $f(x) = a - 1$일 때 최댓값 $\left(\frac{1}{5}\right)^{a-1}$, $f(x) = a + 3$일 때 최솟값 $\left(\frac{1}{5}\right)^{a+3}$을 갖는다.

따라서 $M = \left(\frac{1}{5}\right)^{a-1}$, $m = \left(\frac{1}{5}\right)^{a+3}$이므로

$\frac{M}{m} = \frac{\left(\frac{1}{5}\right)^{a-1}}{\left(\frac{1}{5}\right)^{a+3}} = \left(\frac{1}{5}\right)^{a-1-a-3} = \left(\frac{1}{5}\right)^{-4}$

$\qquad = 5^4 = 625$

답 625

154

$y = 9^x - 4 \times 3^x + a$

$\quad = (3^x)^2 - 4 \times 3^x + a$

$3^x = t \ (t > 0)$로 놓으면

$y = t^2 - 4t + a = (t - 2)^2 + a - 4$

$-1 \le x \le 1$에서 $\frac{1}{3} \le t \le 3$

$y = (t - 2)^2 + a - 4$는

$t = 2$일 때 최솟값 $a - 4$를 가지므로

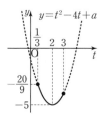

$-5 = a - 4$ $\therefore a = -1$

$y = (t - 2)^2 - 5$는 $t = \frac{1}{3}$일 때 최댓값 $-\frac{20}{9}$을 가지므로

$k = -\frac{20}{9}$

$\therefore ak = -1 \times \left(-\frac{20}{9}\right) = \frac{20}{9}$

답 ④

155

$P(k, 2^k)$, $Q\left(k, -\left(\frac{1}{2}\right)^k\right)$이므로

$\overline{PQ} = 2^k - \left\{-\left(\frac{1}{2}\right)^k\right\} = 2^k + \left(\frac{1}{2}\right)^k$

이때 $2^k > 0$, $\left(\frac{1}{2}\right)^k > 0$이므로 산술평균과 기하평균의 관계에 의하여

$2^k + \left(\frac{1}{2}\right)^k \ge 2\sqrt{2^k \times \left(\frac{1}{2}\right)^k} = 2$ (단, 등호는 $k = 0$일 때 성립한다.)

따라서 선분 PQ의 길이의 최솟값은 2이다.

답 ④

156

$3^x + 3^{-x} = t$로 놓으면 $3^x > 0$, $3^{-x} > 0$이므로 산술평균과 기하평균의 관계에 의하여

$t = 3^x + 3^{-x} \ge 2\sqrt{3^x \times 3^{-x}} = 2$ (단, 등호는 $x = 0$일 때 성립한다.)

$y = 9^x + 9^{-x} - 6(3^x + 3^{-x}) + 4$

$\quad = t^2 - 2 - 6t + 4$ $\qquad 9^x + 9^{-x} = (3^x + 3^{-x})^2 - 2 = t^2 - 2$

$\quad = t^2 - 6t + 2$

$\quad = (t - 3)^2 - 7$

따라서 $t \ge 2$이므로 $y = (t - 3)^2 - 7$은 $t = 3$일 때 최솟값 -7을 갖는다.

답 ①

157

A 제품의 경제적 실효성이 최대가 되는 것은 $P(x)$의 값이 최대가 될 때이다.

$P(x) = 3^{-0.5x^2 + 3x - 3} = \left(\frac{1}{3}\right)^{0.5x^2 - 3x + 3}$에서

$f(x) = 0.5x^2 - 3x + 3$으로 놓으면

$f(x) = 0.5x^2 - 3x + 3 = 0.5(x - 3)^2 - 1.5$

이므로 $x = 3$일 때 $f(x)$는 최솟값을 갖는다.

따라서 새로 구입한 A 제품의 경제적 실효성이 최대가 되는 것은 구입한 후 3년 동안 사용했을 때이다.

답 3년

158

$f(x) = x^2 - 4x - 1 = (x - 2)^2 - 5$이므로

$1 \le x \le 4$에서 $-5 \le f(x) \le -1$

(i) $0 < a < 1$일 때

$\quad f(x) = -5$에서 $(g \circ f)(x)$는 최댓값을 갖고

$\quad f(x) = -1$에서 $(g \circ f)(x)$는 최솟값을 갖는다.

$a^{-5}=243$에서 $a^{-5}=\left(\dfrac{1}{3}\right)^{-5}$ $\therefore a=\dfrac{1}{3}$

$(g\circ f)(x)=\left(\dfrac{1}{3}\right)^{f(x)}$이므로 $m=\left(\dfrac{1}{3}\right)^{-1}=3$

(ii) $a>1$일 때

$\quad f(x)=-5$에서 $(g\circ f)(x)$는 최솟값을 갖고

$\quad f(x)=-1$에서 $(g\circ f)(x)$는 최댓값을 갖는다.

$\quad a^{-1}=243$에서 $a^{-1}=\left(\dfrac{1}{243}\right)^{-1}$ $\therefore a=\dfrac{1}{243}$

$\quad$이때 $a>1$을 만족시키지 않는다.

(i), (ii)에서 $m=3$

$\qquad\qquad\qquad\qquad\qquad\qquad$🔖 ③

159

$f(x)=|x-1|+2$로 놓으면

$-1\leq x\leq 2$에서 $-2\leq x-1\leq 1$

$0\leq|x-1|\leq 2$ $\therefore 2\leq|x-1|+2\leq 4$

즉, $2\leq f(x)\leq 4$

(i) $0<a<1$일 때

$\quad y=a^{f(x)}$는 $f(x)=2$일 때 최댓값을 가지므로

$\quad a^{2}=\dfrac{1}{16}$ $\therefore a=\dfrac{1}{4}\;(\because a>0)$

(ii) $a>1$일 때

$\quad y=a^{f(x)}$는 $f(x)=4$일 때 최댓값을 가지므로

$\quad a^{4}=\dfrac{1}{16}$ $\therefore a=\dfrac{1}{2}\;(\because a>0)$

$\quad$이때 $a>1$을 만족시키지 않는다.

(i), (ii)에서 $a=\dfrac{1}{4}$

따라서 $y=\left(\dfrac{1}{4}\right)^{f(x)}$는 $f(x)=4$일 때 최솟값 $\left(\dfrac{1}{4}\right)^{4}=2^{-8}$을 갖는다.

$\qquad\qquad\qquad\qquad\qquad\qquad$🔖 ②

160

▸접근

$5^{x}+25^{y}=5^{x}+5^{2y}$이므로 주어진 등식을 이용하여 지수를 y에 대한 식으로 나타낸 후 산술평균과 기하평균의 관계를 이용한다.

$x+2y-4=0$에서 $x=4-2y$ $\qquad\cdots\cdots$ ㉠

$5^{x}+25^{y}=5^{x}+5^{2y}=5^{4-2y}+5^{2y}$

$5^{4-2y}>0,\;5^{2y}>0$이므로 산술평균과 기하평균의 관계에 의하여

$5^{4-2y}+5^{2y}\geq 2\sqrt{5^{4-2y}\times 5^{2y}}=2\sqrt{5^{4}}=50$

이때 등호는 $5^{4-2y}=5^{2y}$일 때 성립하므로

$4-2y=2y$ $\therefore y=1$

$y=1$을 ㉠에 대입하면 $x=4-2=2$

따라서 $5^{x}+25^{y}$은 $x=2,\;y=1$일 때 최솟값 50을 가지므로

$\alpha=2,\;\beta=1,\;\gamma=50$

$\therefore \alpha+\beta+\gamma=2+1+50=53$

$\qquad\qquad\qquad\qquad\qquad\qquad$🔖 53

참고

$x+2y-4=0$에서 $2y=4-x$로 놓고 풀어도 된다.

161

$9^{x}-5\times 3^{x+2}+k=0$에서

$(3^{x})^{2}-5\times 9\times 3^{x}+k=0$

$(3^{x})^{2}-45\times 3^{x}+k=0$

$3^{x}=t\;(t>0)$로 놓으면

$t^{2}-45t+k=0$ $\qquad\cdots\cdots$ ㉠

주어진 방정식의 서로 다른 두 실근을 $\alpha,\;\beta$라고 하면

$\alpha+\beta=4$

방정식 ㉠의 두 근은 $3^{\alpha},\;3^{\beta}$이므로 근과 계수의 관계에 의하여

$k=3^{\alpha}\times 3^{\beta}=3^{\alpha+\beta}=3^{4}=81$

$\qquad\qquad\qquad\qquad\qquad\qquad$🔖 81

162

$2^{x}=X\;(X>0),\;2^{y}=Y\;(Y>0)$로 놓으면

$2^{x}+2^{y}=10$에서

$X+Y=10$ $\qquad\cdots\cdots$ ㉠

$2^{x+y-3}=2$에서 $\dfrac{1}{8}\times 2^{x}\times 2^{y}=2$

$\dfrac{1}{8}XY=2$

$\therefore XY=16$ $\qquad\cdots\cdots$ ㉡

㉠, ㉡에서 $X,\;Y$를 두 근으로 하고 이차항의 계수가 1인 t에 대한 이차방정식은

$t^{2}-10t+16=0,\;(t-2)(t-8)=0$

$\therefore t=2$ 또는 $t=8$

즉, $X=2,\;Y=8$ 또는 $X=8,\;Y=2$

이때 $2^{x}=2,\;2^{y}=8$에서 $x=1,\;y=3$

$2^{x}=8,\;2^{y}=2$에서 $x=3,\;y=1$

따라서 $\alpha=1,\;\beta=3$ 또는 $\alpha=3,\;\beta=1$이므로

$\alpha^{2}+\beta^{2}=10$

$\qquad\qquad\qquad\qquad\qquad\qquad$🔖 ④

163

$4^{x}-a\times 2^{x+2}+4a^{2}+a-3=0$에서

$(2^{x})^{2}-4a\times 2^{x}+4a^{2}+a-3=0$

$2^{x}=t\;(t>0)$로 놓으면

$t^{2}-4at+4a^{2}+a-3=0$ $\qquad\cdots\cdots$ ㉠

주어진 방정식이 서로 다른 두 실근을 가지려면 ㉠은 양의 두 실근을 가져야 한다.

(i) 이차방정식 ㉠의 판별식을 D라고 하면

$\quad \dfrac{D}{4}=(-2a)^{2}-(4a^{2}+a-3)>0$

$\quad -a+3>0$ $\therefore a<3$

(ii) (두 근의 합)$=4a>0$ $\therefore a>0$

(iii) (두 근의 곱)$=4a^{2}+a-3>0$

$\quad (a+1)(4a-3)>0$ $\therefore a<-1$ 또는 $a>\dfrac{3}{4}$

(i), (ii), (iii)에서 $\dfrac{4}{3}<a<3$

$\qquad\qquad\qquad\qquad\qquad\qquad$🔖 $\dfrac{4}{3}<a<3$

이차방정식의 실근의 부호

이차방정식 $ax^2+bx+c=0$의 판별식을 D라고 할 때

(1) 두 근이 모두 양수 $\iff D\geq0,\ -\dfrac{b}{a}>0,\ \dfrac{c}{a}>0$

(2) 두 근이 모두 음수 $\iff D\geq0,\ -\dfrac{b}{a}<0,\ \dfrac{c}{a}>0$

(3) 두 근이 서로 다른 부호 $\iff \dfrac{c}{a}<0$

164

$6^{2x}+a\times6^{x+1}+15-6a=0$에서 $(6^x)^2+6a\times6^x+15-6a=0$

$6^x=t\ (t>0)$로 놓으면

$t^2+6at+15-6a=0$ ⋯⋯ ㉠

주어진 방정식의 두 근을 $\alpha,\ 2a\ (a>0)$라고 하면

방정식 ㉠의 두 근은 $6^\alpha,\ 6^{2a}$이므로 근과 계수의 관계에 의하여

$6^\alpha+6^{2a}=-6a,\ 6^\alpha\times6^{2a}=6^{3a}=15-6a$

$6^\alpha=k\ (k>0)$로 놓으면

$k+k^2=-6a$ ⋯⋯ ㉡

$k^3=15-6a$ ⋯⋯ ㉢

㉡을 ㉢에 대입하면 $k^3=15+k+k^2$

$k^3-k^2-k-15=0,\ (k-3)(k^2+2k+5)=0$

$\therefore k=3\ (\because k^2+2k+5>0)$

$k=3$을 ㉡에 대입하면

$3+9=-6a$ $\therefore a=-2$

답 ②

165

두 함수 $y=2^{x+1},\ y=4^x$의 그래프의 교점의 x좌표를 구하면

$2^{x+1}=4^x$에서 $2^{x+1}=2^{2x}$

$x+1=2x$ $\therefore x=1$

$\mathrm{A}(k,\ 2^{k+1}),\ \mathrm{B}(k,\ 4^k)$이므로

(i) $k>1$일 때

$\overline{\mathrm{AB}}=4^k-2^{k+1}=8,\ (2^k)^2-2\times2^k-8=0$

$2^x=t\ (t>0)$로 놓으면

$t^2-2t-8=0,\ (t+2)(t-4)=0$

$\therefore t=4\ (\because t>0)$

즉, $2^k=4$ $\therefore k=2$

(ii) $k<1$일 때

$\overline{\mathrm{AB}}=2^{k+1}-4^k=8,\ 4^k-2^{k+1}+8=0$

$(2^k)^2-2\times2^k+8=0$

$2^k=p\ (p>0)$로 놓으면

$p^2-2p+8=0$ ⋯⋯ ㉠

이차방정식 ㉠의 판별식을 D라고 하면

$\dfrac{D}{4}=(-1)^2-8=-7<0$

이므로 방정식 ㉠은 실근을 갖지 않는다.

즉, $\overline{\mathrm{AB}}=8$을 만족시키는 k의 값이 존재하지 않는다.

(i), (ii)에서 $k=2$

답 ①

166

$a^0=1\ (a\neq0),\ (-1)^{2n}=1\ (n$은 자연수)이므로 밑과 지수의 각 경우를 나누어 x의 값을 구한다.

(i) $x^2-x-1=1$일 때

$x^2-x-2=0,\ (x+1)(x-2)=0$

$\therefore x=-1$ 또는 $x=2$

(ii) $x^2-x-1=-1,\ x+2$는 짝수일 때

$x^2-x=0,\ x(x-1)=0$

$\therefore x=0$ 또는 $x=1$

그런데 $x=1$이면 $x+2$는 짝수가 아니므로 $x=0$

(iii) $x^2-x-1\neq0,\ x+2=0$일 때

$x=-2$

(i), (ii), (iii)에서 정수 x는 $-2,\ -1,\ 0,\ 2$이므로 그 합은

$-2+(-1)+0+2=-1$

답 ③

167

$9^{f(x)}-8\times3^{f(x)}<9$에서 $\{3^{f(x)}\}^2-8\times3^{f(x)}-9<0$

$3^{f(x)}=t\ (t>0)$로 놓으면

$t^2-8t-9<0,\ (t+1)(t-9)<0$

$\therefore -1<t<9$

이때 $t>0$이므로

$0<t<9$

즉, $0<3^{f(x)}<3^2$이고 밑이 1보다 크므로

$f(x)<2$

$x^2-x-4<2$에서 $x^2-x-6<0$

$(x+2)(x-3)<0$ $\therefore -2<x<3$

따라서 정수 x는 $-1,\ 0,\ 1,\ 2$의 4개이다.

답 ④

168

$4^x-2k\times2^x+4\geq0$에서 $(2^x)^2-2k\times2^x+4\geq0$

$2^x=t\ (t>0)$로 놓으면

$t^2-2kt+4\geq0$

$(t-k)^2-k^2+4\geq0$ ⋯⋯ ㉠

부등식 ㉠이 $t>0$인 모든 실수 t에 대하여 성립하려면

(i) $k>0$일 때

$-k^2+4\geq0,\ k^2-4\leq0$

$(k+2)(k-2)\leq0$ $\therefore -2\leq k\leq2$

그런데 $k>0$이므로 $0<k\leq2$

(ii) $k\leq0$일 때

$t=0$이면 ㉠에서 $4\geq0$이므로 $t>0$인 모든 실수 t에 대하여 부등식 ㉠이 성립한다.

(i), (ii)에서 $k\leq2$

따라서 실수 k의 최댓값은 2이다.

답 2

169

(i) $0<x<1$일 때

$x^{4x+2} \geq x^{x^2-3}$에서

$4x+2 \leq x^2-3$, $x^2-4x-5 \geq 0$

$(x+1)(x-5) \geq 0$ $\quad \therefore x \leq -1$ 또는 $x \geq 5$

이때 $0<x<1$을 만족시키지 않는다.

(ii) $x>1$일 때

$x^{4x+2} \geq x^{x^2-3}$에서

$4x+2 \geq x^2-3$, $x^2-4x-5 \leq 0$

$(x+1)(x-5) \leq 0$ $\quad \therefore -1 \leq x \leq 5$

이때 $x>1$이므로 $1<x \leq 5$

(i), (ii)에서 $1<x \leq 5$

따라서 자연수 x의 최댓값은 5이다.

답 5

170

$3^{x^2+x} \leq 9^{2-x}$에서 $\quad 3^{x^2+x} \leq 3^{2(2-x)}$

밑이 1보다 크므로

$x^2+x \leq 2(2-x)$, $x^2+3x-4 \leq 0$

$(x+4)(x-1) \leq 0$ $\quad \therefore -4 \leq x \leq 1$ ...... ㉠

$4^x-5 \times 2^x+4 < 0$에서

$(2^x)^2-5 \times 2^x+4 < 0$

$2^x=t$ $(t>0)$로 놓으면

$t^2-5t+4 < 0$, $(t-1)(t-4) < 0$

$\therefore 1<t<4$

즉, $2^0<2^x<2^2$에서 $\quad 0<x<2$ ...... ㉡

㉠, ㉡에서 $\quad 0<x \leq 1$

따라서 $\alpha=0$, $\beta=1$이므로

$\alpha+2\beta=0+2 \times 1=2$

답 ⑤

171

$\left(\dfrac{1}{2}\right)^{f(x)g(x)} \geq \left(\dfrac{1}{8}\right)^{g(x)}$에서

$\left(\dfrac{1}{2}\right)^{f(x)g(x)} \geq \left(\dfrac{1}{2}\right)^{3g(x)}$

밑이 1보다 작으므로

$f(x)g(x) \leq 3g(x)$

$f(x)g(x)-3g(x) \leq 0$

$\{f(x)-3\}g(x) \leq 0$ ...... ㉠

이때 ㉠을 만족시키는 경우는 다음과 같이 두 가지로 나눌 수 있다.

(i) $f(x)-3 \geq 0$, $g(x) \leq 0$인 경우

즉, $f(x) \geq 3$, $g(x) \leq 0$을 만족시키는 자연수 x의 값은 1이다.

(ii) $f(x)-3 \leq 0$, $g(x) \geq 0$인 경우

즉, $f(x) \leq 3$, $g(x) \geq 0$을 만족시키는 자연수 x의 값은 3, 4, 5이다.

(i), (ii)에서 주어진 부등식을 만족시키는 모든 자연수 x의 값은 1, 3, 4, 5이므로 구하는 합은

$1+3+4+5=13$

답 ④

172

20년 후의 방사능이 초기 방사능의 $\dfrac{1}{2}$이 되므로

$\dfrac{1}{2}y_0=y_0a^{-20}$ $\quad \therefore a^{-20}=\dfrac{1}{2}$

한편 이 물질의 방사능이 초기 방사능의 1 %가 되는 것은 k년 후이므로

$\dfrac{1}{100}y_0=y_0a^{-k}$ $\quad \therefore a^{-k}=\dfrac{1}{100}$

그런데 $\left(\dfrac{1}{2}\right)^7<\dfrac{1}{100}<\left(\dfrac{1}{2}\right)^6$이므로

$(a^{-20})^7<a^{-k}<(a^{-20})^6$

$a^{-140}<a^{-k}<a^{-120}$

이때 $a>1$이므로 $-140<-k<-120$

$\therefore 120<k<140$

답 ③

173

접근

100 이하의 자연수에 대하여 2^n 꼴인 것의 개수를 찾고, 로그의 여러 가지 성질을 이용한다.

$2^n \leq 100$일 때,

$n=1$, 2, 3, 4, 5, 6에서 $2^n=2$, 4, 8, 16, 32, 64

$\therefore f(1)+f(2)+f(3)+\cdots+f(99)+f(100)$

$= \{f(2)+f(2^2)+\cdots+f(2^6)\}+1 \times 94$

$= \{\log_3 2+\log_3 2^2+\cdots+\log_3 2^6\}+94$

$= (1+2+\cdots+6)\log_3 2+94$

$= 21\log_3 2+94$

따라서 $a=94$, $b=21$이므로

$a+b=94+21=115$

답 115

174

ㄱ. $y=\log_6(6x+12)=\log_6 6(x+2)$

$=\log_6 6+\log_6(x+2)=1+\log_6(x+2)$

의 그래프는 $y=\log_6 x$의 그래프를 x축의 방향으로 -2만큼, y축의 방향으로 1만큼 평행이동한 것이다.

ㄴ. $y=\log_6 \dfrac{1}{3}x=\log_6 \dfrac{1}{3}+\log_6 x=-\log_6 3+\log_6 x$

의 그래프는 $y=\log_6 x$의 그래프를 y축의 방향으로 $-\log_6 3$만큼 평행이동한 것이다.

ㄷ. $y=\log_6 x^2=2\log_6 |x|$의 그래프는 함수 $y=\log_6 x$의 그래프를 평행이동 또는 대칭이동하여 겹쳐질 수 없다.

ㄹ. $y=2 \times 6^x-1$에서

$y=6^{\log_6 2} \times 6^x-1$, $y=6^{x+\log_6 2}-1$

$\underline{y=\log_6 x}$를 직선 $y=x$에 대하여 대칭이동시킨 후에 x축의 방향으로 $-\log_6 2$만큼, y축의 방향으로 -1만큼 평행이동한 것이다.

$\quad \rightharpoondown y=\log_6 x$를 직선 $y=x$에 대하여 대칭이동하면 $y=6^x$

따라서 $y=\log_6 x$의 그래프를 평행이동 또는 대칭이동하여 겹쳐질 수 있는 식은 ㄱ, ㄴ, ㄹ이다.

답 ⑤

175

$y=\log_7(49-x^2)$에서 진수의 조건에 의하여

$49-x^2>0$

$x^2-49<0$

$(x+7)(x-7)<0$

$\therefore -7<x<7$

$\therefore A=\{x\,|\,-7<x<7\}$

$y=\log_7(\log_7 x)$에서 진수의 조건에 의하여

$x>0$이고 $\log_7 x>0$이므로 $x>1$

$\therefore B=\{x\,|\,x>1\}$

따라서 $A\cap B=\{x\,|\,1<x<7\}$이므로 $A\cap B$의 원소 중 정수는 2, 3, 4, 5, 6의 5개이다.

답 ③

176

점 A의 x좌표가 2이므로

$y=\log_2 2=1$ $\therefore$ A$(2,\,1)$

점 B의 x좌표가 2이므로

$y=\log_{\sqrt{2}} 2=2$ $\therefore$ B$(2,\,2)$

점 C의 y좌표는 점 B의 y좌표와 같으므로 2이고

$\log_2 x=2$에서 $x=4$ $\therefore$ C$(4,\,2)$

또, 점 D의 x좌표는 점 C의 x좌표와 같으므로 4이고

$y=\log_{\sqrt{2}} 4=4$ $\therefore$ D$(4,\,4)$

$\therefore \overline{AB}+\overline{BC}+\overline{CD}=1+2+2=5$

답 5

177

곡선 $y=2^{x+3}-1$은 두 점 $(0,\,7)$, $(-3,\,0)$을 지난다.

두 곡선 $y=2^{x+3}-1$과

$y=\log_{\frac{1}{2}}(x+a)$가 제2사분면에서 만나려면 a의 값은 곡선

$y=\log_{\frac{1}{2}}(x+a)$가 점 $(0,\,7)$을 지나도록 하는 a의 값보다는 커야 하고 점 $(-3,\,0)$을 지나도록 하는 a의 값보다는 작아야 한다.

곡선 $y=\log_{\frac{1}{2}}(x+a)$가 점 $(0,\,7)$을 지나려면

$7=\log_{\frac{1}{2}} a$ $\therefore a=\left(\dfrac{1}{2}\right)^7=\dfrac{1}{128}$

$\therefore a>\dfrac{1}{128}$ ······ ㉠

곡선 $y=\log_{\frac{1}{2}}(x+a)$가 점 $(-3,\,0)$을 지나려면

$0=\log_{\frac{1}{2}}(-3+a)$에서

$-3+a=\left(\dfrac{1}{2}\right)^0=1$ $\therefore a=4$

$\therefore a<4$ ······ ㉡

이때 로그의 진수의 조건에 의하여

$-3+a>0$ $\therefore a>3$ ······ ㉢

㉠, ㉡, ㉢의 공통부분을 구하면

$3<a<4$

답 ⑤

178

ㄱ은 옳다.

$y=\log_4 |x|$의 그래프는 다음 그림과 같으므로 y축에 대하여 대칭이다.

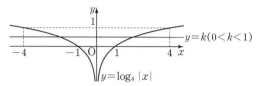

ㄴ도 옳다.

위의 그림에서 $y=\log_4 |x|$의 그래프는 직선 $y=k\,(0<k<1)$와 서로 다른 두 점에서 만난다.

ㄷ은 옳지 않다.

$y=|\log_4 x|$의 그래프는 오른쪽 그림과 같으므로 $y=\log_4 |x|$의 그래프와 x축에 대하여 대칭이 아니다.

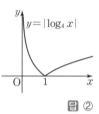

따라서 옳은 것은 ㄱ, ㄴ이다.

답 ②

179

오른쪽 그림에서 A$(\beta,\,\log_9 \beta)$이므로

B$(\log_9 \beta,\,\log_9 \beta)$,

C$(\log_9 \beta,\,3^{\log_9 \beta})$, D$(\alpha,\,3^{\log_9 \beta})$

이때 점 D는 직선 $y=x$ 위의 점이므로

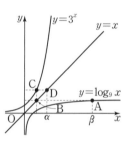

$\alpha=3^{\log_9 \beta}=\beta^{\log_9 3}=\beta^{\frac{1}{2}}$ $\therefore \alpha^2=\beta$

$\alpha^3=\alpha\beta=64$이므로 $\alpha=4$

$\therefore \beta=\alpha^2=4^2=16$

$\therefore \alpha+\beta=4+16=20$

답 ③

180

$y=\log_2 \sqrt[3]{x}-3$으로 놓으면

$y+3=\dfrac{1}{3}\log_2 x$, $3(y+3)=\log_2 x$

$x=2^{3(y+3)}$

x와 y를 서로 바꾸면

$y=2^{3(x+3)}$ $\therefore g(x)=2^{3(x+3)}$

$f(2x+1)=\log_2 \sqrt[3]{(2x+1)}-3$에서

$y=\log_2 \sqrt[3]{(2x+1)}-3$으로 놓으면

$y+3=\dfrac{1}{3}\log_2 (2x+1)$, $3(y+3)=\log_2 (2x+1)$

$2x+1=2^{3(y+3)}$, $x=\dfrac{1}{2}\{2^{3(y+3)}-1\}$

x와 y를 서로 바꾸면 $y=\dfrac{1}{2}\{2^{3(x+3)}-1\}$

즉, 함수 $f(2x+1)$의 역함수는 $\dfrac{1}{2}\{g(x)-1\}$이다.

따라서 $a=\dfrac{1}{2}$, $b=-1$이므로

$ab=\dfrac{1}{2}\times(-1)=-\dfrac{1}{2}$

답 $-\dfrac{1}{2}$

181

▶접근

조건 (나) $f_{n+1}(x)=f_n(x^2)+f_n(x)$를 이용하여 $f_2(x)$, $f_3(x)$, $f_4(x)$의 값을 차례대로 구한다.

$$f_2(x)=f_1(x^2)+f_1(x)$$
$$=\log_3 x^2+\log_3 x$$
$$=2\log_3 x+\log_3 x$$
$$=3\log_3 x$$
$$f_3(x)=f_2(x^2)+f_2(x)$$
$$=3\log_3 x^2+3\log_3 x$$
$$=6\log_3 x+3\log_3 x$$
$$=9\log_3 x$$
$$f_4(x)=f_3(x^2)+f_3(x)$$
$$=9\log_3 x^2+9\log_3 x$$
$$=18\log_3 x+9\log_3 x$$
$$=27\log_3 x$$
$$\therefore \log_9\{f_4(27)\}=\log_9(27\log_3 27)$$
$$=\log_9(27\times 3)$$
$$=\log_9 81=2$$

답 2

182

함수 $y=f(x)$와 $y=\log_2(x+1)$은 역함수 관계이다.

점 $P(4, b)$가 곡선 $y=f(x)$ 위에 있으므로 점 $(b, 4)$는 곡선 $y=\log_2(x+1)$ 위에 있다.

$4=\log_2(b+1)$, $b+1=2^4=16$

$\therefore b=15$

또, 점 $Q(a, b)$가 곡선 $y=\log_2(x+1)$ 위에 있으므로

$b=\log_2(a+1)$, $a+1=2^b=2^{15}$

$\therefore a=2^{15}-1$

$\therefore a+b=(2^{15}-1)+15=2^{15}+14$

답 ⑤

183

$A(a, \log_3 a)$, $B(a, \log_9 a)$, $C(b, \log_3 b)$, $D(b, \log_9 b)$이므로

$$\overline{AB}=\log_3 a-\log_9 a$$
$$=\log_3 a-\frac{1}{2}\log_3 a$$
$$=\frac{1}{2}\log_3 a$$
$$\overline{CD}=\log_3 b-\log_9 b$$
$$=\log_3 b-\frac{1}{2}\log_3 b$$
$$=\frac{1}{2}\log_3 b$$

$\overline{AB}:\overline{CD}=1:3$이므로 $\overline{CD}=3\overline{AB}$

$\dfrac{1}{2}\log_3 b=\dfrac{3}{2}\log_3 a$

$\therefore b=a^3$

답 ④

184

$1<x<9$의 각 변에 밑이 3인 로그를 취하면

$0<\log_3 x<2$ ...... ㉠

(i) $A-B=\log_3 x^2-(\log_3 x)^2$
$\qquad =2\log_3 x-(\log_3 x)^2$
$\qquad =(2-\log_3 x)\log_3 x$

㉠에서 $\log_3 x>0$, $2-\log_3 x>0$이므로 $A-B>0$

$\therefore A>B$

(ii) $0<\log_3 x<1$일 때 $0<(\log_3 x)^2<1$

$\therefore 0<B<1$ ...... ㉡

$\log_3 x<1$의 양변에 밑이 3인 로그를 취하면

$\log_3(\log_3 x)<0$ $\therefore C<0$ ...... ㉢

㉡, ㉢에서 $C<B$

$1\le\log_3 x<2$일 때 $1\le(\log_3 x)^2<4$

$\therefore 1\le B<4$ ...... ㉣

$1\le\log_3 x<2$의 양변에 밑이 3인 로그를 취하면

$0\le\log_3(\log_3 x)<\log_3 2<1$

$\therefore 0\le C<1$ ...... ㉤

㉣, ㉤에서 $C<B$

(i), (ii)에서 $C<B<A$

답 ⑤

185

오른쪽 그림과 같이 직선 $y=-x+a$와 y축이 만나는 점을 D라고 하자.

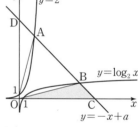

두 곡선 $y=2^x$과 $y=\log_2 x$는 직선 $y=x$에 대하여 대칭이므로 $C(a, 0)$, $D(0, a)$, $\overline{BC}=\overline{AD}$

조건 (가)에서 $\overline{AB}:\overline{BC}=3:1$이므로 $\triangle OBA:\triangle OBC=3:1$이고, $\triangle OAD=\triangle OBC$

$$\therefore \triangle OBC=\frac{1}{5}\triangle OCD$$
$$=\frac{1}{5}\times\frac{1}{2}\times a\times a$$
$$=\frac{1}{10}a^2$$

이때 삼각형 OBC의 넓이가 40이므로

$\dfrac{1}{10}a^2=40$, $a^2=400$

$\therefore a=20$ $(\because a>0)$

점 $A(p, q)$는 직선 $y=-x+20$ 위의 점이므로

$q=-p+20$ $\therefore p+q=20$

답 ③

다른 풀이

$A(p, q)$, $C(a, 0)$이고, $\overline{AB}:\overline{BC}=3:1$이므로 점 B는 선분 AC를 3 : 1로 내분하는 점이다.

$\therefore B\left(\dfrac{3\times a+p\times 1}{3+1}, \dfrac{3\times 0+q\times 1}{3+1}\right)$, 즉 $B\left(\dfrac{3a+p}{4}, \dfrac{q}{4}\right)$

한편 두 곡선 $y=2^x$과 $y=\log_2 x$는 직선 $y=x$에 대하여 대칭이므로 점 A와 점 B는 직선 $y=x$에 대하여 대칭이다.

이때 점 $A(p, q)$이므로 점 $B(q, p)$이다.

즉, $B\left(\dfrac{3a+p}{4}, \dfrac{q}{4}\right)$와 $B(q, p)$가 일치하므로

$$\dfrac{3a+p}{4}=q, \dfrac{q}{4}=p$$

$$\therefore a=5p, q=4p$$

삼각형 OBC의 넓이가 40이므로

$$\dfrac{1}{2}\times a\times p=40, \dfrac{1}{2}\times 5p\times p=40, \dfrac{5}{2}p^2=40$$

$$p^2=16 \quad \therefore p=4 (\because p>0)$$

$$\therefore a=5p=5\times 4=20$$

풍쌤 비법

지수함수와 로그함수의 관계

로그함수 $y=\log_a x (a>0, a\neq 1)$는 지수함수 $y=a^x (a>0,$ $a\neq 1)$의 역함수이므로 로그함수 $y=\log_a x$의 그래프는 지수함수 $y=a^x$의 그래프와 직선 $y=x$에 대하여 대칭이다.

(1) $a>1$일 때 (2) $0<a<1$일 때

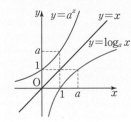 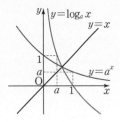

186

$y=\log_{\frac{1}{3}}(2x+1)+k$에서 밑이 1보다 작으므로

$x=1$일 때 최댓값 $\log_{\frac{1}{3}}3+k=k-1$,

$x=4$일 때 최솟값 $\log_{\frac{1}{3}}9+k=k-2$를 갖는다.

최댓값이 최솟값의 2배이므로

$$k-1=2(k-2) \quad \therefore k=3$$

답 ②

187

$f(x)=\log_2 x$에서 $\log_2 x=t$로 놓으면

$2\leq x\leq 16$에서 $1\leq t\leq 4$

$(f\circ f)(x)=f(f(x))=\log_2 f(x)=\log_2 t$이고 밑이 1보다 크므로

$t=4$일 때 최댓값 $\log_2 4=2$,

$t=1$일 때 최솟값 $\log_2 1=0$을 갖는다.

따라서 최댓값과 최솟값의 합은

$$2+0=2$$

답 2

188

$y=\log_{\frac{1}{3}}|-x^2+4x-1|$에서 밑이 1보다 작으므로

$|-x^2+4x-1|$의 값이 최대일 때, 주어진 함수는 최솟값을 갖는다.

$f(x)=|-x^2+4x-1|$로 놓으면

$$f(x)=|-x^2+4x-1|$$
$$=|-(x-2)^2+3|$$

$1\leq x\leq 3$에서 $f(x)$의 최댓값은 $x=2$일 때 $f(2)=3$이므로

$y=\log_{\frac{1}{3}}|-x^2+4x-1|$의 최솟값은

$$\log_{\frac{1}{3}}3=-1$$

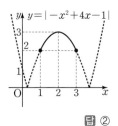

답 ②

189

$$\log_5\left(x+\dfrac{1}{y}\right)+\log_5\left(y+\dfrac{25}{x}\right)=\log_5\left(x+\dfrac{1}{y}\right)\left(y+\dfrac{25}{x}\right)$$
$$=\log_5\left(xy+\dfrac{25}{xy}+26\right)$$

이때 $xy>0, \dfrac{25}{xy}>0$이므로 산술평균과 기하평균의 관계에 의하여

$$xy+\dfrac{25}{xy}+26\geq 2\sqrt{xy\times\dfrac{25}{xy}}+26=36$$

(단, 등호는 $xy=5$일 때 성립한다.)

따라서 주어진 식의 최솟값은 $\log_5 36$이다.

답 ⑤

190

→ **접근**

주어진 함수의 분모의 지수에 밑이 3인 로그가 있으므로 주어진 함수식에 밑이 3인 로그를 취하고 식을 정리한 후, 치환을 이용한다. 이때 치환된 범위에 주의한다.

$y=\dfrac{27x^2}{x^{\log_3 x}}$의 양변에 밑이 3인 로그를 취하면

$$\log_3 y=\log_3\dfrac{27x^2}{x^{\log_3 x}}$$
$$=\log_3 27x^2-\log_3 x^{\log_3 x}$$
$$=3+2\log_3 x-(\log_3 x)^2$$

$\log_3 x=t$로 놓으면 $\dfrac{1}{3}\leq x\leq 9$에서 $-1\leq t\leq 2$

$\log_3 y=-t^2+2t+3=-(t-1)^2+4$는 $t=1$일 때 최대이고 $\log_3 y$의 최댓값은 4이다.

또, $t=-1$일 때 최소이고 $\log_3 y$의 최솟값은 0이다.

즉, 주어진 함수는

$x=3$일 때 최댓값 81, $\quad$ ┌─ $t=1$에서 $\log_3 x=1$ $\therefore x=3$

$x=\dfrac{1}{3}$일 때 최솟값 1을 갖는다. $\quad$ └ $\log_3 y=4$에서 $y=3^4=81$

따라서 $a=3, b=81, c=\dfrac{1}{3}, d=1$이므로 $\quad$ ┌─ $t=-1$에서 $\log_3 x=-1$

$a+b-3c+d=3+81-3\times\dfrac{1}{3}+1=84$ $\quad$ $\therefore x=\dfrac{1}{3}$

$\log_3 y=0$에서 $y=3^0=1$

답 84

191

$\log x=X, \log y=Y$로 놓으면 $x\geq 10, y\geq 10$이므로

$X\geq 1, Y\geq 1$ $\qquad\qquad$ ······ ㉠

또, $xy=10^6$의 양변에 상용로그를 취하면

$\log xy = \log 10^6$

$\log x + \log y = 6$

$\therefore X + Y = 6$ ...... ⓒ

㉠, ⓒ에서 $1 \le X \le 5$

$\begin{aligned} f(x, y) &= \log x \times \log y + \log xy \\ &= \log x \times \log y + \log x + \log y \\ &= XY + X + Y \\ &= X(6-X) + 6 \\ &= -X^2 + 6X + 6 \\ &= -(X-3)^2 + 15 \end{aligned}$

따라서 $X=3$일 때 최댓값 15, $X=1$ 또는 $X=5$일 때 최솟값 11
을 가지므로

$M=15,\ m=11$

$\therefore Mm = 15 \times 11 = 165$

답 165

192

$\begin{aligned} y &= (\log_6 x)^2 + (\log_x 6)^2 + 2(\log_6 x + \log_x 6) + 7 \\ &= (\log_6 x + \log_x 6)^2 + 2(\log_6 x + \log_x 6) + 5 \end{aligned}$

$\log_6 x + \log_x 6 = t$로 놓으면

$y = t^2 + 2t + 5$

$x > 1$에서 $\log_6 x > 0$, $\log_x 6 > 0$이므로 산술평균과 기하평균의 관
계에 의하여

$t = \log_6 x + \log_x 6 \ge 2\sqrt{\log_6 x \times \log_x 6} = 2$

(단, 등호는 $\log_6 x = \log_x 6$, 즉 $x=6$일 때 성립한다.)

$y = t^2 + 2t + 5 = (t+1)^2 + 4$이고 $t \ge 2$이므로 $t=2$일 때 최솟값 13
을 갖는다.

답 13

참고

$\log_6 x = s$로 치환해서 풀어도 된다.

$\log_6 x = s$로 놓으면 $\log_x 6 = \dfrac{1}{s}$

$\begin{aligned} y &= s^2 + \frac{1}{s^2} + 2\left(s + \frac{1}{s}\right) + 7 \\ &= \left(s + \frac{1}{s}\right)^2 + 2\left(s + \frac{1}{s}\right) + 5 \end{aligned}$

이때 $x > 1$에서 $s > 0$, $\dfrac{1}{s} > 0$이므로 산술평균과 기하평균의 관계에
의하여

$s + \dfrac{1}{s} \ge 2\sqrt{s \times \dfrac{1}{s}} = 2$

따라서 y의 최솟값은 $2^2 + 2 \times 2 + 5 = 13$이다.

193

$(6x)^{\log 6} - (5x)^{\log 5} = 0$에서

$(6x)^{\log 6} = (5x)^{\log 5}$의 양변에 상용로그를 취하면

$\log (6x)^{\log 6} = \log (5x)^{\log 5}$

$\log 6 \times \log 6x = \log 5 \times \log 5x$

$\log 6(\log 6 + \log x) = \log 5(\log 5 + \log x)$

$(\log 6 - \log 5)\log x = (\log 5)^2 - (\log 6)^2$

$(\log 6 - \log 5)\log x = (\log 5 + \log 6)(\log 5 - \log 6)$

$\log x = -(\log 5 + \log 6)$

$\log x = -\log 30 = \log \dfrac{1}{30}$

$\therefore x = \dfrac{1}{30}$

답 ②

194

$2^x - 2 \times 4^{-y} = 7$에서

$2^x - 2 \times 2^{-2y} = 7$ ...... ㉠

$\log_2 (x-2) - \log_2 y = 1$에서

$\log_2 \dfrac{x-2}{y} = \log_2 2$, $\dfrac{x-2}{y} = 2$

$\therefore 2y = x-2$ ...... ⓒ

ⓒ을 ㉠에 대입하면

$2^x - 2 \times 2^{-x+2} = 7$

양변에 2^x을 곱하여 정리하면

$(2^x)^2 - 7 \times 2^x - 8 = 0$

$2^x = t\ (t > 0)$로 놓으면

$t^2 - 7t - 8 = 0,\ (t+1)(t-8) = 0$

$\therefore t = 8\ (\because t > 0)$

즉, $2^x = 8 = 2^3$이므로 $x=3$

$x=3$을 ⓒ에 대입하면

$2y = 1$ $\therefore y = \dfrac{1}{2}$

따라서 $\alpha = 3$, $\beta = \dfrac{1}{2}$이므로

$10\alpha\beta = 10 \times 3 \times \dfrac{1}{2} = 15$

답 15

195

$(\log_5 x)^2 - 7\log_5 x - a = 0$에서 $\log_5 x = t$로 놓으면

$t^2 - 7t - a = 0$

이때 두 실근은 $\log_5 \alpha$, $\log_5 \beta$이므로 이차방정식의 근과 계수의 관
계에 의하여

$\log_5 \alpha + \log_5 \beta = 7$ $\therefore \log_5 \alpha\beta = 7$ ...... ㉠

$\log_5 \alpha \times \log_5 \beta = -a$ ...... ⓒ

$(\log_5 x)^2 + b\log_5 x - 14 = 0$에서

$t^2 + bt - 14 = 0$

이때 두 실근은 $\log_5 \dfrac{25}{\alpha}$, $\log_5 \dfrac{25}{\beta}$, 즉 $2 - \log_5 \alpha$, $2 - \log_5 \beta$이므
로 이차방정식의 근과 계수의 관계에 의하여

$(2 - \log_5 \alpha) + (2 - \log_5 \beta)$

$= 4 - \log_5 \alpha\beta$

$= 4 - 7 = -3 = -b\ (\because ㉠)$

$\therefore b = 3$

$(2 - \log_5 \alpha)(2 - \log_5 \beta)$

$= 4 - 2(\log_5 \alpha + \log_5 \beta) + \log_5 \alpha \times \log_5 \beta$

$= 4 - 2\log_5 \alpha\beta + \log_5 \alpha \times \log_5 \beta$

$= 4 - 2 \times 7 - a = -14\ (\because ㉠, ⓒ)$

$\therefore a = 4$

$$\therefore a+b=4+3=7$$

답 ④

196

진수의 조건에서 $x>0$이고 $x\neq2$이어야 한다.

(i) $0<x<2$일 때

$3-|1-\log_2 x|=\log_2|x-2|+1$에서

$3-(1-\log_2 x)=\log_2(2-x)+1$

$\log_2(2-x)-\log_2 x=1$

$\log_2\dfrac{2-x}{x}=1,\ \dfrac{2-x}{x}=2$

$2-x=2x\qquad\therefore x=\dfrac{2}{3}$

(ii) $x>2$일 때

$3-|1-\log_2 x|=\log_2|x-2|+1$에서

$3-(\log_2 x-1)=\log_2(x-2)+1$

$\log_2(x-2)+\log_2 x=3$

$\log_2\{x(x-2)\}=3$

$\log_2(x^2-2x)=3$

$x^2-2x=8$

$x^2-2x-8=0$

$(x+2)(x-4)=0$

$\therefore x=4\ (\because x>2)$

(i), (ii)에서 주어진 방정식의 실근의 합은

$\dfrac{2}{3}+4=\dfrac{14}{3}$

답 ⑤

참고

절댓값 근호 안의 식의 값이 0이 되는 x의 값을 기준으로 x의 값의 범위를 나누어 구한다.

$1-\log_2 x=0$에서

$\log_2 x=1\qquad\therefore x=2$

이때 $x=2$이면 방정식이 성립되지 않으므로 $x\neq2$이다.

197

수신된 신호 전력이 $4\,\mathrm{W}$이고 잡음 전력이 $\dfrac{2}{3}\,\mathrm{W}$일 때,

$$C=B\log_2\left(1+\dfrac{4}{\frac{2}{3}}\right)=B\log_2 7$$

이때 잡음 전력을 $a\,\mathrm{W}$로 변경하면

$$C=B\log_2\left(1+\dfrac{4}{a}\right)$$

이고 이 채널 용량이 현재의 3배인 통신선이 되므로

$$3B\log_2 7=B\log_2\left(1+\dfrac{4}{a}\right)$$

$$\log_2 7^3=\log_2\left(1+\dfrac{4}{a}\right)$$

$$343=1+\dfrac{4}{a}$$

$$\therefore a=\dfrac{2}{171}$$

답 ①

198

진수의 조건에 의하여

$x>0$ ...... ㉠

$\log_2 x>0$에서 $x>1$ ...... ㉡

$\log_3(\log_2 x)>0$에서 $\log_2 x>1$ $\therefore x>2$ ...... ㉢

㉠, ㉡, ㉢에 의하여 $x>2$ ...... ㉣

$\log_{\frac{1}{5}}\{\log_3(\log_2 x)\}>0$에서

$\log_{\frac{1}{5}}\{\log_3(\log_2 x)\}>\log_{\frac{1}{5}}1$

밑이 1보다 작으므로

$\log_3(\log_2 x)<1$

$\log_3(\log_2 x)<\log_3 3$

밑이 1보다 크므로

$\log_2 x<3$

$\log_2 x<\log_2 8$ $\therefore x<8$ ...... ㉤

㉣, ㉤의 공통부분을 구하면

$2<x<8$

따라서 정수 x의 개수는 3, 4, 5, 6, 7의 5개이다.

답 ⑤

199

$\left(\dfrac{2}{3}\right)^{3x-1}\geq\left(\dfrac{3}{2}\right)^{x-3}$에서 $\left(\dfrac{3}{2}\right)^{1-3x}\geq\left(\dfrac{3}{2}\right)^{x-3}$

밑이 1보다 크므로

$1-3x\geq x-3\qquad\therefore x\leq1$ ...... ㉠

$\log_3(x^2-2x+24)$에서

$x^2-2x+24=(x-1)^2+23>0$

즉, 모든 실수 x가 진수 조건을 만족시킨다.

또, $\log_3(x^2-2x+24)<3$에서 밑이 1보다 크므로

$\log_3(x^2-2x+24)<\log_3 27$에서

$x^2-2x+24<27,\ x^2-2x-3<0$

$(x+1)(x-3)<0$ $\therefore -1<x<3$ ...... ㉡

㉠, ㉡의 공통부분을 구하면

$-1<x\leq1$

답 $-1<x\leq1$

200

$5^{3+x}<2\times4^x$의 양변에 상용로그를 취하면

$\log 5^{3+x}<\log(2\times4^x)$

$\log 5^{3+x}<\log 2^{2x+1}$

$(3+x)\log 5<(2x+1)\log 2$

$(2\log 2-\log 5)x>3\log 5-\log 2$

이때 $\log 5=\log\dfrac{10}{2}=\log 10-\log 2=1-0.3=0.7$이므로

$(2\times0.3-0.7)x>3\times0.7-0.3$

$-0.1x>1.8$

$\therefore x<-18$

따라서 가장 큰 정수는 -19이다.

답 -19

201

$\log_3 ax \times \log_3 a^3x + 4 > 0$에서

$(\log_3 a + \log_3 x)(3\log_3 a + \log_3 x) + 4 > 0$

$(\log_3 x)^2 + 4\log_3 a \times \log_3 x + 3(\log_3 a)^2 + 4 > 0$

$\log_3 x = t$로 놓으면

$t^2 + (4\log_3 a)t + 3(\log_3 a)^2 + 4 > 0$

모든 실수 t에 대하여 부등식이 성립해야 하므로 이차방정식

$t^2 + (4\log_3 a)t + 3(\log_3 a)^2 + 4 = 0$의 판별식을 D라고 하면

$\dfrac{D}{4} = (2\log_3 a)^2 - 3(\log_3 a)^2 - 4 < 0$

$(\log_3 a)^2 - 4 < 0$

$(\log_3 a + 2)(\log_3 a - 2) < 0$

$-2 < \log_3 a < 2$

$\therefore \dfrac{1}{9} < a < 9$

따라서 자연수 a의 최댓값은 8, 최솟값은 1이므로 구하는 합은

$1 + 9 = 10$

답 10

202

▶ 접근

로그에 미지수가 있는 부등식을 풀어 두 집합 A, B를 나타낸다. 이때 $A \subset B$가 되려면 집합 A에 속하는 모든 원소가 집합 B에 속해야 함을 이용한다.

$A = \{x \mid \log_2 |x-a| < 1\}$
$= \{x \mid 0 < |x-a| < 2\}$ — $0 < x-a < 2$에서 $a < x < a+2$ / $0 < -x+a < 2$에서 $a-2 < x < a$
$= \{x \mid a-2 < x < a$ 또는 $a < x < a+2\}$

$B = \{x \mid \log_{\frac{4}{a}}(8x+32) < \log_{\frac{4}{a}}(x^2+12)\}$ — $a > 4$에서 밑이 1보다 작으므로 $8x+32 > x^2+12$
$= \{x \mid 8x+32 > x^2+12, \ x > -4\}$ — 진수의 조건에서 $8x+32 > 0, \ x^2+12 > 0$
$= \{x \mid x^2-8x-20 < 0, \ x > -4\}$ — $\therefore x > -4$
$= \{x \mid (x+2)(x-10) < 0, \ x > -4\}$
$= \{x \mid -2 < x < 10\}$ — $(x+2)(x-10) < 0$에서 $-2 < x < 10$

$A \subset B$이기 위해서는 $-2 \le a-2$이고 $a+2 \le 10$이어야 한다. — $a \ge 0$ / $a \le 8$

$\therefore 0 \le a \le 8$

이때 $a > 4$이므로 $4 < a \le 8$

따라서 모든 자연수 a는 5, 6, 7, 8이므로 그 합은

$5+6+7+8 = 26$

답 ②

203

$A(k, \log_2 k)$, $B(k, \log_a k)$, $C(k, 0)$이므로

$\overline{AC} = \log_2 k$, $\overline{BC} = -\log_a k$

$\overline{AC} : \overline{BC} = 2 : 5$이므로

$\log_2 k : (-\log_a k) = 2 : 5$

$-2\log_a k = 5\log_2 k = t$ (t는 상수)라고 하면

$-2\log_a k = t$에서

$\log_a k = -\dfrac{t}{2}$ $\quad \therefore k = a^{-\frac{t}{2}}$ ⸻ ㉠

$5\log_2 k = t$에서

$\log_2 k = \dfrac{t}{5}$ $\quad \therefore k = 2^{\frac{t}{5}}$ ⸻ ㉡

㉠, ㉡에서 $a^{-\frac{t}{2}} = 2^{\frac{t}{5}}$ $\quad \therefore a = 2^{-\frac{2}{5}}$

$a^n < \dfrac{1}{100}$에서

$(2^{-\frac{2}{5}})^n < 10^{-2}, \ 2^{-\frac{n}{5}} < 10^{-1}, \ 2^{\frac{n}{5}} > 10$

양변에 상용로그를 취하면

$\log 2^{\frac{n}{5}} > \log 10, \ \dfrac{n}{5}\log 2 > 1$

$\therefore n > \dfrac{5}{\log 2} = \dfrac{5}{0.3010} = 16.6\cdots$

따라서 자연수 n의 최솟값은 17이다.

답 17

━━━ 상위 1% 도전 문제 ━━━━━━━━━━━━━━━━━━━━━

204

$g(x) = f(x) + f(-x)$
$= (3^x - a)^2 + (3^{-x} - a)^2$
$= (3^{2x} + 3^{-2x}) - 2a(3^x + 3^{-x}) + 2a^2$
$= (3^x + 3^{-x})^2 - 2 - 2a(3^x + 3^{-x}) + 2a^2$

$3^x + 3^{-x} = t$로 놓으면

$3^x > 0, \ 3^{-x} > 0$이므로 산술평균과 기하평균의 관계에 의하여

$t = 3^x + 3^{-x} \ge 2\sqrt{3^x \times 3^{-x}} = 2$

(단, 등호는 $3^x = 3^{-x}$일 때 성립한다.)

또,

$g(x) = t^2 - 2 - 2at + 2a^2 = (t-a)^2 + a^2 - 2$

이때 $g(x) = h(t)$라고 하자.

(i) $a > 2$일 때

$g(x)$는 $t = a$에서 최솟값 $h(a) = a^2 - 2$를 갖고

$h(a) > 2$

(ii) $0 < a \le 2$일 때

$g(x)$는 $t = 2$에서 최솟값 $h(2) = 2(a-1)^2$을 갖고

$0 \le h(2) \le 2$

(i), (ii)에서 $g(x)$의 최솟값이 14이므로 $a > 2$이고

$h(a) = a^2 - 2 = 14, \ a^2 = 16$

$a > 2$이므로 $a = 4$

답 ②

205

$f(x) - g(x) = m^{2x} - m^{x+1} + 2$에서

$y = f(x) - g(x), \ m^x = t \ (t > 0)$로 놓으면

$y = t^2 - mt + 2$

ㄱ은 옳다.

$m = 2\sqrt{2}$일 때, $y = t^2 - 2\sqrt{2}t + 2 = (t - \sqrt{2})^2 \ge 0$

이때 $t = \sqrt{2}$이면 $(2\sqrt{2})^x = \sqrt{2}, \ 2^{\frac{3}{2}x} = 2^{\frac{1}{2}}$에서 — $f(x) - g(x) = 0$일 때 $t = \sqrt{2}$

$\dfrac{3}{2}x = \dfrac{1}{2}$ $\quad \therefore x = \dfrac{1}{3}$

$f(x) - g(x) \ge 0$이고 $f(x) - g(x) = 0$의 해가 $x = \dfrac{1}{3}$이므로

$y = h(x)$의 그래프는 x축과 한 점에서 만난다.

ㄴ은 옳지 않다.

$m=4$일 때, $y=t^2-4t+2=(t-2)^2-2$
이므로 $y=h(t)$의 그래프는 오른쪽 그림
과 같다.

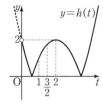

$x_1<x_2<\dfrac{1}{2}$에서 $t<2$

$t=4^{x_1}=1$, $t=4^{x_2}=\dfrac{3}{2}$이면 $x_1<x_2$이지만
$h(x_1)<h(x_2)$이다.

ㄷ도 옳다.

$y=h(x)$의 그래프와 직선 $y=1$이 오직 한 점에서 만나면
$t^2-mt+2=1$에서 $t^2-mt+1=0$
t에 대한 이차방정식의 판별식을 D라고 하면
$D=m^2-4=0$이어야 하므로
$(m+2)(m-2)=0$
$\therefore m=2\,(\because m>1)$
$p(t)=t^2-mt+1$로 놓으면
$m=2$이면 $p(t)=(t-1)^2\geq0$
$t=2^x=1$일 때 $x=0$
따라서 $y=h(x)$의 그래프와 직선 $y=1$이 오직 한 점에서 만나
는 m의 값이 존재한다.

따라서 옳은 것은 ㄱ, ㄷ이다.

답 ④

206

함수 $y=f(x)$의 그래프와 그 역함수 $y=f^{-1}(x)$의 그래프가 서로
다른 두 점에서 만날 때 두 점은 직선 $y=x$를 지난다.
즉, $A(a,\ 2^{a-k})$에서 점 A의 y좌표는 a, $B(b,\ 2^{b-k})$에서 점 B의
y좌표는 b이므로
$a=2^{a-k}$, $b=2^{b-k}$ ······ ㉠
한편 $\dfrac{2^b-2^a}{2^k}=n\,(n$은 자연수$)$이라고 하면
$n=\dfrac{2^b}{2^k}-\dfrac{2^a}{2^k}=2^{b-k}-2^{a-k}$
$\therefore n=b-a\,(\because㉠)$ ······ ㉡
$\overline{OA}=\sqrt{a^2+a^2}=\sqrt{2}\,a$이므로
$S_1=\pi\times\left(\dfrac{\sqrt{2}\,a}{2}\right)^2=\dfrac{1}{2}a^2\pi$
$\overline{OB}=\sqrt{b^2+b^2}=\sqrt{2}\,b$이므로
$S_2=\pi\times\left(\dfrac{\sqrt{2}\,b}{2}\right)^2=\dfrac{1}{2}b^2\pi$
두 원의 넓이는 $S_2<30S_1$을 만족시켜야 하므로
$\dfrac{1}{2}b^2\pi<30\times\dfrac{1}{2}a^2\pi$에서 $\left(\dfrac{b}{a}\right)^2<30$
㉠, ㉡에서 $\dfrac{b}{a}=\dfrac{2^{b-k}}{2^{a-k}}=2^{b-a}=2^n$ ······ ㉢
$\therefore (2^n)^2=2^{2n}<30$
따라서 위의 조건을 만족시키는 n의 값은 1, 2이다.
㉢에서 $b=2^n a$이므로 이것을 ㉡에 대입하면
$2^n a-a=(2^n-1)a=n$ $\therefore a=\dfrac{n}{2^n-1}$
㉠에서 $a=2^{a-k}$이므로 $\log_2 a=a-k$, $k=a-\log_2 a$
$\therefore k=\dfrac{n}{2^n-1}-\log_2\dfrac{n}{2^n-1}$

$n=1$, 2일 때, k의 값의 합은
$\left(\dfrac{1}{2-1}-\log_2\dfrac{1}{2-1}\right)+\left(\dfrac{2}{2^2-1}-\log_2\dfrac{2}{2^2-1}\right)$
$=1+\dfrac{2}{3}-\log_2\dfrac{2}{3}=\dfrac{5}{3}-\log_2\dfrac{2}{3}$
$=\dfrac{5}{3}-1+\log_2 3=\dfrac{2}{3}+\log_2 3$
따라서 $p=3$, $q=2$이므로
$p+q=3+2=5$

답 5

207

$y=\log_2(kx+4)=\log_2 k\left(x+\dfrac{4}{k}\right)$이므로 함수 $y=\log_2(kx+4)$
의 그래프는 함수 $y=\log_2 kx$의 그래프를 x축의 방향으로 $-\dfrac{4}{k}$만
큼 평행이동한 것이다.
따라서 k의 값에 따라 $y=\log_2(kx+4)$의 그래프를 그리면 다음
과 같다.

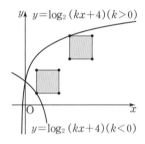

점 $(5,\ 5)$를 대각선의 교점으로 하는 한 변의 길이가 2인 정사각형
의 네 꼭짓점의 좌표는 $(4,\ 4)$, $(4,\ 6)$, $(6,\ 4)$, $(6,\ 6)$이므로
$k>0$이면 곡선 $y=\log_2(kx+4)$가 점 $(4,\ 6)$을 지날 때 k의 값은
최대이다.
$6=\log_2(4k+4)$, $4k+4=2^6$ $\therefore k=15$
$\therefore f(5)=15$
점 $(2,\ 2)$를 대각선의 교점으로 하는 한 변의 길이가 2인 정사각형
의 네 꼭짓점의 좌표는 $(1,\ 1)$, $(1,\ 3)$, $(3,\ 1)$, $(3,\ 3)$이므로
$k<0$이면 곡선 $y=\log_2(kx+4)$가 점 $(1,\ 1)$을 지날 때 k의 값은
최소이다.
$1=\log_2(k+4)$, $k+4=2$ $\therefore k=-2$
$\therefore g(2)=-2$
$\therefore f(5)+g(2)=15+(-2)=13$

답 13

208

$\log_a ax^2+\log_a ay^2+5=\log_a a+2\log_a x+\log_a a+2\log_a y+5$
$\qquad\qquad\qquad\qquad\qquad=1+2\log_a x+1+2\log_a y+5$
$\qquad\qquad\qquad\qquad\qquad=2\log_a x+2\log_a y+7$
이므로 주어진 식은
$(\log_a x)^2+(\log_a y)^2=2\log_a x+2\log_a y+7$
$\log_a x=X$, $\log_a y=Y$로 놓으면
$X^2+Y^2=2X+2Y+7$
$\therefore (X-1)^2+(Y-1)^2=9$ ······ ㉠
이고,

$\log_a xy = \log_a x + \log_a y = X + Y$

이때 $X + Y = k$ $\qquad\qquad$ ...... ㉡

라고 하자.

ㄱ은 옳다.

$0 < a < 1$이면 $x \ge 1$, $y \ge 1$이므로

$X = \log_a x \le 0$, $Y = \log_a y \le 0$

오른쪽 그림에서 k의 값은 (i)일 때

최솟값, (ii)일 때 최댓값을 갖는다.

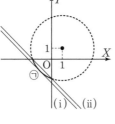

(i) 직선 ㉡이 원 ㉠과 접할 때

원의 중심 $(1, 1)$과 직선

$X + Y - k = 0$ 사이의 거리가 원

의 반지름의 길이 3과 같으므로

$\dfrac{|1+1-k|}{\sqrt{1+1}} = 3$, $|2-k| = 3\sqrt{2}$

$\therefore k = 2 \pm 3\sqrt{2}$

이때 $k < 0$이므로 $k = 2 - 3\sqrt{2}$

(ii) 직선 ㉡이 원 ㉠과 Y축이 만나는 점을 지날 때

$(X-1)^2 + (Y-1)^2 = 9$에 $X = 0$을 대입하면

$Y = 1 \pm 2\sqrt{2}$

$Y \le 0$이므로 $Y = 1 - 2\sqrt{2}$

원과 Y축이 만나는 점 $(0, 1-2\sqrt{2})$를 직선 $X + Y = k$이 지

나므로 $k = 1 - 2\sqrt{2}$

(i), (ii)에 의하여 $0 < a < 1$이면

$2 - 3\sqrt{2} \le \log_a xy \le 1 - 2\sqrt{2}$

ㄴ도 옳다.

$a > 1$이면 $x \ge 1$, $y \ge 1$이므로

$X = \log_a x \ge 0$, $Y = \log_a y \ge 0$

오른쪽 그림에서 k의 값은 (iii)일 때

최솟값, (iv)일 때 최댓값을 갖는다.

(iii) 직선 ㉡이 원 ㉠과 Y축이 만나는

점을 지날 때

$(X-1)^2 + (Y-1)^2 = 9$에

$X = 0$을 대입하면

$Y = 1 \pm 2\sqrt{2}$

$Y \ge 0$이므로 $Y = 1 + 2\sqrt{2}$

원과 Y축이 만나는 점 $(0, 1+2\sqrt{2})$를 직선 $X + Y = k$이 지

나므로 $k = 1 + 2\sqrt{2}$

(iv) 직선 ㉡이 원 ㉠과 접할 때

원의 중심 $(1, 1)$과 직선 $X + Y - k = 0$ 사이의 거리가 원의

반지름의 길이 3과 같으므로

$\dfrac{|1+1-k|}{\sqrt{1+1}} = 3$, $|2-k| = 3\sqrt{2}$

$\therefore k = 2 \pm 3\sqrt{2}$

이때 $k > 0$이므로 $k = 2 + 3\sqrt{2}$

(iii), (iv)에 의하여 $a > 1$이면

$1 + 2\sqrt{2} \le \log_a xy \le 2 + 3\sqrt{2}$

ㄷ은 옳지 않다.

$a > 0$, $a \ne 1$이면 ㄱ, ㄴ에 의하여

$2 - 3\sqrt{2} \le \log_a xy \le 1 - 2\sqrt{2}$ 또는 $1 + 2\sqrt{2} \le \log_a xy \le 2 + 3\sqrt{2}$

따라서 옳은 것은 ㄱ, ㄴ이다.

답 ③

01

$A = \sqrt[3]{81} - \sqrt[3]{24} + \sqrt[3]{3}$

$\quad = \sqrt[3]{3^3 \times 3} - \sqrt[3]{2^3 \times 3} + \sqrt[3]{3}$

$\quad = 3\sqrt[3]{3} - 2\sqrt[3]{3} + \sqrt[3]{3}$

$\quad = 2\sqrt[3]{3}$

$B = 4\sqrt[3]{216} + 2\sqrt[3]{\sqrt{125^2}} - (\sqrt[6]{49})^3$

$\quad = 4\sqrt[3]{216} + 2\sqrt[6]{125^2} - \sqrt[6]{49^3}$

$\quad = 4\sqrt[3]{6^3} + 2\sqrt[6]{5^6} - \sqrt[6]{7^6}$

$\quad = 4 \times 6 + 2 \times 5 - 7$

$\quad = 27$

$\therefore A^3 + 2B = (2\sqrt[3]{3})^3 + 2 \times 27 = 78$

답 78

02

$a = \log_3 8 = 3\log_3 2$, $b = \log_3 4 = 2\log_3 2$이므로

$\dfrac{1}{a} = \dfrac{1}{3}\log_2 3$, $\dfrac{1}{b} = \dfrac{1}{2}\log_2 3$

$\dfrac{3}{a} + \dfrac{1}{b} = 3 \times \dfrac{1}{3}\log_2 3 + \dfrac{1}{2}\log_2 3 = \dfrac{3}{2}\log_2 3$이므로

$4^{\frac{3}{a}+\frac{1}{b}} = 2^{2\left(\frac{3}{a}+\frac{1}{b}\right)} = 2^{2 \times \frac{3}{2}\log_2 3} = 2^{\log_2 3^3} = 3^3$

$\therefore c = 3$

답 ④

03

$y = 2^{x+2} - 2^{2x+1} + 1$에서

$y = 4 \times 2^x - 2 \times (2^x)^2 + 1$

$2^x = t \ (t > 0)$로 놓으면

$y = 4t - 2t^2 + 1 = -2(t-1)^2 + 3$

$x \le a$에서 $0 < t \le 2^a \ (\because a > 1)$

$y = -2(t-1)^2 + 3$은 $t = 1$일 때 최댓값 3을 가지므로

$b = 3$

$t = 2^a$일 때 최솟값 -15를 가지므로

$-2(2^a - 1)^2 + 3 = -15$에서

$(2^a - 1)^2 = 9$, $2^a - 1 = 3$

$2^a = 4$ $\quad \therefore a = 2$ $\quad$ $2^a - 1 = -3$이면 $2^a = -2 < 0$이므로 성립하지 않는다.

$\therefore a^2 + b^2 = 2^2 + 3^2 = 13$

답 ④

04

$f(x) = \log_a x$의 그래프가 두 점 $(2, p)$, $(3, q)$를 지나므로

$\log_a 2 = p$, $\log_a 3 = q$

$\therefore f(72) = \log_a 72$

$\qquad = \log_a (2^3 \times 3^2)$

$\qquad = 3\log_a 2 + 2\log_a 3$

$\qquad = 3p + 2q$

답 ④

05

$80-62\log x\le 18$에서

$-62\log x\le -62$

$\log x\ge 1$ $\therefore x\ge 10$

$\therefore t=10$

답 ⑤

06

로그의 밑의 조건에서

$n>0$, $n\ne 1$

$3^{\log_n 4}$이 정수가 되려면 $\log_n 4$가 자연수이어야 한다.

$\log_n 4=1$일 때, $n=4$이므로

$3^{\log_n 4}=3^1=3$

$\log_n 4=2$일 때, $n^2=4$에서 $n=2$이므로

$3^{\log_n 4}=3^2=9$

$\log_n 4$의 값이 3 이상일 때, 주어진 조건을 만족시키는 자연수 n은 존재하지 않는다.

한편 $3^{\log_n 4}=4^{\log_n 3}=2^{2\log_n 3}$에서 $3^{\log_n 4}$이 정수가 되려면 $2\log_n 3$이 자연수이어야 한다.

$2\log_n 3=1$, 즉 $\log_n 3=\dfrac{1}{2}$일 때, $n^{\frac{1}{2}}=3$에서 $n=9$이므로

$2^{2\log_n 3}=2^1=2$

$2\log_n 3=2$, 즉 $\log_n 3=1$일 때, $n=3$이므로

$2^{2\log_n 3}=2^2=4$

한편 $2\log_n 3$의 값이 3 이상일 때, 주어진 조건을 만족시키는 자연수 n은 존재하지 않는다.

따라서 구하는 모든 자연수 n의 값의 합은

$4+2+9+3=18$

답 ③

07

실수 x에 대하여 $g(x)=x^2-2x-8$이라고 하면

$t^4\ge 0$이고 $g(x)=(x+2)(x-4)$이므로

(i) $g(x)<0$, 즉 $-2<x<4$일 때

$t^4<0$을 만족시키는 t는 없다.

　　$\therefore f(x)=0$

(ii) $g(x)=0$, 즉 $x=-2$ 또는 $x=4$일 때

$t^4=0$이므로 $t=0$

　　$\therefore f(x)=1$

(iii) $g(x)>0$, 즉 $x<-2$ 또는 $x>4$일 때

$t^4>0$이므로 $t=\pm\sqrt[4]{g(x)}$

　　$\therefore f(x)=2$

(i), (ii), (iii)에서

$f(x)=\begin{cases} 0\ (-2<x<4) \\ 1\ (x=-2 \text{ 또는 } x=4) \\ 2\ (x<-2 \text{ 또는 } x>4) \end{cases}$

한편 $\dfrac{1}{4}<2^{xf(x)}<64$에서

$2^{-2}<2^{xf(x)}<2^6$

(i)에서 $-2<x<4$일 때 $f(x)=0$이므로

$2^{-2}<2^{0\times x}<2^6$

을 만족시키는 정수 x의 값은 -1, 0, 1, 2, 3의 5개이다.

(ii)에서 $x=-2$ 또는 $x=4$일 때 $f(x)=1$이므로

$2^{-2}<2^x<2^6$

을 만족시키는 정수 x의 값은 4의 1개이다.

(iii)에서 $x<-2$ 또는 $x>4$일 때 $f(x)=2$이므로

$2^{-2}<2^{2x}<2^6$

을 만족시키는 정수 x는 없다.

따라서 주어진 부등식을 만족시키는 정수 x의 개수는

$5+1+0=6$

답 ④

08

로그의 진수의 조건에서 $a>0$ ⋯⋯ ㉠

또, x^2의 계수가 0이 아니어야 하므로

$3+\log_2 a\ne 0$, $\log_2 a\ne -3$

$\therefore a\ne\dfrac{1}{8}$ ⋯⋯ ㉡

주어진 이차방정식의 판별식을 D라고 하면

$\dfrac{D}{4}=(1+\log_2 a)^2-(3+\log_2 a)>0$

$(\log_2 a)^2+\log_2 a-2>0$

$\log_2 a=t$로 놓으면 $t^2+t-2>0$

$(t+2)(t-1)>0$

$\therefore t<-2$ 또는 $t>1$

즉, $\log_2 a<-2$ 또는 $\log_2 a>1$이므로

$a<\dfrac{1}{4}$ 또는 $a>2$ ⋯⋯ ㉢

㉠, ㉡, ㉢의 공통부분을 구하면

$0<a<\dfrac{1}{8}$ 또는 $\dfrac{1}{8}<a<\dfrac{1}{4}$ 또는 $a>2$

따라서 a의 값이 될 수 없는 것은 ④이다.

답 ④

09

$A(a, 3^{-a})\ (a<0)$이라고 하면 점 B는 함수 $y=9^x$의 그래프 위의 점이므로

$\underbrace{3^{-a}=9^x, 3^{-a}=3^{2x}}_{\text{점 A와 } y\text{좌표가 같다.}}$

$-a=2x$　$\therefore x=-\dfrac{a}{2}$

$\therefore B\left(-\dfrac{a}{2}, 3^{-a}\right)$

점 C가 함수 $y=3^{-x}$의 그래프 위의 점이므로

$\underbrace{y=3^{-\left(-\frac{a}{2}\right)}=3^{\frac{a}{2}}}_{\text{점 B와 } x\text{좌표가 같다.}}$

$\therefore C\left(-\dfrac{a}{2}, 3^{\frac{a}{2}}\right)$

이때 $\overline{AB}=3$이므로

$-\dfrac{a}{2}-a=3$　$\therefore a=-2$

$\therefore \overline{BC}=3^{-a}-3^{\frac{a}{2}}=3^2-3^{-1}=\dfrac{26}{3}$

답 $\dfrac{26}{3}$

다른 풀이

점 C의 x좌표를 $k\ (k>0)$라고 하면

$C(k,\ 3^{-k})$, $B(k,\ 3^{2k})$

이때 점 A의 y좌표가 3^{2k}이므로

$A(-2,\ 3^{2k})$

$\overline{AB}=k-(-2k)=3k$이므로 $k=1$

$\therefore\ \overline{BC}=3^2-3^{-1}=\dfrac{26}{3}$

10
$$\begin{array}{l} y=2^x-1\text{에서 } y+1=2^x,\ x=\log_2(y+1) \\ x\text{와 } y\text{를 서로 바꾸면 } y=\log_2(x+1) \end{array}$$

두 함수 $y=2^x-1$, $y=\log_2(x+1)$은 서로 역함수 관계이므로 두 함수의 그래프는 직선 $y=x$에 대하여 대칭이다.

이때 직선 AB와 직선 $y=x$는 서로 수직이므로 점 $A(2,\ 3)$를 직선 $y=x$에 대한 대칭이동한 점은 B이다. ┈┈ 두 직선의 기울기의 곱이 -1 이므로 두 직선은 서로 수직이다.

따라서 $B(3,\ 2)$, $C(2,\ 0)$, $D(3,\ 0)$이므로

사각형 ACDB의 넓이는

$\dfrac{1}{2}\times(2+3)\times1=\dfrac{5}{2}$

답 $\dfrac{5}{2}$

미니 모의고사 - 2회

01

ㄱ은 옳지 않다.

81의 네제곱근 중 실수인 것은 ±3이다.

ㄴ도 옳지 않다.

$-\sqrt{64}=-8$이고, -8의 세제곱근 중 실수인 것은 -2이다.

ㄷ은 옳다.

n이 짝수일 때, 2의 n제곱근 중 실수인 것은 $\pm\sqrt[n]{2}$의 2개이다.

ㄹ도 옳다.

n이 홀수일 때, -3의 n제곱근 중 실수인 것은 $-\sqrt[n]{3}$이다.

따라서 옳은 것은 ㄷ, ㄹ이다.

답 ④

02

$(a^{\sqrt{2}})^{\sqrt{8}+1}\times(a^{\sqrt{3}})^{2\sqrt{3}-\sqrt{6}}\div(a^{\sqrt{5}})^{2-\sqrt{2}}$

$=a^{\sqrt{2}(\sqrt{8}+1)}\times a^{\sqrt{3}(2\sqrt{3}-\sqrt{6})}\div a^{\sqrt{5}(2-\sqrt{2})}$

$=a^{4+\sqrt{2}}\times a^{6-3\sqrt{2}}\div a^{10-5\sqrt{2}}$

$=a^{(4+\sqrt{2})+(6-3\sqrt{2})-(10-5\sqrt{2})}$

$=a^{3\sqrt{2}}$

$\therefore\ k=3\sqrt{2}$

답 $3\sqrt{2}$

03

$y=3^x$의 그래프를 y축에 대하여 대칭이동하면

$y=3^{-x}$

$y=3^{-x}$의 그래프를 x축의 방향으로 a만큼, y축의 방향으로 b만큼 평행이동하면

$y=3^{-(x-a)}+b$

이때 $y=3^{-(x-a)}+b$의 그래프의 점근선의 방정식은 $y=b$이므로

$b=-3$

또, 그래프가 원점을 지나므로

$0=3^a-3$, $3^a=3$ $\therefore\ a=1$

$\therefore\ a-b=1-(-3)=4$

답 4

04

$y=\log_{\frac{1}{a}}\dfrac{1}{x}=\log_a x$

① 그래프가 함수 $y=\log_a x$의 그래프와 일치한다.

② 그래프가 점 $(1,\ 0)$을 지난다.

③ y축을 점근선으로 한다.

④ $x>0$에서 x의 값이 증가하면 y의 값도 증가한다.

답 ⑤

05

현재의 인구 수를 a명이라고 하면 n년 후의 인구 수는 $a(1+0.02)^n$명이므로

$a(1+0.02)^n\geq3a$

$1.02^n\geq3$

위의 식의 양변에 상용로그를 취하면

$\log 1.02^n\geq\log 3$

$n\log 1.02\geq\log 3$

$n\times0.0086\geq0.4771$

$\therefore\ n\geq55.47\cdots$

따라서 인구가 현재의 3배 이상이 되는 것은 56년 후부터이다.

답 ③

06

$x,\ y$는 실수이므로 $x^4>0,\ y^2>0,\ y^4>0$

$\log_{y^2}(1-x)$에서 진수의 조건에 의하여

$1-x>0$

$\therefore\ x<1$ ┈┈┈┈┈ ㉠

$\log_{y^4}(x-2x^2+x^3)=\log_{y^4}\{x(x-1)^2\}$에서 진수의 조건에 의하여

$x(x-1)^2>0$

이때 $(x-1)^2>0$이므로

$x>0$ ┈┈┈┈┈ ㉡

㉠, ㉡에 의하여 $0<x<1$

$\log_{x^4}y-\log_{y^2}(1-x)+\log_{y^4}(x-2x^2+x^3)$

$=\dfrac{\log y}{4\log x}-\dfrac{\log(1-x)}{2\log y}+\dfrac{\log(x-2x^2+x^3)}{4\log y}$

$=\dfrac{\log y}{4\log x}-\dfrac{\log(1-x)^2}{4\log y}+\dfrac{\log\{x(x-1)^2\}}{4\log y}$

$=\dfrac{\log y}{4\log x}+\dfrac{\log x}{4\log y}$

이때 $0 < x < 1$, $0 < y < 1$이므로

$\log x < 0$, $\log y < 0$

$\therefore \dfrac{\log y}{4 \log x} > 0$, $\dfrac{\log x}{4 \log y} > 0$

따라서 산술평균과 기하평균의 관계에 의하여

$\dfrac{\log y}{4 \log x} + \dfrac{\log x}{4 \log y} \geq 2\sqrt{\dfrac{\log y}{4 \log x} \times \dfrac{\log x}{4 \log y}} = \dfrac{1}{2}$

(단, 등호는 $x = y$일 때 성립한다.)

이므로 최솟값은 $\dfrac{1}{2}$이다.

답 ②

07

집합 A에서

(i) $0 < x < 1$일 때, $3x - 1 > 2x + 3$ $\quad \therefore x > 4$

이때 $0 < x < 1$이므로 해가 없다.

(ii) $x = 1$일 때, $1 < 1$이므로 부등식이 성립하지 않는다.

(iii) $x > 1$일 때, $3x - 1 < 2x + 3$ $\quad \therefore x < 4$

이때 $x > 1$이므로 $1 < x < 4$

(i), (ii), (iii)에서 $A = \{x \mid 1 < x < 4\}$

집합 B에서

(iv) $0 < x < 1$일 때, $-2x - 5 \leq -4x + 1$ $\quad \therefore x \leq 3$

이때 $0 < x < 1$이므로 $0 < x < 1$

(v) $x = 1$일 때, $1 \geq 1$이므로 $x = 1$

(vi) $x > 1$일 때, $-2x - 5 \geq -4x + 1$ $\quad \therefore x \geq 3$

이때 $x > 1$이므로 $x \geq 3$

(iv), (v), (vi)에서 $B = \{x \mid 0 < x \leq 1 \text{ 또는 } x \geq 3\}$

$A \cap B^C = A - B = \{x \mid 1 < x < 3\}$이므로

$\alpha = 1$, $\beta = 3$

$\therefore \beta - \alpha = 3 - 1 = 2$

답 ②

08

로그의 밑의 조건에서

$x > 0$, $x \neq 1$, $y > 0$, $y \neq 1$

$\begin{cases} \log_x 4 - \log_y 2 = 2 \\ \log_x 16 + \log_y 8 = -1 \end{cases}$ 에서

$\begin{cases} 2 \log_x 2 - \log_y 2 = 2 \\ 4 \log_x 2 + 3 \log_y 2 = -1 \end{cases}$

$\log_x 2 = X$, $\log_y 2 = Y$로 놓으면

$\begin{cases} 2X - Y = 2 \\ 4X + 3Y = -1 \end{cases}$

연립방정식을 풀면 $X = \dfrac{1}{2}$, $Y = -1$

즉, $\log_x 2 = \dfrac{1}{2}$, $\log_y 2 = -1$이므로

$x^{\frac{1}{2}} = 2$, $y^{-1} = 2$ $\quad \therefore x = 4$, $y = \dfrac{1}{2}$

$\therefore xy = 4 \times \dfrac{1}{2} = 2$ ⎯⎯ 로그의 밑의 조건을 만족시킨다.

답 ⑤

09

$y = |\log_2 x| = \begin{cases} \log_2 x & (x \geq 1) \\ -\log_2 x & (x < 1) \end{cases}$

$-\log_2 x = 1$에서 $x = \dfrac{1}{2}$이므로

$A\left(\dfrac{1}{2}, 1\right)$

$-\log_2 x = 2$에서 $x = \dfrac{1}{4}$이므로

$C\left(\dfrac{1}{4}, 2\right)$, $E\left(\dfrac{1}{4}, 1\right)$

$\therefore S_1 = \dfrac{1}{2} \times \overline{AE} \times \overline{CE} = \dfrac{1}{2} \times \dfrac{1}{4} \times 1 = \dfrac{1}{8}$

$\log_2 x = 1$에서 $x = 2$이므로

$B(2, 1)$

$\log_2 x = 2$에서 $x = 4$이므로

$D(4, 2)$, $F(4, 1)$

$\therefore S_2 = \dfrac{1}{2} \times \overline{BF} \times \overline{DF} = \dfrac{1}{2} \times 2 \times 1 = 1$

$\therefore \log_2 \dfrac{S_2}{S_1} = \log_2 8 = 3$

답 ⑤

10

점 $A(a, b)$가 $y = \log_4 (x - 2)$의 그래프 위의 점이므로

$b = \log_4 (a - 2)$, $a - 2 = 4^b$

$\therefore a = 2^{2b} + 2$ $\quad\quad$ ······ ㉠

점 $B(b, a)$가 $y = 2^x + 4$의 그래프 위의 점이므로

$a = 2^b + 4$ $\quad\quad$ ······ ㉡

㉠, ㉡에서 $2^{2b} + 2 = 2^b + 4$이므로

$(2^b)^2 - 2^b - 2 = 0$, $(2^b + 1)(2^b - 2) = 0$

$2^b > 0$이므로 $2^b = 2$ $\quad \therefore b = 1$

㉠에서 $a = 2^2 + 2 = 6$

$A(6, 1)$, $B(1, 6)$이므로

$\overline{AB} = \sqrt{(1-6)^2 + (6-1)^2} = 5\sqrt{2}$

한편 두 점 A, B를 지나는 직선의 방정식은

$y - 6 = \dfrac{6 - 1}{1 - 6}(x - 1)$ $\quad \therefore y = -x + 7$

삼각형 OAB의 높이는 직선 $y = -x + 7$, 즉 $x + y - 7 = 0$과 원점 사이의 거리이므로

$\dfrac{|-7|}{\sqrt{1^2 + 1^2}} = \dfrac{7\sqrt{2}}{2}$

따라서 삼각형 OAB의 넓이는

$\dfrac{1}{2} \times 5\sqrt{2} \times \dfrac{7\sqrt{2}}{2} = \dfrac{35}{2}$

답 ②

II. 삼각함수

03 삼각함수의 뜻

001

ㄱ. $420° = 360° \times 1 + 60°$이므로 $60°$를 나타내는 동경과 일치한다.

ㄴ. $-370° = 360° \times (-2) + 350°$이므로 $350°$를 나타내는 동경과 일치한다.

ㄷ. $800° = 360° \times 2 + 80°$이므로 $80°$를 나타내는 동경과 일치한다.

ㄹ. $-660° = 360° \times (-2) + 60°$이므로 $60°$를 나타내는 동경과 일치한다.

ㅁ. $1140° = 360° \times 3 + 60°$이므로 $60°$를 나타내는 동경과 일치한다.

따라서 $60°$를 나타내는 동경과 일치하는 것은 ㄱ, ㄹ, ㅁ으로 3개이다.

답 ③

002

① $-1680° = 360° \times (-5) + 120°$

② $-960° = 360° \times (-3) + 120°$

③ $480° = 360° \times 1 + 120°$

④ $840° = 360° \times 2 + 120°$

⑤ $1540° = 360° \times 4 + 100°$

따라서 동경 OP가 나타내는 각이 될 수 없는 것은 ⑤이다.

답 ⑤

003

▶ 접근

시초선을 기준으로 양의 방향은 '+', 음의 방향은 '−'임에 유의하여 각의 크기를 구하고, 이를 이용하여 동경 OP의 위치를 확인한다.

$134°$를 나타내는 동경 OP가 주어진 조건을 만족시키며 회전시킨 후 나타내는 각의 크기를 θ라고 하면

$\theta = 134° - 680° + 200° = -346°$

$\quad = 360° \times (-1) + 14°$

따라서 동경 OP는 제1사분면에 있다.

답 제1사분면

004

2θ가 제2사분면의 각이므로 정수 n에 대하여

$360° \times n + 90° < 2\theta < 360° \times n + 180°$

$\therefore 180° \times n + 45° < \theta < 180° \times n + 90°$

(i) $n = 2k$ (k는 정수)일 때

$\quad 180° \times 2k + 45° < \theta < 180° \times 2k + 90°$

$\quad 360° \times k + 45° < \theta < 360° \times k + 90°$

따라서 θ는 제1사분면의 각이다.

(ii) $n = 2k+1$ (k는 정수)일 때

$\quad 180° \times (2k+1) + 45° < \theta < 180° \times (2k+1) + 90°$

$\quad 360° \times k + 225° < \theta < 360° \times k + 270°$

따라서 θ는 제3사분면의 각이다.

(i), (ii)에서 θ는 제1사분면 또는 제3사분면의 각이다.

답 제1사분면 또는 제3사분면

005

① $\dfrac{\pi}{6} = \dfrac{\pi}{6} \times \dfrac{180°}{\pi} = 30°$

② $105° = 105 \times \dfrac{\pi}{180} = \dfrac{7}{12}\pi$

③ $\dfrac{4}{5}\pi = \dfrac{4}{5}\pi \times \dfrac{180°}{\pi} = 144°$

④ $210° = 210 \times \dfrac{\pi}{180} = \dfrac{7}{6}\pi$

⑤ $\dfrac{3}{2}\pi = \dfrac{3}{2}\pi \times \dfrac{180°}{\pi} = 270°$

따라서 옳지 않은 것은 ③이다.

답 ③

【간단 풀이】

π가 있는 경우에는 π를 $180°$로 놓고 계산한다.

① $\dfrac{\pi}{6} = \dfrac{180°}{6} = 30°$

③ $\dfrac{4}{5}\pi = \dfrac{4}{5} \times 180° = 144°$

⑤ $\dfrac{3}{2}\pi = \dfrac{3}{2} \times 180° = 270°$

006

ㄱ은 옳지 않다.

$\dfrac{2}{3}\pi = \dfrac{2}{3}\pi \times \dfrac{180°}{\pi} = 120°$

ㄴ도 옳지 않다.

$\dfrac{5}{6}\pi = \dfrac{5}{6}\pi \times \dfrac{180°}{\pi} = 150°$이므로 제2사분면의 각이다.

ㄷ은 옳다.

$\dfrac{9}{4}\pi = 2\pi \times 1 + \dfrac{\pi}{4}$, $-\dfrac{7}{4}\pi = 2\pi \times (-1) + \dfrac{\pi}{4}$이므로

$\dfrac{\pi}{4}$, $\dfrac{9}{4}\pi$, $-\dfrac{7}{4}\pi$를 나타내는 동경은 모두 일치한다.

따라서 옳은 것은 ㄷ이다.

답 ③

【간단 풀이】

ㄱ. $\dfrac{2}{3}\pi = \dfrac{2}{3} \times 180° = 120°$

ㄴ. $\dfrac{5}{6}\pi = \dfrac{5}{6} \times 180° = 150°$

007

각 θ를 나타내는 동경과 각 7θ를 나타내는 동경이 일치하므로

$7\theta - \theta = 2n\pi$ (단, n은 정수)

$$6\theta=2n\pi \qquad \therefore \theta=\frac{n}{3}\pi \qquad \cdots\cdots \ \bigcirc$$

$\dfrac{\pi}{2}<\theta<\pi$에서 $\dfrac{\pi}{2}<\dfrac{n}{3}\pi<\pi$이므로

$$\frac{3}{2}<n<3 \qquad \therefore n=2$$

이 값을 $\bigcirc$에 대입하면 $\theta=\dfrac{2}{3}\pi$

답 ①

008

각 θ를 나타내는 동경과 각 4θ를 나타내는 동경이 y축에 대하여 대칭이므로

$\theta+4\theta=2n\pi+\pi$ (단, n은 정수)

$5\theta=(2n+1)\pi$

$$\therefore \theta=\frac{2n+1}{5}\pi \qquad \cdots\cdots \ \bigcirc$$

$0<\theta<\pi$에서 $\ 0<\dfrac{2n+1}{5}\pi<\pi,\ 0<2n+1<5$

$$-\frac{1}{2}<n<2 \qquad \therefore n=0,\ 1$$

이 값을 $\bigcirc$에 대입하면 $\theta=\dfrac{\pi}{5}$ 또는 $\theta=\dfrac{3}{5}\pi$

따라서 구하는 모든 θ의 크기의 합은

$$\frac{\pi}{5}+\frac{3}{5}\pi=\frac{4}{5}\pi$$

답 ③

009

반지름의 길이가 3, 중심각의 크기가 $\dfrac{2}{3}\pi$이므로 부채꼴의 호의 길이는

$$3\times\frac{2}{3}\pi=2\pi$$

답 ④

010

부채꼴의 반지름의 길이를 r, 넓이를 S라고 하면 중심각의 크기가 $\dfrac{\pi}{8}$인 부채꼴의 호의 길이가 $\dfrac{\pi}{2}$이므로

$$\frac{\pi}{2}=r\times\frac{\pi}{8} \qquad \therefore r=4$$

$$\therefore S=\frac{1}{2}\times4\times\frac{\pi}{2}=\pi$$

답 ①

011

부채꼴의 반지름의 길이를 r, 중심각의 크기를 θ, 호의 길이를 l, 넓이를 S라고 하면 $l=6\pi$, $S=108\pi$이므로

$S=\dfrac{1}{2}rl$에서

$$108\pi=\frac{1}{2}r\times6\pi \qquad \therefore r=36$$

$l=r\theta$에서

$$6\pi=36\theta \qquad \therefore \theta=\frac{\pi}{6}$$

답 ①

012

> **접근**
>
> 반지름의 길이가 r이고 중심각의 크기가 θ인 부채꼴의 넓이는 $\dfrac{1}{2}r^2\theta$임을 이용하여 식을 세운다.

반지름의 길이가 4이고 중심각의 크기가 θ인 부채꼴의 넓이는

$$S=\frac{1}{2}\times4^2\times\theta=8\theta \qquad \cdots\cdots \ \bigcirc$$

반지름의 길이가 $\dfrac{4}{3}$이고 넓이가 $\dfrac{1}{2}S$인 부채꼴의 중심각의 크기를 α라고 하면

$$\frac{1}{2}S=\frac{1}{2}\times\left(\frac{4}{3}\right)^2\times\alpha=\frac{8}{9}\alpha$$

$$\therefore S=\frac{16}{9}\alpha \qquad \cdots\cdots \ \bigcirc$$

$\bigcirc$, $\bigcirc$에서 $8\theta=\dfrac{16}{9}\alpha \qquad \therefore \alpha=\dfrac{9}{2}\theta$

답 ④

013

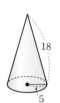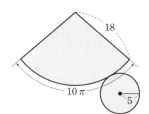

옆면인 부채꼴의 호의 길이는

$2\pi\times5=10\pi$

이므로 옆면인 부채꼴의 넓이는

$$\frac{1}{2}\times18\times10\pi=90\pi$$

따라서 원뿔의 겉넓이는

(옆넓이)$+$(밑넓이)$=90\pi+\pi\times5^2=115\pi$

답 ③

참고

원뿔의 전개도에서 옆면인 부채꼴의 호의 길이와 밑면인 원의 둘레의 길이는 같다.

014

원뿔의 밑면인 원의 반지름의 길이를 r라고 하면 전개도에서 부채꼴의 반지름의 길이는 13이고 부채꼴의 호의 길이는 밑면의 둘레의 길이인 $2\pi r$와 같으므로 부채꼴의 넓이는

$$\frac{1}{2}\times13\times2\pi r=13\pi r$$

원뿔의 밑면의 넓이는 πr^2이므로 원뿔의 전개도의 넓이는

$13\pi r + \pi r^2 = 90\pi$

$r^2 + 13r - 90 = 0$

$(r-5)(r+18) = 0$

$\therefore r = 5 \ (\because r > 0)$

따라서 원뿔의 밑면의 반지름의 길이는 5이다.

답 ④

015

와이퍼의 전체 길이를 r cm라고 하자.

회전하면서 닦이는 부분의 넓이가 1200π cm^{2}이므로

$\dfrac{1}{2} \times r^2 \times \dfrac{2}{3}\pi - \dfrac{1}{2} \times (r-40)^2 \times \dfrac{2}{3}\pi = 1200\pi$

$r^2 - (r-40)^2 = 3600, \ 80r - 1600 = 3600$

$80r = 5200 \quad \therefore r = 65$

따라서 구하는 둘레의 길이는

$40 \times 2 + 65 \times \dfrac{2}{3}\pi + (65-40) \times \dfrac{2}{3}\pi = 80 + 60\pi \ (\text{cm})$

답 ①

016

부채꼴의 반지름의 길이를 r, 중심각의 크기를 θ, 호의 길이를 l, 넓이를 S라고 하면

$2r + l = 48 \quad \therefore l = 48 - 2r$

$S = \dfrac{1}{2}rl = \dfrac{1}{2}r(48-2r)$

$\quad = -r^2 + 24r = -(r-12)^2 + 144$

따라서 $r=12$일 때 부채꼴의 넓이의 최댓값은 144이다.

$r=12$일 때, $l = 48 - 2 \times 12 = 24$이므로

$l = r\theta$에서 $24 = 12\theta \quad \therefore \theta = 2$

답 ②

017

$\overline{\text{OP}} = \sqrt{(-3)^2 + 1^2} = \sqrt{10}$이므로

$\sin\theta = \dfrac{1}{\sqrt{10}}, \ \cos\theta = -\dfrac{3}{\sqrt{10}},$

$\tan\theta = -\dfrac{1}{3}$

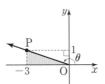

$\therefore \sqrt{10}\sin\theta - \sqrt{10}\cos\theta + 12\tan\theta$

$\quad = \sqrt{10} \times \dfrac{1}{\sqrt{10}} - \sqrt{10} \times \left(-\dfrac{3}{\sqrt{10}}\right) + 12 \times \left(-\dfrac{1}{3}\right)$

$\quad = 1 + 3 - 4 = 0$

답 ③

풍쌤 비법

중심이 원점 O이고 반지름의 길이가 r인 원 위의 임의의 점 $\text{P}(x, y)$에 대하여 동경 OP가 x축의 양의 방향과 이루는 각의 크기를 θ라고 하면

(1) $r = \overline{\text{OP}} = \sqrt{x^2 + y^2}$

(2) $\sin\theta = \dfrac{y}{r}, \ \cos\theta = \dfrac{x}{r}, \ \tan\theta = \dfrac{y}{x} \ (x \neq 0)$

018

점 $\text{P}(-9, a)$에 대하여 $\tan\theta = -\dfrac{a}{9}$이므로

$-\dfrac{a}{9} = -\dfrac{4}{3} \quad \therefore a = 12$

$\overline{\text{OP}} = \sqrt{(-9)^2 + 12^2} = 15$이므로

$\cos\theta = \dfrac{-9}{15} = -\dfrac{3}{5}$

답 ②

019

$\overline{\text{OP}} = \sqrt{k^2 + (-5)^2} = \sqrt{k^2 + 25}$이므로

$\sin\theta = \dfrac{-5}{\sqrt{k^2+25}} = -\dfrac{\sqrt{5}}{5}$

$\sqrt{k^2 + 25} = 5\sqrt{5}, \ k^2 + 25 = 125$

$k^2 = 100 \quad \therefore k = 10 \ (\because k > 0)$

답 ②

020

오른쪽 그림과 같이 점 P의 좌표를 $\text{P}(-1, \sqrt{6})$으로 놓으면

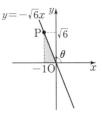

$\overline{\text{OP}} = \sqrt{(-1)^2 + (\sqrt{6})^2} = \sqrt{7}$이므로

$\cos\theta = \dfrac{-1}{\sqrt{7}} = -\dfrac{\sqrt{7}}{7}, \ \tan\theta = -\sqrt{6}$

$\therefore \sqrt{7}\cos\theta + \sqrt{6}\tan\theta$

$\quad = \sqrt{7} \times \left(-\dfrac{\sqrt{7}}{7}\right) + \sqrt{6} \times (-\sqrt{6})$

$\quad = -1 + (-6) = -7$

답 ②

021

θ가 제4사분면의 각이고 $\tan\theta = -\dfrac{5}{12}$이므로 θ가 나타내는 동경은 오른쪽 그림의 반직선 OP와 같다.

$\text{P}(12, -5)$이므로

$\overline{\text{OP}} = \sqrt{12^2 + (-5)^2} = 13$

따라서 $\sin\theta = -\dfrac{5}{13}, \ \cos\theta = \dfrac{12}{13}$이므로

$\sin\theta - \cos\theta = -\dfrac{5}{13} - \dfrac{12}{13} = -\dfrac{17}{13}$

답 ①

022

▸ 접근

점 P의 x좌표가 음수임에 유의하여 점 P의 좌표를 먼저 구하고, $\overline{\text{OP}}$의 길이를 이용하여 $\sin\theta$, $\cos\theta$의 값을 각각 구한다.

$y = -\dfrac{4}{3}x$를 $x^2 + y^2 = 25$에 대입하면

$x^2 + \left(-\dfrac{4}{3}x\right)^2 = 25, \ x^2 = 9 \quad \therefore x = -3 \ (\because x < 0)$

이때 점 $P(-3, 4)$이고 $\overline{OP}=\sqrt{(-3)^2+4^2}=5$이므로

$\sin\theta=\dfrac{4}{5}$, $\cos\theta=-\dfrac{3}{5}$

$\therefore \sin\theta+\cos\theta=\dfrac{4}{5}+\left(-\dfrac{3}{5}\right)=\dfrac{1}{5}$

답 ④

023

$\sin\theta\cos\theta<0$이므로   — $\sin\theta<0$, $\cos\theta>0$, $\tan\theta<0$

$\sin\theta>0$, $\cos\theta<0$ 또는 $\boxed{\sin\theta<0, \cos\theta>0}$

즉, θ는 제2사분면 또는 제4사분면의 각이므로 항상 옳은 것은 ⑤
이다.   — $\sin\theta>0$, $\cos\theta<0$, $\tan\theta<0$

답 ⑤

024

      — $\sin\theta>0$, $\cos\theta>0$ 또는 $\sin\theta<0$, $\cos\theta<0$

$\sin\theta\cos\theta>0$에서 $\underline{\sin\theta$와 $\cos\theta$의 값의 부호가 서로 같으므로}$
θ는 제1사분면 또는 제3사분면의 각이다.

$\sin\theta\tan\theta>0$에서 $\underline{\sin\theta$와 $\tan\theta$의 값의 부호가 서로 같으므로}$
θ는 제1사분면 또는 제4사분면의 각이다. — $\sin\theta>0$, $\tan\theta>0$
                                 또는 $\sin\theta<0$, $\tan\theta<0$

따라서 θ의 동경이 존재할 수 있는 사분면은 제1사분면이다.

답 ①

025

$\cos\theta\tan\theta>0$에서 $\cos\theta$와 $\tan\theta$의 부호가 서로 같다.

즉, θ는 제1사분면 또는 제2사분면의 각이다.

이때 $\cos\theta+\tan\theta<0$이므로 θ는 제2사분면의 각이다.

따라서 $\boxed{주어진 조건을 만족시키는 θ의 크기가 될 수 있는 것은 ②}$
이다. — 제1사분면에서 $\cos\theta>0$, $\tan\theta>0$이므로 $\cos\theta+\tan\theta>0$

답 ②

참고

① $\dfrac{\pi}{6}$ ➡ 제1사분면   ② $\dfrac{7}{8}\pi$ ➡ 제2사분면

③ $\dfrac{6}{5}\pi$ ➡ 제3사분면   ④ $\dfrac{12}{7}\pi$ ➡ 제4사분면

⑤ $\dfrac{21}{4}\pi$ ➡ 제3사분면

026

$\sqrt{\sin\theta}\sqrt{\cos\theta}=-\sqrt{\sin\theta\cos\theta}$이고 $\sin\theta\cos\theta\neq0$이므로
$\sin\theta<0$, $\cos\theta<0$

θ는 제3사분면의 각이므로 $\pi<\theta<\dfrac{3}{2}\pi$

답 $\pi<\theta<\dfrac{3}{2}\pi$

참고

음수의 제곱근의 성질

0이 아닌 실수 a, b에 대하여

(1) $\sqrt{a}\sqrt{b}=-\sqrt{ab}$이면 ➡ $a<0$, $b<0$

(2) $\dfrac{\sqrt{a}}{\sqrt{b}}=-\sqrt{\dfrac{a}{b}}$이면 ➡ $a>0$, $b<0$

027

$\dfrac{\pi}{2}<\theta<\pi$에서 θ는 제2사분면의 각이므로 $\sin\theta>0$, $\cos\theta<0$

이때 $1+\sin\theta>0$, $1-\cos\theta>0$이므로

$\sqrt{\cos^2\theta}-\sqrt{(1+\sin\theta)^2}+\sqrt{(1-\cos\theta)^2}$

$=-\cos\theta-(1+\sin\theta)+1-\cos\theta$

$=-\cos\theta-1-\sin\theta+1-\cos\theta$

$=-\sin\theta-2\cos\theta$

답 ③

028

$\pi<\theta<\dfrac{3}{2}\pi$에서 θ는 제3사분면의 각이므로 $\sin\theta<0$, $\cos\theta<0$

$\therefore |\cos\theta|-|\sin\theta|+\cos\theta+\sin\theta$

$=-\cos\theta-(-\sin\theta)+\cos\theta+\sin\theta$

$=2\sin\theta$

답 ③

029

$\cos\theta<0$, $\tan\theta>0$을 모두 만족시키는 θ는 제3사분면의 각이므로

$2n\pi+\pi<\theta<2n\pi+\dfrac{3}{2}\pi$ (단, n은 정수)

$\therefore n\pi+\dfrac{\pi}{2}<\dfrac{\theta}{2}<n\pi+\dfrac{3}{4}\pi$

(ⅰ) $n=2k$ (k는 정수)일 때

$2k\pi+\dfrac{\pi}{2}<\dfrac{\theta}{2}<2k\pi+\dfrac{3}{4}\pi$

따라서 $\dfrac{\theta}{2}$는 제2사분면의 각이다.

(ⅱ) $n=2k+1$ (k는 정수)일 때

$(2k+1)\pi+\dfrac{\pi}{2}<\dfrac{\theta}{2}<(2k+1)\pi+\dfrac{3}{4}\pi$

$\therefore 2k\pi+\dfrac{3}{2}\pi<\dfrac{\theta}{2}<2k\pi+\dfrac{7}{4}\pi$

따라서 $\dfrac{\theta}{2}$는 제4사분면의 각이다.

(ⅰ), (ⅱ)에서 $\dfrac{\theta}{2}$의 동경이 존재할 수 있는 사분면은 제2, 4사분면이다.

답 ②

030

$\dfrac{1+\tan\theta}{1-\tan\theta}=3$에서

$1+\tan\theta=3(1-\tan\theta)$

$4\tan\theta=2$ $\therefore \tan\theta=\dfrac{1}{2}$

$\sin\theta<0$, $\tan\theta>0$이므로 θ는 제3사분면의 각이다.

θ를 나타내는 동경은 오른쪽 그림의 반직선
OP와 같다.

$P(-2, -1)$이므로

$\overline{OP}=\sqrt{(-2)^2+(-1)^2}=\sqrt{5}$

따라서 $\sin\theta=\dfrac{-1}{\sqrt{5}}=-\dfrac{\sqrt{5}}{5}$,

$\cos\theta = \dfrac{-2}{\sqrt{5}} = -\dfrac{2\sqrt{5}}{5}$이므로

$5(\sin\theta + \cos\theta) = 5\left\{-\dfrac{\sqrt{5}}{5} + \left(-\dfrac{2\sqrt{5}}{5}\right)\right\} = -3\sqrt{5}$

답 ①

031

$(1 - \sin^2\theta)(1 + \tan^2\theta) = \cos^2\theta\left(1 + \dfrac{\sin^2\theta}{\cos^2\theta}\right)$

$\qquad\qquad = \cos^2\theta \times \dfrac{\cos^2\theta + \sin^2\theta}{\cos^2\theta}$

$\qquad\qquad = \cos^2\theta + \sin^2\theta$

$\qquad\qquad = 1$

답 ②

032

$\dfrac{1 - \cos\theta}{\sin\theta} + \dfrac{\sin\theta}{1 - \cos\theta} = \dfrac{(1 - \cos\theta)^2 + \sin^2\theta}{\sin\theta(1 - \cos\theta)}$

$\qquad\qquad = \dfrac{1 - 2\cos\theta + \cos^2\theta + \sin^2\theta}{\sin\theta(1 - \cos\theta)}$

$\qquad\qquad = \dfrac{2 - 2\cos\theta}{\sin\theta(1 - \cos\theta)}$

$\qquad\qquad = \dfrac{2(1 - \cos\theta)}{\sin\theta(1 - \cos\theta)}$

$\qquad\qquad = \dfrac{2}{\sin\theta}$

답 ②

033

$\dfrac{\sqrt{\sin\theta}}{\sqrt{\cos\theta}} = -\sqrt{\tan\theta}$에서 $\tan\theta = \dfrac{\sin\theta}{\cos\theta}$이므로

$\dfrac{\sqrt{\sin\theta}}{\sqrt{\cos\theta}} = -\sqrt{\dfrac{\sin\theta}{\cos\theta}}$

$\therefore \sin\theta > 0,\ \cos\theta < 0$

따라서 θ는 제2사분면의 각이므로

$\dfrac{\pi}{2} < \theta < \pi$

답 $\dfrac{\pi}{2} < \theta < \pi$

034

$\sin^2\theta + \cos^2\theta = 1$이므로

$\sin^2\theta = 1 - \cos^2\theta = 1 - \left(-\dfrac{1}{3}\right)^2 = \dfrac{8}{9}$

$\pi < \theta < \dfrac{3}{2}\pi$에서 $\sin\theta < 0$이므로

$\sin\theta = -\dfrac{2\sqrt{2}}{3}$

$\tan\theta = \dfrac{\sin\theta}{\cos\theta} = \dfrac{-\dfrac{2\sqrt{2}}{3}}{-\dfrac{1}{3}} = 2\sqrt{2}$이므로

$\tan\theta - \sin\theta = 2\sqrt{2} - \left(-\dfrac{2\sqrt{2}}{3}\right) = \dfrac{8\sqrt{2}}{3}$

답 ④

다른 풀이

$\pi < \theta < \dfrac{\pi}{2}\pi$이므로 θ가 제3사분면의 각이다.

이때 $\cos\theta = -\dfrac{1}{3}$이므로 θ를 나타내는 동경은 오른쪽 그림의 반직선 OP와 같다.

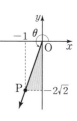

P$(-1,\ -2\sqrt{2})$이므로

$\overline{OP} = \sqrt{(-1)^2 + (-2\sqrt{2})^2} = 3$

따라서 $\sin\theta = -\dfrac{2\sqrt{2}}{3}$, $\tan\theta = 2\sqrt{2}$이므로

$\tan\theta - \sin\theta = 2\sqrt{2} - \left(-\dfrac{2\sqrt{2}}{3}\right) = \dfrac{8\sqrt{2}}{3}$

035

$\sin\theta + \cos\theta = \dfrac{2}{3}$의 양변을 제곱하면

$\sin^2\theta + 2\sin\theta\cos\theta + \cos^2\theta = \dfrac{4}{9}$

$1 + 2\sin\theta\cos\theta = \dfrac{4}{9}$ $\quad \therefore \sin\theta\cos\theta = -\dfrac{5}{18}$

$\therefore \dfrac{1}{\cos\theta} + \dfrac{1}{\sin\theta} = \dfrac{\sin\theta + \cos\theta}{\sin\theta\cos\theta}$

$\qquad\qquad = \dfrac{\dfrac{2}{3}}{-\dfrac{5}{18}} = -\dfrac{12}{5}$

답 ①

036

$(\sin\theta - \cos\theta)^2 = \sin^2\theta - 2\sin\theta\cos\theta + \cos^2\theta$

$\qquad\qquad = 1 - 2\sin\theta\cos\theta$

$\qquad\qquad = 1 - 2 \times \left(-\dfrac{5}{6}\right) = \dfrac{8}{3}$

$\sin\theta > \cos\theta$이므로 $\quad \sin\theta - \cos\theta > 0$

$\therefore \sin\theta - \cos\theta = \dfrac{2\sqrt{6}}{3}$

답 ②

037

이차방정식 $4x^2 - 2x + a = 0$의 두 근이 $\sin\theta$, $\cos\theta$이므로 근과 계수의 관계에 의하여

$\sin\theta + \cos\theta = \dfrac{1}{2}$ $\qquad\qquad$ ⋯⋯ ㉠

$\sin\theta\cos\theta = \dfrac{a}{4}$ $\qquad\qquad$ ⋯⋯ ㉡

㉠의 양변을 제곱하면

$\sin^2\theta + 2\sin\theta\cos\theta + \cos^2\theta = \dfrac{1}{4}$

$1 + 2\sin\theta\cos\theta = \dfrac{1}{4}$

$\therefore \sin\theta\cos\theta = -\dfrac{3}{8}$

㉡에서 $\dfrac{a}{4} = -\dfrac{3}{8}$ $\qquad \therefore a = -\dfrac{3}{2}$

답 ①

038

θ가 제2사분면의 각이므로

$360° \times n + 90° < \theta < 360° \times n + 180°$ (단, n은 정수)

$\therefore 120° \times n + 30° < \dfrac{\theta}{3} < 120° \times n + 60°$

(i) $n = 3k$ (k는 정수)일 때,

$\quad 120° \times 3k + 30° < \dfrac{\theta}{3} < 120° \times 3k + 60°$

$\quad \therefore 360° \times k + 30° < \dfrac{\theta}{3} < 360° \times k + 60°$

따라서 $\dfrac{\theta}{3}$는 제1사분면의 각이다.

(ii) $n = 3k+1$ (k는 정수)일 때,

$\quad 120° \times (3k+1) + 30° < \dfrac{\theta}{3} < 120° \times (3k+1) + 60°$

$\quad \therefore 360° \times k + 150° < \dfrac{\theta}{3} < 360° \times k + 180°$

따라서 $\dfrac{\theta}{3}$는 제2사분면의 각이다.

(iii) $n = 3k+2$ (k는 정수)일 때,

$\quad 120° \times (3k+2) + 30° < \dfrac{\theta}{3} < 120° \times (3k+2) + 60°$

$\quad \therefore 360° \times k + 270° < \dfrac{\theta}{3} < 360° \times k + 300°$

따라서 $\dfrac{\theta}{3}$는 제4사분면의 각이다.

(i), (ii), (iii)에서 $\dfrac{\theta}{3}$의 동경이 존재할 수 없는 사분면은 제3사분면이다.

답 ③

039

θ가 제3사분면의 각이므로

$360° \times n + 180° < \theta < 360° \times n + 270°$ (단, n은 정수)

$\therefore 180° \times n + 90° < \dfrac{\theta}{2} < 180° \times n + 135°$

(i) $n = 2k$ (k는 정수)일 때,

$\quad 180° \times 2k + 90° < \dfrac{\theta}{2} < 180° \times 2k + 135°$

$\quad \therefore 360° \times k + 90° < \dfrac{\theta}{2} < 360° \times k + 135°$

(ii) $n = 2k+1$ (k는 정수)일 때,

$\quad 180° \times (2k+1) + 90° < \dfrac{\theta}{2} < 180° \times (2k+1) + 135°$

$\quad \therefore 360° \times k + 270° < \dfrac{\theta}{2} < 360° \times k + 315°$

(i), (ii)에서 $\dfrac{\theta}{2}$의 동경이 존재할 수 있는 영역은 ⑤이다.

답 ⑤

040

$-220° = 360° \times (-1) + 140°$이므로 동경 OP가 나타내는 각 θ는
$\theta = 360° \times n + 140°$ (n은 정수)로 나타낼 수 있다.

$-400° < \theta < 760°$에서

$-400° < 360° \times n + 140° < 760°$

$-540° < 360° \times n < 620°$

$\therefore -\dfrac{3}{2} < n < \dfrac{31}{18}$

이때 정수 n의 값은 -1, 0, 1의 3개이므로 주어진 조건을 만족시키는 θ의 개수는 3이다.

$\underline{\quad\quad\quad\quad\quad\quad\quad}$ $-220°$, $140°$, $500°$

답 ③

041

$30° \times n$이 제3사분면의 각이려면

$360° \times k + 180° < 30° \times n < 360° \times k + 270°$ (단, k는 정수)

$\therefore 12k + 6 < n < 12k + 9$

이때 n은 두 자리 자연수이고 k는 정수이므로

$k = 1$일 때, $18 < n < 21$

$k = 2$일 때, $30 < n < 33$

$\quad \vdots$

$k = 7$일 때, $90 < n < 93$

따라서 $M = 92$, $m = 19$이므로

$M + m = 92 + 19 = 111$

답 ⑤

042

$20°$를 나타내는 동경과 $160° \times n + 20°$를 나타내는 동경이 일치한다고 하면

$160° \times n + 20° = 360° \times m + 20°$ (단, m은 정수)

$\therefore n = \dfrac{9}{4} m$

따라서 구하는 서로 다른 동경의 개수는 위의 식을 만족시키는 자연수 n의 최솟값과 같으므로 9이다.

답 ③

참고

$160° \times n + 20°$를 나타내는 서로 다른 동경은

$20°$, $180°$, $340°$, $500°(=360° \times 1 + 140°)$,

$660°(=360° \times 1 + 300°)$, $820°(=360° \times 2 + 100°)$,

$980°(=360° \times 2 + 260°)$, $1140°(=360° \times 3 + 60°)$,

$1300°(=360° \times 3 + 220°)$, $\underline{1460°(=360° \times 4 + 20°)}$, $\cdots$

$\underline{\quad\quad\quad}$ $20°$를 나타내는 동경과 같다.

이므로 9개이다.

043

각 2θ를 나타내는 동경과 각 4θ를 나타내는 동경이 x축에 대하여 대칭이므로

$2\theta + 4\theta = 2n\pi$ (단, n은 정수)

$6\theta = 2n\pi$

$\therefore \theta = \dfrac{n}{3}\pi$ $\quad\quad\quad\quad\quad\quad$ ...... ㉠

$\dfrac{\pi}{2} < \theta < \pi$에서 $\dfrac{\pi}{2} < \dfrac{n}{3}\pi < \pi$

$\dfrac{3}{2} < n < 3$ $\quad \therefore n = 2$

이 값을 ㉠에 대입하면 $\theta = \dfrac{2}{3}\pi$

$\therefore \sin(\pi - \theta)\cos(\pi - \theta) = \sin\left(\pi - \dfrac{2}{3}\pi\right)\cos\left(\pi - \dfrac{2}{3}\pi\right)$

$\quad\quad\quad\quad = \sin\dfrac{\pi}{3}\cos\dfrac{\pi}{3} = \dfrac{\sqrt{3}}{2} \times \dfrac{1}{2} = \dfrac{\sqrt{3}}{4}$

답 ①

044

각 θ를 나타내는 동경과 각 5θ를 나타내는 동경이 직선 $y=-x$에 대하여 대칭이므로

$\theta+5\theta=2n\pi+\dfrac{3}{2}\pi$ (단, n은 정수)

$6\theta=\dfrac{4n+3}{2}\pi$

$\therefore \theta=\dfrac{4n+3}{12}\pi$ ⋯⋯ ㉠

$0<\theta<\pi$에서 $0<\dfrac{4n+3}{12}\pi<\pi$이므로

$0<4n+3<12,\ -\dfrac{3}{4}<n<\dfrac{9}{4}$

$\therefore n=0,\ 1,\ 2$

이 값을 ㉠에 대입하면

$\theta=\dfrac{\pi}{4}$ 또는 $\theta=\dfrac{7}{12}\pi$ 또는 $\theta=\dfrac{11}{12}\pi$

따라서 θ의 크기의 최댓값은 $\dfrac{11}{12}\pi$, 최솟값은 $\dfrac{\pi}{4}$이므로 그 차는

$\dfrac{11}{12}\pi-\dfrac{\pi}{4}=\dfrac{2}{3}\pi$

답 ②

045

(i) 각 θ를 나타내는 동경과 각 7θ를 나타내는 동경이 일직선 위에 있고 방향이 반대이므로

$7\theta-\theta=2m\pi+\pi$ (단, m은 정수)

$6\theta=(2m+1)\pi$

$\therefore \theta=\dfrac{2m+1}{6}\pi$ ⋯⋯ ㉠

$0<\theta<\pi$에서 $0<\dfrac{2m+1}{6}\pi<\pi$이므로

$0<2m+1<6,\ -\dfrac{1}{2}<m<\dfrac{5}{2}$

$\therefore m=0,\ 1,\ 2$

이 값을 ㉠에 대입하면

$\theta=\dfrac{\pi}{6}$ 또는 $\theta=\dfrac{\pi}{2}$ 또는 $\theta=\dfrac{5}{6}\pi$

(ii) 각 θ를 나타내는 동경과 각 2θ를 나타내는 동경이 직선 $y=x$에 대하여 대칭이므로

$\theta+2\theta=2n\pi+\dfrac{\pi}{2}$ (단, n은 정수)

$3\theta=\dfrac{4n+1}{2}\pi$

$\therefore \theta=\dfrac{4n+1}{6}\pi$ ⋯⋯ ㉡

$0<\theta<\pi$에서 $0<\dfrac{4n+1}{6}\pi<\pi$이므로

$0<4n+1<6,\ -\dfrac{1}{4}<n<\dfrac{5}{4}$

$\therefore n=0,\ 1$

이 값을 ㉡에 대입하면

$\theta=\dfrac{\pi}{6}$ 또는 $\theta=\dfrac{5}{6}\pi$

(i), (ii)에서 θ의 크기는 $\dfrac{\pi}{6}$, $\dfrac{5}{6}\pi$이므로 그 합은

$\dfrac{\pi}{6}+\dfrac{5}{6}\pi=\pi$

답 ⑤

046

각 2θ를 나타내는 동경과 각 7θ를 나타내는 동경이 이루는 예각의 크기가 $\dfrac{\pi}{3}$이므로

$7\theta-2\theta=2n\pi\pm\dfrac{\pi}{3}$ (단, n은 정수)

$5\theta=\dfrac{6n\pm1}{3}\pi$

$\therefore \theta=\dfrac{6n+1}{15}\pi$ 또는 $\theta=\dfrac{6n-1}{15}\pi$

(i) $\theta=\dfrac{6n+1}{15}\pi$일 때, $0\le\theta\le2\pi$이므로 $0\le\dfrac{6n+1}{15}\pi\le2\pi$

$0\le6n+1\le30$ $\therefore -\dfrac{1}{6}\le n\le\dfrac{29}{6}$

이때 정수 n은 0, 1, 2, 3, 4의 5개이다.

(ii) $\theta=\dfrac{6n-1}{15}\pi$일 때, $0\le\theta\le2\pi$이므로 $0\le\dfrac{6n-1}{15}\pi\le2\pi$

$0\le6n-1\le30$ $\therefore \dfrac{1}{6}\le n\le\dfrac{31}{6}$

이때 정수 n은 1, 2, 3, 4, 5의 5개이다.

(i), (ii)에서 정수 n에 대하여 일치하는 θ의 값이 없으므로 θ의 개수는 $5+5=10$

답 ④

047

> ▸ 접근
> 동경 OP가 나타내는 한 각의 크기 α를 구하고,
> $\theta=2n\pi+\alpha$ (n은 정수)임을 이용한다.

동경 OP가 나타내는 한 각의 크기는 $\pi+\dfrac{\pi}{7}=\dfrac{8}{7}\pi$이므로 일반각은

$\theta=2n\pi+\dfrac{8}{7}\pi$ (단, n은 정수) ⋯⋯ ㉠

$-4\pi\le\theta\le4\pi$에서 $-4\pi\le2n\pi+\dfrac{8}{7}\pi\le4\pi$

$-4\le2n+\dfrac{8}{7}\le4,\ -\dfrac{18}{7}\le n\le\dfrac{10}{7}$

$\therefore n=-2,\ -1,\ 0,\ 1$

이 값을 ㉠에 대입하면 θ의 크기는 $-\dfrac{20}{7}\pi,\ -\dfrac{6}{7}\pi,\ \dfrac{8}{7}\pi,\ \dfrac{22}{7}\pi$이므로 모든 θ의 크기의 합은

$-\dfrac{20}{7}\pi+\left(-\dfrac{6}{7}\pi\right)+\dfrac{8}{7}\pi+\dfrac{22}{7}\pi=\dfrac{4}{7}\pi$

답 ⑤

048

동경 OP_n이 나타내는 각의 크기를 θ_n이라고 하면

$\theta_1=3\pi-\dfrac{\pi}{4}=2\pi+\dfrac{3}{4}\pi$

$\theta_2=5\pi+\dfrac{\pi}{2}=4\pi+\dfrac{3}{2}\pi$

$\theta_3=7\pi-\dfrac{3}{4}\pi=6\pi+\dfrac{\pi}{4}$

$\theta_4=9\pi+\pi=10\pi$

$\theta_5=11\pi-\dfrac{5}{4}\pi=8\pi+\dfrac{7}{4}\pi$

$\theta_6=13\pi+\dfrac{3}{2}\pi=14\pi+\dfrac{\pi}{2}$

$\theta_7=15\pi-\dfrac{7}{4}\pi=12\pi+\dfrac{5}{4}\pi$

$\theta_8 = 17\pi + 2\pi = 18\pi + \pi$

$\theta_9 = 19\pi - \dfrac{9}{4}\pi = 16\pi + \dfrac{3}{4}\pi$

$\theta_{10} = 21\pi + \dfrac{5}{2}\pi = 22\pi + \dfrac{3}{2}\pi$

$\vdots$

이상에서 동경 OP_n이 동경 OP_1과 일치하려면

$n = 8m+1$ (m은 자연수)이어야 한다.

따라서 $n = 9, 17, \cdots, 97$의 12개이다.

답 ②

049

$\dfrac{n}{7}\pi$가 제2사분면의 각이려면

$2k\pi + \dfrac{\pi}{2} < \dfrac{n}{7}\pi < 2k\pi + \pi$ (단, k는 음이 아닌 정수)

$\therefore 14k + \dfrac{7}{2} < n < 14k + 7$

n은 자연수이므로 $n = 14k+4$ 또는 $n = 14k+5$ 또는 $n = 14k+6$

따라서 $k=0$일 때 n의 값이 최소이므로 $m = 4$

$\dfrac{n}{9}\pi$가 제3사분면의 각이려면

$2t\pi + \pi < \dfrac{n}{9}\pi < 2t\pi + \dfrac{3}{2}\pi$ (단, t는 음이 아닌 정수)

$\therefore 18t + 9 < n < 18t + \dfrac{27}{2}$

n은 자연수이므로 $n = 18t+10$ 또는 $n = 18t+11$ 또는

$n = 18t+12$ 또는 $n = 18t+13$

따라서 $t=5$일 때 $n = 18t+10$의 값이 최대이므로

$M = 18 \times 5 + 10 = 100$

$\therefore M+m = 100+4 = 104$

답 ⑤

050

중심각의 크기가 각각 θ_1, θ_2인 두 부채꼴의 반지름의 길이를 각각
$4r$, $5r$라고 하면 두 부채꼴의 넓이는 각각

$\dfrac{1}{2} \times (4r)^2 \times \theta_1 = 8r^2\theta_1$

$\dfrac{1}{2} \times (5r)^2 \times \theta_2 = \dfrac{25}{2}r^2\theta_2$

넓이의 비는 $6:5$이므로

$8r^2\theta_1 : \dfrac{25}{2}r^2\theta_2 = 6:5$

$40r^2\theta_1 = 75r^2\theta_2$

$\therefore \dfrac{\theta_2}{\theta_1} = \dfrac{8}{15}$

답 ④

051

부채꼴의 반지름의 길이를 r, 호의 길이를 l, 넓이를 S라고 하면

$S = \dfrac{1}{2}rl = 25$ $\therefore l = \dfrac{50}{r}$

부채꼴의 둘레의 길이는

$2r + l = 2r + \dfrac{50}{r}$

이때 $2r > 0$, $\dfrac{50}{r} > 0$이므로 산술평균과 기하평균의 관계에 의하여

$2r + \dfrac{50}{r} \geq 2\sqrt{2r \times \dfrac{50}{r}} = 20$ (단, 등호는 $r=5$일 때 성립한다.)

따라서 부채꼴의 둘레의 길이의 최솟값은 20이다.

답 20

052

부채꼴의 반지름의 길이를 r, 호의 길이를 l, 넓이를 S라고 하면

$l = 16\pi$, $S = 80\pi$

$S = \dfrac{1}{2}rl$에서 $80\pi = \dfrac{1}{2} \times r \times 16\pi$

$\therefore r = 10$

부채꼴로 만든 원뿔의 높이를 h, 밑면인 원
의 반지름의 길이를 R라고 하면

$2\pi R = 16\pi$ $\therefore R = 8$

$\therefore h = \sqrt{10^2 - 8^2} = 6$

따라서 원뿔의 부피는

$\dfrac{1}{3} \times \pi \times 8^2 \times 6 = 128\pi$

답 ②

053

부채꼴의 중심각의 크기를 θ, 반지름의 길이를 r, 호의 길이를 l,
넓이를 S라고 하면 부채꼴의 둘레의 길이가 12이므로

$2r + l = 12$ $\therefore l = 12 - 2r$

넓이가 8 이상이 되어야 하므로

$S = \dfrac{1}{2}rl = \dfrac{1}{2}r(12-2r) \geq 8$

$r^2 - 6r + 8 \leq 0$, $(r-2)(r-4) \leq 0$

$\therefore 2 \leq r \leq 4$

한편 $l = r\theta$에서 $\theta = \dfrac{l}{r} = \dfrac{12-2r}{r} = \dfrac{12}{r} - 2$이므로 r가 최솟값을

가질 때, θ는 최댓값을 갖는다.

따라서 $r=2$일 때, 부채꼴의 중심각의 크기의 최댓값은

$\dfrac{12}{2} - 2 = 4$이다.

답 ④

054

삼각형 OAB에서 $\angle \mathrm{AOB} = \dfrac{\pi}{3}$, $\overline{\mathrm{OA}} = \overline{\mathrm{OB}}$

이므로 삼각형 OAB는 정삼각형이다.

$\therefore \overline{\mathrm{AB}} = 4$

원의 중심에서 현에 내린 수선은 그 현을 수
직이등분하므로 $\overline{\mathrm{AT}} = 2$

직각삼각형 OAT에서 $\overline{\mathrm{OT}} = \sqrt{4^2 - 2^2} = 2\sqrt{3}$

부채꼴 $\mathrm{OA'B'}$은 반지름의 길이가 $2\sqrt{3}$이고 중심각의 크기가 $\dfrac{\pi}{3}$이

므로 부채꼴 $\mathrm{OA'B'}$의 넓이는

$\dfrac{1}{2} \times (2\sqrt{3})^2 \times \dfrac{\pi}{3} = 2\pi$

답 ③

055

반원 C의 중심을 Q, 반지름의 길이를 r라고 하면 $\overline{OA}=4$이므로 $\overline{OQ}=4-r$

선분 OB와 반원 C의 접점을 H라고 하면 $\overline{QH}=r$

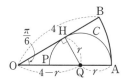

부채꼴의 중심각의 크기가 $\frac{\pi}{6}$이므로 직각삼각형 OQH에서

$$\sin\frac{\pi}{6}=\frac{r}{4-r}=\frac{1}{2}$$

$2r=4-r$, $3r=4$

$$\therefore r=\frac{4}{3}$$

따라서 $S_1=\frac{1}{2}\times 4^2\times\frac{\pi}{6}=\frac{4}{3}\pi$, $S_2=\frac{1}{2}\times\pi\times\left(\frac{4}{3}\right)^2=\frac{8}{9}\pi$이므로

$$S_1-S_2=\frac{4}{3}\pi-\frac{8}{9}\pi=\frac{4}{9}\pi$$

답 ④

056

부채꼴 OAB의 중심각의 크기를 θ, 반지름의 길이를 r, 넓이를 S라고 하면

$$S=\frac{1}{2}r^2\theta$$

부채꼴 OAB에서

중심각의 크기를 40 % 늘이면

$\theta+0.4\theta=1.4\theta$

반지름의 길이를 10 % 줄이면

$r-0.1r=0.9r$

새로 만들어진 부채꼴의 넓이를 S'이라고 하면

$$S'=\frac{1}{2}\times(0.9r)^2\times 1.4\theta$$

$$=\frac{1}{2}r^2\theta\times(0.9)^2\times 1.4$$

$$=\frac{1}{2}r^2\theta\times 1.134=1.134S$$

따라서 새로 만들어진 부채꼴의 넓이는 처음보다 13.4 % 증가한다.

답 ⑤

057

반지름의 길이가 1인 원을 6바퀴를 굴렸더니 점 P로 되돌아왔으므로 부채꼴의 둘레의 길이는 원의 둘레의 길이의 6배와 같다.

반지름의 길이가 1인 원의 둘레의 길이는

$2\pi\times 1=2\pi$

부채꼴의 둘레의 길이는

$12+12+12\theta=24+12\theta$

즉, $24+12\theta=6\times 2\pi$

$$\therefore \theta=\pi-2$$

답 ①

058

▶ 접근

부채꼴 OAB의 반지름의 길이를 $2r$로 놓고 세 호 OA, AB, OB를 r에 대한 식으로 나타낸다. 이때 도형의 둘레의 길이는 10π이고 넓이는 21π임을 이용한다.

부채꼴 OAB의 반지름의 길이를 $2r$, 세 호 OA, AB, OB로 둘러싸인 도형의 넓이를 S라고 하자.

호 AB의 길이는 $2r\theta$이고 변 OA를 지름으로 하는 반원의 호 OA의 길이는 $\frac{1}{2}\times 2\pi r=\pi r$이고 마찬가지로 호 OB의 길이도 πr이다.

세 호 OA, AB, OB로 둘러싸인 도형의 둘레의 길이는

$2r\theta+2\pi r=10\pi$ $\qquad \therefore r\theta=5\pi-\pi r$ ······ ㉠

$$S=\frac{1}{2}\times(2r)^2\times\theta+2\times\left(\frac{1}{2}\times\pi r^2\right)$$

$$=2r^2\theta+\pi r^2$$

$$=2r(5\pi-\pi r)+\pi r^2\ (\because ㉠)$$

$$=\pi(-r^2+10r)=21\pi$$

$-r^2+10r=21$, $r^2-10r+21=0$

$(r-3)(r-7)=0$ $\qquad \therefore r=3$ 또는 $r=7$

도형의 둘레의 길이가 10π이므로 $r<5$ $\qquad \therefore r=3$

㉠에서 $\theta=\frac{5\pi-\pi r}{r}=\frac{2}{3}\pi$

따라서 부채꼴 OAB의 중심각 θ의 크기는 $\frac{2}{3}\pi$이다.

답 ①

059

색칠한 부분의 호에 대한 중심각의 크기를 θ라고 하면 색칠한 부분의 둘레의 길이가 6이므로

$r_1\theta+r_2\theta+2(r_1-r_2)=6$

$$\therefore (r_1+r_2)\theta=6-2(r_1-r_2)$$

색칠한 부분의 넓이를 S라고 하면

$$S=\frac{1}{2}r_1^2\theta-\frac{1}{2}r_2^2\theta=\frac{1}{2}(r_1^2-r_2^2)\theta=\frac{1}{2}(r_1-r_2)(r_1+r_2)\theta$$

$$=\frac{1}{2}(r_1-r_2)\{6-2(r_1-r_2)\}$$

$r_1-r_2=t$로 놓으면

$$S=\frac{1}{2}t(6-2t)=-t^2+3t$$

$$=-\left(t-\frac{3}{2}\right)^2+\frac{9}{4}$$

따라서 $t=\frac{3}{2}$일 때, 넓이 S의 최댓값은 $\frac{9}{4}$이다.

답 ①

060

$\frac{3-\tan\theta}{1+\tan\theta}=4+\sqrt{5}$에서

$3-\tan\theta=(1+\tan\theta)(4+\sqrt{5})$

$(5+\sqrt{5})\tan\theta=-1-\sqrt{5}$

$$\therefore \tan\theta=-\frac{1+\sqrt{5}}{5+\sqrt{5}}=-\frac{\sqrt{5}}{5}$$

θ가 제2사분면의 각이고 $\tan \theta = -\dfrac{\sqrt{5}}{5}$이므로 θ를 나타내는 동경은 오른쪽 그림의 반직선 OP와 같다.

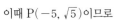

이때 $P(-5, \sqrt{5})$이므로

$\overline{OP} = \sqrt{(-5)^2 + (\sqrt{5})^2} = \sqrt{30}$

따라서 $\sin \theta = \dfrac{\sqrt{5}}{\sqrt{30}} = \dfrac{1}{\sqrt{6}}$, $\cos \theta = -\dfrac{5}{\sqrt{30}}$이므로

$\sin^2 \theta - \cos^2 \theta = \left(\dfrac{1}{\sqrt{6}}\right)^2 - \left(-\dfrac{5}{\sqrt{30}}\right)^2 = -\dfrac{2}{3}$

답 ②

061

θ가 제4사분면의 각이므로 좌표평면 위의 점 P에 대하여 각 θ를 나타내는 동경을 OP (O는 원점)라고 할 때, $\cos \theta = \dfrac{5}{13}$에서 점 P의 좌표를 $(5, a)$로 놓을 수 있다.

이때 $\overline{OP} = \sqrt{5^2 + a^2} = 13$이므로

$25 + a^2 = 169$, $a^2 = 144$

$\therefore a = -12 \ (\because a < 0)$

따라서 $\sin \theta = -\dfrac{12}{13}$, $\tan \theta = -\dfrac{12}{5}$이므로

$\dfrac{1}{\tan \theta} - \dfrac{1}{\sin \theta} = -\dfrac{5}{12} - \left(-\dfrac{13}{12}\right) = \dfrac{2}{3}$

답 ③

062

$\overline{AB} = 2$, $\overline{AD} = 6$이므로

$A(-3, 1)$

$\overline{OA} = \sqrt{(-3)^2 + 1^2} = \sqrt{10}$이므로

$\sin \alpha = \dfrac{1}{\sqrt{10}} = \dfrac{\sqrt{10}}{10}$, $\cos \alpha = \dfrac{-3}{\sqrt{10}} = -\dfrac{3\sqrt{10}}{10}$

두 점 A, C가 원점에 대하여 대칭이므로

$C(3, -1)$

$\overline{OC} = \sqrt{10}$이므로

$\sin \beta = \dfrac{-1}{\sqrt{10}} = -\dfrac{\sqrt{10}}{10}$, $\cos \beta = \dfrac{3}{\sqrt{10}} = \dfrac{3\sqrt{10}}{10}$

$\therefore \sin \alpha \cos \beta + \sin \beta \cos \alpha$

$\quad = \dfrac{\sqrt{10}}{10} \times \dfrac{3\sqrt{10}}{10} + \left(-\dfrac{\sqrt{10}}{10}\right) \times \left(-\dfrac{3\sqrt{10}}{10}\right)$

$\quad = \dfrac{3}{5}$

답 ③

063

오른쪽 그림과 같이 부채꼴에 내접하는 원의 중심을 O$'$이라 하고, 점 O$'$에서 부채꼴의 반지름에 내린 수선의 발을 H, 원 O$'$의 반지름의 길이를 r라고 하면 $\triangle$O$'$OH는 직각삼각형이고,

$\angle$O$'$OH $= 3\theta$이므로

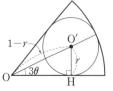

$\sin 3\theta = \dfrac{r}{1-r}$, $(1-r)\sin 3\theta = r$

$\sin 3\theta - r \sin 3\theta = r$, $(1 + \sin 3\theta)r = \sin 3\theta$

$\therefore r = \dfrac{\sin 3\theta}{1 + \sin 3\theta}$

답 ④

064

$y = \dfrac{1}{4}x$를 $x^2 + y^2 = 1$에 대입하면

$x^2 + \dfrac{1}{16}x^2 = 1$, $\dfrac{17}{16}x^2 = 1$, $x^2 = \dfrac{16}{17}$

$\therefore x = \dfrac{4\sqrt{17}}{17} \ (\because x > 0)$

점 $P\left(\dfrac{4\sqrt{17}}{17}, \dfrac{\sqrt{17}}{17}\right)$이므로

$\sin \alpha = \dfrac{\sqrt{17}}{17}$

$y = -4x$를 $x^2 + y^2 = 1$에 대입하면

$x^2 + 16x^2 = 1$, $17x^2 = 1$, $x^2 = \dfrac{1}{17}$

$\therefore x = -\dfrac{\sqrt{17}}{17} \ (\because x < 0)$

점 $Q\left(-\dfrac{\sqrt{17}}{17}, \dfrac{4\sqrt{17}}{17}\right)$이므로

$\cos \beta = -\dfrac{\sqrt{17}}{17}$

$\therefore 3\sin \alpha + \cos \beta = 3 \times \dfrac{\sqrt{17}}{17} + \left(-\dfrac{\sqrt{17}}{17}\right) = \dfrac{2\sqrt{17}}{17}$

답 $\dfrac{2\sqrt{17}}{17}$

065

▶ 접근

$\overline{OQ}$, $\overline{OR}$의 길이를 각각 구하고, 삼각함수의 정의에 의하여 $\sin \alpha = \dfrac{(점 Q의 y좌표)}{\overline{OQ}}$, $\cos \beta = \dfrac{(점 R의 x좌표)}{\overline{OR}}$임을 이용한다.

$\overline{OP} = \sqrt{1^2 + (2\sqrt{2})^2} = 3$이고

두 사각형 OAQP, OPRB는 모두 마름모이므로

$\overline{PQ} = \overline{PR} = \overline{OP} = 3$

이때 점 $Q(4, 2\sqrt{2})$이므로

$\overline{OQ} = \sqrt{4^2 + (2\sqrt{2})^2} = 2\sqrt{6}$

$\therefore \sin \alpha = \dfrac{2\sqrt{2}}{2\sqrt{6}} = \dfrac{\sqrt{3}}{3}$

또한 점 $R(-2, 2\sqrt{2})$이므로

$\overline{OR} = \sqrt{(-2)^2 + (2\sqrt{2})^2} = 2\sqrt{3}$

$\therefore \cos \beta = \dfrac{-2}{2\sqrt{3}} = -\dfrac{\sqrt{3}}{3}$

$\therefore \sin \alpha \cos \beta = \dfrac{\sqrt{3}}{3} \times \left(-\dfrac{\sqrt{3}}{3}\right) = -\dfrac{1}{3}$

답 ③

066

직선 l이 x축의 양의 방향과 이루는 각의 크기 α에 대하여

$\tan \alpha = \dfrac{a}{3}$이므로

$\sin \alpha = \dfrac{a}{\sqrt{a^2 + 9}}$, $\cos \alpha = \dfrac{3}{\sqrt{a^2 + 9}}$

직선 l과 수직인 직선이 x축의 양의 방향과 이루는 각의 크기 β에 대하여 $\tan\beta = -\dfrac{3}{a}$이므로

$\sin\beta = \dfrac{3}{\sqrt{a^2+9}}$, $\cos\beta = \dfrac{-a}{\sqrt{a^2+9}}$

직선 l의 기울기가 $\tan\alpha = \dfrac{a}{3}$이므로 직선 l과 수직인 직선의 기울기는 $-\dfrac{3}{a}$이다.

$\therefore \sin\alpha\cos\beta = \dfrac{a}{\sqrt{a^2+9}} \times \dfrac{-a}{\sqrt{a^2+9}}$

$= -\dfrac{a^2}{a^2+9} = -\dfrac{4}{5}$

$5a^2 = 4a^2 + 36$, $a^2 = 36$ $\therefore a = 6\ (\because a > 0)$

답 ④

067

원 O의 반지름의 길이를 r라고 하면

$\sin x° = \dfrac{\overline{PN}}{r}$ $\therefore \overline{PN} = r\sin x°$

$\overarc{AP} = 4\overline{PN}$이므로

$r \times \dfrac{x}{180}\pi = 4r\sin x°$

$x° = x \times \dfrac{\pi}{180} = \dfrac{x}{180}\pi$

$\therefore \sin x° = \dfrac{x}{720}\pi$

답 ⑤

068

$\overline{OP} = \sqrt{(-6)^2 + 8^2} = 10$이므로

$\sin\theta = \dfrac{8}{10} = \dfrac{4}{5}$, $\cos\theta = \dfrac{-6}{10} = -\dfrac{3}{5}$

이때 $\sin\theta + \cos\theta = \dfrac{4}{5} + \left(-\dfrac{3}{5}\right) = \dfrac{1}{5}$,

$\sin\theta\cos\theta = \dfrac{4}{5} \times \left(-\dfrac{3}{5}\right) = -\dfrac{12}{25}$

이므로 $\sin\theta$, $\cos\theta$를 두 근으로 하는 이차방정식은

$x^2 - \dfrac{1}{5}x - \dfrac{12}{25} = 0$

$\therefore 25x^2 - 5x - 12 = 0$

따라서 $a = 25$, $b = -5$이므로

$a + b = 25 + (-5) = 20$

답 ③

069

$\sin\theta\cos\theta < 0$에서 $\sin\theta$, $\cos\theta$의 값의 부호가 서로 다르므로

$\sin\theta > 0$, $\cos\theta < 0$ 또는 $\sin\theta < 0$, $\cos\theta > 0$

θ는 제2사분면 또는 제4사분면의 각이다.

$\cos\theta\tan\theta < 0$에서 $\cos\theta$, $\tan\theta$의 값의 부호가 서로 다르므로

θ는 제3사분면 또는 제4사분면의 각이다.

$\cos\theta > 0$, $\tan\theta < 0$ 또는 $\cos\theta < 0$, $\tan\theta > 0$

따라서 θ의 동경이 존재할 수 있는 사분면은 제4사분면의 각이다. 즉,

$2n\pi + \dfrac{3}{2}\pi < \theta < 2n\pi + 2\pi$

$\therefore n\pi + \dfrac{3}{4}\pi < \dfrac{\theta}{2} < n\pi + \pi$

(i) $n = 2k\ (k$는 정수)일 때

$2k\pi + \dfrac{3}{4}\pi < \dfrac{\theta}{2} < 2k\pi + \pi$

따라서 $\dfrac{\theta}{2}$는 제2사분면의 각이다.

(ii) $n = 2k+1\ (k$는 정수)일 때

$(2k+1)\pi + \dfrac{3}{4}\pi < \dfrac{\theta}{2} < (2k+1)\pi + \pi$

$\therefore 2k\pi + \dfrac{7}{4}\pi < \dfrac{\theta}{2} < 2k\pi + 2\pi$

따라서 $\dfrac{\theta}{2}$는 제4사분면의 각이다.

(i), (ii)에서 $\dfrac{\theta}{2}$의 동경이 존재할 수 있는 사분면은 제2사분면 또는 제4사분면이다.

답 ⑤

070

θ가 제3사분면의 각이므로

$\sin\theta < 0$, $\cos\theta < 0$

$-1 \le \sin\theta \le 1$이므로 $1 + \sin\theta \ge 0$이고,

$\sin\theta + \cos\theta < 0$

$\therefore |1 + \sin\theta| + \sqrt{\sin^2\theta} - \sqrt{(\sin\theta + \cos\theta)^2}$

$= |1 + \sin\theta| + |\sin\theta| - |\sin\theta + \cos\theta|$

$= 1 + \sin\theta - \sin\theta - \{-(\sin\theta + \cos\theta)\}$

$= \sin\theta + \cos\theta + 1$

답 ⑤

071

$\sqrt{\tan\theta}\sqrt{\sin\theta} = -\sqrt{\tan\theta\sin\theta}$에서

$\sin\theta < 0$, $\tan\theta < 0$이므로 $\cos\theta > 0$

④ $\sin\theta\tan\theta > 0$

θ는 제4사분면의 각이다.

답 ④

072

$\dfrac{\sqrt{\cos\theta}}{\sqrt{\sin\theta}} = -\sqrt{\dfrac{\cos\theta}{\sin\theta}}$에서 $\sin\theta < 0$, $\cos\theta > 0$이므로 θ가 제4사분면의 각이다.

따라서 $\tan\theta < 0$, $1 - \tan\theta > 0$이므로

$\sqrt{\tan^2\theta} - \sqrt{(1 - \tan\theta)^2} = |\tan\theta| - |1 - \tan\theta|$

$= -\tan\theta - (1 - \tan\theta)$

$= -\tan\theta - 1 + \tan\theta$

$= -1$

답 ②

073

▶ 접근

θ가 제1, 2, 3, 4사분면의 각일 때로 각각 나누어 $f(\sin\theta) + f(\cos\theta) - 2f(\tan\theta)$의 값을 구하고, θ가 제몇 사분면의 각인지 찾는다.

(i) θ가 제1사분면의 각일 때,

$\sin\theta > 0$, $\cos\theta > 0$, $\tan\theta > 0$이므로

$f(\sin\theta) + f(\cos\theta) - 2f(\tan\theta)$

$= 1 + 1 - 2 \times 1 = 0$

(ii) θ가 제2사분면의 각일 때,

$\sin\theta>0$, $\cos\theta<0$, $\tan\theta<0$이므로

$f(\sin\theta)+f(\cos\theta)-2f(\tan\theta)$

$=1+(-1)-2\times(-1)=2$

(iii) θ가 제3사분면의 각일 때,

$\sin\theta<0$, $\cos\theta<0$, $\tan\theta>0$이므로

$f(\sin\theta)+f(\cos\theta)-2f(\tan\theta)$

$=-1+(-1)-2\times1=-4$

(iv) θ가 제4사분면의 각일 때,

$\sin\theta<0$, $\cos\theta>0$, $\tan\theta<0$이므로

$f(\sin\theta)+f(\cos\theta)-2f(\tan\theta)$

$=-1+1-2\times(-1)=2$

(i)~(iv)에서 $f(\sin\theta)+f(\cos\theta)-2f(\tan\theta)=-4$를 만족시키는 θ는 제3사분면의 각이다.

目 제3사분면

074

$\sin\theta\cos\theta<0$에서 $\underset{\underset{\text{sin}\theta<0,\,\cos\theta>0}{\overset{\overline{\sin\theta>0,\,\cos\theta<0\ \text{또는}}}{}}}{\sin\theta,\,\cos\theta\text{의 값의 부호가 서로 다르므로}}$

θ는 제2사분면 또는 제4사분면의 각이다.

$\dfrac{\cos\theta}{\tan\theta}>0$에서 $\underset{\underset{\text{또는}\,\cos\theta<0,\,\tan\theta<0}{\overset{\overline{\cos\theta>0,\,\tan\theta>0}}{}}}{\cos\theta,\,\tan\theta\text{의 값의 부호가 서로 같으므로}}$

θ는 제1사분면 또는 제2사분면의 각이다.

따라서 θ는 제2사분면의 각이다.

ㄱ은 옳다.

θ는 제2사분면의 각이므로

$\cos\theta<0$

ㄴ도 옳다.

$2n\pi+\dfrac{\pi}{2}<\theta<2n\pi+\pi$ (n은 정수)이므로

$n\pi+\dfrac{\pi}{4}<\dfrac{\theta}{2}<n\pi+\dfrac{\pi}{2}$

즉, $\dfrac{\theta}{2}$는 제1사분면 또는 제3사분면의 각이므로

$\tan\dfrac{\theta}{2}>0$

ㄷ도 옳다.

$2n\pi+\dfrac{\pi}{2}<\theta<2n\pi+\pi$ (n은 정수)이므로

$4n\pi+\pi<2\theta<4n\pi+2\pi$

즉, 2θ는 제3사분면 또는 제4사분면의 각이므로

$\sin 2\theta<0$

따라서 옳은 것은 ㄱ, ㄴ, ㄷ이다.

目 ⑤

075

$k=\tan\theta+\dfrac{1}{\cos\theta}=\dfrac{\sin\theta}{\cos\theta}+\dfrac{1}{\cos\theta}=\dfrac{\sin\theta+1}{\cos\theta}$ ······ ㉠

$\cos\theta=x$, $\sin\theta=y$라고 하면

$x^2+y^2=1$

$|\theta|\leq\dfrac{\pi}{6}$에서 점 $(x,\,y)$는 오른쪽 그림의 호 PQ 위의 점이다.

㉠에서 $k=\dfrac{\sin\theta+1}{\cos\theta}=\dfrac{y-(-1)}{x-0}$이므로 k는 점 $(0,\,-1)$과 호 PQ 위의 점 $(x,\,y)$를 이은 직선의 기울기이다.

두 점 P, Q의 좌표가 각각 $\left(\dfrac{\sqrt3}{2},\,\dfrac{1}{2}\right)$, $\left(\dfrac{\sqrt3}{2},\,-\dfrac{1}{2}\right)$이므로

점 $(0,\,-1)$과 점 P를 지나는 직선의 기울기는

$\dfrac{\dfrac{1}{2}-(-1)}{\dfrac{\sqrt3}{2}-0}=\sqrt3$

점 $(0,\,-1)$과 점 Q를 지나는 직선의 기울기는

$\dfrac{-\dfrac{1}{2}-(-1)}{\dfrac{\sqrt3}{2}-0}=\dfrac{\sqrt3}{3}$

따라서 $\dfrac{\sqrt3}{3}\leq k\leq\sqrt3$이므로 $M=\sqrt3$, $m=\dfrac{\sqrt3}{3}$

$\therefore M+m=\sqrt3+\dfrac{\sqrt3}{3}=\dfrac{4\sqrt3}{3}$

目 ④

076

이차방정식 $3x^2+kx+2=0$의 두 근이 $\sin\theta$, $\cos\theta$이므로 근과 계수의 관계에 의하여

$\sin\theta\cos\theta=\dfrac{2}{3}$

이때

$\tan\theta+\dfrac{1}{\tan\theta}=\dfrac{\sin\theta}{\cos\theta}+\dfrac{\cos\theta}{\sin\theta}$

$=\dfrac{\sin^2\theta+\cos^2\theta}{\sin\theta\cos\theta}$

$=\dfrac{1}{\sin\theta\cos\theta}=\dfrac{3}{2}$

$\tan\theta\times\dfrac{1}{\tan\theta}=1$

이므로 $\tan\theta$, $\dfrac{1}{\tan\theta}$을 두 근으로 하고 x^2의 계수가 4인 이차방정식은

$4\left(x^2-\dfrac{3}{2}x+1\right)=0$ $\therefore 4x^2-6x+4=0$

目 $4x^2-6x+4=0$

참고

$\sin\theta+\cos\theta=-\dfrac{k}{3}$ ······ ㉠

$\sin\theta\cos\theta=\dfrac{2}{3}$ ······ ㉡

㉠의 양변을 제곱하면

$\sin^2\theta+2\sin\theta\cos\theta+\cos^2\theta=\dfrac{k^2}{9}$

$1+2\sin\theta\cos\theta=\dfrac{k^2}{9}$

이 식에 ㉡을 대입하면

$1+2\times\dfrac{2}{3}=\dfrac{k^2}{9}$, $k^2=21$ $\therefore k=\sqrt{21}\ (\because k>0)$

077

$(1+\sin\theta)(1-\sin\theta)(1-\tan^2\theta)$
$=(1-\sin^2\theta)(1-\tan^2\theta)$
$=\cos^2\theta(1-\tan^2\theta)$
$=\cos^2\theta\left(1-\dfrac{\sin^2\theta}{\cos^2\theta}\right)$
$=\cos^2\theta\times\dfrac{\cos^2\theta-\sin^2\theta}{\cos^2\theta}$
$=\cos^2\theta-\sin^2\theta$
$=(\cos\theta+\sin\theta)(\cos\theta-\sin\theta)$
한편
$(\cos\theta+\sin\theta)^2$
$=\cos^2\theta+2\cos\theta\sin\theta+\sin^2\theta$
$=1+2\times\dfrac{1}{6}=\dfrac{4}{3}$
$\therefore\cos\theta+\sin\theta=\dfrac{2\sqrt{3}}{3}\ (\because\ \underline{\cos\theta+\sin\theta>0})$
$(\cos\theta-\sin\theta)^2$ $\quad\underline{\quad 0<\theta<\frac{\pi}{4}\text{이므로}}$
$=\cos^2\theta-2\cos\theta\sin\theta+\sin^2\theta$ $\qquad\sin\theta>0,\ \cos\theta>0$
$=1-2\times\dfrac{1}{6}=\dfrac{2}{3}$
$\therefore\cos\theta-\sin\theta=\dfrac{\sqrt{6}}{3}\ (\because\ \underline{\cos\theta-\sin\theta>0})$
$\therefore (1+\sin\theta)(1-\sin\theta)(1-\tan^2\theta)$ $\quad\underline{\quad 0<\theta<\frac{\pi}{4}\text{이므로}}$
$\quad=(\cos\theta+\sin\theta)(\cos\theta-\sin\theta)$ $\qquad\cos\theta>\sin\theta$
$\quad=\dfrac{2\sqrt{3}}{3}\times\dfrac{\sqrt{6}}{3}=\dfrac{2\sqrt{2}}{3}$

답 ④

078

$\dfrac{3}{\cos^2\theta}+\tan^2\theta=19$에서

$\dfrac{3}{\cos^2\theta}+\dfrac{\sin^2\theta}{\cos^2\theta}=19$

$\dfrac{3+\sin^2\theta}{\cos^2\theta}=19$

$3+\sin^2\theta=19\cos^2\theta$

$3+(1-\cos^2\theta)=19\cos^2\theta$

$\therefore\cos^2\theta=\dfrac{1}{5}$

이때 θ가 제2사분면의 각이므로

$\cos\theta<0$

$\therefore\cos\theta=-\dfrac{\sqrt{5}}{5}$

$\sin^2\theta=1-\cos^2\theta=1-\dfrac{1}{5}=\dfrac{4}{5}$

$\therefore\sin\theta=\dfrac{2\sqrt{5}}{5}\ (\because\ \sin\theta>0)$

$\tan\theta=\dfrac{\sin\theta}{\cos\theta}=\dfrac{2\sqrt{5}}{5}\div\left(-\dfrac{\sqrt{5}}{5}\right)$

$\qquad=\dfrac{2\sqrt{5}}{5}\times\left(-\dfrac{5}{\sqrt{5}}\right)$

$\qquad=-2$

$\therefore\dfrac{\tan\theta}{\sin\theta+\cos\theta}=\dfrac{-2}{\dfrac{2\sqrt{5}}{5}+\left(-\dfrac{\sqrt{5}}{5}\right)}$

$\qquad\qquad\qquad=\dfrac{-2}{\dfrac{\sqrt{5}}{5}}=\dfrac{-10}{\sqrt{5}}$

$\qquad\qquad\qquad=-2\sqrt{5}$

답 ①

079

$\sin\theta-\cos\theta=k$로 놓으면
$(\sin\theta+\cos\theta)^2+(\sin\theta-\cos\theta)^2=a^2+k^2$
$2(\sin^2\theta+\cos^2\theta)=a^2+k^2$
$\sin^2\theta+\cos^2\theta=1$이므로
$2=a^2+k^2$
$\therefore k^2=2-a^2$
이때 $\dfrac{\pi}{2}<\theta<\pi$이므로
$\sin\theta>0,\ \cos\theta<0$
이고 $\sin\theta-\cos\theta>0$
$\therefore k=\sqrt{2-a^2}$
$\therefore\sin\theta+\cos\theta=\sqrt{2-a^2}$

답 ⑤

080

$(\sin\theta-\cos\theta)(\sin\theta+\cos\theta)(\sin^n\theta+\cos^n\theta)$
$=(\sin^2\theta-\cos^2\theta)(\sin^n\theta+\cos^n\theta)$
$=(\sin^2\theta-\cos^2\theta)(\sin^2\theta+\cos^2\theta)(\sin^n\theta+\cos^n\theta)$
$\qquad\qquad\qquad\qquad\quad (\because\ \sin^2\theta+\cos^2\theta=1)$
$=(\sin^4\theta-\cos^4\theta)(\sin^n\theta+\cos^n\theta)$
$\sin^8\theta-\cos^8\theta$
$=(\sin^4\theta-\cos^4\theta)(\sin^4\theta+\cos^4\theta)$
$\therefore n=4$

답 ①

081

$0<\sin\theta<\cos\theta$이므로
$\sin\theta+\cos\theta>0,\ \sin\theta-\cos\theta<0$
$\therefore \sqrt{1+2\sin\theta\cos\theta}-\sqrt{1-2\sin\theta\cos\theta}$
$\quad=\sqrt{\sin^2\theta+\cos^2\theta+2\sin\theta\cos\theta}$
$\qquad\qquad\qquad -\sqrt{\sin^2\theta+\cos^2\theta-2\sin\theta\cos\theta}$
$\quad=\sqrt{(\sin\theta+\cos\theta)^2}-\sqrt{(\sin\theta-\cos\theta)^2}$
$\quad=(\sin\theta+\cos\theta)-\{-(\sin\theta-\cos\theta)\}$
$\quad=\sin\theta+\cos\theta+\sin\theta-\cos\theta$
$\quad=2\sin\theta$

답 ①

082

$$\log_3 \cos\theta + \log_3 \tan\theta = \log_3 \cos\theta \tan\theta$$
$$= \log_3 \left(\cos\theta \times \frac{\sin\theta}{\cos\theta} \right)$$
$$= \log_3 \sin\theta = -1$$

$$\therefore \sin\theta = \frac{1}{3}$$

이때 $0 < \theta < \dfrac{\pi}{2}$ 이므로

$$\cos\theta = \sqrt{1 - \sin^2\theta}$$
$$= \sqrt{1 - \left(\frac{1}{3}\right)^2} = \frac{2\sqrt{2}}{3}$$

$$\therefore \tan\theta = \frac{\sin\theta}{\cos\theta} = \frac{1}{3} \div \frac{2\sqrt{2}}{3}$$
$$= \frac{1}{3} \times \frac{3}{2\sqrt{2}} = \frac{1}{2\sqrt{2}}$$
$$= \frac{\sqrt{2}}{4}$$

답 ①

083

▶ 접근

점 P가 원 $x^2 + y^2 = 1$ 위의 점이므로 $P(\cos\theta, \sin\theta)$로 놓고 직선 l 의 방정식을 구한 후 직선 l과 이차함수의 그래프가 접함을 이용한다.

점 $P(\cos\theta, \sin\theta)$라고 하면 직선 l의 방정식은

$$y - \sin\theta = -(x - \cos\theta)$$
$$\therefore y = -x + \sin\theta + \cos\theta$$

직선 l과 이차함수 $y = x^2 + \dfrac{1}{2}$의 그래프가 접하므로

이차방정식 $-x + \sin\theta + \cos\theta = x^2 + \dfrac{1}{2}$,

즉 $x^2 + x + \dfrac{1}{2} - \sin\theta - \cos\theta = 0$의 판별식을 D라고 하면

$$D = 1^2 - 4\left(\frac{1}{2} - \sin\theta - \cos\theta\right) = 0$$
$$-1 + 4(\sin\theta + \cos\theta) = 0$$
$$\therefore \sin\theta + \cos\theta = \frac{1}{4}$$

위 식의 양변을 제곱하면

$$\sin^2\theta + 2\sin\theta\cos\theta + \cos^2\theta = \frac{1}{16}$$
$$1 + 2\sin\theta\cos\theta = \frac{1}{16}$$
$$\therefore \sin\theta\cos\theta = -\frac{15}{32}$$

답 $-\dfrac{15}{32}$

참고

이차함수 $y = ax^2 + bx + c$의 그래프와 직선 $y = mx + n$의 위치 관계는 이차방정식 $ax^2 + (b-m)x + c - n = 0$의 판별식 D의 부호에 따라 파악할 수 있다.

(1) 서로 다른 두 점에서 만나면 $D > 0$

(2) 한 점에서 만나면(접하면) $D = 0$

(3) 만나지 않으면 $D < 0$

04 삼각함수의 그래프

084

① 정의역은 실수 전체의 집합이다.

② 치역은 $\{y \mid -1 \leq y \leq 1\}$이다.

③ 주기는 $\dfrac{2\pi}{|2|} = \pi$이다.

④ 그래프는 원점에 대하여 대칭이다.

따라서 옳은 것은 ⑤이다.

답 ⑤

085

$$y = -4\sin\left(-\frac{1}{3}x + \frac{1}{6}\right) + 3$$
$$= -4\sin\left\{-\frac{1}{3}\left(x - \frac{1}{2}\right)\right\} + 3$$

이므로 함수 $y = -4\sin\left(-\dfrac{1}{3}x + \dfrac{1}{6}\right) + 3$의 그래프는 함수

$y = -4\sin\left(-\dfrac{1}{3}x\right)$의 그래프를 x축의 방향으로 $\dfrac{1}{2}$만큼, y축의 방향으로 3만큼 평행이동한 것이다.

따라서 $a = \dfrac{1}{2}$, $b = 3$이므로 $a + b = \dfrac{1}{2} + 3 = \dfrac{7}{2}$

답 ③

풍쌤 비법

$y = a\sin(bx + c) + d$에서

$y = a\sin(bx + c) + d = a\sin b\left(x + \dfrac{c}{b}\right) + d$이므로

함수 $y = a\sin(bx + c) + d$의 그래프는 $y = a\sin bx$의 그래프를 x축의 방향으로 $-\dfrac{c}{b}$만큼, y축의 방향으로 d만큼 평행이동한 것이다.

086

ㄱ은 옳다.

$y = 2\cos\left(3x + \dfrac{\pi}{4}\right) - 1 = 2\cos 3\left(x + \dfrac{\pi}{12}\right) - 1$이므로

$y = 2\cos 3x$의 그래프를 x축의 방향으로 $-\dfrac{\pi}{12}$만큼, y축의 방향으로 -1만큼 평행이동한 것이다.

ㄴ도 옳다.

주기는 $\dfrac{2\pi}{|3|} = \dfrac{2}{3}\pi$이다.

ㄷ은 옳지 않다.

$y = 2\cos 3x$의 그래프가 y축에 대하여 대칭이므로

$y = 2\cos\left(3x + \dfrac{\pi}{4}\right) - 1 = 2\cos 3\left(x + \dfrac{\pi}{12}\right) - 1$의 그래프는

직선 $x = -\dfrac{\pi}{12}$에 대하여 대칭이다.

따라서 옳은 것은 ㄱ, ㄴ이다.

답 ④

$y=a\cos(bx+c)+d$에서

$y=a\cos(bx+c)+d=a\cos b\left(x+\dfrac{c}{b}\right)+d$이므로

함수 $y=a\cos(bx+c)+d$의 그래프는 $y=a\cos bx$의 그래프를 x축의 방향으로 $-\dfrac{c}{b}$만큼, y축의 방향으로 d만큼 평행이동한 것이다.

087

함수 $f(x)$의 주기가 p이므로 모든 실수 x에 대하여

$f(x+p)=f(x)$

$\therefore f(p)=f(0)=\sin 0+\cos 0+5$

$\qquad =0+1+5=6$

답 ④

다른 풀이

$g(x)=\sin \dfrac{\pi}{2}x$, $h(x)=\cos \dfrac{\pi}{3}x$라고 하면

$g(x)$의 주기는 $\dfrac{2\pi}{\dfrac{\pi}{2}}=4$

$h(x)$의 주기는 $\dfrac{2\pi}{\dfrac{\pi}{3}}=6$

즉, 두 자연수 n, m에 대하여

$g(x)=g(x+4)=g(x+8)=g(x+12)=\cdots$

$\qquad =g(x+4n)$

$h(x)=h(x+6)=h(x+12)=h(x+18)=\cdots$

$\qquad =h(x+6m)$

이므로 $g(x)+h(x)$의 주기는 12이다.

함수 $f(x)$의 주기가 p이므로 $p=12$

$\therefore f(p)=f(12)=\sin 6\pi+\cos 4\pi+5$

$\qquad =1+5=6$

088

조건 ㈎에 의하여 함수 $f(x)$의 주기는 2이다.

$\therefore f(9)=f(7)=f(5)=f(3)=f(1)$

조건 ㈏에 의하여 $-1\leq x\leq1$일 때, $f(x)=\sin \pi x$이므로

$f(1)=\sin \pi=0$

$\therefore f(9)=0$

답 ③

089

$y=-\dfrac{1}{3}\cos\left(\dfrac{\pi}{4}x-\dfrac{\pi}{5}\right)+2$에서

최댓값은 $\left|-\dfrac{1}{3}\right|+2=\dfrac{7}{3}$, 최솟값은 $-\left|-\dfrac{1}{3}\right|+2=\dfrac{5}{3}$이므로

$M=\dfrac{7}{3}$, $m=\dfrac{5}{3}$

$\therefore Mm=\dfrac{7}{3}\times\dfrac{5}{3}=\dfrac{35}{9}$

답 ⑤

090

$f(x)=a\sin bx+c$의 주기가 $\dfrac{\pi}{4}$이므로

$\dfrac{2\pi}{|b|}=\dfrac{\pi}{4}$ $\quad\therefore b=8\ (\because b>0)$

$\therefore f(x)=a\sin 8x+c$

최솟값이 2이므로

$-a+c=2$ $\qquad\qquad\qquad\qquad\cdots\cdots$ ㉠

$f\left(\dfrac{\pi}{16}\right)=6$이므로

$a\sin \dfrac{\pi}{2}+c=6$

$\therefore a+c=6$ $\qquad\qquad\qquad\qquad\cdots\cdots$ ㉡

㉠, ㉡을 연립하여 풀면 $a=2$, $c=4$

$\therefore ab+c=2\times8+4=20$

답 ④

091

주어진 삼각함수의 주기가 π이므로

$\dfrac{2\pi}{|b|}=\pi$ $\quad\therefore b=2\ (\because b>0)$

이 함수의 최댓값이 4, 최솟값이 -2이므로

$a+c=4$ $\qquad\qquad\qquad\qquad\cdots\cdots$ ㉠

$-a+c=-2$ $\qquad\qquad\qquad\qquad\cdots\cdots$ ㉡

㉠, ㉡을 연립하여 풀면

$a=3$, $c=1$

$\therefore 2a+b+c=2\times3+2+1=9$

답 ③

092

① 정의역은 $3x\neq n\pi+\dfrac{\pi}{2}$, 즉 $x\neq \dfrac{n}{3}\pi+\dfrac{\pi}{6}$ (n은 정수)인 실수 전체의 집합이다.

② 치역은 실수 전체의 집합이다.

③ 주기는 $\dfrac{\pi}{|3|}=\dfrac{\pi}{3}$이다.

④ 그래프는 원점에 대하여 대칭이다.

따라서 옳은 것은 ⑤이다.

답 ⑤

093

조건 ㈎에서 함수 $f(x)$의 주기가 $\dfrac{\pi}{6}$이고 $b>0$이므로

$\dfrac{\pi}{|b|}=\dfrac{\pi}{b}=\dfrac{\pi}{6}$ $\quad\therefore b=6$

$f(x)=a\tan(6x+c)+d=a\tan 6\left(x+\dfrac{c}{6}\right)+d$이므로

$y=f(x)$의 그래프는 $y=a\tan 6x$의 그래프를 x축의 방향으로 $-\dfrac{c}{6}$만큼, y축의 방향으로 d만큼 평행이동한 것이다.

조건 (나)에서

$-\dfrac{c}{6}=\dfrac{\pi}{18}$, $d=-3$

$\therefore c=-\dfrac{\pi}{3}$, $d=-3$

$f(x)=a\tan\left(6x-\dfrac{\pi}{3}\right)-3$이고 조건 (다)에서 $f\left(\dfrac{\pi}{9}\right)=2\sqrt{3}-3$이

므로

$f\left(\dfrac{\pi}{9}\right)=a\tan\dfrac{\pi}{3}-3=\sqrt{3}a-3$

$\therefore a=2$

$\therefore abcd=2\times6\times\left(-\dfrac{\pi}{3}\right)\times(-3)=12\pi$

답 ⑤

풍쌤 비법

$y=a\tan(bx+c)+d$에서

$y=a\tan(bx+c)+d=a\tan b\left(x+\dfrac{c}{b}\right)+d$이므로

함수 $y=a\tan(bx+c)+d$의 그래프는 $y=a\tan bx$의 그래프

를 x축의 방향으로 $-\dfrac{c}{b}$만큼, y축의 방향으로 d만큼 평행이동한

것이다.

094

$y=4\tan(ax-b)+5$의 주기가 3π이고 $a>0$이므로

$\dfrac{\pi}{|a|}=\dfrac{\pi}{a}=3\pi$

$\therefore a=\dfrac{1}{3}$

$y=4\tan\left(\dfrac{1}{3}x-b\right)+5$의 그래프의 점근선의 방정식은

$\dfrac{1}{3}x-b=m\pi+\dfrac{\pi}{2}$ (단, m은 정수)

$\therefore x=3m\pi+\dfrac{3}{2}\pi+3b$

이 점근선의 방정식이 $x=3n\pi$와 일치하므로

$\dfrac{3}{2}\pi+3b=3k\pi$ (단, k는 정수)

이때 $-\pi<b<0$이므로

$b=-\dfrac{\pi}{2}$

$\therefore ab=\dfrac{1}{3}\times\left(-\dfrac{\pi}{2}\right)=-\dfrac{\pi}{6}$

답 ③

풍쌤 비법

함수	$y=a\sin(bx+c)+d$ $y=a\cos(bx+c)+d$	$y=a\tan(bx+c)+d$
정의역	실수 전체의 집합	$x\neq\dfrac{n}{b}\pi+\dfrac{\pi}{2b}-\dfrac{c}{b}$ (n은 정수) 인 실수 전체의 집합
치역	$\{y\mid-\lvert a\rvert+d\le y\le\lvert a\rvert+d\}$	실수 전체의 집합
최댓값	$\lvert a\rvert+d$	없음
최솟값	$-\lvert a\rvert+d$	없음
주기	$\dfrac{2\pi}{\lvert b\rvert}$	$\dfrac{\pi}{\lvert b\rvert}$

095

접근

주어진 그래프에서 $y=\tan(ax+b)$의 그래프의 주기와 지나는 점을 이용하여 a, b의 값을 구한다.

주어진 그래프의 주기가 $\dfrac{\pi}{2}$이고 $a>0$이므로

$\dfrac{\pi}{|a|}=\dfrac{\pi}{a}=\dfrac{\pi}{2}$ $\therefore a=2$

$y=\tan(2x+b)$의 그래프가 점 $\left(\dfrac{\pi}{4},\ 0\right)$을 지나므로

$0=\tan\left(\dfrac{\pi}{2}+b\right)$

이때 $0<b<\pi$이므로 $\dfrac{\pi}{2}<\dfrac{\pi}{2}+b<\dfrac{3}{2}\pi$

$\dfrac{\pi}{2}+b=\pi$ $\therefore b=\dfrac{\pi}{2}$

$\therefore ab=2\times\dfrac{\pi}{2}=\pi$ ── $\tan\pi=0$이므로 $\dfrac{\pi}{2}+b=\pi$

답 ③

096

$y=5\cos2x$의 주기는 $\dfrac{2\pi}{|2|}=\pi$

$y=\tan ax$의 주기는 $\dfrac{\pi}{|a|}$이므로 $y=|\tan ax|$의 주기는 $\dfrac{\pi}{|a|}$이다.

$\dfrac{\pi}{|a|}=\pi$이고 $a>0$이므로 $a=1$

답 1

097

접근

$\dfrac{\pi}{4}<1<\dfrac{\pi}{2}$이므로 $0<x<\dfrac{\pi}{2}$에서 각 함수의 증가와 감소를 파악한다.

$\sin\dfrac{\pi}{4}=\cos\dfrac{\pi}{4}=\dfrac{\sqrt{2}}{2}$, $\dfrac{\pi}{4}=0.785\cdots$

이때 $0<x<\dfrac{\pi}{2}$에서 $\sin x$는 증가하

고, $\cos x$는 감소하므로 오른쪽 그림

과 같이 $\cos1<\sin1$이다.

한편 $\tan\dfrac{\pi}{4}=1<\tan1$이므로

$\cos1<\sin1<\tan1$

$\therefore g(1)<f(1)<h(1)$

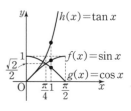

답 ③

098

$\sin\dfrac{5}{6}\pi+\cos\dfrac{2}{3}\pi+\cos\left(-\dfrac{10}{3}\pi\right)\tan\dfrac{7}{4}\pi$

$=\sin\left(\pi-\dfrac{\pi}{6}\right)+\cos\left(\pi-\dfrac{\pi}{3}\right)+\cos\dfrac{10}{3}\pi\tan\left(2\pi-\dfrac{\pi}{4}\right)$

$=\sin\dfrac{\pi}{6}-\cos\dfrac{\pi}{3}+\cos\left(\pi+\dfrac{\pi}{3}\right)\tan\left(-\dfrac{\pi}{4}\right)$

$=\dfrac{1}{2}-\dfrac{1}{2}-\cos\dfrac{\pi}{3}\times\left(-\tan\dfrac{\pi}{4}\right)$

$=-\dfrac{1}{2}\times(-1)=\dfrac{1}{2}$

$\cos\dfrac{10}{3}\pi$

$=\cos\left(2\pi+\dfrac{4}{3}\pi\right)$

$=\cos\dfrac{4}{3}\pi$

$=\cos\left(\pi+\dfrac{\pi}{3}\right)$

답 ①

099

$$\sin\left(\frac{\pi}{2}+\theta\right)\cos(\pi-\theta)-\cos\left(\frac{3}{2}\pi+\theta\right)\sin(\pi+\theta)$$

$$=\cos\theta\times(-\cos\theta)-\left\{-\cos\left(\frac{\pi}{2}+\theta\right)\right\}\times(-\sin\theta)$$

$$=-\cos^2\theta-\sin\theta\times(-\sin\theta)$$

$$\qquad\qquad\qquad\qquad\qquad\qquad\cos\left(\frac{3}{2}\pi+\theta\right)$$

$$=-\cos^2\theta+\sin^2\theta$$

$$\qquad\qquad\qquad\qquad\qquad=\cos\left(\pi+\frac{\pi}{2}+\theta\right)$$

$$=-\cos^2\theta+(1-\cos^2\theta)$$

$$\qquad\qquad\qquad\qquad\qquad=-\cos\left(\frac{\pi}{2}+\theta\right)$$

$$=1-2\cos^2\theta$$

답 ④

참고

(1) $\sin\left(\frac{3}{2}\pi\pm\theta\right)=-\cos\theta$

(2) $\cos\left(\frac{3}{2}\pi\pm\theta\right)=\pm\sin\theta$ (복부호동순)

(3) $\tan\left(\frac{3}{2}\pi\pm\theta\right)=\mp\dfrac{1}{\tan\theta}$ (복부호동순)

100

$$\sin150°=\sin(180°-30°)=\sin30°=\frac{1}{2}$$

$$\sin120°=\sin(180°-60°)=\sin60°=\frac{\sqrt{3}}{2}$$

$$\cos135°=\cos(180°-45°)=-\cos45°=-\frac{\sqrt{2}}{2}$$

$$\cos240°=\cos(180°+60°)=-\cos60°=-\frac{1}{2}$$

$$\cos390°=\cos(360°+30°)=\cos30°=\frac{\sqrt{3}}{2}$$

$$\sin225°=\sin(180°+45°)=-\sin45°=-\frac{\sqrt{2}}{2}$$

$$\therefore\ \frac{\sin150°}{\sin120°+\cos135°}+\frac{\cos240°}{\cos390°-\sin225°}$$

$$=\frac{\dfrac{1}{2}}{\dfrac{\sqrt{3}}{2}+\left(-\dfrac{\sqrt{2}}{2}\right)}+\frac{-\dfrac{1}{2}}{\dfrac{\sqrt{3}}{2}-\left(-\dfrac{\sqrt{2}}{2}\right)}$$

$$=\frac{1}{\sqrt{3}-\sqrt{2}}-\frac{1}{\sqrt{3}+\sqrt{2}}$$

$$=\sqrt{3}+\sqrt{2}-(\sqrt{3}-\sqrt{2})=2\sqrt{2}$$

답 $2\sqrt{2}$

101

θ가 제2사분면의 각이고 $\tan\theta=-\dfrac{3}{4}$이므로 각 θ를 나타내는 동경은 오른쪽 그림의 반직선 OP와 같다. P$(-4, 3)$이므로

$$\overline{\text{OP}}=\sqrt{(-4)^2+3^2}=5$$

따라서 $\sin\theta=\dfrac{3}{5}$, $\cos\theta=-\dfrac{4}{5}$이므로

$$\sin\left(\frac{\pi}{2}-\theta\right)+\cos\left(\frac{\pi}{2}+\theta\right)-\tan\left(\frac{3}{2}\pi+\theta\right)$$

$$=\cos\theta+(-\sin\theta)-\tan\left(\frac{\pi}{2}+\theta\right)$$

$$\qquad\qquad\qquad\qquad\qquad\qquad\tan\left(\frac{3}{2}\pi+\theta\right)$$

$$=\cos\theta-\sin\theta+\frac{1}{\tan\theta}$$

$$\qquad\qquad\qquad\qquad\qquad=\tan\left(\pi+\frac{\pi}{2}+\theta\right)$$

$$=-\frac{4}{5}-\frac{3}{5}+\left(-\frac{4}{3}\right)=-\frac{41}{15}$$

$$\qquad\qquad\qquad\qquad\qquad=\tan\left(\frac{\pi}{2}+\theta\right)$$

답 ②

102

$$\sin10°=\sin(90°-80°)=\cos80°$$

$$\sin20°=\sin(90°-70°)=\cos70°$$

$$\sin30°=\sin(90°-60°)=\cos60°$$

$$\sin40°=\sin(90°-40°)=\cos50°$$

$$\therefore\ \sin^210°+\sin^220°+\sin^230°+\cdots+\sin^280°$$

$$=(\sin^210°+\sin^280°)+(\sin^220°+\sin^270°)$$

$$\qquad\qquad+(\sin^230°+\sin^260°)+(\sin^240°+\sin^250°)$$

$$=(\cos^280°+\sin^280°)+(\cos^270°+\sin^270°)$$

$$\qquad\qquad+(\cos^260°+\sin^260°)+(\cos^250°+\sin^250°)$$

$$=1+1+1+1=4$$

답 ④

103

$0<A<\pi$, $0<B<\pi$일 때, 서로 다른 두 각 A, B에 대하여 $\sin A=\sin B$이므로

$$B=\pi-A$$

$$\therefore\ A+B=\pi$$

ㄱ은 옳다.

$$\sin\frac{A+B}{2}=\sin\frac{\pi}{2}=1$$

ㄴ도 옳다.

$$\sin\frac{A}{2}-\cos\frac{B}{2}=\sin\frac{A}{2}-\cos\frac{\pi-A}{2}$$

$$=\sin\frac{A}{2}-\cos\left(\frac{\pi}{2}-\frac{A}{2}\right)$$

$$=\sin\frac{A}{2}-\sin\frac{A}{2}\left(\because 0<\frac{A}{2}<\frac{\pi}{2}\right)$$

$$=0$$

ㄷ도 옳다.

$$\tan A+\tan B=\tan A+\tan(\pi-A)$$

$$=\tan A-\tan A$$

$$=0$$

따라서 옳은 것은 ㄱ, ㄴ, ㄷ이다.

답 ⑤

104

$y=\tan x$의 그래프를 x축에 대하여 대칭이동하면

$$-y=\tan x$$

$$\therefore\ y=-\tan x$$

$y=-\tan x$의 그래프를 x축의 방향으로 π만큼, y축의 방향으로 -2만큼 평행이동하면

$$y=-\tan(x-\pi)-2$$

$$=\tan(\pi-x)-2$$

$$=-\tan x-2$$

$$\qquad\qquad -\tan(x-\pi)-2$$

$$\qquad\qquad =-\tan\{-(\pi-x)\}-2$$

$$\qquad\qquad =\tan(\pi-x)-2$$

답 ①

105

$y = \cos\left(\dfrac{3}{4}\pi - x\right) + 2\sin\left(x - \dfrac{\pi}{4}\right) + 4$

$\quad = \cos\left\{\dfrac{\pi}{2} - \left(x - \dfrac{\pi}{4}\right)\right\} + 2\sin\left(x - \dfrac{\pi}{4}\right) + 4$

$\quad = \sin\left(x - \dfrac{\pi}{4}\right) + 2\sin\left(x - \dfrac{\pi}{4}\right) + 4$

$\quad = 3\sin\left(x - \dfrac{\pi}{4}\right) + 4$

$y = 3\sin\left(x - \dfrac{\pi}{4}\right) + 4$의 그래프는 $y = 3\sin x$의 그래프를 x축의

방향으로 $\dfrac{\pi}{4}$만큼, y축의 방향으로 4만큼 평행이동한 것이다.

$0 \le x \le 2\pi$에서 $-\dfrac{\pi}{4} \le x - \dfrac{\pi}{4} \le \dfrac{7}{4}\pi$이므로 주어진 함수는

$x - \dfrac{\pi}{4} = \dfrac{\pi}{2}$, 즉 $x = \dfrac{3}{4}\pi$일 때 최댓값 7을 갖는다.

따라서 $a = \dfrac{3}{4}\pi$, $b = 7$이므로

$x = \dfrac{3}{4}\pi$일 때

$ab = \dfrac{3}{4}\pi \times 7 = \dfrac{21}{4}\pi$

$\quad\quad y = 3\sin\left(\dfrac{3}{4}\pi - \dfrac{\pi}{4}\right) + 4$

$\quad\quad\quad = 3\sin\dfrac{\pi}{2} + 4$

$\quad\quad\quad = 3 \times 1 + 4 = 7$ 답 ⑤

106

$y = (\cos x + a)^2 + \sin^2 x$

$\quad = \cos^2 x + 2a\cos x + a^2 + \sin^2 x$

$\quad = 2a\cos x + a^2 + 1$

$-1 \le \cos x \le 1$, $a > 0$이므로

$\underbrace{a^2 - 2a + 1}_{\text{최솟값}} \le 2a\cos x + a^2 + 1 \le \underbrace{a^2 + 2a + 1}_{\text{최댓값}}$

최댓값이 9이므로

$a^2 + 2a + 1 = 9$, $a^2 + 2a - 8 = 0$

$(a + 4)(a - 2) = 0$ $\therefore a = 2 \ (\because a > 0)$

따라서 최솟값은 $a^2 - 2a + 1 = 4 - 4 + 1 = 1$

답 1

107

$\tan(\pi - x) = -\tan x$이므로

$y = \tan^2 x - 2\tan(\pi - x) + 3 = \tan^2 x + 2\tan x + 3$

$-\dfrac{\pi}{4} \le x \le \dfrac{\pi}{4}$에서 $-1 \le \tan x \le 1$이므로

$\tan x = t$로 놓으면 $-1 \le t \le 1$

$y = t^2 + 2t + 3 = (t + 1)^2 + 2$

오른쪽 그림에서

$t = -1$일 때 최솟값은 2이고,

$t = 1$일 때 최댓값은 6이므로

$M = 6$, $m = 2$

$\therefore Mm = 6 \times 2 = 12$

답 12

108

$f(x) = \sin^2 x + \sin\left(x + \dfrac{\pi}{2}\right) + 1$

$\quad\quad = 1 - \cos^2 x + \cos x + 1$

$\quad\quad = -\cos^2 x + \cos x + 2$

이때 $\cos x = t \ (-1 \le t \le 1)$로 놓으면

$f(x) = -t^2 + t + 2 = -\left(t - \dfrac{1}{2}\right)^2 + \dfrac{9}{4}$

오른쪽 그림에서

$t = \dfrac{1}{2}$일 때 최댓값은 $\dfrac{9}{4}$이므로

$M = \dfrac{9}{4}$

$\therefore 4M = 4 \times \dfrac{9}{4} = 9$

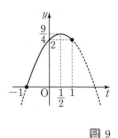

답 9

109

$y = \dfrac{\sin x + 2}{\sin x - 3}$에서 $\sin x = t \ (-1 \le t \le 1)$로 놓으면

$y = \dfrac{t + 2}{t - 3} = \dfrac{(t - 3) + 5}{t - 3} = \dfrac{5}{t - 3} + 1$

오른쪽 그림에서

$t = -1$일 때 최댓값은 $-\dfrac{1}{4}$이고,

$t = 1$일 때 최솟값은 $-\dfrac{3}{2}$이므로

최댓값과 최솟값의 차는

$-\dfrac{1}{4} - \left(-\dfrac{3}{2}\right) = \dfrac{5}{4}$

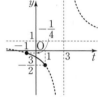

답 ④

참고

함수 $y = \dfrac{k}{x - p} + q \ (k \ne 0)$의 그래프는 함수 $y = \dfrac{k}{x}$의 그래프를 x축의 방향으로 p만큼, y축의 방향으로 q만큼 평행이동한 것이다.

110

$y = -\dfrac{\cos x + a}{\cos x - 2}$에서 $\cos x = t \ (-1 \le t \le 1)$로 놓으면

$y = -\dfrac{t + a}{t - 2} = -\dfrac{t - 2 + a + 2}{t - 2} = -\dfrac{a + 2}{t - 2} - 1$

이때 $a > -2$이므로 $a + 2 > 0$

오른쪽 그림에서

$t = -1$일 때 최솟값은 $\dfrac{-1 + a}{3}$이다.

이때 최솟값이 $\dfrac{2}{3}$이므로

$\dfrac{-1 + a}{3} = \dfrac{2}{3}$, $-1 + a = 2$

$\therefore a = 3$

답 3

111

$y = a\cos^2 x - a\sin x + b$

$\quad = a(1 - \sin^2 x) - a\sin x + b$

$\quad = -a\sin^2 x - a\sin x + a + b$

이때 $\sin x = t \ (-1 \le t \le 1)$로 놓으면

$y = -at^2 - at + a + b = -a\left(t + \dfrac{1}{2}\right)^2 + \dfrac{5}{4}a + b$

오른쪽 그림에서

$t=-\dfrac{1}{2}$일 때 최댓값은 $\dfrac{5}{4}a+b$이고,

$t=1$일 때 최솟값은 $-a+b$이므로

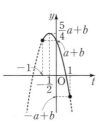

$\dfrac{5}{4}a+b=3$, $-a+b=-\dfrac{3}{2}$

위의 두 식을 연립하여 풀면

$a=2$, $b=\dfrac{1}{2}$

$\therefore a-2b=2-2\times\dfrac{1}{2}=1$

답 ④

112

$y=a|\cos x+2|+1$에서 $\cos x=t\ (-1\le t\le 1)$로 놓으면

$y=a|t+2|+1$

오른쪽 그림에서 $t=1$일 때 최댓값은 $3a+1$
이고, $t=-1$일 때 최솟값은 $a+1$이다.

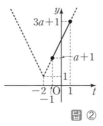

최댓값과 최솟값의 합이 10이므로

$(3a+1)+(a+1)=10$

$4a+2=10$ $\therefore a=2$

답 ②

간단 풀이

$-1\le\cos x\le 1$이므로

$1\le\cos x+2\le 3$, $1\le|\cos x+2|\le 3$

$\therefore a+1\le a|\cos x+2|+1\le 3a+1$

최댓값은 $3a+1$, 최솟값은 $a+1$이고, 최댓값과 최솟값의 합이 10
이므로

$(3a+1)+(a+1)=10$

$4a+2=10$ $\therefore a=2$

113

$2\sin x=1$에서 $\sin x=\dfrac{1}{2}$

$\sin x=\dfrac{1}{2}$의 해는 오른쪽 그림에서
곡선 $y=\sin x$와 직선 $y=\dfrac{1}{2}$의 교
점의 x좌표이므로

$x=\dfrac{\pi}{6}$ 또는 $x=\dfrac{5}{6}\pi$

따라서 모든 실근의 합은 $\dfrac{\pi}{6}+\dfrac{5}{6}\pi=\pi$이므로

$k=1$

답 ②

114

$\cos\left(x+\dfrac{\pi}{3}\right)=\dfrac{\sqrt{3}}{2}$에서 $x+\dfrac{\pi}{3}=t$로 놓으면

$\cos t=\dfrac{\sqrt{3}}{2}$

$0\le x<2\pi$이므로 $\dfrac{\pi}{3}\le t<\dfrac{7}{3}\pi$

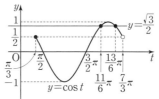

$\dfrac{\pi}{3}\le t<\dfrac{7}{3}\pi$일 때 $\cos t=\dfrac{\sqrt{3}}{2}$의 해는 위의 그림에서

$t=\dfrac{11}{6}\pi$ 또는 $t=\dfrac{13}{6}\pi$

즉, $x+\dfrac{\pi}{3}=\dfrac{11}{6}\pi$ 또는 $x+\dfrac{\pi}{3}=\dfrac{13}{6}\pi$에서

$x=\dfrac{3}{2}\pi$ 또는 $x=\dfrac{11}{6}\pi$

따라서 $\alpha=\dfrac{3}{2}\pi$, $\beta=\dfrac{11}{6}\pi$이므로

$2\alpha-6\beta=2\times\dfrac{3}{2}\pi-6\times\dfrac{11}{6}\pi=-8\pi$

답 -8π

115

$2\cos^2 x+\sin x-1=0$에서

$2(1-\sin^2 x)+\sin x-1=0$

$2\sin^2 x-\sin x-1=0$

$(2\sin x+1)(\sin x-1)=0$

$\therefore \sin x=-\dfrac{1}{2}$ 또는 $\sin x=1$

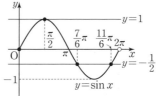

$0\le x<2\pi$일 때 위의 그림에서

$\sin x=-\dfrac{1}{2}$의 해는 $x=\dfrac{7}{6}\pi$ 또는 $x=\dfrac{11}{6}\pi$

$\sin x=1$의 해는 $x=\dfrac{\pi}{2}$

따라서 주어진 방정식의 모든 실근의 합은

$\dfrac{7}{6}\pi+\dfrac{11}{6}\pi+\dfrac{\pi}{2}=\dfrac{7}{2}\pi$

답 ④

116

$\tan\left(x+\dfrac{\pi}{6}\right)>1$에서 $x+\dfrac{\pi}{6}=t$로 놓으면

$\tan t>1$

$0\le x<\pi$이므로 $\dfrac{\pi}{6}\le t<\dfrac{7}{6}\pi$

$\dfrac{\pi}{6}\le t<\dfrac{7}{6}\pi$일 때, 부등식 $\tan t>1$의 해는

오른쪽 그림에서 $\dfrac{\pi}{4}<t<\dfrac{\pi}{2}$이므로

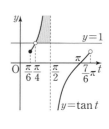

$\dfrac{\pi}{4}<x+\dfrac{\pi}{6}<\dfrac{\pi}{2}$

$\therefore \dfrac{\pi}{12}<x<\dfrac{\pi}{3}$

따라서 $\alpha=\dfrac{\pi}{12}$, $\beta=\dfrac{\pi}{3}$이므로

$$\beta-a=\frac{\pi}{3}-\frac{\pi}{12}=\frac{\pi}{4}$$

답 ②

117

$2\cos^2\left(x-\frac{\pi}{3}\right)-\cos\left(x-\frac{\pi}{3}\right)-1\geq0$에서 $x-\frac{\pi}{3}=t$로 놓으면

$2\cos^2 t-\cos t-1\geq0$

$(2\cos t+1)(\cos t-1)\geq0$

$\therefore \cos t\leq-\frac{1}{2}$ 또는 $\cos t\geq1$

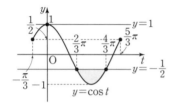

$0\leq x\leq2\pi$이므로 $-\frac{\pi}{3}\leq t\leq\frac{5}{3}\pi$

$-\frac{\pi}{3}\leq t\leq\frac{5}{3}\pi$일 때, 부등식 $\cos t\leq-\frac{1}{2}$ 또는 $\cos t\geq1$의 해는

위의 그림에서 $t=0$ 또는 $\frac{2}{3}\pi\leq t\leq\frac{4}{3}\pi$

$x-\frac{\pi}{3}=0$ 또는 $\frac{2}{3}\pi\leq x-\frac{\pi}{3}\leq\frac{4}{3}\pi$

$\therefore x=\frac{\pi}{3}$ 또는 $\pi\leq x\leq\frac{5}{3}\pi$

답 $x=\frac{\pi}{3}$ 또는 $\pi\leq x\leq\frac{5}{3}\pi$

118

모든 실수 x에 대하여 주어진 부등식이 성립하려면 방정식 $x^2-2(2\cos\theta+1)x+4=0$이 실근을 갖지 않아야 하므로 이 이차방정식의 판별식을 D라고 하면

$\frac{D}{4}=\{-(2\cos\theta+1)\}^2-4<0$

$4\cos^2\theta+4\cos\theta-3<0$

$(2\cos\theta+3)(2\cos\theta-1)<0$

이때 $2\cos\theta+3>0$이므로

$2\cos\theta-1<0$

$\therefore \cos\theta<\frac{1}{2}$

$0\leq\theta<2\pi$일 때, 부등식

$\cos\theta<\frac{1}{2}$의 해는 오른쪽 그림에서

$\frac{\pi}{3}<\theta<\frac{5}{3}\pi$

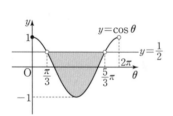

답 ②

119

$t_1=20,\ T_1=18$일 때,

$18=B-\frac{k}{6}\cos\left(\frac{\pi}{60}\times20\right)$

$B-\frac{k}{6}\cos\frac{\pi}{3}=18$

$\therefore B-\frac{k}{12}=18$ ······ ㉠

$t_2=40,\ T_2=20$일 때,

$20=B-\frac{k}{6}\cos\left(\frac{\pi}{60}\times40\right)$

$B-\frac{k}{6}\cos\frac{2}{3}\pi=20$

$\cos\frac{2}{3}\pi=\cos\left(\pi-\frac{\pi}{3}\right)=-\cos\frac{\pi}{3}$이므로

$B+\frac{k}{6}\cos\frac{\pi}{3}=20$

$\therefore B+\frac{k}{12}=20$ ······ ㉡

㉠-㉡을 하면

$-\frac{k}{6}=-2$ $\therefore k=12$

답 ②

120

모든 실수 x에 대하여 $f(x+1)=f(x-1)$이 성립하므로 x 대신 $x+1$을 대입하면

$f(x+2)=f(x)$

$f(1000)=f(998)=f(996)=\cdots=f(0)=2$

$f(999)=f(997)=\cdots=f(1)=-4$

$\therefore f(997)+f(998)+f(999)+f(1000)$

$=-4+2+(-4)+2$

$=-4$

답 ③

121

함수 $y=\sin\frac{x}{a}$의 주기는 $\frac{2\pi}{\left|\frac{1}{a}\right|}=\frac{2\pi}{\frac{1}{a}}=2a\pi\ (\because a>0)$

함수 $y=\tan2ax$의 주기는 $\frac{\pi}{|2a|}=\frac{\pi}{2a}\ (\because a>0)$

두 함수의 주기가 같으므로 $2a\pi=\frac{\pi}{2a}$에서

$4a^2=1,\ a^2=\frac{1}{4}$

$\therefore a=\frac{1}{2}\ (\because a>0)$

답 ①

122

▶ 접근

$A-B$의 부호를 조사하여 대소를 비교한다.

$A-B=x\sin y+y\sin x-(x\cos x+y\cos y)$

$\quad=x(\sin y-\cos x)+y(\sin x-\cos y)$

$\frac{\pi}{4}<x<\frac{\pi}{2},\ \frac{\pi}{4}<y<\frac{\pi}{2}$인 모든 $x,\ y\ (x\neq y)$에 대하여

$\sin y>\cos x,\ \sin x>\cos y$

$\therefore \sin y-\cos x>0,\ \sin x-\cos y>0$

즉, $x(\sin y-\cos x)+y(\sin x-\cos y)>0$이므로

$A-B>0$ $\therefore A>B$

답 $A>B$

123

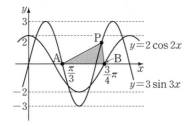

함수 $y=3\sin 3x$의 그래프의 주기는 $\dfrac{2}{3}\pi$이고, 함수 $y=2\cos 2x$

의 그래프의 주기는 π이다.

이때 $0<a<\dfrac{\pi}{2}<b<\pi$이고

$y=3\sin 3x$가 점 $\mathrm{A}(a, 0)$을 지나므로

$0=3\sin 3a$에서 $3a=\pi$ $\therefore a=\dfrac{\pi}{3}$

$y=2\cos 2x$가 점 $\mathrm{B}(b, 0)$을 지나므로

$0=2\cos 2b$에서 $2b=\dfrac{3}{2}\pi$ $\therefore b=\dfrac{3}{4}\pi$

$\mathrm{A}\left(\dfrac{\pi}{3}, 0\right)$, $\mathrm{B}\left(\dfrac{3}{4}\pi, 0\right)$이므로 $\overline{\mathrm{AB}}=\dfrac{3}{4}\pi-\dfrac{\pi}{3}=\dfrac{5}{12}\pi$이고,

함수 $y=3\sin 3x$의 최댓값은 3이므로

$\triangle\mathrm{ABP}=\dfrac{1}{2}\times\overline{\mathrm{AB}}\times|\text{점 P의 }y\text{좌표}|\leq\dfrac{1}{2}\times\dfrac{5}{12}\pi\times3=\dfrac{5}{8}\pi$

따라서 삼각형 ABP의 넓이의 최댓값은 $\dfrac{5}{8}\pi$이다.

답 ④

124

ㄱ. $y=\sin|x|$, $y=|\sin x|$의 그래프는 각각 다음 그림과 같다.

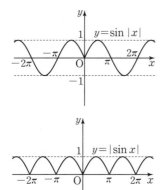

ㄴ. $y=\cos x$, $y=\cos|x|$의 그래프는 각각 다음 그림과 같다.

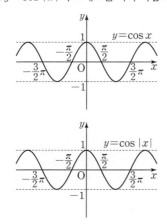

ㄷ. $y=|\sin(x-\pi)|$, $y=\left|\cos\left(x-\dfrac{\pi}{2}\right)\right|$의 그래프는 각각 다음 그림과 같다.

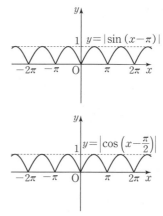

따라서 옳은 것은 ㄴ, ㄷ이다.

답 ⑤

125

$f(x)=a|\cos bx|+c$의 주기가 $\dfrac{\pi}{3}$이고 $b>0$이므로

$\dfrac{\pi}{|b|}=\dfrac{\pi}{b}=\dfrac{\pi}{3}$ $\therefore b=3$ ($y=|\cos x|$의 주기는 π)

한편 $0\leq|\cos bx|\leq1$이므로

$c\leq a|\cos bx|+c\leq a+c$

함수 $f(x)$의 최댓값이 5이므로

$a+c=5$ ……㉠

$f\left(\dfrac{\pi}{6}\right)=2$이므로

$a\left|\cos\left(3\times\dfrac{\pi}{6}\right)\right|+c=2$ $\therefore c=2$

$c=2$를 ㉠에 대입하면

$a+2=5$ $\therefore a=3$

$\therefore a+b-c=3+3-2=4$

답 ②

126

함수 $f(x)=\sin\pi x$ $(x\geq0)$의

주기는 $\dfrac{2\pi}{\pi}=2$이므로

$\beta=1-\alpha$, $\gamma=2+\alpha$

$\therefore \alpha+\beta+\gamma+1$

$=\alpha+(1-\alpha)+(2+\alpha)+1$

$=4+\alpha$

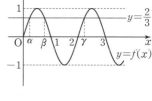

함수 $f(x)$의 주기가 2이므로 자연수 n에 대하여

$f(x)=f(2n+x)$

$\therefore f(\alpha+\beta+\gamma+1)=f(4+\alpha)=f(\alpha)=\dfrac{2}{3}$

또, $\alpha+\beta=\alpha+(1-\alpha)=1$이므로

$f\left(\alpha+\beta+\dfrac{1}{2}\right)=f\left(1+\dfrac{1}{2}\right)=f\left(\dfrac{3}{2}\right)=\sin\dfrac{3}{2}\pi=-1$

$\therefore f(\alpha+\beta+\gamma+1)+f\left(\alpha+\beta+\dfrac{1}{2}\right)=\dfrac{2}{3}+(-1)=-\dfrac{1}{3}$

답 ②

삼각함수의 그래프의 대칭성

(1) $f(x)=\sin x\,(0\le x\le\pi)$에서 $f(a)=f(b)=k$이면

➡ $\dfrac{a+b}{2}=\dfrac{\pi}{2}$ ➡ $a+b=\pi$ (단, $a\ne b$)

(2) $f(x)=\cos x\,(0\le x<2\pi)$에서 $f(a)=f(b)=k$이면

➡ $\dfrac{a+b}{2}=\pi$ ➡ $a+b=2\pi$ (단, $a\ne b$)

(3) $f(x)=\tan x$에서 $f(a)=f(b)=k$이면

➡ $a-b=n\pi$ (단, n은 정수)

127

$-2\le 2\sin\pi x\le 2$이므로 함수 $y=2\sin\pi x$의 최댓값과 최솟값은 각각 2, -2이고 주기는 $\dfrac{2\pi}{\pi}=2$이다.

따라서 $0\le x\le 6$에서 함수 $y=2\sin\pi x$의 그래프는 다음 그림과 같다.

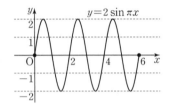

이때 y좌표가 정수인 점의 y좌표가 될 수 있는 값은 -2, -1, 0, 1, 2이다.

함수 $y=2\sin\pi x$의 그래프와 두 직선 $y=2$, $y=-2$의 교점의 개수는 $3\times 2=6$

함수 $y=2\sin\pi x$의 그래프와 두 직선 $y=1$, $y=-1$의 교점의 개수는 $6\times 2=12$

함수 $y=2\sin\pi x$의 그래프와 직선 $y=0$의 교점의 개수는 7이다.

따라서 y좌표가 정수인 점의 개수는

$6+12+7=25$

답 ②

128

함수 $f(x)=\cos\dfrac{\pi}{2}x$의 주기는 $\dfrac{2\pi}{\frac{\pi}{2}}=4$이므로 $0<x<8$에서 함수 $y=\cos\dfrac{\pi}{2}x$의 그래프와 직선 $y=k\,(0<k<1)$가 만나는 점의 x좌표는 다음 그림과 같이 x_1, x_2, x_3, x_4이다.

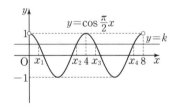

ㄱ은 옳다.

함수 $y=\cos\dfrac{\pi}{2}x$의 그래프와 직선 $y=k$가 만나는 점의 개수가 4이므로 $n=4$

ㄴ은 옳지 않다.

$x_2=4-x_1$, $x_3=4+x_1$, $x_4=8-x_1$이므로

$x_1+x_2+x_3+x_4$
$=x_1+(4-x_1)+(4+x_1)+(8-x_1)$
$=16$

ㄷ은 옳다.

$x_1+x_2=x_1+(4-x_1)=4$이므로

$f\left(\dfrac{x_1+x_2}{2}\right)=f(2)=\cos\pi=-1$

따라서 옳은 것은 ㄱ, ㄷ이다.

답 ④

129

주어진 그래프에서 함수 $f(x)$의 최댓값과 최솟값은 각각 8, -8이고, 함수 $g(x)$의 최댓값과 최솟값은 각각 2, -2이다.

이때 두 함수의 주기가 모두 16이므로 $y=g(x)$의 그래프는 $y=f(x)$의 그래프를 y축의 방향으로 $\dfrac{1}{4}$배한 후 x축의 방향으로 $16n+5$ (n은 정수)만큼 평행이동한 것과 같다.

$\therefore a=\dfrac{1}{4}$, $b=16n+5$ (n은 정수)

그런데 $-8<b<8$이므로 $b=5$

$\therefore a+b=\dfrac{1}{4}+5=\dfrac{21}{4}$

답 ④

130

$y=\tan\left(\dfrac{1}{2}x-\dfrac{\pi}{4}\right)=\tan\dfrac{1}{2}\left(x-\dfrac{\pi}{2}\right)$의 그래프는 $y=\tan\dfrac{1}{2}x$의 그래프를 x축의 방향으로 $\dfrac{\pi}{2}$만큼 평행이동한 것이다.

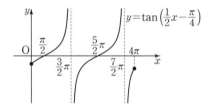

$0\le x\le 4\pi$에서 함수 $y=\tan\left(\dfrac{1}{2}x-\dfrac{\pi}{4}\right)$의 그래프와 직선 $x=k$가 만나지 않을 때, 직선 $x=k$는 함수 $y=\tan\left(\dfrac{1}{2}x-\dfrac{\pi}{4}\right)$의 그래프의 점근선이어야 한다.

이때 점근선의 방정식은 $x=\dfrac{3}{2}\pi$, $x=\dfrac{7}{2}\pi$이므로 모든 실수 k의 값은 $\dfrac{3}{2}\pi$, $\dfrac{7}{2}\pi$이고 그 합은

$\dfrac{3}{2}\pi+\dfrac{7}{2}\pi=5\pi$

답 ⑤

131

오른쪽 그림에서 빗금 친 두 부분의 넓이가 서로 같으므로 $y=\tan x$의 그래프와 x축 및 직선 $y=k$로 둘러싸인 부분의 넓이는 직사각형의 넓이와 같다.

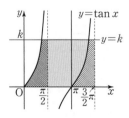

$\tan x$의 주기는 π

$\left(\dfrac{3}{2}\pi-\dfrac{\pi}{2}\right)k=4\pi$이므로

$k\pi=4\pi$ $\therefore k=4$

답 4

132

함수 $y=a\sin bx$의 주기가 π이고 $b>0$이므로

$\dfrac{2\pi}{b}=\pi$ $\therefore b=2$

함수 $y=\tan x$의 그래프가 점 $\left(\dfrac{\pi}{6},\ c\right)$를 지나므로

$c=\tan\dfrac{\pi}{6}=\dfrac{\sqrt{3}}{3}$

함수 $y=a\sin 2x$의 그래프가 점 $\left(\dfrac{\pi}{6},\ \dfrac{\sqrt{3}}{3}\right)$을 지나므로

$\dfrac{\sqrt{3}}{3}=a\sin\dfrac{\pi}{3},\ \dfrac{\sqrt{3}}{3}=\dfrac{\sqrt{3}}{2}a$ $\therefore a=\dfrac{2}{3}$

$\therefore abc=\dfrac{2}{3}\times 2\times\dfrac{\sqrt{3}}{3}=\dfrac{4\sqrt{3}}{9}$

답 ④

133

ㄱ. $f(x)=\sin\dfrac{3}{4}\pi x$의 주기는 $\dfrac{2\pi}{\frac{3}{4}\pi}=\dfrac{8}{3}$

이때 $\dfrac{8}{3}n=4$를 만족시키는 자연수 n이 존재하지 않으므로

$f(x+4)\neq f(x)$

ㄴ. $f(x)=\cos\dfrac{5}{2}\pi x$의 주기는 $\dfrac{2\pi}{\frac{5}{2}\pi}=\dfrac{4}{5}$이므로

$f(x+4)=f\left(x+\dfrac{16}{5}\right)=f\left(x+\dfrac{12}{5}\right)=\cdots=f(x)$

ㄷ. $f(x)=\tan 2\pi x$의 주기는 $\dfrac{\pi}{2\pi}=\dfrac{1}{2}$이므로

$f(x+4)=f\left(x+\dfrac{7}{2}\right)=f(x+3)=\cdots=f(x)$

따라서 $f(x+4)=f(x)$를 만족시키는 것은 ㄴ, ㄷ이다.

답 ④

134

$f(x)=a\tan\dfrac{\pi}{6}x$의 주기는 $\dfrac{\pi}{\frac{\pi}{6}}=6$이므로

$f(x+6)=f(x)$

또한 $f(-x)=-f(x)$이므로

$f(2)=f(6-4)=f(-4)=-f(4)$

$f\left(\dfrac{7}{2}\right)=f\left(6-\dfrac{5}{2}\right)=f\left(-\dfrac{5}{2}\right)=-f\left(\dfrac{5}{2}\right)$

$f(5)=f(6-1)=f(-1)=-f(1)$

$\therefore f(2)+f\left(\dfrac{5}{2}\right)+f\left(\dfrac{7}{2}\right)+f(5)$

$=-f(4)+f\left(\dfrac{5}{2}\right)-f\left(\dfrac{5}{2}\right)-f(1)$

$=-3-(-1)=-2$

답 -2

참고

$f(1)=a\tan\dfrac{\pi}{6}=\dfrac{a\sqrt{3}}{3}=-1$이므로 $a=-\sqrt{3}$

135

주어진 함수의 그래프는 다음 그림과 같다.

ㄱ.

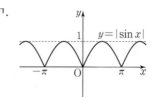

주기가 π인 주기함수이다.

ㄴ.

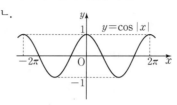

주기가 2π인 주기함수이다.

ㄷ.

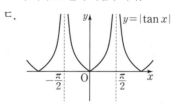

주기가 π인 주기함수이다.

ㄹ.

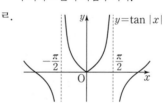

주기함수가 아니다.

따라서 주기함수는 ㄱ, ㄴ, ㄷ이다.

답 ③

136

ㄱ은 옳다.

$f(-x)=(-x)^2\tan(-x)$

$=x^2\times(-\tan x)$

$=-x^2\tan x$

$=-f(x)$

ㄴ은 옳지 않다.

$f(-x)=-\cos(-x)+\tan(-x)$

$=-\cos x-\tan x$

$=-(\cos x+\tan x)$

$\neq -f(x)$

ㄷ은 옳다.

$f(-x)=|\tan(-x)|\sin(-x)$

$=|-\tan x|\times(-\sin x)$

$=-|\tan x|\sin x$

$=-f(x)$

따라서 $f(-x)=-f(x)$를 만족시키는 함수는 ㄱ, ㄷ이다.

답 ③

137

▶ 접근
주어진 조건을 만족시키는 함수 $y=f(x)$의 그래프를 그려 본다.

주어진 조건을 만족시키는 함수
$y=f(x)$의 그래프는 오른쪽 그림과
같다.
즉, 함수 $f(x)$는 주기가 2이고
$b>0$이므로

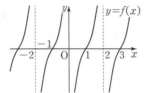

$\dfrac{\pi}{b}=2$ $\therefore b=\dfrac{\pi}{2}$

$f(x)=a\tan\left(\dfrac{\pi}{2}x+c\right)$이고 $f(1)=0$이므로

$0=a\tan\left(\dfrac{\pi}{2}+c\right)$

이때 $a>0$이므로

$\tan\left(\dfrac{\pi}{2}+c\right)=0$

$-2<c<-1$이므로 $\dfrac{\pi}{2}-2<\dfrac{\pi}{2}+c<\dfrac{\pi}{2}-1$

$\dfrac{\pi}{2}+c=0$ $\therefore c=-\dfrac{\pi}{2}$

$f(x)=a\tan\left(\dfrac{\pi}{2}x-\dfrac{\pi}{2}\right)$에서 $f\left(\dfrac{3}{2}\right)=7$이므로

$a\tan\dfrac{\pi}{4}=7$ $\therefore a=7$

$\therefore a+b+c=7+\dfrac{\pi}{2}+\left(-\dfrac{\pi}{2}\right)=7$

답 7

138

$\dfrac{\sin\left(\dfrac{3}{2}\pi-\theta\right)}{\cos(\pi-\theta)\cos^2(-\theta)}+\dfrac{\sin(\pi+\theta)\tan^2(\pi+\theta)}{\cos\left(\dfrac{\pi}{2}-\theta\right)}$

$=\dfrac{-\cos\theta}{-\cos\theta\times\cos^2\theta}+\dfrac{-\sin\theta\times\tan^2\theta}{\sin\theta}$

$=\dfrac{1}{\cos^2\theta}-\tan^2\theta=\dfrac{1}{\cos^2\theta}-\dfrac{\sin^2\theta}{\cos^2\theta}$

$=\dfrac{1-\sin^2\theta}{\cos^2\theta}=\dfrac{\cos^2\theta}{\cos^2\theta}=1$

답 ④

139

▶ 접근
$f(\cos x)$에 대한 식이 주어졌으므로 $\sin x=\cos\left(\dfrac{\pi}{2}-x\right)$임을 이용
하여 $f(\sin x)$를 사인함수에 대한 식으로 나타낸다.

$f(\cos x)=\sin 4x$에서

$f(\sin x)=f\left(\cos\left(\dfrac{\pi}{2}-x\right)\right)=\sin\left\{4\left(\dfrac{\pi}{2}-x\right)\right\}$

$\qquad\qquad=\sin(2\pi-4x)=-\sin 4x$

$3\{f(\cos x)\}^2+\{f(\sin x)\}^2=3$에서

$3(\sin 4x)^2+(-\sin 4x)^2=3$

$4(\sin 4x)^2=3$, $(\sin 4x)^2=\dfrac{3}{4}$

$\therefore \sin 4x=\pm\dfrac{\sqrt{3}}{2}$

이때 임의의 정수 n에 대하여 $4x=n\pi\pm\dfrac{\pi}{3}$이므로

$x=\dfrac{n}{4}\pi\pm\dfrac{\pi}{12}$

따라서 주어진 등식을 만족시키는 양수 x의 최솟값은 $\dfrac{\pi}{12}$이다.

답 ④

140

$f\left(\dfrac{1}{5}\right)=t$라고 하면

$\sin t=\dfrac{1}{5}$

$f\left(\dfrac{1}{5}\right)+f(a)=\dfrac{\pi}{2}$에서

$f(a)=\dfrac{\pi}{2}-t$

$\therefore a=\sin\left(\dfrac{\pi}{2}-t\right)=\cos t=\sqrt{1-\sin^2 t}$

$\qquad=\sqrt{1-\left(\dfrac{1}{5}\right)^2}=\dfrac{2\sqrt{6}}{5}\left(\because 0<t<\dfrac{\pi}{2}\right)$

답 $\dfrac{2\sqrt{6}}{5}$

141

$\cos\dfrac{B}{2}=\dfrac{1}{3}>0$이므로 $\dfrac{B}{2}$는 예각이다.

$\therefore \sin\dfrac{B}{2}=\sqrt{1-\cos^2\dfrac{B}{2}}=\sqrt{1-\left(\dfrac{1}{3}\right)^2}=\dfrac{2\sqrt{2}}{3}$

삼각형의 세 내각의 크기의 합은 180°이므로
$A+B+C=\pi$ $\therefore A+C=\pi-B$

$\therefore \sin\dfrac{A+C+\pi}{2}-\cos\dfrac{A+C-\pi}{2}$

$\quad=\sin\dfrac{(\pi-B)+\pi}{2}-\cos\dfrac{(\pi-B)-\pi}{2}$

$\quad=\sin\left(\pi-\dfrac{B}{2}\right)-\cos\left(-\dfrac{B}{2}\right)$

$\quad=\sin\dfrac{B}{2}-\cos\dfrac{B}{2}$

$\quad=\dfrac{2\sqrt{2}}{3}-\dfrac{1}{3}=\dfrac{2\sqrt{2}-1}{3}$

답 ④

142

$\alpha+\beta=\dfrac{\pi}{2}$이므로 $\beta=\dfrac{\pi}{2}-\alpha$

$\sin^2\alpha+\sin^2\beta+\tan^2\alpha=2$에서

$\sin^2\alpha+\sin^2\left(\dfrac{\pi}{2}-\alpha\right)+\tan^2\alpha=2$

$\sin^2\alpha+\cos^2\alpha+\tan^2\alpha=2$

$1+\tan^2 \alpha = 2$

$\tan^2 \alpha = 1$

$\therefore \tan \alpha = 1 \left(\because 0 < \alpha < \dfrac{\pi}{2} \right)$

즉, $\alpha = \dfrac{\pi}{4}$이므로

$\overline{OA} = \cos \alpha = \cos \dfrac{\pi}{4} = \dfrac{\sqrt{2}}{2}$

달 ⑤

143

직선 $y = -\dfrac{4}{3}x$의 기울기가 $-\dfrac{4}{3}$이고 선분 OP가 x축의 양의 방향과 이루는 각의 크기가 θ이므로

$\tan \theta = -\dfrac{4}{3}$ ...... ㉠

그런데 $a < 0$이므로 직선 $y = -\dfrac{4}{3}x$ 위의 점 $P(a, b)$는 제2사분면에 존재한다.

즉, θ는 제2사분면의 각이므로

$\sin \theta > 0$, $\cos \theta < 0$

이때 $1 + \tan^2 \theta = \dfrac{1}{\cos^2 \theta}$이므로 ㉠에 의하여

$1 + \left(-\dfrac{4}{3} \right)^2 = \dfrac{1}{\cos^2 \theta}$

$\begin{aligned} 1 + \tan^2 \theta &= \dfrac{\cos^2 \theta}{\cos^2 \theta} + \dfrac{\sin^2 \theta}{\cos^2 \theta} \\ &= \dfrac{1}{\cos^2 \theta} \end{aligned}$

$\dfrac{1}{\cos^2 \theta} = \dfrac{25}{9}$

$\cos^2 \theta = \dfrac{9}{25}$

$\therefore \cos \theta = -\dfrac{3}{5} (\because \cos \theta < 0)$

$\sin \theta = \sqrt{1 - \cos^2 \theta} = \sqrt{1 - \left(-\dfrac{3}{5} \right)^2} = \dfrac{4}{5} (\because \sin \theta > 0)$

$\begin{aligned} \therefore \sin (\pi - \theta) + \cos (\pi + \theta) &= \sin \theta - \cos \theta \\ &= \dfrac{4}{5} - \left(-\dfrac{3}{5} \right) = \dfrac{7}{5} \end{aligned}$

달 ⑤

[간단 풀이]

$\tan \theta = -\dfrac{4}{3}$이고 $a < 0$이므로 점 P의 좌표를 $(-3, 4)$로 놓을 수 있다.

$\overline{OP} = \sqrt{(-3)^2 + 4^2} = 5$이므로

$\sin \theta = \dfrac{4}{5}$, $\cos \theta = -\dfrac{3}{5}$

144

$10\theta = 2\pi$ $\therefore 5\theta = \pi$

ㄱ은 옳지 않다.

$\sin (-5\theta) = -\sin 5\theta = -\sin \pi = 0$

$\sin \theta \neq 0$이므로 $\sin \theta + \sin (-5\theta) \neq 0$

ㄴ은 옳다.

$\cos 4\theta = \cos (5\theta - \theta) = \cos (\pi - \theta) = -\cos \theta$

$\cos 6\theta = \cos (5\theta + \theta) = \cos (\pi + \theta) = -\cos \theta$

$\cos 4\theta = \cos 6\theta$이므로 $\cos 4\theta - \cos 6\theta = 0$

ㄷ도 옳다.

오른쪽 그림에서 두 점 P, Q가 y축에 대하여 대칭이면

$\tan \alpha = \dfrac{y}{x}$, $\tan \beta = -\dfrac{y}{x}$

$\therefore \tan \alpha + \tan \beta$
$= \dfrac{y}{x} + \left(-\dfrac{y}{x} \right) = 0$

즉, 주어진 그림에서 두 점 P_7과 P_{10}이 y축에 대하여 대칭이므로

$\tan 6\theta + \tan 9\theta = 0$

따라서 옳은 것은 ㄴ, ㄷ이다.

달 ④

145

▶ 접근

사각형 ABCD가 원에 내접하므로 $\alpha + \beta = \pi$, 즉 $\beta = \pi - \alpha$이다. $\beta = \pi - \alpha$를 $16 \tan^2 \alpha + 25 \sin^2 \beta$에 대입하여 그 값을 구한다.

사각형 ABCD가 원에 내접하므로

$\alpha + \beta = \pi$

$\cos \alpha = \dfrac{4}{5} > 0$에서 α는 예각이므로

$\sin \alpha = \sqrt{1 - \cos^2 \alpha} = \sqrt{1 - \left(\dfrac{4}{5} \right)^2} = \dfrac{3}{5}$

$\tan \alpha = \dfrac{\sin \alpha}{\cos \alpha} = \dfrac{\frac{3}{5}}{\frac{4}{5}} = \dfrac{3}{4}$

$\begin{aligned} \therefore 16 \tan^2 \alpha + 25 \sin^2 \beta &= 16 \tan^2 \alpha + 25 \sin^2 (\pi - \alpha) \\ &= 16 \tan^2 \alpha + 25 \sin^2 \alpha \\ &= 16 \times \left(\dfrac{3}{4} \right)^2 + 25 \times \left(\dfrac{3}{5} \right)^2 \\ &= 9 + 9 = 18 \end{aligned}$

달 ④

146

$\tan \alpha = 4$, $\tan \beta = -\dfrac{1}{4}$

$\tan (-x) = -\tan x$이므로

$\tan (-\beta) = -\tan \beta = \dfrac{1}{4} = \dfrac{1}{\tan \alpha}$

$\tan \left(\dfrac{\pi}{2} - x \right) = \dfrac{1}{\tan x}$이므로

$\tan \left(\dfrac{\pi}{2} - \alpha \right) = \dfrac{1}{\tan \alpha}$

$\therefore \tan (-\beta) = \dfrac{1}{\tan \alpha} = \tan \left(\dfrac{\pi}{2} - \alpha \right)$

$0 < \dfrac{\pi}{2} - \alpha < \dfrac{\pi}{2}$, $0 < -\beta < \dfrac{\pi}{2}$이고 $0 < x < \dfrac{\pi}{2}$에서 $y = \tan x$는 일대일대응이므로

$-\beta = \dfrac{\pi}{2} - \alpha$

$\therefore \alpha - \beta = \dfrac{\pi}{2}$

달 ③

147

▶ 접근

$\tan\left(\dfrac{\pi}{2}-x\right)=\dfrac{1}{\tan x}$임을 이용하여 함수의 식을 간단히 한 후

$\tan x=t$로 치환하여 t에 대한 함수의 식으로 나타낸다.

$$y=\frac{2}{\tan\left(\dfrac{\pi}{2}-x\right)(\tan x-3)}$$

$$=\frac{2}{\dfrac{1}{\tan x}(\tan x-3)}$$

$$=\frac{2\tan x}{\tan x-3}$$

$\tan x=t$로 놓으면

$$y=\frac{2t}{t-3}=\frac{2(t-3)+6}{t-3}=\frac{6}{t-3}+2\ (t\neq3)$$

이 함수의 점근선의 방정식은 $t=3$,
$y=2$이므로 그래프는 오른쪽 그림
과 같다.
따라서 함숫값이 될 수 없는 것은 2
이다.

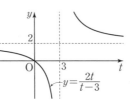

답 ④

148

$0\le x\le\pi$일 때, $0\le\sin x\le1$

$y=\cos(\sin x)$에서 $\sin x=t$로 놓으면 $y=\cos t$는 $0\le t\le1$에서
감소하는 함수이다.

$t=0$일 때 $\cos t$는 최댓값 $\cos0=1$, $t=1$일 때 $\cos t$는 최솟값
$\cos1$을 갖는다.

따라서 최댓값과 최솟값의 합은 $1+\cos1$이다.

답 ⑤

149

$y=a\sin^2x+b\cos^2x$

$\quad=a\sin^2x+b(1-\sin^2x)$

$\quad=(a-b)\sin^2x+b$

$-1\le\sin x\le1$이므로 $0\le\sin^2x\le1$

$\underline{a>b일\ 때,\ 최댓값은\ a,\ 최솟값은\ b이므로}$
$\underline{a=5,\ b=2}$ $\llcorner b\le(a-b)\sin^2x+b\le a$

$\therefore\ a^2+b^2=5^2+2^2=29$

$\underline{a<b일\ 때,\ 최댓값은\ b,\ 최솟값은\ a이므로}$
$\underline{a=2,\ b=5}$ $\llcorner a\le(a-b)\sin^2x+b\le b$

$\therefore\ a^2+b^2=2^2+5^2=29$

답 29

150

$g(x)=\sin^2x-2\sin x=(\sin x-1)^2-1$

$\sin x=1$일 때 최솟값 -1, $\sin x=-1$일 때 최댓값 3을 가지므로
$-1\le g(x)\le3$

$g(x)=t\ (-1\le t\le3)$로 놓으면
$(f\circ g)(x)=f(g(x))=f(t)=t^2-6t+a=(t-3)^2+a-9$
이므로 함수 $f(t)$는 $-1\le t\le3$에서 $t=3$일 때 최솟값 $a-9$를 갖
는다.

따라서 모든 실수 x에 대하여 부등식 $(f\circ g)(x)\ge0$이 성립하려면
$a-9\ge0$이어야 하므로 $a\ge9$

즉, 실수 a의 최솟값은 9이다.

답 ②

151

함수 $g(x)=3\tan\left(x+\dfrac{\pi}{6}\right)$는 $0\le x\le\dfrac{\pi}{6}$에서 증가하는 함수이므로

$g(0)\le g(x)\le g\left(\dfrac{\pi}{6}\right)$

이때

$g(0)=3\tan\dfrac{\pi}{6}=3\times\dfrac{\sqrt{3}}{3}=\sqrt{3}$,

$g\left(\dfrac{\pi}{6}\right)=3\tan\dfrac{\pi}{3}=3\times\sqrt{3}=3\sqrt{3}$

이므로

$\sqrt{3}\le g(x)\le3\sqrt{3}$

$g(x)=t\ (\sqrt{3}\le t\le3\sqrt{3})$로 놓으면
$(f\circ g)(x)=f(g(x))=f(t)$

$\qquad\qquad\qquad=\log_3t+2$

함수 $f(t)=\log_3t+2$에서 밑이 1보다 크므로

$\sqrt{3}\le t\le3\sqrt{3}$에서 $f(\sqrt{3})\le f(t)\le f(3\sqrt{3})$

이때

$f(\sqrt{3})=\log_3\sqrt{3}+2=\dfrac{1}{2}+2=\dfrac{5}{2}$,

$f(3\sqrt{3})=\log_33\sqrt{3}+2=\dfrac{3}{2}+2=\dfrac{7}{2}$

이므로

$\dfrac{5}{2}\le f(t)\le\dfrac{7}{2}$, 즉 $\dfrac{5}{2}\le(f\circ g)(x)\le\dfrac{7}{2}$

따라서 $M=\dfrac{7}{2}$, $m=\dfrac{5}{2}$이므로

$M+m=\dfrac{7}{2}+\dfrac{5}{2}=6$

답 6

152

$y=\cos^2x+2a\sin x-1+6a$

$\quad=(1-\sin^2x)+2a\sin x-1+6a$

$\quad=-\sin^2x+2a\sin x+6a$

$\sin x=t$로 놓으면 $0\le x<2\pi$에서 $-1\le t\le1$이고

$y=-t^2+2at+6a$

$\quad=-(t-a)^2+a^2+6a$

$f(t)=-(t-a)^2+a^2+6a$로 놓으면

(i) $a<-1$일 때,

  $f(t)$의 최댓값은 $f(-1)$이므로

  $-1+4a=-9$

  $\therefore\ a=-2$

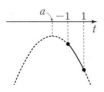

(ii) $-1 \leq a \leq 1$일 때,

$f(t)$의 최댓값은 $f(a)$이므로

$a^2 + 6a = -9$, $a^2 + 6a + 9 = 0$

$(a+3)^2 = 0$ $\therefore a = -3$

$a = -3$은 $-1 \leq a \leq 1$을 만족시키지 않는다.

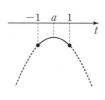

(iii) $a > 1$일 때,

$f(t)$의 최댓값은 $f(1)$이므로

$-1 + 8a = -9$

$\therefore a = -1$

$a = -1$은 $a > 1$을 만족시키지 않는다.

(i), (ii), (iii)에서 $a = -2$이고 $f(t)$는 $t = -1$, 즉 $\sin x = -1$일 때 최댓값을 가지므로

$x = \dfrac{3}{2}\pi \ (\because 0 \leq x < 2\pi)$ $\therefore b = \dfrac{3}{2}\pi$

$\therefore ab = -2 \times \dfrac{3}{2}\pi = -3\pi$

답 ①

153

$\overline{\alpha + \beta + \gamma = \pi이므로 \ \alpha + \beta = \pi - \gamma}$

$36\sin^2(\pi + \alpha + \beta) + 36\cos\gamma$

$= 36\sin^2(\pi + \pi - \gamma) + 36\cos\gamma$

$= 36\sin^2(2\pi - \gamma) + 36\cos\gamma$

$= 36\sin^2\gamma + 36\cos\gamma$

$= 36(1 - \cos^2\gamma) + 36\cos\gamma$

$= -36\cos^2\gamma + 36\cos\gamma + 36$

$= -36\left(\cos\gamma - \dfrac{1}{2}\right)^2 + 45$

한편 $a^2 + b^2 = 3ab\cos\gamma$이므로

$\cos\gamma = \dfrac{a^2 + b^2}{3ab} = \dfrac{1}{3}\left(\dfrac{a}{b} + \dfrac{b}{a}\right)$

이때 a, b는 양수이므로 산술평균과 기하평균의 관계에 의하여

$\dfrac{1}{3}\left(\dfrac{a}{b} + \dfrac{b}{a}\right) \geq \dfrac{1}{3} \times 2\sqrt{\dfrac{a}{b} \times \dfrac{b}{a}} = \dfrac{2}{3}$

(단, 등호는 $a = b$일 때 성립한다.)

즉, $\dfrac{2}{3} \leq \cos\gamma \leq 1$이므로 $\cos\gamma = \dfrac{2}{3}$일 때, 주어진 식의 최댓값은

$-36\left(\dfrac{2}{3} - \dfrac{1}{2}\right)^2 + 45 = 44$

답 ④

154

$3\tan x + \dfrac{\sqrt{3}}{\tan x} = 3 + \sqrt{3}$의 양변에 $\tan x$를 곱하여 정리하면

$3\tan^2 x - (3 + \sqrt{3})\tan x + \sqrt{3} = 0$

$(\tan x - 1)(3\tan x - \sqrt{3}) = 0$

$\therefore \tan x = 1$ 또는 $\tan x = \dfrac{\sqrt{3}}{3}$

$0 \leq x < 2\pi$이므로

$\tan x = 1$일 때,

$x = \dfrac{\pi}{4}$ 또는 $x = \dfrac{5}{4}\pi$

$\tan x = \dfrac{\sqrt{3}}{3}$일 때,

$x = \dfrac{\pi}{6}$ 또는 $x = \dfrac{7}{6}\pi$

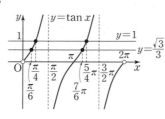

따라서 주어진 방정식의 해는 $x = \dfrac{\pi}{4}$, $x = \dfrac{5}{4}\pi$, $x = \dfrac{\pi}{6}$, $x = \dfrac{7}{6}\pi$의 4개이다.

답 ④

155

$4\cos^2 x - 3 = 0$에서

$(2\cos x + \sqrt{3})(2\cos x - \sqrt{3}) = 0$

$\therefore \cos x = -\dfrac{\sqrt{3}}{2}$ 또는 $\cos x = \dfrac{\sqrt{3}}{2}$

$0 < x < 2\pi$이므로

$\cos x = -\dfrac{\sqrt{3}}{2}$일 때,

$x = \dfrac{5}{6}\pi$ 또는 $x = \dfrac{7}{6}\pi$

$\cos x = \dfrac{\sqrt{3}}{2}$일 때,

$x = \dfrac{\pi}{6}$ 또는 $x = \dfrac{11}{6}\pi$

이때 $\sin x \cos x < 0$에서 $\sin x$, $\cos x$의 값의 부호가 서로 다르므로 각 x는 제2사분면 또는 제4사분면의 각이다.

$\therefore x = \dfrac{5}{6}\pi$ 또는 $x = \dfrac{11}{6}\pi$

따라서 모든 x의 값의 합은

$\dfrac{5}{6}\pi + \dfrac{11}{6}\pi = \dfrac{8}{3}\pi$

답 ③

156

$y = x^2 - 2x\sin\theta + \cos^2\theta$

$\quad = x^2 - 2x\sin\theta + 1 - \sin^2\theta$

$\quad = (x - \sin\theta)^2 + 1 - 2\sin^2\theta$

따라서 꼭짓점의 좌표는 $(\sin\theta, \ 1 - 2\sin^2\theta)$이다.

$x = \sin\theta$, $y = 1 - 2\sin^2\theta$를 $y = \sqrt{2}x + 1$에 대입하면

$1 - 2\sin^2\theta = \sqrt{2}\sin\theta + 1$

$2\sin^2\theta + \sqrt{2}\sin\theta = 0$

$\sin\theta(2\sin\theta + \sqrt{2}) = 0$

$\therefore \sin\theta = 0$ 또는 $\sin\theta = -\dfrac{\sqrt{2}}{2}$

$0 < \theta < 2\pi$이므로

$\sin\theta = 0$일 때, $\theta = \pi$

$\sin\theta = -\dfrac{\sqrt{2}}{2}$일 때,

$\theta = \dfrac{5}{4}\pi$ 또는 $\theta = \dfrac{7}{4}\pi$

$\therefore \theta = \pi$, $\theta = \dfrac{5}{4}\pi$, $\theta = \dfrac{7}{4}\pi$

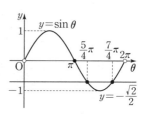

답 π, $\dfrac{5}{4}\pi$, $\dfrac{7}{4}\pi$

157

$\sin^2\theta-4\cos\left(\theta+\dfrac{3}{2}\pi\right)-a-2=0$에서

$\sin^2\theta-4\sin\theta-a-2=0$

$\therefore \sin^2\theta-4\sin\theta-2=a$

위의 방정식을 만족시키는 θ가 존재하려면 $y=\sin^2\theta-4\sin\theta-2$
의 그래프와 직선 $y=a$가 교점을 가져야 한다.

$y=\sin^2\theta-4\sin\theta-2$에서

$\sin\theta=t\ (-1\leq t\leq 1)$로 놓으면

$y=t^2-4t-2=(t-2)^2-6$

오른쪽 그림에서 주어진 방정식을 만족시
키는 θ가 존재하기 위한 a의 값의 범위는

$-5\leq a\leq 3$

따라서 $\alpha=-5$, $\beta=3$이므로

$\beta-\alpha=3-(-5)=8$

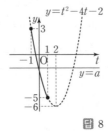

답 8

158

$\sin(\pi\cos x)=0$에서

$\pi\cos x=n\pi$ (단, n은 정수)

$\therefore \cos x=n$

$-1\leq\cos\theta\leq 1$이고 n은 정수이므로

$n=-1,\ 0,\ 1$

$0\leq x<2\pi$이므로

(i) $\cos x=-1$일 때, $x=\pi$

(ii) $\cos x=0$일 때, $x=\dfrac{\pi}{2}$ 또는 $x=\dfrac{3}{2}\pi$

(iii) $\cos x=1$일 때, $x=0$

(i), (ii), (iii)에서 주어진 방정식의 해는 $x=0$, $x=\dfrac{\pi}{2}$, $x=\dfrac{3}{2}\pi$,
$x=\pi$의 4개이다.

답 ④

159

함수 $y=\sin x$의 치역이 $\{y\,|\,-1\leq y\leq 1\}$이고

직선 $y=-\dfrac{1}{4\pi}x+1$은 두 점 $(0,\ 1)$, $(8\pi,\ -1)$을 지난다.

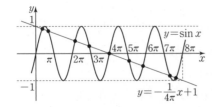

함수 $y=\sin x$의 그래프와 직선 $y=-\dfrac{1}{4\pi}x+1$은 위의 그림과 같
으므로 두 그래프의 교점의 개수는 9이다.

답 ③

참고

방정식 $f(x)=g(x)$의 서로 다른 실근의 개수
➡ 두 함수 $y=f(x)$와 $y=g(x)$의 그래프의 교점의 개수

160

이차방정식 $x^2-(2\cos\theta-1)x+1=0$이 실근을 가질 때, 이 이차
방정식의 판별식을 D라고 하면 $D=\{-(2\cos\theta-1)\}^2-4\geq 0$이
어야 한다.

$4\cos^2\theta-4\cos\theta-3\geq 0$

$(2\cos\theta+1)(2\cos\theta-3)\geq 0$

이때 $-1\leq\cos\theta\leq 1$에서 $2\cos\theta-3<0$이므로

$2\cos\theta+1\leq 0$ $\therefore \cos\theta\leq-\dfrac{1}{2}$

오른쪽 그림에서 부등식

$\cos\theta\leq-\dfrac{1}{2}$의 해는

$\dfrac{2}{3}\pi\leq\theta\leq\dfrac{4}{3}\pi$

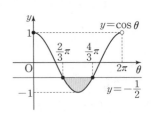

따라서 $\alpha=\dfrac{2}{3}\pi$, $\beta=\dfrac{4}{3}\pi$이므로

$\beta-\alpha=\dfrac{4}{3}\pi-\dfrac{2}{3}\pi=\dfrac{2}{3}\pi$

답 ②

161

$|\sin x|<\dfrac{\sqrt{3}}{2}$에서

$-\dfrac{\sqrt{3}}{2}<\sin x<\dfrac{\sqrt{3}}{2}$

오른쪽 그림에서

$-\dfrac{\sqrt{3}}{2}<\sin x<\dfrac{\sqrt{3}}{2}$을 만족시키
는 x의 값의 범위는

$0\leq x<\dfrac{\pi}{3}$ 또는 $\dfrac{2}{3}\pi<x<\dfrac{4}{3}\pi$

또는 $\dfrac{5}{3}\pi<x<2\pi$ ……㉠

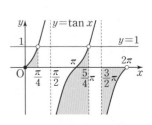

오른쪽 그림에서 $\tan x<1$을 만족
시키는 x의 값의 범위는

$0\leq x<\dfrac{\pi}{4}$ 또는 $\dfrac{\pi}{2}<x<\dfrac{5}{4}\pi$

또는 $\dfrac{3}{2}\pi<x<2\pi$ ……㉡

㉠, ㉡에서 연립부등식의 해는

$0\leq x<\dfrac{\pi}{4}$ 또는 $\dfrac{2}{3}\pi<x<\dfrac{5}{4}\pi$ 또는 $\dfrac{5}{3}\pi<x<2\pi$

따라서 연립부등식의 해가 될 수 있는 것은 ③이다.

답 ③

162

이차방정식 $6x^2-4x\sin\theta+2\cos\theta-1=0$의 두 근을 α, β라고
하면 근과 계수의 관계에 의하여

$\alpha+\beta=\dfrac{2}{3}\sin\theta$, $\alpha\beta=\dfrac{2\cos\theta-1}{6}$

양수인 근이 음수인 근의 절댓값보다 크므로

(두 근의 합)>0

$\dfrac{2}{3}\sin\theta>0$

$\therefore \sin\theta>0$

오른쪽 그림에서 $\sin\theta>0$을
만족시키는 θ의 값의 범위는
$0<\theta<\pi$ $(\because 0<\theta<2\pi)$
$\qquad$ …… ㉠

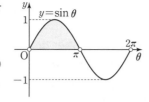

두 근의 부호가 서로 다르므로
$$\frac{2\cos\theta-1}{6}<0$$
$$\therefore \cos\theta<\frac{1}{2}$$

오른쪽 그림에서 $\cos\theta<\frac{1}{2}$을
만족시키는 θ의 값의 범위는
$\frac{\pi}{3}<\theta<\frac{5}{3}\pi$ $(\because 0<\theta<2\pi)$
$\qquad$ …… ㉡

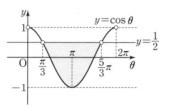

㉠, ㉡에서
$$\frac{\pi}{3}<\theta<\pi$$

답 ③

163

함수 $f(x)$의 치역이 $\{y\,|\,-1\le y\le 1\}$이고, 직선 $y=\dfrac{x}{\pi}$가 두 점
$(\pi,\,1)$, $(-\pi,\,-1)$을 지난다.

조건 (가)에 의하여 함수 $f(x)$의 주기는 π이므로 함수 $f(x)$의 그래
프와 직선 $y=\dfrac{x}{\pi}$를 그리면 그림과 같다.

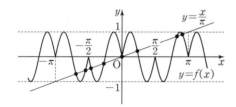

따라서 함수 $y=f(x)$의 그래프와 직선 $y=\dfrac{x}{\pi}$가 만나는 점은 8개
이다.

답 ⑤

164

$y=2\sin\dfrac{1}{3}(x-\pi)=2\sin\left(\dfrac{x}{3}-\dfrac{\pi}{3}\right)$이므로

$\dfrac{x}{3}-\dfrac{\pi}{3}=t$로 놓으면

$y=2\sin t$

$0\le x\le 10\pi$에서 $-\dfrac{\pi}{3}\le\dfrac{x}{3}-\dfrac{\pi}{3}\le 3\pi$이므로

$-\dfrac{\pi}{3}\le t\le 3\pi$

함수 $y=2\sin\dfrac{1}{3}(x-\pi)$ $(0\le x\le 10\pi)$의 그래프와 직선 $y=1$이
만나는 점의 x좌표는 방정식 $2\sin\dfrac{1}{3}(x-\pi)=1$의 해와 같다.

이때 $-\dfrac{\pi}{3}\le t\le 3\pi$에서 방정식 $2\sin t=1$, 즉 $\sin t=\dfrac{1}{2}$의 해는

$t=\dfrac{\pi}{6}$ 또는 $t=\dfrac{5}{6}\pi$ 또는 $t=\dfrac{13}{6}\pi$ 또는 $t=\dfrac{17}{6}\pi$

(i) $t=\dfrac{\pi}{6}$일 때, $\dfrac{x}{3}-\dfrac{\pi}{3}=\dfrac{\pi}{6}$ $\quad\therefore x=\dfrac{3}{2}\pi$

(ii) $t=\dfrac{5}{6}\pi$일 때, $\dfrac{x}{3}-\dfrac{\pi}{3}=\dfrac{5}{6}\pi$ $\quad\therefore x=\dfrac{7}{2}\pi$

(iii) $t=\dfrac{13}{6}\pi$일 때, $\dfrac{x}{3}-\dfrac{\pi}{3}=\dfrac{13}{6}\pi$ $\quad\therefore x=\dfrac{15}{2}\pi$

(iv) $t=\dfrac{17}{6}\pi$일 때, $\dfrac{x}{3}-\dfrac{\pi}{3}=\dfrac{17}{6}\pi$ $\quad\therefore x=\dfrac{19}{2}\pi$

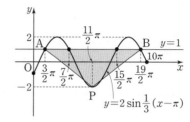

세 점 $A\left(\dfrac{3}{2}\pi,\,1\right)$, $B\left(\dfrac{19}{2}\pi,\,1\right)$, $P\left(\dfrac{11}{2}\pi,\,-2\right)$를 삼각형의 꼭짓
점으로 할 때, 삼각형 PAB의 넓이는 최대가 된다.
따라서 삼각형 PAB의 넓이의 최댓값은

$2\sin t=-2$의 해는
$\sin t=-1$ $\quad\therefore t=\dfrac{3}{2}\pi$
$\dfrac{x}{3}-\dfrac{\pi}{3}=\dfrac{3}{2}\pi$ $\quad\therefore x=\dfrac{11}{2}\pi$

$$\frac{1}{2}\times\left(\frac{19}{2}\pi-\frac{3}{2}\pi\right)\times\{1-(-2)\}=12\pi$$

답 12π

165

접근

두 함수 $y=f(x)$, $y=g(x)$의 그래프를 그려 $f(x)>g(x)$가 성립하
는 x의 값을 찾는다.

$0\le x\le 2\pi$일 때

$$f(x)=\begin{cases}2\sin x & (\sin x\ge 0)\\ 0 & (\sin x<0)\end{cases}$$

$$g(x)=\begin{cases}2\cos x & (\cos x\ge 0)\\ 0 & (\cos x<0)\end{cases}$$

두 함수 $y=f(x)$, $y=g(x)$의 그래프를 그리면 다음과 같다.

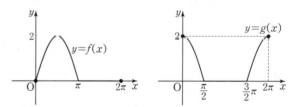

한편 $0\le x\le\pi$에서 $2\sin x=2\cos x$, 즉 $\sin x=\cos x$를 만족시
키는 x의 값은 $\dfrac{\pi}{4}$이다.

따라서 $f(x)>g(x)$가 성립하는 x의 값의 범위는 $\dfrac{\pi}{4}<x<\pi$이다.

답 ⑤

참고

부등식 $f(x)>g(x)$의 해는 함수 $y=f(x)$의 그래프가 함수
$y=g(x)$의 그래프보다 위쪽에 있는 x의 값의 범위이다.

166

삼각형 ABC의 외접원의 반지름의 길이가 5이므로 사인법칙에 의하여

$$\frac{\overline{BC}}{\sin \frac{\pi}{4}} = 2 \times 5$$

$$\therefore \overline{BC} = 2 \times 5 \times \sin \frac{\pi}{4} = 2 \times 5 \times \frac{\sqrt{2}}{2} = 5\sqrt{2}$$

답 ⑤

167

사인법칙에 의하여 $\dfrac{2\sqrt{2}}{\sin 30°} = \dfrac{2\sqrt{6}}{\sin C}$ 이므로

$$2\sqrt{2}\sin C = 2\sqrt{6}\sin 30°$$

$$\sin C = \sqrt{3}\sin 30° = \sqrt{3} \times \frac{1}{2} = \frac{\sqrt{3}}{2}$$

$0° < C < 180°$ 이므로

$C = 60°$ 또는 $C = 120°$

(ⅰ) $C = 60°$일 때, $A = 90°$이므로

$\overline{BC} = \sqrt{(2\sqrt{6})^2 + (2\sqrt{2})^2} = 4\sqrt{2}\ (\because \overline{BC} > 0)$

(ⅱ) $C = 120°$일 때, $A = 30°$이므로 삼각형 ABC는 $\overline{AC} = \overline{BC}$인 이등변삼각형이다.

$$\therefore \overline{BC} = 2\sqrt{2}$$

(ⅰ), (ⅱ)에서 $\overline{BC} = 4\sqrt{2}\ (\because \overline{BC} > 3)$

답 ④

풍쌤 비법

사인법칙	코사인법칙
$\dfrac{a}{\sin A} = \dfrac{b}{\sin B} = \dfrac{c}{\sin C} = 2R$	$a^2 = b^2 + c^2 - 2bc\cos A$ $b^2 = c^2 + a^2 - 2ca\cos B$ $c^2 = a^2 + b^2 - 2ab\cos C$
① 한 변의 길이와 두 각의 크기를 알 때 ② 두 변의 길이와 끼인각이 아닌 각의 크기를 알 때	① 두 변의 길이와 그 끼인각의 크기를 알 때 ② 세 변의 길이를 알 때

168

오른쪽 그림과 같이 $\overline{BD}$를 그으면

$\angle BDC = 90°$이므로 직각삼각형 DBC에서

$\overline{BD} = \sqrt{17^2 - 8^2} = 15\ (\because \overline{BD} > 0)$

이때 삼각형 ABD의 외접원의 지름의 길이가 17이므로 사인법칙에 의하여

$$\frac{\overline{BD}}{\sin A} = 17, \quad \frac{15}{\sin A} = 17$$

$$\therefore \sin A = \frac{15}{17}$$

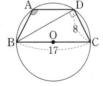

답 $\dfrac{15}{17}$

169

원기둥의 밑면의 반지름의 길이는 삼각형 ABC의 외접원의 반지름의 길이이다. 이때 삼각형 ABC에서 두 각의 크기와 한 변의 길이가 주어졌으므로 사인법칙을 이용한다.

삼각형 ABC에서 $\angle BAC = 180° - (65° + 85°) = 30°$

삼각형 ABC의 외접원의 반지름의 길이를 R cm라고 하면 사인법칙에 의하여

$$\frac{4}{\sin 30°} = 2R, \quad \frac{4}{\frac{1}{2}} = 2R$$

$$\therefore R = 4\,(\text{cm})$$

따라서 구하는 물통의 부피는

$\pi \times 4^2 \times 5 = 80\pi\,(\text{cm}^3)$

답 80π cm³

170

삼각형 ABC의 외접원 O의 반지름의 길이가 8이므로 사인법칙에 의하여

$$\frac{\overline{AC}}{\sin 45°} = \frac{\overline{BC}}{\sin 60°} = 2 \times 8$$

$$\overline{AC} = 2 \times 8 \times \sin 45° = 2 \times 8 \times \frac{\sqrt{2}}{2} = 8\sqrt{2}$$

$$\overline{BC} = 2 \times 8 \times \sin 60° = 2 \times 8 \times \frac{\sqrt{3}}{2} = 8\sqrt{3}$$

오른쪽 그림과 같이 꼭짓점 C에서 $\overline{AB}$에 내린 수선의 발을 H라고 하면 삼각형 CAH에서

$$\overline{AH} = \overline{AC}\cos 60°$$
$$= 8\sqrt{2} \times \frac{1}{2} = 4\sqrt{2}$$

삼각형 CBH에서

$$\overline{BH} = \overline{BC}\cos 45° = 8\sqrt{3} \times \frac{\sqrt{2}}{2} = 4\sqrt{6}$$

$$\therefore \overline{AB} = \overline{AH} + \overline{BH} = 4\sqrt{2} + 4\sqrt{6} = 4\sqrt{2}(1 + \sqrt{3})$$

답 ④

171

$\dfrac{a+b}{5} = \dfrac{b+c}{7} = \dfrac{c+a}{6} = k\ (k > 0)$로 놓으면

$a+b = 5k,\ b+c = 7k,\ c+a = 6k$ ······ ㉠

세 식을 변끼리 더하면

$2a + 2b + 2c = 18k$

$$\therefore a+b+c = 9k$$ ······ ㉡

㉡에서 ㉠의 각 식을 빼면

$a = 2k,\ b = 3k,\ c = 4k$

따라서 사인법칙의 변형에 의하여

$$\sin A : \sin B : \sin C = a : b : c$$
$$= 2k : 3k : 4k$$
$$= 2 : 3 : 4$$

답 ②

172

$\cos^2 A - \cos^2 B = 1 - \cos^2 C$에서

$(1 - \sin^2 A) - (1 - \sin^2 B) = 1 - (1 - \sin^2 C)$

$\therefore \sin^2 B = \sin^2 A + \sin^2 C$ ······ ㉠

삼각형 ABC의 외접원의 반지름의 길이를 R라고 하면 사인법칙의
변형에 의하여

$\sin A = \dfrac{a}{2R}$, $\sin B = \dfrac{b}{2R}$, $\sin C = \dfrac{c}{2R}$

이것을 ㉠에 대입하면

$\left(\dfrac{b}{2R}\right)^2 = \left(\dfrac{a}{2R}\right)^2 + \left(\dfrac{c}{2R}\right)^2$

$\therefore b^2 = a^2 + c^2$

따라서 삼각형 ABC는 $B = 90°$인 직각삼각형이다.

답 ⑤

173

코사인법칙에 의하여

$\overline{AC}^2 = 10^2 + 8^2 - 2 \times 10 \times 8 \times \cos 60°$

$\qquad = 100 + 64 - 2 \times 10 \times 8 \times \dfrac{1}{2} = 84$

$\therefore \overline{AC} = 2\sqrt{21} \ (\because \overline{AC} > 0)$

삼각형 ABC의 외접원의 반지름의 길이를 R라고 하면 사인법칙에
의하여

$\dfrac{2\sqrt{21}}{\sin 60°} = 2R$, $\dfrac{2\sqrt{21}}{\frac{\sqrt{3}}{2}} = 2R$

$\therefore R = 2\sqrt{7}$

$\dfrac{8}{\sin A} = \dfrac{10}{\sin C} = 2R = 2 \times 2\sqrt{7} = 4\sqrt{7}$이므로

$\sin A = \dfrac{2\sqrt{7}}{7}$, $\sin C = \dfrac{5\sqrt{7}}{14}$

$\therefore \sin A + \sin C = \dfrac{2\sqrt{7}}{7} + \dfrac{5\sqrt{7}}{14} = \dfrac{9\sqrt{7}}{14}$

답 ⑤

174

오른쪽 그림과 같이 $\overline{AC}$를 그으면 삼각형
ACD에서 코사인법칙에 의하여

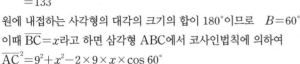

$\overline{AC}^2 = 9^2 + 4^2 - 2 \times 9 \times 4 \times \cos 120°$

$\qquad = 81 + 16 - 2 \times 9 \times 4 \times \left(-\dfrac{1}{2}\right)$

$\qquad = 133$

원에 내접하는 사각형의 대각의 크기의 합이 180°이므로 $B = 60°$
이때 $\overline{BC} = x$라고 하면 삼각형 ABC에서 코사인법칙에 의하여

$\overline{AC}^2 = 9^2 + x^2 - 2 \times 9 \times x \times \cos 60°$

$133 = 81 + x^2 - 2 \times 9 \times x \times \dfrac{1}{2}$

$x^2 - 9x - 52 = 0$

$(x - 13)(x + 4) = 0$

$\therefore x = 13 \ (\because x > 0)$

따라서 $\overline{BC}$의 길이는 13이다.

답 13

175

정사각형의 한 변의 길이가 4이므로

$\overline{BE} = \overline{FD} = 1$, $\overline{EC} = \overline{CF} = 3$

$\overline{AE} = \overline{AF} = \sqrt{4^2 + 1^2} = \sqrt{17} \ (\because \overline{AE} > 0)$

$\overline{EF} = \sqrt{3^2 + 3^2} = 3\sqrt{2} \ (\because \overline{EF} > 0)$

삼각형 AEF에서 코사인법칙의 변형에 의하여

$\cos \theta = \dfrac{(\sqrt{17})^2 + (\sqrt{17})^2 - (3\sqrt{2})^2}{2 \times \sqrt{17} \times \sqrt{17}} = \dfrac{8}{17}$

답 ①

176

길이가 8인 변의 대각의 크기를 θ라고 하면

$\cos \theta = \dfrac{6^2 + 7^2 - 8^2}{2 \times 6 \times 7} = \dfrac{1}{4}$이므로

$\sin \theta = \sqrt{1 - \cos^2 \theta} = \sqrt{1 - \left(\dfrac{1}{4}\right)^2} = \dfrac{\sqrt{15}}{4} \ (\because 0° < \theta < 180°)$

삼각형의 외접원의 반지름의 길이를 R라고 하면 사인법칙에 의하여

$\dfrac{8}{\sin \theta} = 2R$, $\dfrac{8}{\frac{\sqrt{15}}{4}} = 2R$ $\therefore R = \dfrac{16\sqrt{15}}{15}$

따라서 구하는 외접원의 넓이는

$\pi R^2 = \pi \times \left(\dfrac{16\sqrt{15}}{15}\right)^2 = \dfrac{256}{15}\pi$

답 ⑤

177

$6 \sin A = 2\sqrt{3} \sin B = 3 \sin C = k \ (k > 0)$라고 하면

$\sin A = \dfrac{k}{6}$, $\sin B = \dfrac{k}{2\sqrt{3}}$, $\sin C = \dfrac{k}{3}$

삼각형 ABC에서 사인법칙에 의하여

$a : b : c = \sin A : \sin B : \sin C$

$\qquad = \dfrac{k}{6} : \dfrac{k}{2\sqrt{3}} : \dfrac{k}{3}$

$\qquad = 1 : \sqrt{3} : 2$

이때 $a = l$, $b = \sqrt{3}l$, $c = 2l \ (l > 0)$이라고 하면 코사인법칙의 변형
에 의하여

$\cos A = \dfrac{b^2 + c^2 - a^2}{2bc} = \dfrac{(\sqrt{3}l)^2 + (2l)^2 - l^2}{2 \times \sqrt{3}l \times 2l}$

$\qquad = \dfrac{6}{4\sqrt{3}} = \dfrac{\sqrt{3}}{2}$

$\therefore \angle A = 30°$

답 ⑤

178

코사인법칙의 변형에 의하여

$\cos B = \dfrac{c^2 + a^2 - b^2}{2ca}$, $\cos C = \dfrac{a^2 + b^2 - c^2}{2ab}$

이것을 $c \cos B - b \cos C = a$에 대입하면

$c \times \dfrac{c^2 + a^2 - b^2}{2ca} - b \times \dfrac{a^2 + b^2 - c^2}{2ab} = a$

$$c^2+a^2-b^2-(a^2+b^2-c^2)=2a^2$$
$$2c^2-2b^2=2a^2 \quad \therefore c^2=a^2+b^2$$
따라서 삼각형 ABC는 $C=90°$인 직각삼각형이다.

답 ⑤

179

삼각형 ABC에서 코사인법칙의 변형에 의하여
$$\cos B=\frac{4^2+5^2-6^2}{2\times4\times5}=\frac{1}{8}$$
$\overline{AD}=x$라고 하면 삼각형 ABD에서 코사인법칙의 변형에 의하여
$$\cos B=\frac{4^2+2^2-x^2}{2\times4\times2}=\frac{20-x^2}{16}$$
$\frac{20-x^2}{16}=\frac{1}{8}$에서 $8(20-x^2)=16$
$$x^2=18 \quad \therefore x=3\sqrt{2} \ (\because x>0)$$

답 ⑤

180

$\triangle ABC=\frac{1}{2}\times\overline{BC}\times\overline{AC}\times\sin C$이므로
$$21\sqrt{3}=\frac{1}{2}\times7\times12\times\sin C \quad \therefore \sin C=\frac{\sqrt{3}}{2}$$
$0<C<\frac{\pi}{2}$이므로 $C=60°$

코사인법칙에 의하여
$$\overline{AB}^2=7^2+12^2-2\times7\times12\times\cos 60°$$
$$=49+144-2\times7\times12\times\frac{1}{2}=109$$
$$\therefore \overline{AB}=\sqrt{109} \ (\because \overline{AB}>0)$$

답 ③

181

코사인법칙에 의하여
$$a^2=6^2+10^2-2\times6\times10\times\cos 120°$$
$$=36+100-2\times6\times10\times\left(-\frac{1}{2}\right)=196$$
$$\therefore a=14 \ (\because a>0)$$
삼각형 ABC의 넓이를 S라고 하면
$$S=\frac{1}{2}\times6\times10\times\sin 120°$$
$$=\frac{1}{2}\times6\times10\times\frac{\sqrt{3}}{2}=15\sqrt{3}$$
삼각형 ABC의 내접원의 반지름의 길이를 r라고 하면
$$S=\frac{a+b+c}{2}\times r$$에서
$$15\sqrt{3}=\frac{6+10+14}{2}\times r$$
$$15\sqrt{3}=15r \quad \therefore r=\sqrt{3}$$
따라서 삼각형 ABC의 내접원의 반지름의 길이는 $\sqrt{3}$이다.

답 ②

182

오른쪽 그림과 같이 $\angle ABC=\theta$라고 하면 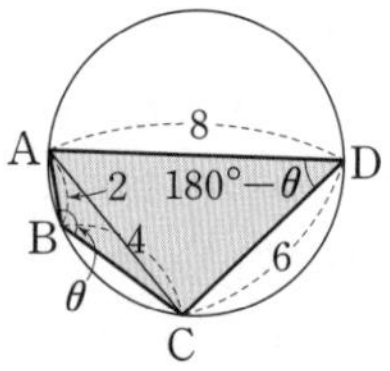
$\angle ADC=180°-\theta$
삼각형 ABC에서 코사인법칙에 의하여
$$\overline{AC}^2=2^2+4^2-2\times2\times4\times\cos\theta$$
$$=20-16\cos\theta \quad \cdots\cdots \ \ominus$$
삼각형 ACD에서 코사인법칙에 의하여
$$\overline{AC}^2=6^2+8^2-2\times6\times8\times\cos(180°-\theta)$$
$$=100+96\cos\theta \quad \boxed{\cos(180°-\theta)=-\cos\theta} \quad \cdots\cdots \ \ominus\ominus$$
$\ominus$, $\ominus\ominus$에서
$$20-16\cos\theta=100+96\cos\theta$$
$$112\cos\theta=-80 \quad \therefore \cos\theta=-\frac{5}{7}$$
$$\sin^2\theta=1-\cos^2\theta$$
$$=1-\left(-\frac{5}{7}\right)^2=\frac{24}{49}$$
$0°<\theta<180°$에서 $\sin\theta>0$이므로
$$\sin\theta=\frac{2\sqrt{6}}{7}$$
$$\therefore \square ABCD=\triangle ABC+\triangle ACD$$
$$=\frac{1}{2}\times2\times4\times\sin\theta+\frac{1}{2}\times6\times8\times\sin(180°-\theta)$$
$$=4\sin\theta+24\sin\theta=28\sin\theta$$
$$=28\times\frac{2\sqrt{6}}{7}=8\sqrt{6}$$

답 ⑤

다른 풀이

사각형 ABCD의 넓이를 S라고 하면
$$S=\sqrt{(10-2)\times(10-4)\times(10-6)\times(10-8)}$$
$$=\sqrt{8\times6\times4\times2}$$
$$=8\sqrt{6}$$

참고

브라마굽타 공식(교과과정 외)
원에 내접하는 사각형의 넓이 S
➡ 원에 내접하는 사각형의 네 변의 길이가 a, b, c, d일 때
$$S=\sqrt{(s-a)(s-b)(s-c)(s-d)} \ \left(단, \ s=\frac{a+b+c+d}{2}\right)$$

183

▶ 접근

사각형 ABCD의 넓이가 $3\sqrt{2}$임을 이용하여 ab의 값을 구하고, 곱셈 공식의 변형을 이용하여 a^3+b^3의 값을 구한다.

사각형 ABCD의 넓이가 $3\sqrt{2}$이므로
$$\frac{1}{2}ab\sin 45°=3\sqrt{2}, \ \frac{1}{2}ab\times\frac{\sqrt{2}}{2}=3\sqrt{2}$$
$$\frac{\sqrt{2}}{4}ab=3\sqrt{2} \quad \therefore ab=12$$
$$\therefore a^3+b^3=(a+b)^3-3ab(a+b)$$
$$=9^3-3\times12\times9=405$$

답 ⑤

184

$\cos^2 A + \cos^2 B + \cos^2 C = 1$에서

$(1-\sin^2 A) + (1-\sin^2 B) + (1-\sin^2 C) = 1$

$\therefore \sin^2 A + \sin^2 B + \sin^2 C = 2$ ...... ㉠

사인법칙의 변형에 의하여

$\sin A = \dfrac{a}{6}, \sin B = \dfrac{b}{6}, \sin C = \dfrac{c}{6}$

이것을 ㉠에 대입하면

$\left(\dfrac{a}{6}\right)^2 + \left(\dfrac{b}{6}\right)^2 + \left(\dfrac{c}{6}\right)^2 = 2$

$\dfrac{a^2 + b^2 + c^2}{36} = 2$ $\therefore a^2 + b^2 + c^2 = 72$

$\therefore \overline{AB}^2 + \overline{BC}^2 + \overline{CA}^2 = a^2 + b^2 + c^2 = 72$

답 ⑤

185

이차방정식 $ax^2 - 6\sqrt{b}x \sin B + 9\sin^2 A = 0$이 중근을 가지므로
이 이차방정식의 판별식을 D라고 하면

$\dfrac{D}{4} = (-3\sqrt{b} \sin B)^2 - a \times 9\sin^2 A = 0$

$9b \sin^2 B - 9a \sin^2 A = 0$

$\therefore b \sin^2 B = a \sin^2 A$ ...... ㉠

삼각형 ABC의 외접원의 반지름의 길이를 R라고 하면 사인법칙의
변형에 의하여

$\sin A = \dfrac{a}{2R}, \sin B = \dfrac{b}{2R}$

이것을 ㉠에 대입하면

$b \times \left(\dfrac{b}{2R}\right)^2 = a \times \left(\dfrac{a}{2R}\right)^2, b^3 = a^3$ $\therefore a = b$

따라서 삼각형 ABC는 $a = b$인 이등변삼각형이다.

답 ④

186

$\angle EAC = 90° - \angle ACE = \angle BCD$

$\angle EAC = \theta$라고 하면 $\angle BCD = \theta$

직각삼각형 EAC에서 $\overline{EC} = 6\sin\theta$이므로

$\overline{BD} = \overline{EC} = 6\sin\theta$

삼각형 BCD에서 $\angle CDB = 90° + 30° = 120°$이고, 사인법칙에 의
하여

$\dfrac{\overline{BC}}{\sin(\angle BDC)} = \dfrac{\overline{BD}}{\sin(\angle BCD)}$

$\dfrac{\overline{BC}}{\sin 120°} = \dfrac{6\sin\theta}{\sin\theta}, \dfrac{\overline{BC}}{\sin 120°} = 6$

$\therefore \overline{BC} = 6\sin 120° = 6 \times \dfrac{\sqrt{3}}{2} = 3\sqrt{3}$

답 ④

187

▶접근
두 원 C_1, C_2의 반지름의 길이를 각각 r_1, r_2로 놓고, 사인법칙을 이용
하여 r_1, r_2를 $\overline{AB}$에 대한 식으로 나타낸다.

두 원 C_1, C_2의 반지름의 길이를 각각 r_1, r_2라고 하자.

삼각형 ACB에서 사인법칙에 의하여

$\dfrac{\overline{AB}}{\sin C} = 2r_1, \dfrac{\overline{AB}}{\sin \dfrac{\pi}{3}} = 2r_1$

$\dfrac{\overline{AB}}{\dfrac{\sqrt{3}}{2}} = 2r_1$ $\therefore r_1 = \dfrac{\overline{AB}}{\sqrt{3}}$

원 C_2에서 호 AB에 대한 중심각은 $\angle AO_2B = \dfrac{\pi}{3}$이므로 다음 그림
과 같이 원 C_2 위의 한 점 D를 잡으면 호 AB에 대한 원주각은

$\angle ADB = \dfrac{1}{2}\angle AO_2B = \dfrac{1}{2} \times \dfrac{\pi}{3} = \dfrac{\pi}{6}$

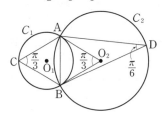

삼각형 ABD에서 사인법칙에 의하여

$\dfrac{\overline{AB}}{\sin D} = 2r_2, \dfrac{\overline{AB}}{\sin \dfrac{\pi}{6}} = 2r_2$

$\dfrac{\overline{AB}}{\dfrac{1}{2}} = 2r_2$ $\therefore r_2 = \overline{AB}$

$\therefore \dfrac{S_2}{S_1} = \dfrac{\pi r_2^2}{\pi r_1^2} = \dfrac{\overline{AB}^2}{\left(\dfrac{\overline{AB}}{\sqrt{3}}\right)^2} = 3$

답 3

참고
한 원에서 한 호에 대한 원주각의 크기는 그 호에 대한 중심각의 크
기의 $\dfrac{1}{2}$이다.

188

사인법칙에 의하여

$\dfrac{\overline{BC}}{\sin A} = \dfrac{12}{\sin 60°}$

$\therefore \overline{BC} = \dfrac{12}{\sin 60°} \times \sin A = \dfrac{12}{\dfrac{\sqrt{3}}{2}} \times \sin A = 8\sqrt{3} \sin A$

이때 $0° < A < 120°$에서 $0 < \sin A \leq 1$이므로

$0 < 8\sqrt{3} \sin A \leq 8\sqrt{3}$ $\therefore 0 < \overline{BC} \leq 8\sqrt{3}$

따라서 $\overline{BC}$의 길이의 최댓값은 $8\sqrt{3}$이다.

답 ⑤

189

$\overline{AQ} \perp \overline{PQ}$, $\overline{AR} \perp \overline{PR}$이므로 오른쪽 그림
과 같이 네 점 A, Q, P, R는 한 원 위의
점이다. 따라서 선분 AP는 삼각형 AQR
의 외접원의 지름이다.

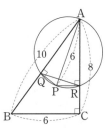

삼각형 AQR에서 사인법칙에 의하여

$\dfrac{\overline{QR}}{\sin A} = 6$ $\therefore \overline{QR} = 6\sin A$

삼각형 ABC에서
└─ 삼각형 ABC는 직각삼각형이다.

$$\sin A = \frac{6}{10} = \frac{3}{5}$$

$$\therefore \overline{QR} = 6 \sin A = 6 \times \frac{3}{5} = \frac{18}{5}$$

답 ⑤

참고

대각의 크기의 합이 $180°$인 사각형은 원에 내접한다.

190

$\angle BDC = \angle BAC = 45° \ (\because \widehat{BC}$에 대한 원주각)이므로

삼각형 BCD에서 $\angle BCD = 180° - (15° + 45°) = 120°$

또, $\angle ABD = \angle ACD = 75° \ (\because \widehat{AD}$에 대한 원주각)이므로

$\angle ABC = 75° + 15° = 90°$

따라서 현 AC는 원의 지름이므로 삼각형 BCD의 외접원의 반지름의 길이를 R라고 하면

$$2R = \overline{AC} = 4\sqrt{6}$$

삼각형 BCD에서 사인법칙에 의하여

$$\frac{\overline{BD}}{\sin 120°} = 4\sqrt{6}$$

$$\therefore \overline{BD} = 4\sqrt{6} \sin 120° = 4\sqrt{6} \times \frac{\sqrt{3}}{2} = 6\sqrt{2}$$

답 ⑤

191

직선 $y = \sqrt{3}x$와 직선 $y = \frac{\sqrt{3}}{3}x$가 x축의 양의 부분과 이루는 각의 크기가 각각 $60°$, $30°$이므로

$\angle AOB = 60° - 30° = 30°$

$\overline{OA} = a$라고 하면 삼각형 AOB에서

$$\frac{a}{\sin B} = \frac{2}{\sin 30°}, \ a \sin 30° = 2 \sin B$$

$$\frac{1}{2}a = 2 \sin B \qquad \therefore a = 4 \sin B$$

따라서 $\angle B = 90°$일 때 $\sin B$의 값이 최대이므로 a의 최댓값은

$4 \sin 90° = 4$

답 ④

192

오른쪽 그림과 같이 정육각형 F_2의 한 변의 길이를 a라고 하면 나머지 두 변의 길이는 1, 2이고 정육각형의 한 내각의 크기가 $120°$이다.

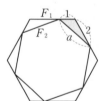

색칠한 삼각형에서 코사인법칙에 의하여

$$a^2 = 2^2 + 1^2 - 2 \times 2 \times 1 \times \cos 120°$$

$$= 4 + 1 - 2 \times 2 \times 1 \times \left(-\frac{1}{2}\right) = 7$$

$\therefore a = \sqrt{7} \ (\because a > 0)$

정육각형 F_1, F_2는 닮은 도형이고 한 변의 길이의 비가 $3 : \sqrt{7}$이므로 $S_1 : S_2 = 9 : 7$

$$\therefore \frac{S_2}{S_1} = \frac{7}{9}$$

답 ⑤

193

$\overline{BD} : \overline{CD} = \overline{AB} : \overline{AC} = 4 : 6 = 2 : 3$이므로

$\overline{BD} = 2x$, $\overline{CD} = 3x \ (x > 0)$라 하고 $\angle BAD = \theta$라고 하면

$\angle CAD = \angle BAD = \theta$

삼각형 ABD에서 코사인법칙의 변형에 의하여

$$\cos \theta = \frac{4^2 + 4^2 - (2x)^2}{2 \times 4 \times 4} = \frac{32 - 4x^2}{32}$$

삼각형 ADC에서 코사인법칙의 변형에 의하여

$$\cos \theta = \frac{4^2 + 6^2 - (3x)^2}{2 \times 4 \times 6} = \frac{52 - 9x^2}{48}$$

$$\frac{32 - 4x^2}{32} = \frac{52 - 9x^2}{48}$$

$$\frac{32 - 4x^2}{2} = \frac{52 - 9x^2}{3}$$

$$3(32 - 4x^2) = 2(52 - 9x^2)$$

$$96 - 12x^2 = 104 - 18x^2$$

$$6x^2 = 8, \ x^2 = \frac{4}{3} \qquad \therefore x = \frac{2\sqrt{3}}{3} \ (\because x > 0)$$

$$\therefore \overline{BD} = 2x = 2 \times \frac{2\sqrt{3}}{3} = \frac{4\sqrt{3}}{3}$$

답 ③

194

삼각형 ABC에서 코사인법칙에 의하여

$$\overline{AC}^2 = (4x)^2 + \left(\frac{1}{x}\right)^2 - 2 \times 4x \times \frac{1}{x} \times \cos 60°$$

$$= 16x^2 + \frac{1}{x^2} - 2 \times 4x \times \frac{1}{x} \times \frac{1}{2}$$

$$= 16x^2 + \frac{1}{x^2} - 4$$

$16x^2 > 0$, $\frac{1}{x^2} > 0$이므로 산술평균과 기하평균의 관계에 의하여

$$16x^2 + \frac{1}{x^2} - 4 \geq 2\sqrt{16x^2 \times \frac{1}{x^2}} - 4 = 4$$

(단, 등호는 $16x^2 = \frac{1}{x^2}$일 때 성립한다.)

$\therefore \overline{AC} \geq 2 \ (\because \overline{AC} > 0)$

따라서 $\overline{AC}$의 길이의 최솟값은 2이다.

답 ③

195

함수 $y = \cos x$는 $0° < x < 180°$에서 x의 값이 증가함에 따라 y의 값이 감소하므로 C의 크기가 최대일 때 $\cos C$의 값은 최소가 된다.

삼각형 ABC에서 코사인법칙의 변형에 의하여

$$\cos C = \frac{8^2 + b^2 - 3^2}{2 \times 8 \times b} = \frac{b}{16} + \frac{55}{16b}$$

$b > 0$이므로 산술평균과 기하평균의 관계에 의하여

$$\frac{b}{16} + \frac{55}{16b} \geq 2\sqrt{\frac{b}{16} \times \frac{55}{16b}} = \frac{\sqrt{55}}{8}$$

(단, 등호는 $\frac{b}{16} = \frac{55}{16b}$일 때 성립한다.)

따라서 C의 크기가 최대일 때, 즉 $\cos C$가 최소일 때 b의 값은

$\frac{b}{16} = \frac{55}{16b}$에서

$b^2 = 55 \qquad \therefore b = \sqrt{55} \ (\because b > 0)$

답 ⑤

196

$\overline{BE}=1$, $\overline{EC}=5$이므로

삼각형 ABE에서 $\overline{AE}=\sqrt{1^2+3^2}=\sqrt{10}\ (\because \overline{AE}>0)$

삼각형 ABC에서 $\overline{AC}=\sqrt{6^2+3^2}=3\sqrt{5}\ (\because \overline{AC}>0)$

삼각형 AEC에서 코사인법칙의 변형에 의하여

$\cos\theta=\dfrac{(\sqrt{10})^2+(3\sqrt{5})^2-5^2}{2\times\sqrt{10}\times3\sqrt{5}}$

$\qquad =\dfrac{30}{30\sqrt{2}}=\dfrac{\sqrt{2}}{2}$

$\therefore \sin\theta=\sqrt{1-\left(\dfrac{\sqrt{2}}{2}\right)^2}=\dfrac{\sqrt{2}}{2}\left(\because 0<\theta<\dfrac{\pi}{2}\right)$

$\therefore 50\sin\theta\cos\theta=50\times\dfrac{\sqrt{2}}{2}\times\dfrac{\sqrt{2}}{2}=25$

답 25

다른 풀이

$\triangle AEC=\triangle ABC-\triangle ABE$

$\qquad =\dfrac{1}{2}\times6\times3-\dfrac{1}{2}\times1\times3=\dfrac{15}{2}$

이때 $\triangle AEC=\dfrac{1}{2}\times\overline{AE}\times\overline{AC}\times\sin\theta$이므로

$\dfrac{1}{2}\times\sqrt{10}\times3\sqrt{5}\times\sin\theta=\dfrac{15}{2}$

$\dfrac{15\sqrt{2}}{2}\sin\theta=\dfrac{15}{2}\qquad \therefore \sin\theta=\dfrac{\sqrt{2}}{2}$

이때 $0<\theta<\dfrac{\pi}{2}$에서 $\cos\theta=\dfrac{\sqrt{2}}{2}$이므로

$50\sin\theta\cos\theta=50\times\dfrac{\sqrt{2}}{2}\times\dfrac{\sqrt{2}}{2}=25$

197

접근

원의 반지름의 길이를 r라 놓고 코사인법칙과 사인법칙을 이용한다.

점 A를 중심으로 하는 원의 반지름의 길이를 $r\ (r>0)$라고 하면

$\overline{AD}=r$, $\overline{AB}=2r$

삼각형 ABC에서 코사인법칙에 의하여

$(6\sqrt{6})^2=(2r)^2+(r+6\sqrt{3})^2-2\times2r\times(r+6\sqrt{3})\times\cos\dfrac{\pi}{3}$

$216=3r^2+108$, $r^2=36$

$\therefore r=6\ (\because r>0)$

삼각형 ABC에서 사인법칙에 의하여

$\dfrac{6\sqrt{6}}{\sin\dfrac{\pi}{3}}=\dfrac{12}{\sin C}$, $\dfrac{6\sqrt{6}}{\dfrac{\sqrt{3}}{2}}=\dfrac{12}{\sin C}$

$\sin C=\dfrac{\sqrt{2}}{2}\qquad \therefore C=\dfrac{\pi}{4}\ (\because 0°<C<120°)$

따라서 두 부채꼴의 넓이의 합은

$\dfrac{1}{2}\times6^2\times A+\dfrac{1}{2}\times6^2\times B=18(A+B)$

$\qquad\qquad\qquad\qquad =18(\pi-C)$

$\qquad\qquad\qquad\qquad =18\left(\pi-\dfrac{\pi}{4}\right)$

$\qquad\qquad\qquad\qquad =18\times\dfrac{3}{4}\pi=\dfrac{27}{2}\pi$

따라서 $p=2$, $q=27$이므로

$p+q=2+27=29$

답 ②

198

주어진 원뿔의 전개도를 그리면 오른쪽 그림과 같고, 두 점 A, P를 잇는 거리의 최솟값은 $\overline{AP}$이다.

$\overparen{AA'}$의 길이는 원뿔의 밑면의 둘레의 길이와 같으므로

$\overparen{AA'}=2\pi\times\dfrac{4}{3}=\dfrac{8}{3}\pi$

$\therefore \overparen{AB}=\dfrac{1}{2}\overparen{AA'}=\dfrac{1}{2}\times\dfrac{8}{3}\pi=\dfrac{4}{3}\pi$

부채꼴 OAB에서 중심각의 크기를 θ, 호의 길이를 l이라고 하면

$l=r\theta$에서 $\dfrac{4}{3}\pi=4\theta\qquad \therefore \theta=\dfrac{\pi}{3}$

삼각형 OAP에서 코사인법칙에 의하여

$\overline{AP}^2=4^2+3^2-2\times4\times3\times\cos\dfrac{\pi}{3}$

$\qquad =16+9-2\times4\times3\times\dfrac{1}{2}=13$

$\therefore \overline{AP}=\sqrt{13}\ (\because \overline{AP}>0)$

답 ⑤

199

세 원 O_1, O_2, O_3의 반지름의 길이를 각각 r_1, r_2, $r_3\ (r_1<r_2<r_3)$이라고 하면 삼각형 $O_1O_2O_3$의 둘레의 길이가 24이므로

$2(r_1+r_2+r_3)=24$

$\therefore r_1+r_2+r_3=12$ ······ ㉠

또, 삼각형 $O_1O_2O_3$의 넓이가 24이므로

$\dfrac{1}{2}(r_1+r_2)(r_1+r_3)=24$

$r_1^2+r_1r_2+r_1r_3+r_2r_3=48$

$r_1(r_1+r_2+r_3)+r_2r_3=48$

$\therefore 12r_1+r_2r_3=48\ (\because ㉠)$ ······ ㉡

한편 삼각형 $O_1O_2O_3$이 직각삼각형이므로

$(r_2+r_3)^2=(r_1+r_2)^2+(r_1+r_3)^2$

$r_1^2+r_1r_2+r_1r_3-r_2r_3=0$

$r_1(r_1+r_2+r_3)-r_2r_3=0$

$\therefore 12r_1=r_2r_3\ (\because ㉠)$ ······ ㉢

㉡, ㉢을 연립하여 풀면

$r_1=2$, $r_2r_3=24$ ······ ㉣

$r_1=2$를 ㉠에 대입하면

$r_2+r_3=10$ ······ ㉤

㉣, ㉤을 연립하여 풀면

$r_2=4$, $r_3=6\ (\because r_2<r_3)$

직각삼각형 $O_1O_2O_3$에서

$\cos(\angle O_1O_2O_3)=\dfrac{r_1+r_2}{r_2+r_3}=\dfrac{2+4}{10}=\dfrac{3}{5}$

이므로 삼각형 O_1O_2T에서 코사인법칙에 의하여

$\overline{O_1T}^2=6^2+4^2-2\times6\times4\times\dfrac{3}{5}=\dfrac{116}{5}$

답 ③

200

▶ 접근

평행한 순간 성현이와 민지의 위치를 각각 P, Q라 하고, 평행선과 선분의 길이의 비를 이용하여 $\overline{AP}$, $\overline{AQ}$의 길이를 각각 구한다.
이때 삼각형 APQ에서 두 변 AP, AQ의 길이와 그 끼인각 ∠A의 크기를 알 수 있으므로 코사인법칙을 이용하여 $\overline{PQ}$의 길이를 구한다.

성현의 위치와 민지의 위치를 잇는 선분이 변 BC와 평행한 순간 성현이와 민지의 위치를 각각 P, Q라고 하자.

$\overline{AP}=t$라고 하면
$\overline{QC}=2t$이므로 $\overline{AQ}=21-2t$
$\overline{PQ}/\!/\overline{BC}$이므로
$\overline{AP}:\overline{AQ}=\overline{AB}:\overline{AC}$
$t:(21-2t)=14:21=2:3$
$3t=2(21-2t)$ ∴ $t=6$
$\overline{AP}=6$, $\overline{AQ}=9$이므로 삼각형 APQ에서 코사인법칙에 의하여
$$\overline{PQ}^2=6^2+9^2-2\times6\times9\times\cos60°$$
$$=36+81-2\times6\times9\times\frac{1}{2}=63$$
∴ $\overline{PQ}=3\sqrt{7}$ ($\because \overline{PQ}>0$)
따라서 성현의 위치와 민지의 위치를 잇는 선분이 변 BC와 평행한 순간 두 사람 사이의 거리는 $3\sqrt{7}$ km이다.

답 $3\sqrt{7}$ km

참고

삼각형에서 평행선과 선분의 길이의 비
삼각형 ABC에서 변 BC에 평행한 직선이 변 AB, 변 AC와 만나는 점을 각각 D, E라고 하면

(1) $\overline{AD}:\overline{AB}=\overline{AE}:\overline{AC}=\overline{DE}:\overline{BC}$
(2) $\overline{AD}:\overline{DB}=\overline{AE}:\overline{EC}$

201

삼각형 ABC에서 $C=180°-(30°+120°)=30°$
삼각형 ABC에서 사인법칙에 의하여
$\dfrac{\overline{BC}}{\sin A}=\dfrac{\overline{AB}}{\sin C}=2\times5=10$이므로
$\overline{BC}=10\sin A=10\sin120°=10\times\dfrac{\sqrt{3}}{2}=5\sqrt{3}$
$\overline{AB}=10\sin C=10\sin30°=10\times\dfrac{1}{2}=5$
$$\therefore \triangle ABC=\frac{1}{2}\times5\times5\sqrt{3}\times\sin30°$$
$$=\frac{1}{2}\times5\times5\sqrt{3}\times\frac{1}{2}=\frac{25\sqrt{3}}{4}$$

답 ④

202

삼각형 ABC의 외접원의 반지름의 길이를 R, 내접원의 반지름의 길이를 r라고 하면 사인법칙의 변형에 의하여
$\sin A=\dfrac{a}{2R}$, $\sin B=\dfrac{b}{2R}$, $\sin C=\dfrac{c}{2R}$

$$\sin A+\sin B+\sin C=\frac{a}{2R}+\frac{b}{2R}+\frac{c}{2R}$$
$$=\frac{a+b+c}{2R}$$
$$=\frac{a+b+c}{2\times8}=\frac{\sqrt{2}}{4}$$
∴ $a+b+c=4\sqrt{2}$
따라서 삼각형 ABC의 넓이는
$$\frac{1}{2}r(a+b+c)=\frac{1}{2}\times\frac{7}{2}\times4\sqrt{2}=7\sqrt{2}$$

답 $7\sqrt{2}$

203

삼각형 BCD에서 코사인법칙에 의하여
$$\overline{BD}^2=5^2+3^2-2\times5\times3\times\cos120°$$
$$=25+9-2\times5\times3\times\left(-\frac{1}{2}\right)=49$$
∴ $\overline{BD}=7$ ($\because \overline{BD}>0$)
삼각형 ABD에서 코사인법칙의 변형에 의하여
$$\cos A=\frac{9^2+8^2-7^2}{2\times9\times8}=\frac{2}{3}$$
이므로 $\sin A=\sqrt{1-\cos^2 A}=\sqrt{1-\left(\frac{2}{3}\right)^2}=\frac{\sqrt{5}}{3}$
따라서 삼각형 ABD의 넓이는
$$\frac{1}{2}\times9\times8\times\frac{\sqrt{5}}{3}=12\sqrt{5}$$

답 ②

다른 풀이

삼각형 ABD의 넓이를 S라고 하면 헤론의 공식에 의하여
$s=\dfrac{7+8+9}{2}=12$
이므로 $S=\sqrt{12(12-7)(12-8)(12-9)}=12\sqrt{5}$

204

삼각형 ABC의 넓이를 S라고 하면 세 변의 길이가 6, 7, 9이므로
$S=\dfrac{6+7+9}{2}\times r=11r$ ∴ $r=\dfrac{S}{11}$
$S=\dfrac{6\times7\times9}{4R}=\dfrac{189}{2R}$ ∴ $R=\dfrac{189}{2S}$
∴ $rR=\dfrac{S}{11}\times\dfrac{189}{2S}=\dfrac{189}{22}$

답 $\dfrac{189}{22}$

205

오른쪽 그림과 같이 원의 중심을 O라고 하면 삼각형 OAC에서 ∠AOC=$\dfrac{2}{3}\pi$이므로 코사인법칙에 의하여

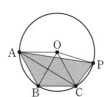

$$\overline{AC}^2=3^2+3^2-2\times3\times3\times\cos\frac{2}{3}\pi$$
$$=9+9-2\times3\times3\times\left(-\frac{1}{2}\right)=27$$
∴ $\overline{AC}=3\sqrt{3}$ ($\because \overline{AC}>0$)

한 원에서 길이가 같은 현에 대한 원주각의 크기는 중심각의 크기의 $\frac{1}{2}$이므로 현 AC에 대하여

$$\angle APC = \frac{1}{2}\angle AOC = \frac{1}{2}\times\frac{2}{3}\pi = \frac{\pi}{3}$$

$\overline{AP}=a$, $\overline{CP}=b$라고 하면 삼각형 ACP에서 코사인법칙에 의하여

$$(3\sqrt{3})^2 = a^2+b^2-2ab\cos\frac{\pi}{3}$$

$$27 = a^2+b^2-2ab\times\frac{1}{2}$$

$$a^2+b^2-ab=27$$

$$\therefore (a+b)^2-3ab=27$$

$a+b=8$이므로

$$8^2-3ab=27 \qquad \therefore ab=\frac{37}{3}$$

$$\therefore \triangle ACP = \frac{1}{2}\times a\times b\times\sin\frac{\pi}{3}$$

$$= \frac{1}{2}\times\frac{37}{3}\times\frac{\sqrt{3}}{2}=\frac{37\sqrt{3}}{12}$$

두 삼각형 OAB와 OBC는 정삼각형이므로

$$\overline{OA}=\overline{AB}=\overline{BC}=3$$

$$\therefore \triangle ABC = \triangle OAC$$

$$= \frac{1}{2}\times 3\times 3\times\sin\frac{2}{3}\pi$$

$$= \frac{1}{2}\times 3\times 3\times\frac{\sqrt{3}}{2}=\frac{9\sqrt{3}}{4}$$

따라서 사각형 ABCP의 넓이는

$$\triangle ABC+\triangle ACP = \frac{9\sqrt{3}}{4}+\frac{37\sqrt{3}}{12}=\frac{16\sqrt{3}}{3}$$

답 ②

206

▶ 접근

두 대각선의 교점을 O라고 하면 평행사변형의 대각선의 성질에 의하여 $\overline{AO}=\overline{CO}=a$, $\overline{BO}=\overline{DO}=b$로 놓을 수 있다. 두 삼각형 ABO, AOD에서 코사인법칙을 이용한다.

평행사변형 ABCD의 두 대각선 AC와 BD의 교점을 O라고 하자.
평행사변형의 두 대각선은 서로 다른 것을 이등분하므로
$\overline{AC}=2a$, $\overline{BD}=2b$라고 하면 삼각형 ABO에서 코사인법칙에 의하여

$$5^2 = a^2+b^2-2ab\cos 45°$$

$$\therefore 25 = a^2+b^2-\sqrt{2}ab \qquad \cdots\cdots \bigcirc$$

삼각형 AOD에서 코사인법칙에 의하여

$$11^2 = a^2+b^2-2ab\cos 135°$$

$$\therefore 121 = a^2+b^2+\sqrt{2}ab \qquad \cdots\cdots \bigcirc$$

$\bigcirc-\bigcirc$을 하면

$$96 = 2\sqrt{2}ab \qquad \therefore ab=24\sqrt{2}$$

따라서 평행사변형 ABCD의 넓이는

$$\frac{1}{2}\times 2a\times 2b\times\sin 45° = 2ab\sin 45°$$

$$= 2\times 24\sqrt{2}\times\frac{\sqrt{2}}{2}=48$$

답 ④

 상위 1% 도전 문제

207

$\cos x = X$, $\sin x = Y$로 놓으면

$y = \dfrac{Y+4}{X+3}$이므로 $\quad Y = y(X+3)-4$

$\cos^2 x+\sin^2 x=1$이므로 $\quad X^2+Y^2=1$

$0\leq x\leq\pi$에서 $\quad -1\leq X\leq 1$, $0\leq Y\leq 1$

이때 $-1\leq X\leq 1$, $0\leq Y\leq 1$에서 X, Y의 값이 존재하려면 반원 $X^2+Y^2=1$과 직선 $Y=y(X+3)-4$의 교점이 존재해야 한다.

다음 그림과 같이 직선 $Y=y(X+3)-4$는 y의 값에 관계없이 점 $(-3, -4)$를 지나고, 이 직선이 반원 $X^2+Y^2=1$에 접할 때 최댓값을 갖고, 점 $(1, 0)$을 지날 때 최솟값을 갖는다.

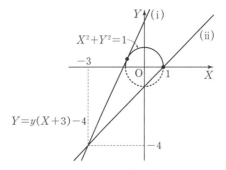

(i) 직선 $Y=y(X+3)-4$가 반원 $X^2+Y^2=1$에 접할 때
원점 $(0, 0)$과 직선 $yX-Y+3y-4=0$ 사이의 거리가 반원의 반지름의 길이 1과 같으므로

$$\frac{|3y-4|}{\sqrt{y^2+(-1)^2}}=1, \quad |3y-4|=\sqrt{y^2+1}$$

$$8y^2-24y+15=0$$

$$\therefore y=\frac{3}{2}-\frac{\sqrt{6}}{4} \text{ 또는 } y=\frac{3}{2}+\frac{\sqrt{6}}{4}$$

이때 두 값 중 큰 값이 반원의 $Y>0$인 부분에서 접하는 직선이므로

$$M=\frac{3}{2}+\frac{\sqrt{6}}{4}$$

(ii) 직선 $Y=y(X+3)-4$가 점 $(1, 0)$을 지날 때

$$0 = y(1+3)-4, \quad y=1$$

$$\therefore m=1$$

$$\therefore M+m = \frac{3}{2}+\frac{\sqrt{6}}{4}+1=\frac{5}{2}+\frac{\sqrt{6}}{4}$$

답 ③

208

$m\sin nx = -\sin nx+3$에서

$$(m+1)\sin nx=3 \qquad \therefore \sin nx=\frac{3}{m+1}$$

따라서 주어진 방정식의 서로 다른 실근의 개수는 함수 $y=\sin nx$의 그래프와 직선 $y=\dfrac{3}{m+1}$의 교점의 개수와 같다.

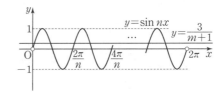

(i) $\dfrac{3}{m+1}>1$, 즉 $0<m<2$일 때,

함수 $y=\sin nx$의 그래프와 직선 $y=\dfrac{3}{m+1}$이 만나지 않으므로 주어진 방정식의 실근이 존재하지 않는다.

(ii) $\dfrac{3}{m+1}=1$, 즉 $m=2$일 때,

함수 $y=\sin nx$의 그래프와 직선 $y=\dfrac{3}{m+1}$의 교점의 개수는 n이다.

따라서 n이 짝수일 때만 주어진 방정식의 서로 다른 실근의 개수가 짝수이다.

(iii) $0<\dfrac{3}{m+1}<1$, 즉 $m>2$일 때,

함수 $y=\sin nx$의 그래프와 직선 $y=\dfrac{3}{m+1}$의 교점의 개수는 $2n$이다.

따라서 n의 값에 관계없이 주어진 방정식의 서로 다른 실근의 개수는 짝수이다.

따라서 n이 짝수이면 m의 최솟값은 2, n이 홀수이면 m의 최솟값은 3이므로

$$f(1)+f(2)+f(3)+\cdots+f(7)=2\times3+3\times4=18$$

답 18

209

$f(x)\ge0$일 때 $g(x)=\dfrac{f(x)+f(x)}{2}=f(x)$,

$f(x)<0$일 때 $g(x)=\dfrac{f(x)-f(x)}{2}=0$

이므로

$$g(x)=\begin{cases}\sin x & (-2\pi\le x\le-\pi \text{ 또는 } 0\le x\le\pi \text{ 또는 } x=2\pi)\\ 0 & (-\pi<x<0 \text{ 또는 } \pi<x<2\pi)\end{cases}$$

이고, 함수 $y=g(x)$의 그래프는 다음 그림과 같다.

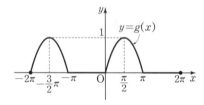

ㄱ은 옳다.

함수 $g(x)$의 주기는 2π이므로 $g(x)=g(x+2\pi)=g(x+4\pi)$

ㄴ도 옳다.

함수 $y=g(x)$의 그래프와 직선 $y=1$의 교점의 개수는 2이므로 방정식 $g(x)=1$의 실근의 개수는 2이다.

ㄷ은 옳지 않다.

방정식 $g(x)=k\,(0<k<1)$의 실근은 함수 $y=g(x)$의 그래프와 직선 $y=k$의 교점의 x좌표이다.

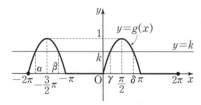

함수 $y=g(x)$의 그래프와 직선 $y=k$의 교점의 x좌표를 α, β, γ, $\delta\,(\alpha<\beta<\gamma<\delta)$라고 하면

$$\dfrac{\alpha+\beta}{2}=-\dfrac{3}{2}\pi, \quad \dfrac{\gamma+\delta}{2}=\dfrac{\pi}{2}$$

$$\therefore \alpha+\beta+\gamma+\delta=2\left(-\dfrac{3}{2}\pi+\dfrac{\pi}{2}\right)=-2\pi$$

따라서 방정식 $g(x)=k\,(0<k<1)$의 모든 실근의 합은 -2π이다.

따라서 옳은 것은 ㄱ, ㄴ이다.

답 ③

210

두 정삼각형 ACP, ABQ의 외접원의 반지름의 길이를 각각 R_1, R_2라고 하면 사인법칙에 의하여

$$\dfrac{\overline{AC}}{\sin 60°}=2R_1, \quad \dfrac{\overline{AB}}{\sin 60°}=2R_2 \text{이므로}$$

$$\dfrac{6}{\dfrac{\sqrt{3}}{2}}=2R_1, \quad \dfrac{8}{\dfrac{\sqrt{3}}{2}}=2R_2$$

$$\therefore R_1=2\sqrt{3}, \quad R_2=\dfrac{8\sqrt{3}}{3}$$

한편 삼각형 ABC에서 코사인법칙의 변형에 의하여

$$\cos A=\dfrac{6^2+8^2-(2\sqrt{13})^2}{2\times6\times8}=\dfrac{1}{2} \text{이므로}$$

$$A=60°$$

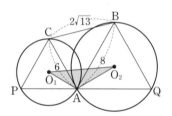

따라서 $\angle O_1AO_2=30°+60°+30°=120°$이므로 삼각형 O_1AO_2에서 코사인법칙에 의하여

$$\begin{aligned}\overline{O_1O_2}^2&=(2\sqrt{3})^2+\left(\dfrac{8\sqrt{3}}{3}\right)^2-2\times2\sqrt{3}\times\dfrac{8\sqrt{3}}{3}\times\cos 120°\\&=12+\dfrac{64}{3}-2\times2\sqrt{3}\times\dfrac{8\sqrt{3}}{3}\times\left(-\dfrac{1}{2}\right)\\&=\dfrac{148}{3}\end{aligned}$$

답 $\dfrac{148}{3}$

미니 모의고사 - 1회

01

각 θ를 나타내는 동경과 각 9θ를 나타내는 동경이 일직선 위에 있고 방향이 반대이므로

$9\theta-\theta=2n\pi+\pi$ (단, n은 정수)

$8\theta=(2n+1)\pi$

$$\therefore \theta=\dfrac{2n+1}{8}\pi \qquad\qquad \cdots\cdots ㉠$$

$\dfrac{\pi}{2}<\theta<\pi$에서 $\dfrac{\pi}{2}<\dfrac{2n+1}{8}\pi<\pi$, $4<2n+1<8$

$\dfrac{3}{2}<n<\dfrac{7}{2}$ $\qquad\therefore n=2, 3$

이 값을 ㉠에 대입하면

$\theta = \dfrac{5}{8}\pi$ 또는 $\theta = \dfrac{7}{8}\pi$

(ⅰ) $\theta = \dfrac{5}{8}\pi$일 때,

$\cos\left(\dfrac{5}{8}\pi - \dfrac{\pi}{8}\right) = \cos\dfrac{\pi}{2} = 0$

(ⅱ) $\theta = \dfrac{7}{8}\pi$일 때,

$\cos\left(\dfrac{7}{8}\pi - \dfrac{\pi}{8}\right) = \cos\dfrac{3}{4}\pi = -\dfrac{\sqrt{2}}{2}$

따라서 모든 $\cos\left(\theta - \dfrac{\pi}{8}\right)$의 값의 합은

$0 + \left(-\dfrac{\sqrt{2}}{2}\right) = -\dfrac{\sqrt{2}}{2}$

답 ①

02

$y = \sin\pi x + 1$의 주기는 $\dfrac{2\pi}{\pi} = 2$

ㄱ. $y = \sin 2\pi x$의 주기는 $\dfrac{2\pi}{2\pi} = 1$이므로 $y = |\sin 2\pi x|$의 주기는 $\dfrac{1}{2}$이다.

ㄴ. $y = \cos\dfrac{\pi}{2}x - 2$의 주기는 $\dfrac{2\pi}{\frac{\pi}{2}} = 4$

ㄷ. $y = \tan\left(\dfrac{\pi}{2}x - \dfrac{\pi}{4}\right)$의 주기는 $\dfrac{\pi}{\frac{\pi}{2}} = 2$

따라서 함수 $y = \sin\pi x + 1$과 주기가 같은 함수는 ㄷ이다.

답 ③

03

함수 $y = \cos x$의 치역이 $\{y \,|\, -1 \le y \le 1\}$이고 직선 $y = \dfrac{1}{9}x$는 두 점 $(-9, -1)$, $(9, 1)$을 지난다.

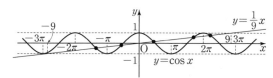

따라서 함수 $y = \cos x$의 그래프와 직선 $y = \dfrac{1}{9}x$의 교점의 개수는 5이다.

답 ③

04

$-\dfrac{\pi}{2} < x < \dfrac{\pi}{2}$에서 $\cos x \ne 0$이므로 $\cos^2 x > 0$

$3\sin^2 x - 2\sqrt{3}\sin x\cos x - 3\cos^2 x < 0$의 양변을 $\cos^2 x$로 나누면

$3\tan^2 x - 2\sqrt{3}\tan x - 3 < 0$

$(3\tan x + \sqrt{3})(\tan x - \sqrt{3}) < 0$

$-\dfrac{\sqrt{3}}{3} < \tan x < \sqrt{3}$

$\therefore -\dfrac{\pi}{6} < x < \dfrac{\pi}{3}$

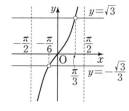

따라서 $\alpha = -\dfrac{\pi}{6}$, $\beta = \dfrac{\pi}{3}$이므로

$\alpha + \beta = -\dfrac{\pi}{6} + \dfrac{\pi}{3} = \dfrac{\pi}{6}$

답 ④

05

오른쪽 그림과 같이 선분 MN의 중점을 O라고 하자. △OBC는 정삼각형이므로 $\overline{\text{MC}} = k$라고 하면

$\overline{\text{OM}} = \sqrt{3}k$

$\therefore \overline{\text{MN}} = 2\overline{\text{OM}} = 2\sqrt{3}k$

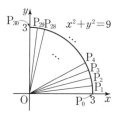

△MCD에서 $\overline{\text{MC}} = k$, $\overline{\text{CD}} = 2k$이고,

$\angle\text{MCD} = \dfrac{2}{3}\pi$이므로 코사인법칙에 의하여

$\overline{\text{MD}}^2 = k^2 + (2k)^2 - 2 \times k \times 2k \times \cos\dfrac{2}{3}\pi = 7k^2$

$\therefore \overline{\text{MD}} = \sqrt{7}k$

$\overline{\text{ND}} = \overline{\text{MD}} = \sqrt{7}k$이고 △MDN에서 코사인법칙의 변형에 의하여

$\cos\theta = \dfrac{(\sqrt{7}k)^2 + (\sqrt{7}k)^2 - (2\sqrt{3}k)^2}{2 \times \sqrt{7}k \times \sqrt{7}k} = \dfrac{1}{7}$

답 ①

06

원 $x^2 + y^2 = 9$가 x축, y축과 만나는 점을 각각 P_0, P_{30}이라고 하자.

각 분점은 중심각이 90°인 호를 30등분한다.

원점 O에 대하여

$\angle\text{P}_0\text{OP}_1 = \angle\text{P}_1\text{OP}_2 = \angle\text{P}_2\text{OP}_3 = \cdots = \angle\text{P}_{29}\text{OP}_{30}$

$\qquad = \dfrac{90°}{30} = 3°$

이므로

$\angle\text{P}_0\text{OP}_1 = 3°$, $\angle\text{P}_0\text{OP}_2 = 6°$, $\cdots$, $\angle\text{P}_0\text{OP}_{29} = 87°$

$\text{P}_1(3\cos 3°, 3\sin 3°)$, $\text{P}_2(3\cos 6°, 3\sin 6°)$, $\cdots$,

$\text{P}_{29}(3\cos 87°, 3\sin 87°)$

이므로

$\dfrac{y_1 \times y_2 \times y_3 \times \cdots \times y_{29}}{x_1 \times x_2 \times x_3 \times \cdots \times x_{29}}$

$= \dfrac{3\sin 3° \times 3\sin 6° \times \cdots \times 3\sin 87°}{3\cos 3° \times 3\cos 6° \times \cdots \times 3\cos 87°}$

$= \dfrac{\sin 3° \times \sin 6° \times \cdots \times \sin 87°}{\cos 3° \times \cos 6° \times \cdots \times \cos 87°}$

$= \dfrac{\sin(90° - 87°) \times \sin(90° - 84°) \times \cdots \times \sin(90° - 3°)}{\cos 3° \times \cos 6° \times \cdots \times \cos 87°}$

$= \dfrac{\cos 87° \times \cos 84° \times \cdots \times \cos 3°}{\cos 3° \times \cos 6° \times \cdots \times \cos 87°}$ $(\because \sin(90° - \theta) = \cos\theta)$

$= \dfrac{\cos 3° \times \cos 6° \times \cdots \times \cos 87°}{\cos 3° \times \cos 6° \times \cdots \times \cos 87°}$

$= 1$

답 ①

07

$$y=\frac{\cos x-\sin x}{\cos x+\sin x}=\frac{\dfrac{\cos x}{\cos x}-\dfrac{\sin x}{\cos x}}{\dfrac{\cos x}{\cos x}-\dfrac{\sin x}{\cos x}}=\frac{1-\tan x}{1+\tan x}$$

$0\le x\le\dfrac{\pi}{3}$에서 $0\le\tan x\le\sqrt{3}$이므로

$\tan x=t$로 놓으면

$$y=\frac{1-t}{1+t}=\frac{-(1+t)+2}{1+t}=\frac{2}{1+t}-1$$

오른쪽 그림에서

$t=0$일 때 최댓값은 1이고,

$t=\sqrt{3}$일 때 최솟값은 $-2+\sqrt{3}$

이므로 $M=1,\ m=-2+\sqrt{3}$

$\therefore M+m=1+(-2+\sqrt{3})=-1+\sqrt{3}$

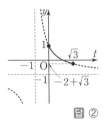

답 ②

08

$A+B+C=\pi$이므로 $B+C=\pi-A$

이차방정식 $ax^2-10\sqrt{b}x\sin(B+C)+25\sin^2 A=0$이 중근을

가지므로 이 이차방정식의 판별식을 D라고 하면

$$\frac{D}{4}=\{-5\sqrt{b}\sin(B+C)\}^2-a\times25\sin^2 A=0$$

$25b\sin^2(\pi-A)-25a\sin^2 A=0$

$25b\sin^2 A-25a\sin^2 A=0$

$25(b-a)\sin^2 A=0$

$\therefore b=a$ 또는 $\sin A=0$

$0°<A<180°$이므로 $\sin A\ne0$

따라서 삼각형 ABC는 $a=b$인 이등변삼각형이다.

답 ④

09

오른쪽 그림과 같이

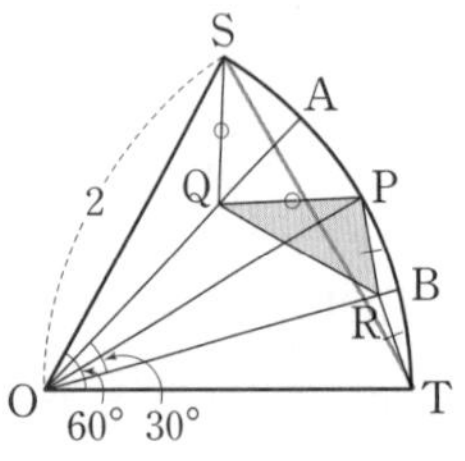

$\angle AOP=\angle AOS,\ \angle BOP=\angle BOT$

가 되도록 부채꼴 AOS, BOT를 붙인

다.

$\triangle QOP\equiv\triangle QOS$ (SAS 합동),

$\triangle ROP\equiv\triangle ROT$ (SAS 합동)

이므로 $\overline{PQ}=\overline{SQ},\ \overline{PR}=\overline{TR}$

즉, 삼각형 PQR의 둘레의 길이는

$\overline{PQ}+\overline{QR}+\overline{RP}=\overline{SQ}+\overline{QR}+\overline{RT}$

이고, 그 최솟값은 S, Q, R, T가 한 직선 위에 있을 때이므로

$\overline{PQ}+\overline{QR}+\overline{RP}\ge\overline{ST}$

이때 $\angle AOB=30°$이므로 $\angle SOT=60°$

삼각형 SOT에서 코사인법칙에 의하여

$\overline{ST}^2=2^2+2^2-2\times2\times2\times\cos60°$

$=4+4-2\times2\times2\times\dfrac{1}{2}=4$

$\therefore \overline{ST}=2\ (\because \overline{ST}>0)$

삼각형 PQR의 둘레의 길이의 최솟값은 2이므로 $k=2$

$\therefore k^2=2^2=4$

답 4

10

$f(x)=\sqrt{1-2\sin x\cos x}+\sqrt{1+2\sin x\cos x}$

$\qquad=\sqrt{\sin^2 x+\cos^2 x-2\sin x\cos x}$

$\qquad\qquad+\sqrt{\sin^2 x+\cos^2 x+2\sin x\cos x}$

$\qquad=\sqrt{(\sin x-\cos x)^2}+\sqrt{(\sin x+\cos x)^2}$

$\qquad=|\sin x-\cos x|+|\sin x+\cos x|$

(ⅰ) $0\le x<\dfrac{\pi}{4}$일 때,

$\sin x-\cos x<0,\ \sin x+\cos x>0$이므로

$f(x)=-(\sin x-\cos x)+(\sin x+\cos x)=2\cos x$

(ⅱ) $\dfrac{\pi}{4}\le x<\dfrac{3}{4}\pi$일 때,

$\sin x-\cos x\ge0,\ \sin x+\cos x>0$이므로

$f(x)=\sin x-\cos x+(\sin x+\cos x)=2\sin x$

(ⅲ) $\dfrac{3}{4}\pi\le x\le\pi$일 때,

$\sin x-\cos x\ge0,\ \sin x+\cos x\le0$이므로

$f(x)=\sin x-\cos x-(\sin x+\cos x)=-2\cos x$

따라서 함수 $y=f(x)$의 그래프는 다음 그림과 같다.

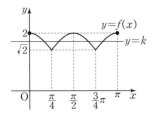

함수 $y=f(x)$의 그래프와 직선 $y=k$의 교점의 개수가 4가 되도록

하는 실수 k의 값의 범위는 $\sqrt{2}<k<2$이므로

$\alpha=\sqrt{2},\ \beta=2$

$\therefore \alpha^2+\beta^2=(\sqrt{2})^2+2^2=6$

답 ①

미니 모의고사 - 2회

01

부채꼴의 반지름의 길이를 r, 호의 길이를 l, 넓이를 S라고 하면

부채꼴의 둘레의 길이는

$2r+l=36$

$\therefore l=36-2r$

$S=\dfrac{1}{2}rl=\dfrac{1}{2}r(36-2r)=-r^2+18r=12$

$\therefore r^2-18r+12=0$

서로 다른 두 부채꼴의 반지름의 길이를 각각 $r_1,\ r_2$라고 하면 이차

방정식의 근과 계수의 관계에 의하여

$r_1+r_2=18$

따라서 서로 다른 두 부채꼴의 반지름의 길이의 합은 18이다.

답 ④

02

오른쪽 그림과 같이 점 P의 좌표를
$P(-2, \sqrt{5})$로 놓으면
$\overline{OP}=\sqrt{(-2)^2+(\sqrt{5})^2}=3$이므로

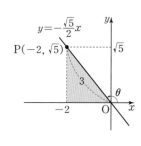

$\sin\theta=\dfrac{\sqrt{5}}{3}$, $\cos\theta=-\dfrac{2}{3}$

$\therefore 3\sqrt{5}\sin\theta-6\cos\theta$

$\quad=3\sqrt{5}\times\dfrac{\sqrt{5}}{3}-6\times\left(-\dfrac{2}{3}\right)$

$\quad=5+4=9$

답 ②

03

$\sin\theta+\cos\theta=-\dfrac{1}{2}$의 양변을 제곱하면

$\sin^2\theta+2\sin\theta\cos\theta+\cos^2\theta=\dfrac{1}{4}$

$1+2\sin\theta\cos\theta=\dfrac{1}{4}$

$\therefore \sin\theta\cos\theta=-\dfrac{3}{8}$

$\therefore \sin^3\theta+\cos^3\theta$

$\quad=(\sin\theta+\cos\theta)^3-3\sin\theta\cos\theta(\sin\theta+\cos\theta)$

$\quad=\left(-\dfrac{1}{2}\right)^3-3\times\left(-\dfrac{3}{8}\right)\times\left(-\dfrac{1}{2}\right)$

$\quad=-\dfrac{11}{16}$

답 ②

04

주어진 그래프에서 주기는 $\dfrac{2}{3}\left\{\dfrac{4}{3}\pi-\left(-\dfrac{\pi}{6}\right)\right\}=\pi$

이때 $\dfrac{2\pi}{b}=\pi$이므로 $b=2\,(\because b>0)$

최댓값이 2, 최솟값이 0이고 $a<0$이므로
$-a+d=2$, $a+d=0$
위의 두 식을 연립하여 풀면
$a=-1$, $d=1$
$y=-\cos(2x+c)+1$의 그래프가 점 $\left(0, \dfrac{1}{2}\right)$을 지나므로

$\dfrac{1}{2}=-\cos c+1$, $\cos c=\dfrac{1}{2}$

$\therefore c=\dfrac{\pi}{3}\left(\because 0<c<\dfrac{\pi}{2}\right)$

$\therefore a+b+c+d=-1+2+\dfrac{\pi}{3}+1=2+\dfrac{\pi}{3}$

답 $2+\dfrac{\pi}{3}$

05

$y=1-4\cos^2 x-4\sin x$

$\quad=1-4(1-\sin^2 x)-4\sin x$

$\quad=4\sin^2 x-4\sin x-3$

$\sin x=t\,(-1\le t\le 1)$로 놓으면

$y=4t^2-4t-3=4\left(t-\dfrac{1}{2}\right)^2-4$

오른쪽 그림에서
$t=-1$일 때 최댓값은 5이고,
$t=\dfrac{1}{2}$일 때 최솟값은 -4이므로

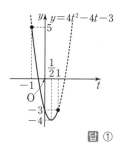

$M=5$, $m=-4$
$\therefore M+m=5+(-4)=1$

답 ①

06

$P_1(-4, 3)$, $P_2(-3, -4)$, $P_3(3, -4)$이고 동경 OP가 나타내는
각의 크기를 θ라고 하면 다음 그림과 같다.

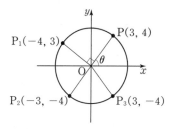

$\therefore \theta_1=\dfrac{\pi}{2}+\theta$, $\theta_2=\pi+\theta$, $\theta_3=-\theta$

$\overline{OP}=\sqrt{3^2+4^2}=5$이므로

$\sin\theta=\dfrac{4}{5}$, $\cos\theta=\dfrac{3}{5}$, $\tan\theta=\dfrac{4}{3}$

$\therefore \cos\theta_1+\sin\theta_2+\tan\theta_3$

$\quad=\cos\left(\dfrac{\pi}{2}+\theta\right)+\sin(\pi+\theta)+\tan(-\theta)$

$\quad=-\sin\theta-\sin\theta-\tan\theta$

$\quad=-2\sin\theta-\tan\theta$

$\quad=-2\times\dfrac{4}{5}-\dfrac{4}{3}=-\dfrac{44}{15}$

답 ①

07

$0\le kx\le\dfrac{5}{2}\pi$이고, 주기는 $\dfrac{2\pi}{k}$이므로 $y=f(x)$의 그래프는 다음
그림과 같고, 직선 $y=\dfrac{3}{4}$과 서로 다른 세 점에서 만난다.

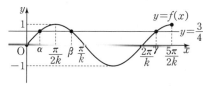

함수 $y=f(x)$의 그래프와 직선 $y=\dfrac{3}{4}$의 교점의 x좌표를 차례대로
α, β, γ라고 하면 α, β는 직선 $x=\dfrac{\pi}{2k}$에 대하여 대칭이므로

$\dfrac{\alpha+\beta}{2}=\dfrac{\pi}{2k}$ 즉, $\alpha+\beta=\dfrac{\pi}{k}$

따라서 $p=\alpha+\beta+\gamma=\dfrac{\pi}{k}+\gamma$이므로

$f(p)=f\left(\dfrac{\pi}{k}+\gamma\right)=\sin(\pi+k\gamma)$

$\quad=-\sin k\gamma=-f(\gamma)=-\dfrac{3}{4}$

답 ③

08

$\cos^2 x - (2a+3)\sin x - a + 2 = 0$에서

$1 - \sin^2 x - (2a+3)\sin x - a + 2 = 0$

$\sin^2 x + (2a+3)\sin x + a - 3 = 0$

$\sin x = t \ (-1 \leq t \leq 1)$라고 하면 이차방정식

$t^2 + (2a+3)t + a - 3 = 0$의 두 근 중에서 적어도 한 근이

$-1 < t < 1$의 범위에 있어야 한다.

$f(t) = t^2 + (2a+3)t + a - 3$으로 놓으면

$f(-1) = -a - 5$, $f(1) = 3a + 1$

(i) 한 근만 $-1 < t < 1$의 범위에 있는 경우

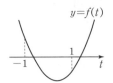 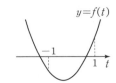

$f(-1)f(1) < 0$에서

$(-a-5)(3a+1) < 0$

$(a+5)(3a+1) > 0$

$\therefore a < -5$ 또는 $a > -\dfrac{1}{3}$

(ii) 두 근이 모두 $-1 \leq t \leq 1$의 범위에 있는 경우

$f(-1) \geq 0$, $f(1) \geq 0$에서

$-a - 5 \geq 0$, $3a + 1 \geq 0$

$\therefore a \leq -5$, $a \geq -\dfrac{1}{3}$

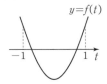

위의 부등식을 동시에 만족시키는 a의

값이 없으므로 두 근이 모두 $-1 \leq t \leq 1$의 범위에 있는 경우는

없다.

따라서 실수 a의 값의 범위는

$a < -5$ 또는 $a > -\dfrac{1}{3}$

답 ②

09

$b^2 \tan A = a^2 \tan B$에서

$b^2 \times \dfrac{\sin A}{\cos A} = a^2 \times \dfrac{\sin B}{\cos B}$

$\therefore b^2 \sin A \cos B = a^2 \sin B \cos A$ ······ ㉠

삼각형 ABC의 외접원의 반지름의 길이를 R라고 하면 사인법칙의

변형에 의하여

$\sin A = \dfrac{a}{2R}$, $\sin B = \dfrac{b}{2R}$ ······ ㉡

코사인법칙의 변형에 의하여

$\cos A = \dfrac{b^2 + c^2 - a^2}{2bc}$, $\cos B = \dfrac{c^2 + a^2 - b^2}{2ca}$ ······ ㉢

㉡, ㉢을 ㉠에 대입하면

$b^2 \times \dfrac{a}{2R} \times \dfrac{c^2 + a^2 - b^2}{2ca} = a^2 \times \dfrac{b}{2R} \times \dfrac{b^2 + c^2 - a^2}{2bc}$

$b^2(c^2 + a^2 - b^2) = a^2(b^2 + c^2 - a^2)$

$a^4 - b^4 - a^2 c^2 + b^2 c^2 = 0$

$(a^2 + b^2)(a^2 - b^2) - c^2(a^2 - b^2) = 0$

$(a^2 + b^2 - c^2)(a^2 - b^2) = 0$

$(a^2 + b^2 - c^2)(a+b)(a-b) = 0$

$\therefore a^2 + b^2 = c^2$ 또는 $a = b \ (\because a \neq -b)$

따라서 $C = 90°$인 직각삼각형 또는 $a = b$인 이등변삼각형이므로

삼각형 ABC가 될 수 있는 것은 ㄱ, ㅁ이다.

답 ②

10

오른쪽 그림과 같이 점 C에서 x축에 내린

수선의 발을 점 H라고 하자.

직각삼각형 OCH에서

$\overline{OH} = 1$, $\overline{CH} = \sqrt{3}$, $\overline{OC} = 2$

따라서 $\angle COH = \dfrac{\pi}{3}$이므로

$\angle COE = \dfrac{\pi}{6}$

$\therefore$ (부채꼴 COE의 넓이) $= \dfrac{1}{2} \times 2^2 \times \dfrac{\pi}{6} = \dfrac{\pi}{3}$

한편 두 점 $A(-2, 0)$, $C(1, \sqrt{3})$을 지나는 직선의 방정식은

$y = \dfrac{\sqrt{3}}{1 - (-2)}(x+2)$

$\therefore y = \dfrac{\sqrt{3}}{3}x + \dfrac{2\sqrt{3}}{3}$

$D\left(0, \dfrac{2\sqrt{3}}{3}\right)$이므로 $\overline{OD} = \dfrac{2\sqrt{3}}{3}$

$\therefore \triangle COD = \dfrac{1}{2} \times \overline{OC} \times \overline{OD} \times \sin(\angle COD)$

$\qquad = \dfrac{1}{2} \times 2 \times \dfrac{2\sqrt{3}}{3} \times \sin \dfrac{\pi}{6}$

$\qquad = \dfrac{\sqrt{3}}{3}$

따라서 구하는 도형의 넓이는

(부채꼴 COE의 넓이) $- \triangle COD = \dfrac{\pi}{3} - \dfrac{\sqrt{3}}{3}$

답 ④

참고

$\triangle COD$의 넓이는 다음과 같이 구할 수도 있다.

$\triangle COD = \dfrac{1}{2} \times \overline{OD} \times \overline{OH}$

$\qquad = \dfrac{1}{2} \times \dfrac{2\sqrt{3}}{3} \times 1 = \dfrac{\sqrt{3}}{3}$

III. 수열

06 등차수열과 등비수열

001

1을 3으로 나눈 나머지는 1이므로 $a_1=1$

2를 3으로 나눈 나머지는 2이므로 $a_2=2$

3을 3으로 나눈 나머지는 0이므로 $a_3=0$

4를 3으로 나눈 나머지는 1이므로 $a_4=1$

 $\vdots$

수열 $\{a_n\}$ 은 1, 2, 0이 차례로 반복된다.

이때 $500=3\times166+2$ 이므로

 $a_{500}=a_2=2$

답 ③

002

분자를 순서대로 나열하면

 $2\times1-1, 2\times2-1, 2\times3-1, 2\times4-1, \cdots, 2\times k-1, \cdots$

분모를 순서대로 나열하면

 $1^2, 2^2, 3^2, 4^2, \cdots, k^2, \cdots$

따라서 수열의 일반항 a_n 을 나타내면

 $a_n=\dfrac{2n-1}{n^2}$

 $\therefore a_{15}=\dfrac{2\times15-1}{15^2}=\dfrac{29}{225}$

따라서 $p=225$, $q=29$ 이므로

 $p-q=225-29=196$

답 196

003

 $a_1=9=10-1$

 $a_2=99=10^2-1$

 $a_3=999=10^3-1$

 $\vdots$

 $a_n=10^n-1$

따라서 $\alpha=1$, $\beta=1$ 이므로

 $\alpha\beta=1$

답 ③

다른 풀이

 $a_n=\underbrace{999\cdots9}_{n개}$ 이므로

 $a_n=9\times10^{n-1}+9\times10^{n-2}+\cdots+9\times10^0$

 $=9(10^{n-1}+10^{n-2}+\cdots+10^0)$

 $=9\times\dfrac{10^n-1}{10-1}$ ——첫째항이 1, 공비가 10, 항의 수가 n 인 등비수열의 합

 $=10^n-1$

004

제7항이 8, 제11항이 -8 이므로

 $a_7=a+6d=8$ ······ ㉠

 $a_{11}=a+10d=-8$ ······ ㉡

㉡$-$㉠을 하면 $4d=-16$ $\therefore d=-4$

 $d=-4$ 를 ㉠에 대입하면

 $a-24=8$ $\therefore a=32$

 $\therefore a+5d=32-20=12$

답 ②

다른 풀이

 $a+5d=a_6$ 이므로

 $a_6=a_7-d=8-(-4)=12$

005

주어진 등차수열은 첫째항이 15, 공차가 -2 인 등차수열이므로

 $a_n=15+(n-1)\times(-2)=-2n+17$

 $-2n+17<0$ 에서 $n>\dfrac{17}{2}=8.5$

따라서 처음으로 음수가 되는 항은 제9항이다.

답 ④

풍쌤 비법

첫째항이 a, 공차가 d 인 등차수열 $\{a_n\}$ 에서

(1) 처음으로 음수가 되는 항은

➡ $a+(n-1)d<0$ 을 만족시키는 자연수 n 의 최솟값을 구한다.

(2) 처음으로 양수가 되는 항은

➡ $a+(n-1)d>0$ 을 만족시키는 자연수 n 의 최솟값을 구한다.

006

등차수열 $\{a_n\}$ 의 첫째항을 a, 공차를 d 라고 하면

 $a_2+a_5=(a+d)+(a+4d)$

 $=2a+5d=10$

 $\therefore a=-\dfrac{5}{2}d+5$ ······ ㉠

 $(a_6)^2=(a+5d)^2=25$ ······ ㉡

㉠을 ㉡에 대입하면

 $\dfrac{25}{4}d^2+25d+25=25$, $\dfrac{25}{4}d(d+4)=0$

이때 $d\neq0$ 이므로 $d=-4$

 $d=-4$ 를 ㉠에 대입하면 $a=15$

 $\therefore a_7=a+6d=15+(-24)=-9$

답 ①

다른 풀이

 $(a_6)^2=25$ 에서 $a_6=5$ 또는 $a_6=-5$

(i) $a_6=5$ 일 때

 $a+5d=5$ 이므로 ㉠을 대입하여 구하면 $d=0$

그런데 $d\neq0$ 이므로 모순이다.

(ii) $a_6=-5$ 일 때

 $a+5d=-5$ 이므로 ㉠을 대입하여 구하면 $d=-4$

$d=-4$를 ㉠에 대입하면 $a=15$

(ⅰ), (ⅱ)에서 $a=15$, $d=-4$이므로

$a_7=a+6d=-9$

007

$6x-6$, x^2, $-x+4$가 이 순서대로 등차수열을 이루므로

$2x^2=(6x-6)+(-x+4)$, $2x^2=5x-2$

$2x^2-5x+2=0$, $(2x-1)(x-2)=0$

$\therefore x=\dfrac{1}{2}$ 또는 $x=2$

따라서 정수 x의 값은 2이다.

답 ⑤

008

4는 a와 d의 등차중항이므로 $a+d=8$

또, 4는 b와 c의 등차중항이므로 $b+c=8$

$\therefore a+b+c+d=8+8=16$

답 ③

009

세 수를 $a-d$, a, $a+d$로 놓으면

$(a-d)+a+(a+d)=3a=9$ $\therefore a=3$

$(a-d)^2+a^2+(a+d)^2=3a^2+2d^2=59$

위의 식에 $a=3$을 대입하면

$2d^2=32$, $d^2=16$ $\therefore d=\pm4$

따라서 구하는 세 수는 -1, 3, 7이므로 세 수의 곱은 -21이다.

$d=\pm4$일 때 모두 이 세 수가 나온다.

답 ①

010

삼차방정식 $x^3-kx-k+4=0$의 세 근을 $a-d$, a, $a+d$로 놓으면 근과 계수의 관계에 의하여

$(a-d)+a+(a+d)=0$ $\therefore a=0$

$(a-d)\times a\times(a+d)=k-4$에서 $a=0$이므로

$k-4=0$ $\therefore k=4$

답 ④

참고

삼차방정식의 근과 계수의 관계

삼차방정식 $ax^3+bx^2+cx+d=0$의 세 근을 α, β, γ라고 할 때

$\alpha+\beta+\gamma=-\dfrac{b}{a}$, $\alpha\beta+\beta\gamma+\gamma\alpha=\dfrac{c}{a}$, $\alpha\beta\gamma=-\dfrac{d}{a}$

011

직각삼각형의 세 변의 길이를 $a-d$, a, $a+d$ $(0<d<a)$로 놓으면 빗변의 길이가 10이므로 $a+d=10$ ······㉠

피타고라스 정리에 의하여

$(a-d)^2+a^2=(a+d)^2$ $\therefore a^2=4ad$

이때 $a>0$이므로 $a=4d$ ······㉡

㉠, ㉡을 연립하여 풀면 $a=8$, $d=2$

따라서 세 변의 길이는 6, 8, 10이므로 직각삼각형의 넓이는

$\dfrac{1}{2}\times6\times8=24$

답 24

012

첫째항을 a, 공차를 d라고 하면

제2항이 -2, 제5항이 22이므로

$a_2=a+d=-2$ ······㉠

$a_5=a+4d=22$ ······㉡

㉡$-$㉠을 하면 $3d=24$ $\therefore d=8$

$d=8$을 ㉠에 대입하면

$a+8=-2$ $\therefore a=-10$

첫째항이 -10, 공차가 8인 등차수열의 첫째항부터 제n항까지의 합이 60이므로

$\dfrac{n\{2\times(-10)+(n-1)\times8\}}{2}=60$

$2n(n-1)-5n=30$, $2n^2-7n-30=0$

$(2n+5)(n-6)=0$

$\therefore n=-\dfrac{5}{2}$ 또는 $n=6$

이때 n은 자연수이므로 $n=6$

답 ③

013

등차수열 $\{a_n\}$의 첫째항을 a, 공차를 d라고 하면

$S_{10}=\dfrac{10(2a+9d)}{2}=40$에서

$a_1+a_{10}=a+(a+9d)$
$=2a+9d$

$2a+9d=8$ ······㉠

$S_{20}=\dfrac{20(2a+19d)}{2}=120$에서

$a_1+a_{20}=a+(a+19d)$
$=2a+19d$

$2a+19d=12$ ······㉡

㉡$-$㉠을 하면 $10d=4$ $\therefore d=\dfrac{2}{5}$

$d=\dfrac{2}{5}$를 ㉠에 대입하면

$2a+9\times\dfrac{2}{5}=8$ $\therefore a=\dfrac{11}{5}$

$\therefore S_{30}=\dfrac{30(2a+29d)}{2}$

$=15\left(2\times\dfrac{11}{5}+29\times\dfrac{2}{5}\right)$

$=15\left(\dfrac{22}{5}+\dfrac{58}{5}\right)=240$

답 ①

014

$S_n=\dfrac{n\{2\times46+(n-1)\times(-4)\}}{2}$

$=-2n^2+48n=-2(n-12)^2+288$

따라서 제12항까지의 합이 최대가 되고 최댓값은 288이다.

답 ④

등차수열의 일반항 a_n을 구하면

$a_n = 46 + (n-1) \times (-4) = -4n + 50$

이때 $a_{12} = 2$, $a_{13} = -2$이므로 제12항까지의 합이 최대임을 알 수 있다.

따라서 S_n의 최댓값은

$S_{12} = \dfrac{12(46+2)}{2} = 6 \times 48 = 288$

등차수열의 합의 최대·최소

(1) 첫째항이 양수이고 공차가 음수인 등차수열의 합이 최대가 되려면 양수인 항들만 모두 더하면 된다.

(2) 첫째항이 음수이고 공차가 양수인 등차수열의 합이 최소가 되려면 음수인 항들만 모두 더하면 된다.

015

만들어진 등차수열은 첫째항이 15, 끝항이 45, 항의 수가 12인 수열이므로 그 합은

$\dfrac{12(15+45)}{2} = 6 \times 60 = 360$

답 ⑤

016

등차수열 $\{a_n\}$, $\{b_n\}$의 공차를 각각 d, d'이라고 하면

$a_1 + b_1 = 4$, $d + d' = 5$

$\therefore (a_1 + a_2 + \cdots + a_{12}) + (b_1 + b_2 + \cdots + b_{12})$

$= \dfrac{12(a_1 + a_{12})}{2} + \dfrac{12(b_1 + b_{12})}{2}$

$= \dfrac{12(2a_1 + 11d)}{2} + \dfrac{12(2b_1 + 11d')}{2}$

$= \dfrac{12\{2(a_1 + b_1) + 11(d + d')\}}{2}$

$= 6(2 \times 4 + 11 \times 5)$

$= 378$

답 378

$(a_1 + a_2 + \cdots + a_{12}) + (b_1 + b_2 + \cdots + b_{12})$

$= (a_1 + b_1) + (a_2 + b_2) + \cdots + (a_{12} + b_{12})$

이므로 첫째항이 4, 공차가 5인 등차수열 $\{a_n + b_n\}$의 첫째항부터 제12항까지의 합을 구하면 된다.

$\therefore (a_1 + a_2 + \cdots + a_{12}) + (b_1 + b_2 + \cdots + b_{12})$

$= \dfrac{12\{2 \times 4 + (12-1) \times 5\}}{2}$

$= 6(2 \times 4 + 11 \times 5)$

$= 378$

등차수열 $\{a_n\}$의 공차가 d, 등차수열 $\{b_n\}$의 공차가 d'

➡ 수열 $\{a_n + b_n\}$은 공차가 $d + d'$인 등차수열

017

4로 나누었을 때 나머지가 2인 두 자리의 자연수는 $4a + 2$(a는 $a \geq 2$인 자연수) 꼴이므로 몇 개의 두 자리의 자연수를 직접 구해 규칙을 찾는다.

두 자리의 자연수 중에서 4로 나누었을 때 나머지가 2인 자연수를 나열하면

10, 14, 18, 22, $\cdots$, 98

이는 첫째항이 10, 공차가 4인 등차수열이므로

$a_n = 10 + (n-1) \times 4 = 4n + 6$

이때 $a_k = 4k + 6 = 98$에서 $k = 23$

따라서 구하는 총합은 첫째항이 10, 끝항이 98, 항의 수가 23인 등차수열의 합이므로

$\dfrac{23(10+98)}{2} = 1242$

답 ③

A로 나눈 나머지가 B인 자연수를 나열하면

$A + B$, $2A + B$, $3A + B$, $\cdots$

이므로 첫째항이 $A + B$, 공차가 A인 등차수열이다.

이때 문제에서 두 자리의 자연수라는 조건이 주어졌으므로 첫째항이 두 자리의 자연수가 되어야 한다.

018

주어진 수열은 첫째항이 1, 공차가 2인 등차수열이므로 짝수 번째 항을 나열하면

$a_2 = 3$, $a_4 = 7$, $a_6 = 11$, $\cdots$, $a_{20} = 39$

따라서 짝수 번째 항들의 합은 첫째항이 3, 공차가 4인 등차수열의 첫째항부터 제10항까지의 합과 같다.

$\therefore \dfrac{10(2 \times 3 + 9 \times 4)}{2} = 5(6 + 36) = 210$

답 ②

019

등차수열의 일반항 a_n을 구하면

$a_n = 12 + (n-1) \times (-3) = -3n + 15$

이때 $a_4 = 3$, $a_5 = 0$, $a_6 = -3$이므로 제6항부터 그 값이 음수이다.

즉,

$|a_1| + |a_2| + |a_3| + \cdots + |a_{10}|$

$= (a_1 + a_2 + a_3 + a_4) + a_5 - (a_6 + a_7 + \cdots + a_{10})$

$= \dfrac{4(12+3)}{2} + 0 - \dfrac{5(-3-15)}{2}$

$= 30 + 45 = 75$

답 ⑤

020

$S_n = n^2 - 3n$에서

$a_7 + a_8 = S_8 - S_6$

$$= (8^2 - 3 \times 8) - (6^2 - 3 \times 6)$$
$$= 40 - 18 = 22$$

답 ①

┃다른 풀이┃

$S_n = n^2 - 3n$에서

$$a_n = S_n - S_{n-1}$$
$$= (n^2 - 3n) - \{(n-1)^2 - 3(n-1)\}$$
$$= 2n - 4 \ (n \geq 2)$$
$$\therefore a_7 + a_8 = (2 \times 7 - 4) + (2 \times 8 - 4) = 10 + 12 = 22$$

021

첫째항부터 제10항까지의 합이 90이므로

$$S_{10} = 100k - 10 = 90 \qquad \therefore k = 1$$
$$\therefore S_n = n^2 - n$$
$$a_n = S_n - S_{n-1}$$
$$= (n^2 - n) - \{(n-1)^2 - (n-1)\}$$
$$= 2n - 2 \ (n \geq 2) \qquad \cdots\cdots \ \bigcirc$$

$n = 1$일 때, $a_1 = S_1 = 0$

$a_1 = 0$은 $\bigcirc$에 $n = 1$을 대입한 것과 같으므로

$$a_n = 2n - 2 \ (n \geq 1)$$

따라서 $\alpha = 2$, $\beta = -2$이므로 $\alpha + \beta = 0$

답 ③

022

두 수열 $\{a_n\}$, $\{b_n\}$의 첫째항부터 제n항까지의 합을 각각 S_n, T_n
이라고 하면

$$S_n = n^2 - \alpha n, \ T_n = 3n^2 + 2n$$
$$a_4 = S_4 - S_3 = (4^2 - 4\alpha) - (3^2 - 3\alpha) = -\alpha + 7$$
$$b_4 = T_4 - T_3 = (3 \times 4^2 + 2 \times 4) - (3 \times 3^2 + 2 \times 3) = 23$$

$a_4 = b_4$에서 $-\alpha + 7 = 23$

$$\therefore \alpha = -16$$

답 -16

023

$S_n = -2n^2 + 8n$에서

$$a_n = S_n - S_{n-1}$$
$$= (-2n^2 + 8n) - \{-2(n-1)^2 + 8(n-1)\}$$
$$= -4n + 10 \ (n \geq 2) \qquad \cdots\cdots \ \bigcirc$$

$n = 1$일 때, $a_1 = S_1 = 6$

$a_1 = 6$은 $\bigcirc$에 $n = 1$을 대입한 것과 같으므로

$$a_n = -4n + 10 \ (n \geq 1)$$

이때

$-4n + 10 < 0$에서 $n > 2.5$

이므로 처음으로 음수가 되는 항은 제3항이다.

답 ②

┃다른 풀이┃

수열 $\{a_n\}$에서 처음으로 음수가 되는 항을 제k항이라 하면 S_n은
제$k-1$항까지의 합이 최대이다.

$$S_n = -2n^2 + 8n = -2(n^2 - 4n) = -2(n-2)^2 + 8$$

이므로 S_n은 제2항까지의 합이 최대이다.

따라서 처음으로 음수가 되는 항은 제3항이다.

024

등비수열 $\{a_n\}$의 첫째항을 a, 공비를 r라고 하면

$$a_n = ar^{n-1}$$

제3항이 6이므로 $ar^2 = 6$ $\qquad \cdots\cdots \ \bigcirc$

제5항이 18이므로 $ar^4 = 18$ $\qquad \cdots\cdots \ \bigcirc$

$\bigcirc \div \bigcirc$을 하면 $\dfrac{ar^4}{ar^2} = \dfrac{18}{6}$ $\qquad \therefore r^2 = 3$

$r^2 = 3$을 $\bigcirc$에 대입하면 $a = 2$

$$\therefore a_9 = ar^8 = a \times (r^2)^4 = 2 \times 3^4 = 162$$

답 ③

025

공비를 $r \, (r > 0)$라고 하면 주어진 수열은 첫째항이 3, 제5항이 48
이므로

$$3r^4 = 48, \ r^4 = 16$$
$$\therefore r = 2 \ (\because r > 0)$$

따라서 $a_1 = 6$, $a_2 = 12$, $a_3 = 24$이므로

$$a_1 + a_2 + a_3 = 6 + 12 + 24 = 42$$

답 ③

026

등비수열 $\{a_n\}$의 첫째항을 a, 공비를 r라고 하면

$a_4 = 6a_1$에서 $ar^3 = 6a$ $\qquad \therefore r^3 = 6$

$a_5 + a_8 = 21$에서 $ar^4 + ar^7 = ar^4(1 + r^3) = 21$

위의 식에 $r^3 = 6$을 대입하면

$42ar = 21$ $\qquad \therefore ar = \dfrac{1}{2}$

이때 $108 = \dfrac{1}{2} \times 6^3$이므로

$$108 = ar \times (r^3)^3 = ar^{10}$$

따라서 108은 제11항이다.

답 ④

참고

$r^3 = 6$에서 $r = \sqrt[3]{6}$이고, $ar = \dfrac{1}{2}$에서 $a = \dfrac{1}{2\sqrt[3]{6}}$이므로 108을 제$k$항

이라 놓고 $\dfrac{1}{2\sqrt[3]{6}} \times (\sqrt[3]{6})^{k-1} = 108$을 만족시키는 k의 값을 구해도
된다.

027

등비수열 $\{a_n\}$의 첫째항을 a, 공비를 r라고 하면

$a_1 + a_2 + a_3 = \dfrac{2}{3}$에서 $a + ar + ar^2 = \dfrac{2}{3}$이므로

$$a(1 + r + r^2) = \dfrac{2}{3} \qquad \cdots\cdots \ \bigcirc$$

또, $a_4 + a_5 + a_6 = \dfrac{128}{3}$에서 $ar^3 + ar^4 + ar^5 = \dfrac{128}{3}$이므로

$$ar^3(1+r+r^2)=\dfrac{128}{3}$$ ······ ㉡

㉡÷㉠을 하면 $r^3=64$

$\therefore r=4\ (\because r$는 실수$)$

$r=4$를 ㉠에 대입하면

$21a=\dfrac{2}{3}$ $\therefore a=\dfrac{2}{63}$

$$\begin{aligned}\therefore a_2+a_4+a_6&=ar+ar^3+ar^5\\&=ar(1+r^2+r^4)\\&=\dfrac{2}{63}\times4\times273=\dfrac{104}{3}\end{aligned}$$

따라서 $p=3$, $q=104$이므로

$p+q=107$

답 107

028

등비수열 $\{a_n\}$의 공비를 $r(r>0)$라고 하면

$a_3=\sqrt[5]{2}\times r^2=2$이므로 $r^2=\sqrt[5]{2^4}$

$\therefore r=\sqrt[5]{4}\ (\because r>0)$

$\therefore a_n=\sqrt[5]{2}\times(\sqrt[5]{4})^{n-1}=(\sqrt[5]{2})^{2n-1}$

따라서 $a_k=(\sqrt[5]{2})^{2k-1}=2^{\frac{2k-1}{5}}$이므로 $2k-1$이 5의 배수일 때 a_k의 값이 정수가 된다.

이를 만족시키는 $2k-1$의 값은 5, 15, 25, $\cdots$이고 그때의 k의 값은 3, 8, 13, $\cdots$이므로 $k\ (k>3)$의 최솟값은 8이다.

답 ⑤

029

현재 바이러스 수를 a, 증가율을 r라고 하면 n시간 후의 바이러스 수는

$a(1+r)^n$

2시간 후의 바이러스가 36만 마리이므로

$a(1+r)^2=36$(만 마리) ······ ㉠

6시간 후의 바이러스가 81만 마리이므로

$a(1+r)^6=81$(만 마리) ······ ㉡

㉡÷㉠을 하면

$(1+r)^4=\dfrac{9}{4}$

$\therefore (1+r)^2=\dfrac{3}{2}\ (\because 1+r>0)$ ······ ㉢

㉢을 ㉠에 대입하면 $\dfrac{3}{2}a=36$

$\therefore a=24$(만 마리)

따라서 4시간 후의 바이러스는

$a(1+r)^4=24\times\left(\dfrac{3}{2}\right)^2=54$(만 마리)

답 ②

간단 풀이

바이러스 수는 첫째항이 $a(1+r)$, 공비가 $1+r$인 등비수열을 이루고 $a_2=36$, $a_6=81$이므로 등비중항에 의하여

$(a_4)^2=a_2a_6$

$\therefore a_4=\sqrt{36\times81}=54$(만 마리)

030

세 수를 a, ar, ar^2으로 놓으면

(ⅰ) 세 수의 합이 $\dfrac{7}{4}$이므로

$a+ar+ar^2=\dfrac{7}{4}$

$\therefore a(1+r+r^2)=\dfrac{7}{4}$ ······ ㉠

(ⅱ) 세 수의 곱이 $-\dfrac{27}{64}$이므로

$a\times ar\times ar^2=-\dfrac{27}{64}$ $\therefore (ar)^3=-\dfrac{27}{64}$

이때 ar는 실수이므로 $ar=-\dfrac{3}{4}$ ······ ㉡

㉠÷㉡을 하면 $\dfrac{a(1+r+r^2)}{ar}=-\dfrac{7}{3}$

$3(1+r+r^2)=-7r$, $3r^2+10r+3=0$

$(3r+1)(r+3)=0$

$\therefore r=-\dfrac{1}{3}$ 또는 $r=-3$ ······ ㉢

㉢을 ㉡에 대입하면 $a=\dfrac{9}{4}$ 또는 $a=\dfrac{1}{4}$

(ⅰ), (ⅱ)에서 세 수는 $\dfrac{1}{4}$, $-\dfrac{3}{4}$, $\dfrac{9}{4}$이므로 세 수의 제곱의 합은

$\dfrac{1}{16}+\dfrac{9}{16}+\dfrac{81}{16}=\dfrac{91}{16}$

답 ④

031

a, b, 11이 이 순서대로 등차수열을 이루므로

$2b=a+11$ ······ ㉠

-25, b, a가 이 순서대로 등비수열을 이루므로

$b^2=-25a$ $\therefore a=-\dfrac{b^2}{25}$ ······ ㉡

㉡을 ㉠에 대입하면

$2b=-\dfrac{b^2}{25}+11$, $b^2+50b-275=0$

$(b-5)(b+55)=0$

$\therefore b=5$ 또는 $b=-55$

이때 $b>0$이므로 $b=5$

이를 ㉡에 대입하면 $a=-1$

$\therefore a+b=-1+5=4$

답 ①

032

등차수열 $\{a_n\}$의 공차를 d, $a_4=k$라고 하면

$a_2=a_4-2d$, $a_{10}=a_4+6d$

이므로 주어진 세 항은 $k-2d$, k, $k+6d$와 같이 놓을 수 있다.

이때 $k-2d$, k, $k+6d$가 이 순서대로 등비수열을 이루므로

$k^2=(k-2d)(k+6d)$, $4kd=12d^2$

$\therefore k=3d\ (\because d\ne0)$

따라서 주어진 세 항은 d, $3d$, $9d$이므로 공비가 3인 등비수열을 이룬다.

$\therefore r=3$

답 3

033

α^2, 1, β^2이 등비수열을 이루므로

$\alpha^2 \beta^2 = 1$ $\therefore \alpha\beta = \pm 1$

α, β는 이차방정식 $2x^2 - 5x + k = 0$의 두 실근이므로 근과 계수의 관계에 의하여

$\alpha\beta = \dfrac{k}{2} = \pm 1$ $\therefore k = \pm 2$

이때 $k > 0$이므로 $k = 2$

답 ②

034

두 곡선 $y = x^3 - 6x^2 - 21x$, $y = x^2 + k$의 교점의 x좌표는 삼차방정식 $x^3 - 6x^2 - 21x = x^2 + k$, 즉 $x^3 - 7x^2 - 21x - k = 0$의 세 근과 같다.

삼차방정식 $x^3 - 7x^2 - 21x - k = 0$의 세 근을 a, ar, ar^2으로 놓으면 근과 계수의 관계에 의하여

$a + ar + ar^2 = 7$

$\therefore a(1 + r + r^2) = 7$ ······ ㉠

$a \times ar + ar \times ar^2 + ar^2 \times a = -21$

$\therefore a^2 r(1 + r + r^2) = -21$ ······ ㉡

$a \times ar \times ar^2 = k$

$\therefore k = (ar)^3$ ······ ㉢

㉡ ÷ ㉠을 하면 $\dfrac{a^2 r(1 + r + r^2)}{a(1 + r + r^2)} = \dfrac{-21}{7}$

$\therefore ar = -3$ ······ ㉣

㉣을 ㉢에 대입하면 $k = (-3)^3 = -27$

답 ②

[참고]

두 함수 $y = f(x)$, $y = g(x)$의 그래프의 교점의 x좌표는 방정식 $f(x) = g(x)$, 즉 $f(x) - g(x) = 0$의 실근과 같다.

035

$1 \times r \times r^2 \times \cdots \times r^7 = r^{1 + 2 + \cdots + 7} = r^{\frac{7 \times 8}{2}} = r^{28} = 2^{14}$

이므로

$r = 2^{\frac{1}{2}} = \sqrt{2}$ ($\because r > 0$)

따라서 주어진 등비수열은 첫째항이 1, 공비가 $\sqrt{2}$인 등비수열이므로 첫째항부터 제8항까지의 합은

$\dfrac{(\sqrt{2})^8 - 1}{\sqrt{2} - 1} = \dfrac{2^4 - 1}{\sqrt{2} - 1} = \dfrac{15}{\sqrt{2} - 1} = 15(\sqrt{2} + 1)$

답 ③

[참고]

$1 + 2 + \cdots + 7$은 첫째항이 1, 공차가 1인 등차수열의 첫째항부터 제7항까지의 합과 같다.

$\therefore 1 + 2 + \cdots + 7 = \dfrac{7(1 + 7)}{2} = 28$

036

등비수열 $\{a_n\}$의 첫째항을 a, 공비를 r라고 하면

$a_4 = ar^3 = 9$ ······ ㉠

$a_7 = ar^6 = 27$ ······ ㉡

㉡ ÷ ㉠을 하면 $r^3 = 3$

이를 ㉠에 대입하면

$3a = 9$ $\therefore a = 3$

따라서 $a_1^3 + a_2^3 + a_3^3 + \cdots + a_{10}^3$은 첫째항이 27, 공비가 $r^3 = 3$인 등비수열의 첫째항부터 제10항까지의 합과 같으므로

$\dfrac{27(3^{10} - 1)}{3 - 1} = \dfrac{27}{2}(3^{10} - 1)$

답 ④

037

등비수열 $\{a_n\}$의 첫째항을 a, 공비를 r라고 하면

$S_4 = \dfrac{a(r^4 - 1)}{r - 1} = 12$ ······ ㉠

$S_8 = \dfrac{a(r^8 - 1)}{r - 1} = \dfrac{a(r^4 + 1)(r^4 - 1)}{r - 1} = 60$ ······ ㉡

㉠을 ㉡에 대입하면 $r^4 + 1 = 5$, $r^4 = 4$

r는 실수이므로 $r^2 = 2$

이때

$S_4 = \dfrac{a(r^4 - 1)}{r - 1} = \dfrac{a(r^2 + 1)(r^2 - 1)}{r - 1} = 12$

에서 $r^2 + 1 = 3$이므로

$\dfrac{a(r^2 - 1)}{r - 1} = 4$

$\therefore S_6 = \dfrac{a(r^6 - 1)}{r - 1}$

$= \dfrac{a(r^2 - 1)(r^4 + r^2 + 1)}{r - 1}$

$= 4(4 + 2 + 1) = 28$

답 ①

038

등비수열 $\{a_n\}$의 첫째항을 a, 공비를 r라고 하면

$S_n = \dfrac{a(r^n - 1)}{r - 1}$, $S_{2n} = \dfrac{a(r^{2n} - 1)}{r - 1}$이므로

$\dfrac{S_{2n}}{S_n} = \dfrac{\dfrac{a(r^{2n} - 1)}{r - 1}}{\dfrac{a(r^n - 1)}{r - 1}} = 4$, $r^n + 1 = 4$ $\therefore r^n = 3$

$\therefore \dfrac{S_{4n}}{S_n} = \dfrac{\dfrac{a(r^{4n} - 1)}{r - 1}}{\dfrac{a(r^n - 1)}{r - 1}} = \dfrac{r^{4n} - 1}{r^n - 1}$

$= \dfrac{(r^n - 1)(r^n + 1)(r^{2n} + 1)}{r^n - 1} = (r^{2n} + 1)(r^n + 1)$

$= (3^2 + 1) \times (3 + 1) = 40$

답 ④

039

$S_n = 2^n - 1$이므로

$a_n = S_n - S_{n-1}$

$= (2^n - 1) - (2^{n-1} - 1)$

$= 2^{n-1}$ ($n \ge 2$) ······ ㉠

$n=1$일 때, $a_1=S_1=1$

$a_1=1$은 ㉠에 $n=1$을 대입한 것과 같으므로

$a_n=2^{n-1}\ (n\geq1)$

$\therefore a_2+a_4+a_6+a_8+a_{10}=2+2^3+2^5+2^7+2^9$

$$=\frac{2\{(2^2)^5-1\}}{2^2-1}=682$$

답 682

040

> **접근**
>
> $(f\circ g)(x)=f(g(x))$임을 이용하여 $f(g(x))$를 구하고, 규칙성을 찾는다.

$(f\circ g)(x)=\sqrt{3}^{\,2(2x-2)-4}=9^{x-2}$

따라서 $(f\circ g)(1)+(f\circ g)(2)+\cdots+(f\circ g)(10)$은 첫째항이 $\dfrac{1}{9}$, 공비가 9인 등비수열의 첫째항부터 제10항까지의 합과 같으므로

$$\frac{1}{9}(9^{10}-1)=\frac{1}{72}(9^{10}-1)$$

답 ①

041

등비수열 $\{a_n\}$의 첫째항을 a, 공비를 r라고 하면

$$S_3=\frac{a(r^3-1)}{r-1}=4$$

이므로

$$S_9=\frac{a(r^9-1)}{r-1}$$

$$=\frac{a(r^3-1)(r^6+r^3+1)}{r-1}$$

$$=4(r^6+r^3+1)$$

$r^3=t\,(t$는 실수)라고 하면

$$r^6+r^3+1=t^2+t+1$$

$$=\left(t+\frac{1}{2}\right)^2+\frac{3}{4}$$

따라서 위의 식은 $t=-\dfrac{1}{2}$, 즉 $r=\sqrt[3]{-\dfrac{1}{2}}$일 때 최솟값이 $\dfrac{3}{4}$이므로 S_9의 최솟값은

$4\times\dfrac{3}{4}=3$

답 ③

042

한 달마다 복리로 계산하므로 한 달 단위로 생각해야 한다. 1년은 12개월이므로 12개월 후의 적립금의 원리합계를 S라고 하면

1개월 말	2개월 말	3개월 말	$\cdots$	11개월 말	12개월 말
5만 원	5만 원	5만 원		5만 원	5만 원

5
$5(1+0.01)$
$\vdots$
$5(1+0.01)^9$
$5(1+0.01)^{10}$
$5(1+0.01)^{11}$

$S=5+5\times1.01+5\times1.01^2+\cdots+5\times1.01^{11}$

$$=\frac{5(1.01^{12}-1)}{1.01-1}$$

$$=500(1.01^{12}-1)$$

$$=500(1.12-1)$$

$$=60(만\ 원)$$

답 ③

043

수진이가 달리는 시간을 1.5배씩 늘려 가므로 첫째 날 달린 시간을 a분이라고 하면

첫째 날 달린 시간은 a분

둘째 날 달린 시간은 $1.5a$분

셋째 날 달린 시간은 $(1.5)^2a$분

$\vdots$

10째 날 달린 시간은 $(1.5)^9a$분

따라서 10일 동안 달린 전체 시간은

$$\frac{a(1.5^{10}-1)}{1.5-1}=\frac{56a}{0.5}=112a=1120$$

$\therefore a=10(분)$

즉, 첫째 날 달린 시간은 10분이다.

답 ①

044

한 변의 길이가 a_1인 정사각형이 선분 AC와 만나는 점을 A_1, 점 A_1에서 선분 AB에 내린 수선의 발을 B_1이라고 하면 삼각형 ABC와 삼각형 AB_1A_1은 닮음이므로

$(2-a_1):a_1=\overline{AB}:\overline{BC}=2:3$

$2a_1=6-3a_1 \qquad \therefore a_1=\dfrac{6}{5}$

같은 방법으로

$(a_1-a_2):a_2=2:3,\ \left(\dfrac{6}{5}-a_2\right):a_2=2:3$

$2a_2=\dfrac{18}{5}-3a_2 \qquad \therefore a_2=\dfrac{18}{25}$

$(a_2-a_3):a_3=2:3,\ \left(\dfrac{18}{25}-a_3\right):a_3=2:3$

$2a_3=\dfrac{54}{25}-3a_3 \qquad \therefore a_3=\dfrac{54}{125}$

따라서 수열 $\{a_n\}$은 첫째항이 $\dfrac{6}{5}$, 공비가 $\dfrac{3}{5}$인 등비수열이므로

$$a_1+a_2+\cdots+a_{10}=\frac{\dfrac{6}{5}\left\{1-\left(\dfrac{3}{5}\right)^{10}\right\}}{1-\dfrac{3}{5}}=3\left\{1-\left(\dfrac{3}{5}\right)^{10}\right\}$$

답 ②

참고

$(a_n-a_{n+1}):a_{n+1}=2:3$

$2a_{n+1}=3a_n-3a_{n+1},\ 5a_{n+1}=3a_n$

$\therefore \dfrac{a_{n+1}}{a_n}=\dfrac{3}{5}$

따라서 수열 $\{a_n\}$은 첫째항이 $\dfrac{6}{5}$, 공비가 $\dfrac{3}{5}$인 등비수열이다.

045

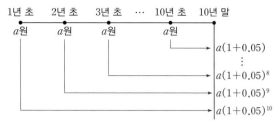

적립할 일정한 금액을 a(만 원)이라 하면 10년 후의 원리합계는
$$a(1+0.05)+a(1+0.05)^2+\cdots+a(1+0.05)^{10}$$
이때 이 원리합계가 630만 원이어야 하므로
$$\frac{1.05a(1.05^{10}-1)}{1.05-1}=\frac{1.05a\times0.6}{0.05}=630\text{(만 원)}$$
$$\therefore a=\frac{630\times0.05}{1.05\times0.6}=50\text{(만 원)}$$

답 50만 원

046

등차수열 $\{a_n\}$의 첫째항을 a, 공차를 d라고 하면
$$a_3=a+2d=13 \qquad\cdots\cdots\text{㉠}$$
$$a_7=a+6d=25 \qquad\cdots\cdots\text{㉡}$$
㉠, ㉡을 연립하여 풀면 $a=7$, $d=3$
$$\therefore a_n=7+(n-1)\times3=3n+4$$
$a_n\geq50$에서 $3n+4\geq50$
$$\therefore n\geq\frac{46}{3}=15.3\cdots$$
따라서 처음으로 그 값이 50 이상이 되는 항은 제16항이다.

답 ③

047

등차수열 $\{a_n\}$의 첫째항을 a, 공차를 d라고 하면
$$a_1-a_3=-(a_3-a_1)=-2d$$
$$-a_7+a_9=a_9-a_7=2d$$
이므로
$$a_1-a_3+a_5-a_7+a_9=-2d+a_5+2d=10$$
$$\therefore a_5=10$$
이때 $a_2=a+d=1$, $a_5=a+4d=10$이므로 이 두 식을 연립하여 풀면 $a=-2$, $d=3$
$$\begin{aligned}\therefore a_1-a_2+a_3-a_4+a_5&=-d+a_3+d\\&=a+2d\\&=-2+2\times3=4\end{aligned}$$

답 ④

048

$\{a_n\}$: 4, 5, 6, 7, $\cdots$
$\{b_n\}$: 4, 0, -4, -8, $\cdots$
수열 $\{2a_n+b_n\}$을 나열하면
$$2a_1+b_1,\ 2a_2+b_2,\ 2a_3+b_3,\ 2a_4+b_4,\ \cdots$$
이므로
$$12,\ 10,\ 8,\ 6,\ \cdots$$

즉, 첫째항이 12이고 공차가 -2인 등차수열이므로 제10항은
$$12+9\times(-2)=-6$$

답 ①

다른 풀이

두 등차수열 $\{a_n\}$, $\{b_n\}$의 공차가 각각 1, -4이므로
$$a_2-a_1=1,\ b_2-b_1=-4$$
따라서 수열 $\{2a_n+b_n\}$의 공차는
$$\begin{aligned}(2a_2+b_2)-(2a_1+b_1)&=2(a_2-a_1)+(b_2-b_1)\\&=2\times1+(-4)=-2\end{aligned}$$
이때 $a_1=4$, $b_1=4$이므로 수열 $\{2a_n+b_n\}$의 첫째항은 12이다.
따라서 수열 $\{2a_n+b_n\}$의 제10항은
$$12+9\times(-2)=-6$$

간단 풀이

수열 $\{2a_n+b_n\}$의 일반항은
$$2a_n+b_n=2(n+3)-4n+8=-2n+14$$
따라서 제10항은
$$2a_{10}+b_{10}=-2\times10+14=-6$$

049

등차수열 $\{a_n\}$의 첫째항을 a, 공차를 d라고 하면
$$a_2=-6\text{에서}\quad a+d=-6 \qquad\cdots\cdots\text{㉠}$$
$a_6:a_8=5:9$이므로
$$(a+5d):(a+7d)=5:9$$
$$5a+35d=9a+45d,\ 4a+10d=0$$
$$\therefore 2a+5d=0 \qquad\cdots\cdots\text{㉡}$$
㉠, ㉡을 연립하여 풀면
$$a=-10,\ d=4$$
$$\therefore a_{15}=-10+14\times4=46$$

답 ⑤

050

등차수열 $\{a_n\}$의 첫째항을 a, 공차를 d라고 하면
$d<0$이므로 조건 ㈎에서 $a_5>0$, $a_9<0$
$$a+4d=-(a+8d),\ 2a=-12d$$
$$\therefore a=-6d \qquad\cdots\cdots\text{㉠}$$
조건 ㈎에서 $a_9<0$이므로 $a_{10}<0$
조건 ㈏에서 $-(a+8d)=-(a+9d)-6$
$$\therefore d=-6$$
㉠에 $d=-6$을 대입하면 $a=36$
$$\therefore a_3=36+2\times(-6)=24$$

답 ①

051

n개의 수를 a_1, a_2, $\cdots$, a_n이라고 하면
등차수열 5, a_1, a_2, $\cdots$, a_n, 29는 첫째항 5, 제$n+2$항이 29이다.
이때 공차를 d라고 하면
$$29=5+(n+2-1)d$$
$$\therefore d=\frac{24}{n+1}$$

d가 자연수가 되기 위해서는 $n+1$이 24의 양의 약수이어야 하므로
$n+1=1, 2, 3, 4, 6, 8, 12, 24$
$\therefore n=1, 2, 3, 5, 7, 11, 23$
따라서 자연수 n의 최댓값은 23이다.

답 23

참고

$n+1=1$이면 $n=0$이므로 성립하지 않는다.

052

이차방정식 $x^2-8x-2=0$에서 근과 계수의 관계에 의하여
$\alpha+\beta=8$, $\alpha\beta=-2$
이때 세 수 $\dfrac{1}{\alpha}$, k, $\dfrac{1}{\beta}$이 이 순서대로 등차수열을 이루므로
$2k=\dfrac{1}{\alpha}+\dfrac{1}{\beta}=\dfrac{\alpha+\beta}{\alpha\beta}$
$\therefore k=\dfrac{1}{2}\times\dfrac{\alpha+\beta}{\alpha\beta}=\dfrac{1}{2}\times\dfrac{8}{-2}=-2$

답 ②

053

네 수를
$a=\alpha-3\beta$, $b=\alpha-\beta$, $c=\alpha+\beta$, $d=\alpha+3\beta$
라고 하면
$(\alpha-3\beta)+(\alpha-\beta)+(\alpha+\beta)+(\alpha+3\beta)=24$
$4\alpha=24$ $\therefore \alpha=6$
또, $3(a+b)=c+d$에서
$3(2\alpha-4\beta)=2\alpha+4\beta$, $4\alpha=16\beta$
$\therefore \beta=\dfrac{\alpha}{4}=\dfrac{3}{2}$
$\therefore d=\alpha+3\beta=6+3\times\dfrac{3}{2}=\dfrac{21}{2}$

답 $\dfrac{21}{2}$

참고

주어진 네 수는 공차가 $2\beta=3$인 등차수열을 이루므로 차례로 나열하면 $\dfrac{3}{2}$, $\dfrac{9}{2}$, $\dfrac{15}{2}$, $\dfrac{21}{2}$이다.

054

사다리꼴의 4개의 내각의 크기가 등차수열을 이루므로 내각의 크기를 각각
$a-3d$, $a-d$, $a+d$, $a+3d$ $(d>0)$
라고 하자.
이때 사다리꼴의 내각의 크기의 합은 $360°$이므로
$(a-3d)+(a-d)+(a+d)+(a+3d)=4a=360°$
$\therefore a=90°$
가장 큰 각은 $a+3d$이므로 $90°+3d=120°$
$\therefore d=10°$
따라서 가장 작은 각의 크기는
$a-3d=90°-3\times10°=60°$

답 ③

참고

나머지 두 각의 크기는 $80°$, $100°$이다.

055

a_1과 a_4는 함수 $y=x^2-9$의 그래프와 직선 $y=k$의 교점의 x좌표이고, a_2와 a_3은 함수 $y=-x^2+9$의 그래프와 직선 $y=k$의 교점의 x좌표이다.
즉, $x^2-9=k$에서 $x^2=k+9$이므로
$a_1=-\sqrt{k+9}$, $a_4=\sqrt{k+9}$
$-x^2+9=k$에서 $x^2=-k+9$이므로
$a_2=-\sqrt{-k+9}$, $a_3=\sqrt{-k+9}$
이때 네 수 a_1, a_2, a_3, a_4가 이 순서대로 등차수열을 이루므로
$2a_2=a_1+a_3$에서
$-2\sqrt{-k+9}=-\sqrt{k+9}+\sqrt{-k+9}$
$3\sqrt{-k+9}=\sqrt{k+9}$, $9(-k+9)=k+9$
$10k=72$ $\therefore k=\dfrac{36}{5}$

답 ③

다른 풀이

$a_1=-\sqrt{k+9}$, $a_2=-\sqrt{-k+9}$, $a_3=\sqrt{-k+9}$, $a_4=\sqrt{k+9}$
이때 네 수 a_1, a_2, a_3, a_4가 이 순서대로 등차수열을 이루므로
$2a_3=a_2+a_4$에서
$2\sqrt{-k+9}=-\sqrt{-k+9}+\sqrt{k+9}$
$3\sqrt{-k+9}=\sqrt{k+9}$, $9(-k+9)=k+9$
$10k=72$ $\therefore k=\dfrac{36}{5}$

056

$a_1+a_2+\cdots+a_{20}=590$에서
$\dfrac{20(a_1+a_{20})}{2}=590$
$\therefore a_1+a_{20}=59$ $\cdots\cdots$ ㉠
등차수열 $\{a_n\}$의 공차를 d라고 하면
$a_1-a_2+a_3-a_4+\cdots+a_{19}-a_{20}$
$=(a_1-a_2)+(a_3-a_4)+\cdots+(a_{19}-a_{20})$
$=-10d=-30$
$\therefore d=3$ $\cdots\cdots$ ㉡
㉠에서 $a_1+(a_1+19d)=59$이므로 ㉡을 ㉠에 대입하면
$2a_1+57=59$ $\therefore a_1=1$
$\therefore a_{10}=a_1+9d=1+9\times3=28$

답 28

057

▶ 접근

$a_1, a_2, \cdots, a_9$를 구하고, 지수와 로그의 성질을 이용한다.

$a_n=4^{n+3}$이므로 수열 $\{a_n\}$을 나열하면
$4^4, 4^5, 4^6, \cdots$
$\therefore a_1a_2\cdots a_9=4^4\times4^5\times\cdots\times4^{12}$
$=4^{4+5+\cdots+12}$

이때 $4+5+\cdots+12$는 첫째항이 4, 제9항이 12인 등차수열의 첫째항부터 제9항까지의 합과 같으므로

$$4+5+\cdots+12=\frac{9(4+12)}{2}=72$$

$$\therefore a_1 a_2 \cdots a_9 = 4^{72}$$

$$\therefore \log_2 (a_1 a_2 \cdots a_9) = \log_2 4^{72} = \log_2 2^{144} = 144$$

답 144

058

등차수열 $\{a_n\}$의 공차를 d라고 하면

$$a_n = 50 + (n-1)d$$

이때 수열 $\{a_n\}$의 첫째항이 양수이고 $a_{13}a_{14} < 0$이므로
$d < 0$, $a_{13} > 0$, $a_{14} < 0$이다. 즉,

$$a_{13} = 50 + 12d > 0 \qquad \therefore d > -\frac{25}{6} = -4.1\cdots$$

$$a_{14} = 50 + 13d < 0 \qquad \therefore d < -\frac{50}{13} = -3.8\cdots$$

따라서 $-\frac{25}{6} < d < -\frac{50}{13}$을 만족시키는 정수 d는 -4이다.

$$\therefore S_n = \frac{n\{2 \times 50 + (n-1) \times (-4)\}}{2} = -2n^2 + 52n$$

$S_n > 0$이어야 하므로

$$S_n = -2n^2 + 52n = -2n(n-26) > 0$$

$$\therefore 0 < n < 26$$

이때 n은 자연수이므로 n의 최댓값은 25이다.

답 ④

059

등차수열 $\{a_n\}$의 첫째항이 -2, 공차가 $\frac{5}{2}$이므로

$$S_3 = \frac{3\left\{2 \times (-2) + 2 \times \frac{5}{2}\right\}}{2} = \frac{3}{2}$$

$$S_n = \frac{n\left\{2 \times (-2) + (n-1) \times \frac{5}{2}\right\}}{2} = \frac{5n^2 - 13n}{4}$$

S_3, $\frac{17}{4}$, S_n이 이 순서대로 등차수열을 이루므로

$2 \times \frac{17}{4} = S_3 + S_n$에서

$$\frac{17}{2} = \frac{5n^2 - 13n + 6}{4}, \; 5n^2 - 13n - 28 = 0$$

$$(5n+7)(n-4) = 0$$

$$\therefore n = -\frac{7}{5} \; 또는 \; n = 4$$

이때 n은 자연수이므로 $n = 4$

답 ①

060

$k^2 - 3k$, $k^2 + k$, $4k + 2$가 이 순서대로 등차수열을 이루므로

$$2(k^2 + k) = k^2 - 3k + 4k + 2$$

$$k^2 + k - 2 = 0, \; (k-1)(k+2) = 0$$

$$\therefore k = 1 \; 또는 \; k = -2$$

(i) $k = 1$일 때

$a_1 = -2$, $a_2 = 2$, $a_3 = 6$이므로 첫째항이 -2이고 공차가 4이다.

$$\therefore a_{11} + a_{12} + \cdots + a_{15}$$
$$= (a_1 + a_2 + \cdots + a_{15}) - (a_1 + a_2 + \cdots + a_{10})$$
$$= \frac{15\{2 \times (-2) + 14 \times 4\}}{2} - \frac{10\{2 \times (-2) + 9 \times 4\}}{2}$$
$$= 390 - 160 = 230$$

(ii) $k = -2$일 때

$a_1 = 10$, $a_2 = 2$, $a_3 = -6$이므로 첫째항이 10, 공차가 -8이다.

$$\therefore a_{11} + a_{12} + \cdots + a_{15}$$
$$= (a_1 + a_2 + \cdots + a_{15}) - (a_1 + a_2 + \cdots + a_{10})$$
$$= \frac{15\{2 \times 10 + 14 \times (-8)\}}{2} - \frac{10\{2 \times 10 + 9 \times (-8)\}}{2}$$
$$= -690 - (-260) = -430$$

(i), (ii)에서 최댓값은 230, 최솟값은 -430이다.

답 ①

061

$x = k \; (k > 0)$일 때 선분의 길이는

$$f(k) - g(k) = (a-c)k + (b-d)$$

이고, $a \neq c$이므로 $a - c \neq 0$이다.

즉, $f(k) - g(k)$는 k에 대한 일차식이므로 각 선분의 길이는 첫째항이 5, 제10항이 25인 등차수열이다. ┌─ 공차는 $a - c$이다.

따라서 10개의 선분의 길이의 합은 첫째항이 5, 제10항이 25인 등차수열의 첫째항부터 제10항까지의 합과 같으므로

$$\frac{10(5+25)}{2} = 150$$

답 150

062

2의 배수를 지우면 남아 있는 수는 모두 홀수이다.

즉, 이 수열은 첫째항이 1, 공차가 2, 항의 수가 50이므로 그 합은

$$1 + 3 + 5 + \cdots + 99 = \frac{50(1+99)}{2} = 2500 \qquad \cdots\cdots \text{㉠}$$

이때 남아 있는 홀수 중 7의 배수는 7, 21, 35, $\cdots$, 91이고, 이 수열은 첫째항이 7, 공차가 14, 항의 수가 7이므로 그 합은

$$7 + 21 + 35 + \cdots + 91 = \frac{7(7+91)}{2} = 343 \qquad \cdots\cdots \text{㉡}$$

따라서 1에서 100까지의 자연수에서 2의 배수와 7의 배수를 지우고 남아 있는 수의 합은 ㉠ - ㉡에서

$$2500 - 343 = 2157$$

답 2157

063

등차수열 $\{a_n\}$은 첫째항이 20이고 공차가 $-d$이므로

$$a_n = 20 - (n-1)d$$

주어진 등식은 첫째항이 a_k, 끝항이 a_{2k+4}, 항의 수가 $k+5$인 등차수열의 합이므로

$$a_k + a_{k+1} + a_{k+2} + \cdots + a_{2k+4}$$
$$= \frac{(k+5)\{20 - (k-1)d + 20 - (2k+3)d\}}{2}$$
$$= \frac{(k+5)\{40 - (3k+2)d\}}{2} = 0$$

$\therefore k+5=0$ 또는 $40-(3k+2)d=0$

이때 $k+5>0$이므로

$(3k+2)d=40$ $\therefore d=\dfrac{40}{3k+2}$

이때 d가 자연수이므로 $3k+2$의 값은 40의 약수이어야 한다.

$3k+2$의 값을 순서대로 나열하면 5, 8, 11, 14, 17, 20, …이고,

이 중 40의 약수인 것은 5, 8, 20이다.

따라서 자연수 k의 개수는 3이다.

답 ③

064

접근

등차수열의 합의 공식을 이용하여 m, n에 대한 식을 세우고, 조건을 만족시키는 m, n의 값을 구한다.

m에서 n까지의 모든 수의 합은 첫째항이 m, 끝항이 n, 항의 수가 $n-m+1$인 등차수열의 합이므로

$\dfrac{(n-m+1)(m+n)}{2}=50$에서

$(m+n)(n-m+1)=100$

이때 $m+n>n-m+1$이므로 다음과 같이 경우를 나눈다.

(i) $m+n=100$, $n-m+1=1$일 때

　　$m=n=50$

　　그런데 $m<n$이므로 모순이다.

(ii) $m+n=50$, $n-m+1=2$일 때

　　$m=\dfrac{49}{2}$, $n=\dfrac{51}{2}$

　　그런데 m, n은 자연수이어야 하므로 모순이다.

(iii) $m+n=25$, $n-m+1=4$일 때

　　$m=11$, $n=14$

(iv) $m+n=20$, $n-m+1=5$일 때

　　$m=8$, $n=12$

　　그런데 $m>10$이므로 모순이다.

(i)~(iv)에 의하여 $m=11$, $n=14$이므로 $m+n=25$

답 ③

참고

$(m+n)+(n-m+1)=2n+1$ ……㉠

i) $m+n$, $n-m+1$이 모두 짝수이면

　　$m+n=2k$, $n-m+1=2l$로 놓을 수 있다.

　　이때

　　$(m+n)+(n-m+1)=2k+2l=2(k+l)$

　　이고, ㉠에서 $2n+1=$(홀수), $2(k+l)=$(짝수)이므로 모순이다.

ii) $m+n$, $n-m+1$이 모두 홀수이면

　　$m+n=2k+1$, $n-m+1=2l+1$로 놓을 수 있다.

　　이때

　　$(m+n)+(n-m+1)=2k+1+2l+1=2(k+l+1)$

　　이고, ㉠에서 $2n+1=$(홀수), $2(k+l+1)=$(짝수)이므로 모순이다.

따라서 두 수 $m+n$, $n-m+1$ 중 하나는 짝수이고 다른 하나는 홀수이다.

└─ 풀이에서 ii)가 이에 따라 모순임을 알 수 있다.

065

$S_n=n^2+3n$에서

$a_n=S_n-S_{n-1}$

　　$=(n^2+3n)-\{(n-1)^2+3(n-1)\}$

　　$=2n+2\,(n\geq2)$ ……㉠

$n=1$일 때, $a_1=S_1=4$

$a_1=4$는 ㉠에 $n=1$을 대입한 것과 같으므로

$a_n=2n+2\,(n\geq1)$

$\therefore a_{2n-1}=2(2n-1)+2=4n$

이때 $a_1+a_3+\cdots+a_{2n-1}$은 첫째항이 4, 끝항이 $4n$, 항의 수가 n인 등차수열의 합이므로

$a_1+a_3+a_5+\cdots+a_{2n-1}=\dfrac{n(4+4n)}{2}=2n^2+2n$

즉, $2n^2+2n=312$에서 $n^2+n-156=0$

$(n-12)(n+13)=0$

$\therefore n=12$ 또는 $n=-13$

이때 n은 자연수이므로 $n=12$

답 ④

066

$a_1=S_1=p$, $b_1=T_1=q+r$이므로

$a_1=b_1+2$에서

$p=q+r+2$ ……㉠

$a_3=S_3-S_2=9p-4p=5p$,

$b_3=T_3-T_2=9q+3r-(4q+2r)=5q+r$

이므로

$a_3=b_3+14$에서

$5p=5q+r+14$ ……㉡

㉠, ㉡을 연립하여 풀면

$r=1$, $p=q+3$

따라서

$a_5=S_5-S_4=25p-16p=9p$,

$b_5=T_5-T_4=(25q+5r)-(16q+4r)=9q+r$

이므로

$a_5=b_5+k$에서

$k=a_5-b_5$

　$=9p-(9q+r)$

　$=9(q+3)-9q-1$

　$=26$

답 ⑤

067

수열 $\{S_{2n-1}\}$은 첫째항이 S_1, 공차가 -4인 등차수열이므로

$S_{2n-1}=S_1+(n-1)\times(-4)=-4n+4+S_1$

수열 $\{S_{2n}\}$은 첫째항이 S_2, 공차가 5인 등차수열이므로

$S_{2n}=S_2+(n-1)\times5=5n-5+S_2$

이때 $a_3=4$이므로

$a_3=S_3-S_2$

$$\overset{\text{S_3이면 $2n-1=3$이어야 하므로 } n=2}{=(-4\times 2+4+S_1)-(5\times 1-5+S_2)}$$
$$\overset{}{=S_1-S_2-4=4} \quad \underset{\text{S_2이면 $2n=2$이어야 하므로 } n=1}{}$$
$$\therefore S_2-S_1=-8$$
$$\therefore a_{10}=S_{10}-S_9 \quad \underset{\text{S_{10}이면 $2n=10$이어야 하므로 } n=5}{}$$
$$=(5\times 5-5+S_2)-(-4\times 5+4+S_1)$$
$$=36+S_2-S_1 \quad \underset{\substack{\text{S_9이면 $2n-1=9$이어야 하므로}\\ n=5}}{}$$
$$=36-8=28$$

답 28

068

ㄱ은 옳다.
$$S_{n+1}-S_n=\{-(n+1)^2+8(n+1)-3\}-(-n^2+8n-3)$$
$$=-2n+7\,(n\geq 1)$$
따라서 수열 $\{S_{n+1}-S_n\}$은 첫째항부터 공차가 -2인 등차수열을 이룬다.

ㄴ은 옳지 않다.
$$a_n=S_n-S_{n-1}$$
$$=(-n^2+8n-3)-\{-(n-1)^2+8(n-1)-3\}$$
$$=-2n+9\,(n\geq 2) \qquad \cdots\cdots \text{㉠}$$
$n=1$일 때, $a_1=S_1=4$
$a_1=4$는 ㉠에 $n=1$을 대입한 것과 같지 않다.
$$\therefore a_1=4,\ a_n=-2n+9\,(n\geq 2)$$
따라서 수열 $\{a_n\}$은 4, 5, 3, 1, …이므로 제2항부터 등차수열을 이룬다.

ㄷ은 옳다.
ㄴ에서 수열 $\{a_n\}$은 4, 5, 3, 1, -1, …이므로 제5항에서 처음으로 음수가 된다.
따라서 S_n은 $n=4$일 때 최댓값을 가진다.
그러므로 옳은 것은 ㄱ, ㄷ이다.

답 ④

참고

ㄷ에서
$$S_n=-n^2+8n-3$$
$$=-(n-4)^2+13$$
이므로 $n=4$일 때 최댓값을 가짐을 알 수 있다.

069

▶접근

$a_1=S_1,\ a_n=S_n-S_{n-1}\,(n\geq 2)$을 주어진 식에 대입하여 정리한다.

(i) $n=1$일 때
$$2S_1=a_1+\frac{4}{a_1}$$
이때 $S_1=a_1$이므로
$$2a_1=a_1+\frac{4}{a_1},\ a_1=\frac{4}{a_1}$$
$$a_1{}^2=4$$
$$\therefore a_1=2\,(\because a_n>0)$$

(ii) $n\geq 2$일 때
주어진 식에 $a_n=S_n-S_{n-1}\,(n\geq 2)$을 대입하면
$$2S_n=S_n-S_{n-1}+\frac{4}{S_n-S_{n-1}}$$
$$S_n+S_{n-1}=\frac{4}{S_n-S_{n-1}}$$
$$(S_n+S_{n-1})(S_n-S_{n-1})=4$$
$$\therefore S_n{}^2-S_{n-1}{}^2=4\,(n\geq 2)$$
(i), (ii)에서 수열 $\{S_n{}^2\}$은 첫째항이 $S_1{}^2=a_1{}^2=4$이고, 공차가 4인 등차수열이므로
$$S_n{}^2=4+(n-1)\times 4=4n$$
$$\therefore S_n=2\sqrt{n}\,(\because a_n>0\text{이므로 } S_n>0)$$
$$\therefore S_{25}=2\sqrt{25}=2\times 5=10$$

답 ①

070

등비수열 $\{a_n\}$의 첫째항을 a, 공비를 r라고 하면
$$\frac{1}{a_1}+\frac{1}{a_2}+\frac{1}{a_3}+\frac{1}{a_4}+\frac{1}{a_5}=\frac{1}{a}+\frac{1}{ar}+\frac{1}{ar^2}+\frac{1}{ar^3}+\frac{1}{ar^4}$$
$$=\frac{r^4+r^3+r^2+r+1}{ar^4}$$
$$=\frac{a(r^4+r^3+r^2+r+1)}{a^2r^4}=\frac{35}{9} \quad \cdots\cdots \text{㉠}$$
또, $a_3=ar^2=3$이므로 $a^2r^4=9$ $\qquad \cdots\cdots \text{㉡}$
㉡을 ㉠에 대입하면
$$a(r^4+r^3+r^2+r+1)=35$$
$$\therefore a_1+a_2+a_3+a_4+a_5=a+ar+ar^2+ar^3+ar^4$$
$$=a(1+r+r^2+r^3+r^4)=35$$

답 ④

071

등비수열 $\{a_n\}$의 첫째항을 a, 공비를 r라고 하면
$$a_n=ar^{n-1}$$
$$\therefore 5a_n-2a_{n+1}=5ar^{n-1}-2ar^n$$
$$=(5a-2ar)r^{n-1}$$
이때 이 수열의 첫째항이 36, 공비가 $-\frac{1}{2}$이므로 $r=-\frac{1}{2}$
$$5a-2ar=36,\ 6a=36$$
$$\therefore a=6$$
따라서 $a_n=6\times \left(-\frac{1}{2}\right)^{n-1}$이므로
$$a_4=6\times \left(-\frac{1}{2}\right)^3=-\frac{3}{4}$$

답 ②

072

등비수열 $\{a_n\}$의 공비를 $r\,(r\neq 0)$라고 하면
$$\frac{a_5}{a_3}=r^2=\frac{48}{12}=4$$
$$\therefore r=2 \text{ 또는 } r=-2$$
$a_3=a_1r^2=12$에서 $r^2=4$이므로 $a_1=3$

$$\therefore a_n = 3 \times 2^{n-1} \text{ 또는 } a_n = 3 \times (-2)^{n-1}$$

이차방정식 $x^2 - a_n x - 2 = 0$에서 근과 계수의 관계에 의하여

$\alpha_n + \beta_n = a_n$, $\alpha_n \beta_n = -2$

이때 $\alpha_n^2 + \beta_n^2 = (\alpha_n + \beta_n)^2 - 2\alpha_n \beta_n$이므로

$$\alpha_n^2 + \beta_n^2 = (a_n)^2 - 2 \times (-2)$$
$$= 9 \times 4^{n-1} + 4$$

$$\therefore \alpha_3^2 + \beta_3^2 = 9 \times 4^2 + 4 = 148$$

답 148

073

한 변의 길이가 16인 정삼각형의 넓이는

$$\frac{\sqrt{3}}{4} \times 16^2 = 64\sqrt{3}$$

이고, 한 번 시행할 때마다 $\frac{1}{4}$만큼 오려내므로 $\frac{3}{4}$만큼 남는다.

1회 시행 후 남아 있는 도형의 넓이는 $64\sqrt{3} \times \frac{3}{4}$

2회 시행 후 남아 있는 도형의 넓이는 $64\sqrt{3} \times \left(\frac{3}{4}\right)^2$

$\vdots$

n회 시행 후 남아 있는 도형의 넓이는 $64\sqrt{3} \times \left(\frac{3}{4}\right)^n$

따라서 30회 시행 후 남아 있는 도형의 넓이는

$$64\sqrt{3} \times \left(\frac{3}{4}\right)^{30} = \sqrt{3} \times \frac{3^{30}}{4^{27}}$$

답 ②

참고

한 변의 길이가 a인 정삼각형의 높이는 $\frac{\sqrt{3}}{2}a$, 넓이는 $\frac{\sqrt{3}}{4}a^2$이다.

074

$a_n = -S_n (n \geq 2)$에서

$S_n - S_{n-1} = -S_n$이므로

$2S_n = S_{n-1}$ $\therefore S_n = \frac{1}{2}S_{n-1} (n \geq 2)$

따라서 수열 $\{S_n\}$은 첫째항이 $a_1 = S_1 = 8$, 공비가 $\frac{1}{2}$인 등비수열이므로

$$S_n = 8 \times \left(\frac{1}{2}\right)^{n-1} = \left(\frac{1}{2}\right)^{n-4}$$

$$\therefore a_{50} = S_{50} - S_{49} = \left(\frac{1}{2}\right)^{46} - \left(\frac{1}{2}\right)^{43} = -\left(\frac{1}{2}\right)^{40}$$

답 ①

075

수열 $\{a_n\}$의 공차를 d, 수열 $\{b_n\}$의 공비를 r라고 하면

$a_6 = a_5 + d$, $b_6 = b_4 \times r^2$

조건 (나)에서 $a_6 = b_6$이므로 $a_5 + d = b_4 \times r^2$

조건 (가)에서 $a_5 = b_4 = 3$이므로 $3 + d = 3r^2$

$$\therefore r^2 = 1 + \frac{d}{3} \qquad \cdots\cdots \ \bigcirc$$

조건 (다)에서 $a_{10} = a_5 + 5d = 3 + 5d$이므로

$28 < 3 + 5d < 128$, $25 < 5d < 125$

$$\therefore 5 < d < 25 \qquad \cdots\cdots \ \bigcirc$$

이때 $\bigcirc$, $\bigcirc$을 만족시키는 자연수 d, r는

$d = 9$일 때 $r = 2$, $d = 24$일 때 $r = 3$이다.

(i) $d = 9$, $r = 2$일 때

$$a_7 + b_7 = (a_5 + 2d) + (b_4 \times r^3)$$
$$= (3 + 2d) + 3r^3$$
$$= 21 + 24 = 45$$

(ii) $d = 24$, $r = 3$일 때

$$a_7 + b_7 = (a_5 + 2d) + (b_4 \times r^3)$$
$$= (3 + 2d) + 3r^3$$
$$= 51 + 81 = 132$$

(i), (ii)에서 $a_7 + b_7$의 최솟값은 45이다.

답 45

076

→ 접근

$A \cap B$의 원소가 존재하도록 하는 자연수 a, r의 조건을 생각해 본다.

집합 A의 원소는 첫째항이 a, 공비가 r인 등비수열의 항이므로 나열하면

a, ar, ar^2, ar^3, $\cdots$

이때 집합 B의 원소는 120 이하인 6의 배수이므로 교집합 $A \cap B$의 원소가 존재하려면 ar이 6의 배수이어야 한다.

(i) $a = 1$, $r = 6$일 때

집합 A의 원소가 1, 6, 36, 216, $\cdots$이므로 교집합 $A \cap B$의 원소의 개수는 6, 36의 2이다.

(ii) $a = 2$, $r = 3$일 때

집합 A의 원소가 2, 6, 18, 54, 162, $\cdots$이므로 교집합 $A \cap B$의 원소의 개수는 6, 18, 54의 3이다.

(iii) $a = 3$, $r = 2$일 때

집합 A의 원소가 3, 6, 12, 24, 48, 96, 192, $\cdots$이므로 교집합 $A \cap B$의 원소는 6, 12, 24, 48, 96의 5이다.

(iv) $a = 6$, $r = 1$일 때

집합 A의 원소가 6뿐이므로 교집합 $A \cap B$의 원소의 개수는 1이다.

(i)~(iv)에서 교집합 $A \cap B$의 원소의 개수의 최댓값은 5이다.

답 ④

참고

ar의 값이 작을수록 교집합 $A \cap B$의 원소의 개수가 늘어나므로 $ar = 6$인 경우만 생각해도 된다.

077

$\cos\theta - \frac{3}{2}$, 1, $2\cos\theta - 2$가 이 순서대로 등비수열을 이루므로

$$\left(\cos\theta - \frac{3}{2}\right)(2\cos\theta - 2) = 1^2$$

$2\cos^2\theta - 5\cos\theta + 3 = 1$, $2\cos^2\theta - 5\cos\theta + 2 = 0$

$(2\cos\theta - 1)(\cos\theta - 2) = 0$

$$\therefore \cos\theta = \frac{1}{2} \text{ 또는 } \cos\theta = 2$$

이때 $-1 \le \cos\theta \le 1$이므로 $\cos\theta = \dfrac{1}{2}$

$\sin^2\theta + \cos^2\theta = 1$이므로

$\sin^2\theta - \cos^2\theta = \sin^2\theta + \cos^2\theta - 2\cos^2\theta$

$\qquad\qquad\qquad = 1 - 2 \times \left(\dfrac{1}{2}\right)^2 = \dfrac{1}{2}$

답 ⑤

다른 풀이

$\sin^2\theta = 1 - \cos^2\theta$에 $\cos\theta = \dfrac{1}{2}$을 대입하면

$\sin^2\theta = \dfrac{3}{4}$

$\therefore \sin^2\theta - \cos^2\theta = \dfrac{3}{4} - \dfrac{1}{4} = \dfrac{1}{2}$

078

주어진 순환소수를 분수로 나타내면

$0.\dot{a} = \dfrac{a}{9},\ 0.0\dot{b} = \dfrac{b}{90},\ 0.00\dot{c} = \dfrac{c}{900}$

$\dfrac{a}{9},\ \dfrac{b}{90},\ \dfrac{c}{900}$가 이 순서대로 등비수열을 이루므로

$\left(\dfrac{b}{90}\right)^2 = \dfrac{a}{9} \times \dfrac{c}{900}$ $\quad \therefore b^2 = ac$

이때 a, b, c는 한 자리의 서로 다른 자연수이므로 순서쌍 (a, b, c)의 개수는

$(1, 2, 4),\ (1, 3, 9),\ (2, 4, 8),\ (4, 6, 9)$

의 4이다.

답 ④

079

$2a$, b, 12가 이 순서대로 등비수열을 이루므로

$b^2 = 2a \times 12 = 2^3 \times 3 \times a$

이때 a, b는 자연수이므로 $a = 6k^2$ (k는 자연수)이라고 하면

$b = \sqrt{2^3 \times 3 \times 6k^2} = 12k$ ——— b^2이 완전제곱 꼴이 되도록 잡는다.

$1 \le a \le 1000$에서 $1 \le 6k^2 \le 1000$이므로

$\dfrac{1}{6} \le k^2 \le \dfrac{500}{3}$ ——— $166, \cdots$

k는 자연수이므로 $k = 1, 2, \cdots, 12$이고, $k = 2$이면 $a = b = 24$이므로 a, b가 서로 다른 자연수라는 조건을 만족시키지 않는다.

따라서 b의 개수는 11이다.

답 11

080

ㄱ은 옳다.

$f(1) = a - b + c = b$

$\therefore 2b = a + c$

따라서 a, b, c가 이 순서대로 등차수열을 이룬다.

ㄴ도 옳다.

a, b, c가 이 순서대로 등비수열을 이루므로 $b^2 = ac$

이차방정식 $ax^2 - bx + c = 0$의 판별식을 D라고 하면

$D = b^2 - 4ac = ac - 4ac = -3ac < 0$ ($\because b^2 = ac > 0$)

따라서 함수 $y = f(x)$의 그래프는 x축과 만나지 않는다.

ㄷ도 옳다.

a, b, c가 이 순서대로 등비수열을 이루므로 $b^2 = ac$

이차방정식 $ax^2 - bx + c = bx$, 즉 $ax^2 - 2bx + c = 0$의 판별식을 D라고 하면

$\dfrac{D}{4} = b^2 - ac = 0$

따라서 함수 $y = f(x)$의 그래프와 직선 $y = bx$가 접한다.

그러므로 옳은 것은 ㄱ, ㄴ, ㄷ이다.

답 ⑤

081

α, β, γ가 이 순서대로 등차수열을 이루므로 공차를 d라고 하면

$\alpha = \beta - d$, $\gamma = \beta + d$

$x^{\frac{1}{\alpha}} = y^{-\frac{1}{\beta}} = z^{\frac{2}{\gamma}} = k$라고 하면

$x = k^\alpha = k^{\beta-d}$, $y^{-1} = k^\beta$, $z^2 = k^\gamma = k^{\beta+d}$

이므로 x, y^{-1}, z^2은 이 순서대로 공비가 k^d인 등비수열을 이룬다.

즉, $(y^{-1})^2 = xz^2$, $\dfrac{1}{y^2} = xz^2$ ······ ㉠

이때 $9y^2 > 0$이므로 산술평균과 기하평균의 관계에 의하여

$16xz^2 + 9y^2 = \dfrac{16}{y^2} + 9y^2$ ($\because$ ㉠)

$\qquad\qquad\quad \ge 2\sqrt{\dfrac{16}{y^2} \times 9y^2} = 24$

$\left(\text{단, 등호는 } \dfrac{16}{y^2} = 9y^2\text{일 때 성립한다.}\right)$

따라서 $16xz^2 + 9y^2$의 최솟값은 24이다.

답 24

참고

산술평균과 기하평균의 관계

$x > 0$, $y > 0$인 실수 x, y에 대하여 $\dfrac{x+y}{2} \ge \sqrt{xy}$

(단, 등호는 $x = y$일 때 성립한다.)

082

등비수열 $\{a_n\}$의 첫째항을 a, 공비를 r라고 하면

$S_k = \dfrac{a(r^k - 1)}{r - 1}$

$S_{3k} = \dfrac{a(r^{3k} - 1)}{r - 1} = \dfrac{a(r^k - 1)(r^{2k} + r^k + 1)}{r - 1}$

$S_{3k} = 31S_k$에서

$\dfrac{a(r^k - 1)(r^{2k} + r^k + 1)}{r - 1} = 31 \times \dfrac{a(r^k - 1)}{r - 1}$

$r^{2k} + r^k + 1 = 31$, $r^{2k} + r^k - 30 = 0$

$(r^k - 5)(r^k + 6) = 0$

$\therefore r^k = 5$ ($\because r > 0$)

이때

$S_{2k} = \dfrac{a(r^{2k} - 1)}{r - 1} = \dfrac{a(r^k + 1)(r^k - 1)}{r - 1}$

이므로

$\dfrac{S_{2k}}{S_k} = r^k + 1 = 5 + 1 = 6$

답 ①

083

$S_n = 2 \times 3^{n+2} + k = 18 \times 3^n + k$

$a_n = S_n - S_{n-1} = (18 \times 3^n + k) - (18 \times 3^{n-1} + k)$

$\qquad = 36 \times 3^{n-1} \ (n \geq 2)$　　　　　$\cdots\cdots$ ㉠

$n = 1$일 때,

$a_1 = S_1 = 2 \times 3^3 + k = 54 + k$　　　　$\cdots\cdots$ ㉡

수열 $\{a_n\}$이 첫째항부터 등비수열을 이루려면 ㉠에 $n=1$을 대입한 값과 ㉡이 같아야 하므로

$36 = 54 + k$　　$\therefore k = -18$

답 ②

084

수열 $\{3^n a_n\}$의 첫째항부터 제n항까지의 합을 S_n이라고 하면

$S_n = 2^n - 1$

$3^n a_n = S_n - S_{n-1}$

$\qquad = (2^n - 1) - (2^{n-1} - 1) = 2^{n-1} \ (n \geq 2)$　$\cdots\cdots$ ㉠

$n=1$일 때, $3a_1 = S_1 = 1$　　$\therefore a_1 = \dfrac{1}{3}$

$a_1 = \dfrac{1}{3}$은 ㉠에 $n=1$을 대입한 것과 같으므로

$3^n a_n = 2^{n-1} \ (n \geq 1)$

$\therefore a_n = \dfrac{1}{2}\left(\dfrac{2}{3}\right)^n \ (n \geq 1)$

이때 $\dfrac{a_n}{2^n} = \dfrac{1}{2} \times \dfrac{1}{3^n} = \dfrac{1}{6}\left(\dfrac{1}{3}\right)^{n-1}$이므로

$\dfrac{a_1}{2} + \dfrac{a_2}{2^2} + \dfrac{a_3}{2^3} + \cdots + \dfrac{a_n}{2^n}$은 첫째항이 $\dfrac{1}{6}$, 공비가 $\dfrac{1}{3}$인 등비수열의 첫째항부터 제n항까지의 합이다.

$\therefore \dfrac{a_1}{2} + \dfrac{a_2}{2^2} + \dfrac{a_3}{2^3} + \cdots + \dfrac{a_n}{2^n} = \dfrac{\dfrac{1}{6}\left\{1 - \left(\dfrac{1}{3}\right)^n\right\}}{1 - \dfrac{1}{3}} = \dfrac{1 - \left(\dfrac{1}{3}\right)^n}{4}$

따라서 $\alpha = 3$, $\beta = 4$이므로　$\alpha + \beta = 7$

답 7

085

주어진 10개의 수는 첫째항이 $\dfrac{1}{2}$, 공비가 $\dfrac{1}{2}$인 등비수열이므로 그 합은

$\dfrac{1}{2} + \dfrac{1}{2^2} + \dfrac{1}{2^3} + \cdots + \dfrac{1}{2^{10}} = \dfrac{\dfrac{1}{2}\left(1 - \dfrac{1}{2^{10}}\right)}{1 - \dfrac{1}{2}}$

$\qquad\qquad\qquad\qquad = 1 - \dfrac{1}{2^{10}} = \dfrac{1023}{1024}$

10개의 수의 합에서 두 수 $\dfrac{1}{2^a}$, $\dfrac{1}{2^b}$을 뺀 값이 $\dfrac{957}{1024}$이므로

$\dfrac{1}{2^a} + \dfrac{1}{2^b} = \dfrac{1023}{1024} - \dfrac{957}{1024} = \dfrac{66}{1024}$

이때 $\dfrac{66}{1024}$은 두 개의 $\dfrac{1}{2}$의 거듭제곱의 합이므로

$\dfrac{66}{1024} = \dfrac{64}{1024} + \dfrac{2}{1024} = \dfrac{2^6}{2^{10}} + \dfrac{2^1}{2^{10}} = \dfrac{1}{2^4} + \dfrac{1}{2^9}$

따라서 제외한 두 수는 $\dfrac{1}{2^4}$과 $\dfrac{1}{2^9}$이므로

$a + b = 4 + 9 = 13$

답 13

086

접근

수열 $\left\{\dfrac{1}{a_n}\right\}$을 구하고, $S_{10} = 64$, $T_{10} = 16$임을 이용한다.

등비수열 $\{a_n\}$의 공비를 r라고 하자.

수열 $\left\{\dfrac{1}{a_n}\right\}$을 나열하면

$\dfrac{1}{2}, \ \dfrac{1}{2r}, \ \dfrac{1}{2r^2}, \cdots$

이므로 첫째항이 $\dfrac{1}{2}$, 공비가 $\dfrac{1}{r}$인 등비수열이다. 즉,

$T_{10} = \dfrac{\dfrac{1}{2}\left(1 - \dfrac{1}{r^{10}}\right)}{1 - \dfrac{1}{r}} = \dfrac{\dfrac{1}{2r^{10}}(r^{10} - 1)}{\dfrac{1}{r}(r-1)} = \dfrac{1}{2r^9} \times \dfrac{r^{10} - 1}{r - 1}$

이때 $S_{10} = \dfrac{2(r^{10} - 1)}{r - 1}$이므로 $\dfrac{S_{10}}{2} = \dfrac{r^{10} - 1}{r - 1}$에서

$T_{10} = \dfrac{1}{2r^9} \times \dfrac{r^{10} - 1}{r - 1} = \dfrac{1}{2r^9} \times \dfrac{S_{10}}{2} = \dfrac{S_{10}}{2a_{10}}$

$\therefore a_{10} = \dfrac{S_{10}}{2T_{10}} = \dfrac{64}{32} = 2$

답 ②

087

등비수열 $\{a_n\}$의 공비를 r라고 하자.

$r = 1$이면 모든 자연수 n에 대하여 $a_n = 2$이므로

$S_{12} - S_{10} = a_{11} + a_{12} = 4 > 0$

에서 조건 ㈏를 만족시키지 않는다.

$\therefore r \neq 1$

$S_n = \dfrac{2(r^n - 1)}{r - 1}$이므로 조건 ㈎에서

$\dfrac{2(r^{12} - 1)}{r - 1} - \dfrac{2(r^2 - 1)}{r - 1} = 25 \times \dfrac{2(r^{10} - 1)}{r - 1}$

$r^{12} - 1 - (r^2 - 1) = 25(r^{10} - 1)$

$r^{12} - r^2 = 25(r^{10} - 1)$

$r^2(r^{10} - 1) = 25(r^{10} - 1)$

$r^2 = 25$　　$\therefore r = \pm 5$

이때 조건 ㈏에서

$S_{12} - S_{10} = a_{11} + a_{12} = 2r^{10}(1 + r) < 0$

즉, $r < -1$이므로　$r = -5$

$\therefore a_4 = 2 \times (-5)^3 = -250$

답 -250

088

등비수열 $\{a_n\}$의 첫째항을 a, 공비를 r라고 하면

$S_3 = \dfrac{a(r^3 - 1)}{r - 1}$, $S_6 = \dfrac{a(r^6 - 1)}{r - 1}$이므로

$\dfrac{a(r^6 - 1)}{r - 1} = 7 \times \dfrac{a(r^3 - 1)}{r - 1}$, $r^3 + 1 = 7$

$\therefore r^3 = 6$

이때 r, r^2의 값은 정수가 아니므로 등비수열 $\{a_n\}$에서 그 값이 정수인 항을 나열하면

$a_1 = S_1 = 2$, $a_4 = ar^3 = 12$, $a_7 = ar^6 = 72$, $\cdots$

즉, k의 값은 첫째항이 1, 공차가 3인 등차수열을 이룬다.

$\therefore k=1+(m-1)\times 3=3m-2$ (단, m은 자연수이다.)

이때 $k<100$이므로

$3m-2<100$, $3m<102$

$\therefore m<34$

따라서 $m=33$일 때 k는 최댓값 97을 갖는다.

답 ③

089

$a=1+2+2^2+\cdots+2^9=\dfrac{2^{10}-1}{2-1}=2^{10}-1$

$\therefore 2^{10}=a+1$

$b=1+5+5^2+\cdots+5^9=\dfrac{5^{10}-1}{5-1}=\dfrac{1}{4}(5^{10}-1)$

$\therefore 5^{10}=4b+1$

$20^{10}=(2^2)^{10}\times 5^{10}=2^{20}\times 5^{10}$이므로 20^{10}의 양의 약수의 합은

$(1+2+2^2+\cdots+2^{20})(1+5+5^2+\cdots+5^{10})$

$=\dfrac{2^{21}-1}{2-1}\times\dfrac{5^{11}-1}{5-1}$

$=\dfrac{1}{4}(2^{21}-1)(5^{11}-1)$

$=\dfrac{1}{4}\{2(a+1)^2-1\}\{5(4b+1)-1\}$

$=\dfrac{1}{4}(2a^2+4a+1)(20b+4)$

$=(2a^2+4a+1)(5b+1)$

답 ⑤

090

```
100만 원                           10^6×(1+0.005)^24
───────────────────────────────────
1개월 초  1개월 말  2개월 말  …  23개월 말 24개월 말
         a원      a원         a원   a원  a
                                    └─→ a(1+0.005)
                                      ⋮
                              └────→ a(1+0.005)^22
                          └──────→ a(1+0.005)^23
```

잔금은 100만 원이므로 100만 원의 24개월 후의 원리합계는

$10^6\times 1.005^{24}=1.12\times 10^6$(원) ······ ㉠

매월 말에 a원씩 갚는다고 하면 24개월 말까지 상환할 금액의 원리합계는

$a+a\times 1.005+a\times 1.005^2+\cdots+a\times 1.005^{23}$

$=\dfrac{a(1.005^{24}-1)}{1.005-1}$

$=\dfrac{a(1.12-1)}{0.005}$

$=24a$(원) ······ ㉡

㉠=㉡이어야 하므로

$24a=1.12\times 10^6$

$\therefore a=1.12\times 10^6\times\dfrac{1}{24}=46666.\cdots$(원)

따라서 매달 47000원씩 갚아야 한다.

답 ③

091

2001년에 발생한 새로운 환자 수를 a라 하고, 환자 수가 줄어드는 일정한 비율을 r라고 하면 2002년에 발생한 새로운 환자 수는 ar, 2003년에 발생한 새로운 환자 수는 ar^2, $\cdots$이다.

따라서 2001년부터 2020년까지 발생한 환자 수는

$a+ar+\cdots+ar^{19}=\dfrac{a(1-r^{20})}{1-r}=120000$ ······ ㉠

2011년부터 2020년까지 발생한 환자 수는

$ar^{10}+ar^{11}+\cdots+ar^{19}=\dfrac{ar^{10}(1-r^{10})}{1-r}=20000$ ······ ㉡

이때 ㉠에서

$\dfrac{a(1-r^{20})}{1-r}=\dfrac{a(1+r^{10})(1-r^{10})}{1-r}$

이므로 ㉠÷㉡을 하면

$\dfrac{1+r^{10}}{r^{10}}=6$, $1+r^{10}=6r^{10}$ $\therefore r^{10}=\dfrac{1}{5}$

따라서 2021년에 발생하는 새로운 환자 수는

$ar^{20}=a(r^{10})^2=a\left(\dfrac{1}{5}\right)^2=\dfrac{1}{25}a$

이므로 2001년에 발생한 새로운 환자 수의 $\dfrac{1}{25}$배이다.

답 ③

092

7개월 동안 매달 생산량은 A개

8개월째의 생산량은 $A(1-0.03)=0.97A$(개)

9개월째의 생산량은 $A(1-0.03)^2=0.97^2A$(개)

$\qquad\vdots$ ┌─ 2년 6개월째

30개월째의 생산량은 $A(1-0.03)^{23}=0.97^{23}A$(개)

따라서 2년 6개월 동안의 생산량의 합은

$\underbrace{A+A+\cdots+A}_{6개}+\underbrace{A+0.97A+0.97^2A+\cdots+0.97^{23}A}_{24개}$

$=6A+\dfrac{A(1-0.97^{24})}{1-0.97}=6A+\dfrac{0.52A}{0.03}=\dfrac{70}{3}A$(개)

이때 생산량의 합이 42000개이므로

$\dfrac{70}{3}A=42000$ $\therefore A=1800$(개)

답 1800

093

$\angle P_1OP_2=45°$이므로 삼각형 OP_1P_2에서

$\sin 45°=\dfrac{\overline{P_1P_2}}{\overline{OP_1}}=\dfrac{1}{\sqrt{2}}$ 직선 $y=x$의 기울기가 1이므로 $\tan 45°=1$에서 $\angle P_1OP_2=45°$

$\therefore \overline{P_1P_2}=\dfrac{1}{\sqrt{2}}\overline{OP_1}=\dfrac{1}{\sqrt{2}}$

또, 삼각형 OP_2P_3에서 $\overline{P_1P_2}=\overline{OP_2}$이므로

$\sin 45°=\dfrac{\overline{P_2P_3}}{\overline{P_1P_2}}=\dfrac{1}{\sqrt{2}}$

$\therefore \overline{P_2P_3}=\dfrac{1}{\sqrt{2}}\overline{P_1P_2}=\left(\dfrac{1}{\sqrt{2}}\right)^2$

따라서 수열 $\{\overline{P_nP_{n+1}}\}$은 첫째항이 $\dfrac{1}{\sqrt{2}}$, 공비가 $\dfrac{1}{\sqrt{2}}$인 등비수열이므로 첫째항부터 제n항까지의 합을 S_n이라고 하면

$$S_n=\frac{\frac{1}{\sqrt{2}}\left\{1-\left(\frac{1}{\sqrt{2}}\right)^n\right\}}{1-\frac{1}{\sqrt{2}}}=(\sqrt{2}+1)\left\{1-\left(\frac{1}{\sqrt{2}}\right)^n\right\}$$

$S_n>1.92$이어야 하므로

$$(1.4+1)\left\{1-\left(\frac{1}{\sqrt{2}}\right)^n\right\}>1.92$$

$$1-\left(\frac{1}{\sqrt{2}}\right)^n>0.8,\ \left(\frac{1}{\sqrt{2}}\right)^n<0.2=\frac{1}{5}$$

이때 $\left(\dfrac{1}{\sqrt{2}}\right)^4=\dfrac{1}{4}$, $\left(\dfrac{1}{\sqrt{2}}\right)^5=\dfrac{1}{5.6}$이므로

$$\left(\frac{1}{\sqrt{2}}\right)^5<\frac{1}{5}<\left(\frac{1}{\sqrt{2}}\right)^4$$

따라서 $n\geq5$일 때 부등식이 성립하므로 n의 최솟값은 5이다.

답 ④

094

적립액은 매년 5 %의 비율로 증가한다.

통장을 개설한 해의 연초 적립액은 50만 원

1년 후 연초 적립액은 50×1.05 (만 원)

2년 후 연초 적립액은 50×1.05^2 (만 원)

$\vdots$

또, 적립액에 대하여 매년 1 %의 이자를 받는다.

통장을 개설한 해의 연초 적립액은 <u>21년 동안 이자를 받으므로</u>

50×1.01^{21} (만 원)   └ 20년 후 연말까지의 원리합계이므로 20년이 아닌 21년이다.

1년 후 연초 적립액은 20년 동안 이자를 받으므로

$50\times1.05\times1.01^{20}$ (만 원)

2년 후 연초 적립액은 19년 동안 이자를 받으므로

$50\times1.05^2\times1.01^{19}$ (만 원)

$\vdots$

따라서 n년 후 연초 적립액의 20년 후 금액은

$$50\times1.05^n\times1.01^{21-n}=50\times1.01^{21}\times\frac{1.05^n}{1.01^n}$$

첫째항이 50×1.01^{21},

공비가 $\dfrac{1.05}{1.01}$인 등비수열의 $=50\times1.01^{21}\times\left(\dfrac{1.05}{1.01}\right)^n$ (만 원)

첫째항부터 제21항까지의 합 $\qquad (n=0,\ 1,\ 2,\ \cdots,\ 20)$

그러므로 20년 후 연말까지 적립한 금액의 원리합계는

$$\frac{50\times1.01^{21}\left\{\left(\frac{1.05}{1.01}\right)^{21}-1\right\}}{\frac{1.05}{1.01}-1}=\frac{50\times1.2\times\left(\frac{2.7}{1.2}-1\right)}{\frac{4}{101}}$$

$$=\frac{7575}{4}=1893.75\ (만\ 원)$$

따라서 구하는 원리합계는 1900만 원이다.

답 ①

095

$$\sum_{k=1}^{6}(a_k+1)=(a_1+1)+(a_2+1)+\cdots+(a_6+1)$$
$$=(a_1+a_2+\cdots+a_6)+6 \qquad \cdots\cdots\ \bigcirc$$

$$\sum_{k=1}^{5}(a_k-1)=(a_1-1)+(a_2-1)+\cdots+(a_5-1)$$
$$=(a_1+a_2+\cdots+a_5)-5 \qquad \cdots\cdots\ \bigcirc$$

$\bigcirc=\bigcirc$에서

$$a_6+6=-5$$

$$\therefore\ a_6=-11$$

답 ①

096

$a_n+b_n=4$에서

$$\sum_{k=1}^{10}(a_k+b_k)=10\times4=40$$

이때 $\sum\limits_{k=1}^{10}b_k=30$이므로

$$\sum_{k=1}^{10}(a_k-b_k)=\sum_{k=1}^{10}(a_k+b_k)-2\sum_{k=1}^{10}b_k$$
$$=40-60=-20$$

답 ④

다른 풀이

$$\sum_{k=1}^{10}a_k=\sum_{k=1}^{10}(a_k+b_k)-\sum_{k=1}^{10}b_k=40-30=10$$

$$\therefore\ \sum_{k=1}^{10}(a_k-b_k)=\sum_{k=1}^{10}a_k-\sum_{k=1}^{10}b_k$$
$$=10-30=-20$$

097

등차수열 $\{a_n\}$의 공차를 d라고 하면

$$(a_5+a_7+a_9)-(a_1+a_2+a_3)=(a_5-a_1)+(a_7-a_2)+(a_9-a_3)$$
$$=4d+5d+6d=15d$$

즉, $15d=83-8=75$이므로 $d=5$

$$\therefore\ \sum_{k=1}^{20}(a_{k+1}-a_k)=\sum_{k=1}^{20}d=\sum_{k=1}^{20}5=100$$

답 ⑤

풍쌤 비법

등차수열 $\{a_n\}$의 공차를 d라고 하면

$$a_2-a_1=a_3-a_2=\cdots=a_{k+1}-a_k=\cdots=a_{n+1}-a_n=d$$

098

$$\sum_{k=1}^{9}a_{k+1}=a_2+a_3+\cdots+a_{10}$$

$$\sum_{k=2}^{10}a_{k-1}=a_1+a_2+\cdots+a_9$$

$$\therefore\ \sum_{k=1}^{9}a_{k+1}-\sum_{k=2}^{10}a_{k-1}=a_{10}-a_1=70-3=67$$

답 67

099

$\sum_{k=1}^{24} k(a_k - a_{k+1})$

$= (a_1 - a_2) + 2(a_2 - a_3) + 3(a_3 - a_4)$
$\qquad\qquad + \cdots + 23(a_{23} - a_{24}) + 24(a_{24} - a_{25})$

$= a_1 + a_2 + a_3 + \cdots + a_{24} - 24a_{25}$

$= \sum_{k=1}^{24} a_k - 24a_{25}$

$= \dfrac{13}{2} - 24 \times \dfrac{7}{48} = 3$

답 ③

100

$\sum_{k=1}^{6} \dfrac{k^3}{k-1} - \sum_{k=1}^{6} \dfrac{1}{k-1}$

$= \sum_{k=1}^{6} \dfrac{k^3 - 1}{k-1} = \sum_{k=1}^{6} \dfrac{(k-1)(k^2+k+1)}{k-1}$

$= \sum_{k=1}^{6} (k^2 + k + 1) = \sum_{k=1}^{6} k^2 + \sum_{k=1}^{6} k + \sum_{k=1}^{6} 1$

$= \dfrac{6 \times 7 \times 13}{6} + \dfrac{6 \times 7}{2} + 6 \times 1$

$= 91 + 21 + 6 = 118$

답 ②

101

$1 + 2 + 3 + \cdots + (k-1) = \dfrac{k(k-1)}{2}$이므로

$\sum_{k=1}^{10} \dfrac{1 + 2 + 3 + \cdots + (k-1)}{k}$

$= \sum_{k=1}^{10} \dfrac{\frac{k(k-1)}{2}}{k} = \sum_{k=1}^{10} \dfrac{k-1}{2}$

$= \dfrac{1}{2} \left(\sum_{k=1}^{10} k - \sum_{k=1}^{10} 1 \right)$

$= \dfrac{1}{2} \left(\dfrac{10 \times 11}{2} - 10 \right) = \dfrac{45}{2}$

답 ⑤

102

$\sum_{k=5}^{10} k^2 = 5^2 + 6^2 + \cdots + 10^2$

$= \sum_{k=1}^{10} k^2 - \sum_{k=1}^{4} k^2$

$= \dfrac{10 \times 11 \times 21}{6} - \dfrac{4 \times 5 \times 9}{6}$

$= 385 - 30 = 355$

답 ⑤

$1 < m < n$일 때

$\sum_{k=1}^{n} a_k = \sum_{k=1}^{m-1} a_k + \sum_{k=m}^{n} a_k$이므로

$\sum_{k=m}^{n} a_k = \sum_{k=1}^{n} a_k - \sum_{k=1}^{m-1} a_k$

103

$f(x) = 2x^2 - 4x$이므로 $f\left(\dfrac{k}{2} \right) = \dfrac{k^2}{2} - 2k$

$\therefore \sum_{k=1}^{12} f\left(\dfrac{k}{2} \right) = \sum_{k=1}^{12} \left(\dfrac{k^2}{2} - 2k \right)$

$= \dfrac{1}{2} \sum_{k=1}^{12} k^2 - 2 \sum_{k=1}^{12} k$

$= \dfrac{1}{2} \times \dfrac{12 \times 13 \times 25}{6} - 2 \times \dfrac{12 \times 13}{2}$

$= 325 - 156 = 169$

답 ③

k에 대한 삼차 이하의 다항식 $f(k)$에서

$\sum_{k=1}^{n} (pa_k \pm qb_k) = p \sum_{k=1}^{n} a_k \pm q \sum_{k=1}^{n} b_k$

(단, p, q는 상수이고, 복부호동순이다.)

와 자연수의 거듭제곱의 합 $\sum_{k=1}^{n} k = \dfrac{n(n+1)}{2}$,

$\sum_{k=1}^{n} k^2 = \dfrac{n(n+1)(2n+1)}{6}$, $\sum_{k=1}^{n} k^3 = \left\{ \dfrac{n(n+1)}{2} \right\}^2$을 이용하면

$\sum_{k=1}^{n} f(k)$의 값을 구할 수 있다.

104

등차수열 $\{a_n\}$의 첫째항을 a, 공차를 d라고 하면

$a_3 = a + 2d = 4$ ...... ㉠

$a_6 = a + 5d = 13$ ...... ㉡

㉠, ㉡을 연립하여 풀면

$a = -2$, $d = 3$

$\therefore a_n = -2 + (n-1) \times 3 = 3n - 5$

따라서 $a_{k+1} = 3k - 2$이므로

$\sum_{k=2}^{m} a_{k+1} = \sum_{k=1}^{m} (3k-2) - \underbrace{(3 \times 1 - 2)}_{3k-2에\ k=1을\ 대입한\ 값}$

$= 3 \sum_{k=1}^{m} k - 2m - 1$

$= 3 \times \dfrac{m(m+1)}{2} - 2m - 1 = 34$

$3m(m+1) - 4m - 2 = 68$

$3m^2 - m - 70 = 0$, $(3m + 14)(m - 5) = 0$

$\therefore m = 5$ ($\because$ m은 자연수)

답 ①

105

$\sum_{n=1}^{5} \left(\sum_{m=1}^{n} mn \right) = \sum_{n=1}^{5} \left(n \sum_{m=1}^{n} m \right)$

$= \sum_{n=1}^{5} \left\{ n \times \dfrac{n(n+1)}{2} \right\}$

$= \dfrac{1}{2} \sum_{n=1}^{5} (n^3 + n^2)$

$= \dfrac{1}{2} \left\{ \left(\dfrac{5 \times 6}{2} \right)^2 + \dfrac{5 \times 6 \times 11}{6} \right\}$

$= \dfrac{1}{2} (225 + 55) = 140$

답 140

106

수열 $\{a_n\}$의 첫째항부터 제n항까지의 합을 S_n이라고 하면
$S_n=\sum_{k=1}^{n} a_k=n(n+1)$이므로
$$a_n=S_n-S_{n-1}$$
$$=n(n+1)-n(n-1)=2n\,(n\geq2) \quad\cdots\cdots\ \textcircled{\scriptsize 1}$$
$n=1$일 때, $a_1=S_1=1\times(1+1)=2$
$a_1=2$는 $\textcircled{\scriptsize 1}$에 $n=1$을 대입한 것과 같으므로
$$a_n=2n\,(n\geq1)$$
$$\therefore \sum_{k=1}^{8} ka_{2k-1}=\sum_{k=1}^{8} k(4k-2)=4\sum_{k=1}^{8} k^2-2\sum_{k=1}^{8} k$$
$$=4\times\frac{8\times9\times17}{6}-2\times\frac{8\times9}{2}$$
$$=816-72=744$$

답 ②

107

이차방정식의 근과 계수의 관계에 의하여
$$\alpha_n+\beta_n=-(n-2),\ \alpha_n\beta_n=-(2n-1)$$
$$\therefore (\alpha_n-\beta_n)^2=(\alpha_n+\beta_n)^2-4\alpha_n\beta_n$$
$$=(n-2)^2+4(2n-1)$$
$$=n^2+4n$$
$$\therefore \sum_{n=1}^{6} (\alpha_n-\beta_n)^2=\sum_{n=1}^{6} (n^2+4n)$$
$$=\sum_{n=1}^{6} n^2+\sum_{n=1}^{6} 4n$$
$$=\frac{6\times7\times13}{6}+4\times\frac{6\times7}{2}$$
$$=91+84=175$$

답 ⑤

108

$$\sum_{k=1}^{9} \frac{1}{k(k+1)}$$
$$=\sum_{k=1}^{9}\left(\frac{1}{k}-\frac{1}{k+1}\right)$$
$$=\left(\frac{1}{1}-\frac{1}{2}\right)+\left(\frac{1}{2}-\frac{1}{3}\right)+\left(\frac{1}{3}-\frac{1}{4}\right)+\cdots+\left(\frac{1}{9}-\frac{1}{10}\right)$$
$$=1-\frac{1}{10}=\frac{9}{10}=\frac{m}{5}$$
$$10m=45 \quad\therefore m=\frac{9}{2}$$

답 ④

109

1, 5, 9, 13, …은 첫째항이 1, 공차가 4인 등차수열이므로 주어진 수열의 일반항 a_n을 구하면
$$a_n=\frac{1}{(4n-3)(4n+1)}=\frac{1}{4}\left(\frac{1}{4n-3}-\frac{1}{4n+1}\right)$$
이므로 첫째항부터 제25항까지의 합은
$$\sum_{k=1}^{25} a_k=\frac{1}{4}\sum_{k=1}^{25}\left(\frac{1}{4k-3}-\frac{1}{4k+1}\right)$$
$$=\frac{1}{4}\left\{\left(1-\frac{1}{5}\right)+\left(\frac{1}{5}-\frac{1}{9}\right)+\cdots+\left(\frac{1}{97}-\frac{1}{101}\right)\right\}$$

$$=\frac{1}{4}\left(1-\frac{1}{101}\right)=\frac{1}{4}\times\frac{100}{101}=\frac{25}{101}$$
따라서 $p=101,\ q=25$이므로
$$p-q=76$$

답 76

110

$$\sum_{k=5}^{16} \frac{2}{\sqrt{k-1}+\sqrt{k}}$$
$$=\sum_{k=5}^{16} \frac{2(\sqrt{k-1}-\sqrt{k})}{(\sqrt{k-1}+\sqrt{k})(\sqrt{k-1}-\sqrt{k})}$$
$$=\sum_{k=5}^{16} 2(\sqrt{k}-\sqrt{k-1})$$
$$=2\{(\sqrt{5}-\sqrt{4})+(\sqrt{6}-\sqrt{5})+\cdots+(\sqrt{15}-\sqrt{14})+(\sqrt{16}-\sqrt{15})\}$$
$$=2(\sqrt{16}-\sqrt{4})=2(4-2)=4$$

답 ④

111

다항식 $x^3+(1-n)x^2+n$을 $x-n$으로 나눈 나머지는 주어진 다항식에 $x=n$을 대입한 것과 같으므로
$$a_n=n^3+(1-n)n^2+n=n^2+n=n(n+1)$$
$$\therefore \sum_{n=1}^{10} \frac{1}{a_n}=\sum_{n=1}^{10} \frac{1}{n(n+1)}$$
$$=\sum_{n=1}^{10}\left(\frac{1}{n}-\frac{1}{n+1}\right)$$
$$=\left(1-\frac{1}{2}\right)+\left(\frac{1}{2}-\frac{1}{3}\right)+\cdots+\left(\frac{1}{10}-\frac{1}{11}\right)$$
$$=1-\frac{1}{11}=\frac{10}{11}$$

답 ④

112

$S_n=n^2-2n$이므로
$$a_n=S_n-S_{n-1}$$
$$=(n^2-2n)-\{(n-1)^2-2(n-1)\}$$
$$=2n-3\,(n\geq2) \quad\cdots\cdots\ \textcircled{\scriptsize 1}$$
$n=1$일 때, $a_1=S_1=1^2-2=-1$
이때 $a_1=-1$은 $\textcircled{\scriptsize 1}$에 $n=1$을 대입한 것과 같으므로
$$a_n=2n-3\,(n\geq1)$$
$$\therefore \sum_{k=1}^{10} \frac{1}{a_k a_{k+1}}=\sum_{k=1}^{10} \frac{1}{(2k-3)(2k-1)}$$
$$=\frac{1}{2}\sum_{k=1}^{10}\left(\frac{1}{2k-3}-\frac{1}{2k-1}\right)$$
$$=\frac{1}{2}\left\{\left(\frac{1}{-1}-\frac{1}{1}\right)+\left(\frac{1}{1}-\frac{1}{3}\right)+\cdots+\left(\frac{1}{17}-\frac{1}{19}\right)\right\}$$
$$=\frac{1}{2}\left(-1-\frac{1}{19}\right)=-\frac{10}{19}$$

답 ①

113

$$\sum_{k=3}^{32} \frac{f\left(\frac{k}{k-1}\right)}{f(k)f(k-1)}$$

$$=\sum_{k=3}^{32}\dfrac{\log_2\dfrac{k}{k-1}}{\log_2 k\times\log_2(k-1)}$$

$$=\sum_{k=3}^{32}\dfrac{\log_2 k-\log_2(k-1)}{\log_2 k\times\log_2(k-1)}$$

$$=\sum_{k=3}^{32}\left\{\dfrac{1}{\log_2(k-1)}-\dfrac{1}{\log_2 k}\right\}$$

$$=\left(\dfrac{1}{\log_2 2}-\dfrac{1}{\log_2 3}\right)+\left(\dfrac{1}{\log_2 3}-\dfrac{1}{\log_2 4}\right)$$
$$+\cdots+\left(\dfrac{1}{\log_2 31}-\dfrac{1}{\log_2 32}\right)$$

$$=\dfrac{1}{\log_2 2}-\dfrac{1}{\log_2 32}=1-\dfrac{1}{5}=\dfrac{4}{5}$$

답 ④

114

$$a_n=\dfrac{2n^3+2n^2-3}{n^2+n}=\dfrac{2n^2(n+1)-3}{n(n+1)}$$

$$=2n-\dfrac{3}{n(n+1)}=2n-3\left(\dfrac{1}{n}-\dfrac{1}{n+1}\right)$$

$$\therefore \sum_{k=1}^{10}a_k=2\sum_{k=1}^{10}k-3\sum_{k=1}^{10}\left(\dfrac{1}{k}-\dfrac{1}{k+1}\right)$$

$$=2\times\dfrac{10\times11}{2}$$

$$-3\left\{\left(1-\dfrac{1}{2}\right)+\left(\dfrac{1}{2}-\dfrac{1}{3}\right)+\cdots+\left(\dfrac{1}{10}-\dfrac{1}{11}\right)\right\}$$

$$=110-\dfrac{30}{11}=\dfrac{1180}{11}$$

답 ④

115

주어진 수열의 일반항 a_n은 $a_n=n^2(n+2)$이므로 첫째항부터 제6항까지의 합은

$$\sum_{k=1}^{6}k^2(k+2)=\sum_{k=1}^{6}k^3+2\sum_{k=1}^{6}k^2$$

$$=\left(\dfrac{6\times7}{2}\right)^2+2\times\dfrac{6\times7\times13}{6}$$

$$=441+182=623$$

답 ②

116

주어진 수열의 일반항 a_n은

$$a_n=n+2n+3n+\cdots+n^2=n(1+2+3+\cdots+n)$$

$$=n\times\dfrac{n(n+1)}{2}=\dfrac{1}{2}(n^3+n^2)$$

따라서 첫째항부터 제10항까지의 합은

$$\sum_{k=1}^{10}\dfrac{1}{2}(k^3+k^2)=\dfrac{1}{2}\left(\sum_{k=1}^{10}k^3+\sum_{k=1}^{10}k^2\right)$$

$$=\dfrac{1}{2}\left\{\left(\dfrac{10\times11}{2}\right)^2+\dfrac{10\times11\times21}{6}\right\}$$

$$=\dfrac{1}{2}(3025+385)=1705$$

답 ⑤

117

수열 $\{a_n\}$은 첫째항이 1, 공비가 2인 등비수열이므로

$$a_n=2^{n-1}$$

수열 $\{b_n\}$을 순서대로 나열하면 1, 0, 1, 0, $\cdots$과 같이 1과 0이 번갈아 가며 나타난다.

$$\therefore a_1b_1+a_2b_2+\cdots+a_{10}b_{10}=a_1+a_3+a_5+a_7+a_9$$

$$=2^0+2^2+2^4+2^6+2^8 \underset{\text{첫째항이 1, 공비가 4, 항의}}{\underline{}}$$
$$\text{수가 5인 등비수열의 합}$$

$$=\dfrac{4^5-1}{4-1}=\dfrac{1}{3}(2^{10}-1)$$

$$=341$$

답 341

118

다항식 $\dfrac{(x+1)^n}{2}$을 $x-3$으로 나눈 나머지는 $\dfrac{(x+1)^n}{2}$에 $x=3$을 대입한 값과 같으므로

$$a_n=\dfrac{4^n}{2} \qquad \therefore \dfrac{a_n}{2^n}=\dfrac{2^n}{2}$$

$$\therefore \sum_{n=1}^{8}\dfrac{a_n}{2^n}=\dfrac{1}{2}\sum_{n=1}^{8}2^n=\dfrac{1}{2}\times\dfrac{2(2^8-1)}{2-1}=255$$
$$\underline{}\text{첫째항이 2, 공비가 2, 항의 수가 8인 등비수열의 합}$$

답 ①

119

▶ 접근

주어진 식이 최소가 되기 위해서는 a_1이 가장 큰 수, a_2가 두 번째로 큰 수, a_3이 세 번째로 큰 수, $\cdots$이어야 함을 알고 수열의 일반항을 구한다.

$a_1+2a_2+3a_3+\cdots+10a_{10}$의 값이 최소가 되는 경우는 $a_1>a_2>a_3>\cdots>a_{10}$일 때이다.

따라서 $A=\{1, 2, 3, \cdots, 10\}$이라고 하면 구하는 최솟값은

$1\times(A$의 원소 중 가장 큰 수$)+2(A$의 원소 중 두 번째로 큰 수$)$
$+3(A$의 원소 중 세 번째로 큰 수$)$
$+\cdots+10(A$의 원소 중 가장 작은 수$)$

$$=1\times10+2\times9+3\times8+\cdots+10\times1$$

$$=\sum_{k=1}^{10}k(11-k)=\sum_{k=1}^{10}(11k-k^2)$$

$$=11\times\dfrac{10\times11}{2}-\dfrac{10\times11\times21}{6}$$

$$=605-385=220$$

답 ②

120

$8^n=2^{3n}$의 모든 양의 약수의 합이 a_n이므로

$$a_n=1+2+2^2+\cdots+2^{3n}$$

$$=\dfrac{1\times(2^{3n+1}-1)}{2-1}=2^{3n+1}-1$$

$$\therefore \sum_{k=1}^{5}a_k=\sum_{n=1}^{5}(2^{3n+1}-1)=2\sum_{n=1}^{5}8^n-\sum_{n=1}^{5}1$$

$$=2\times\dfrac{8(8^5-1)}{8-1}-5=\dfrac{2^{19}-51}{7}$$

답 ③

8의 양의 약수는 1, 2, 4, 8이므로

$$a_n = 1 + 8 + 8^2 + \cdots + 8^n$$

과 같이 구하지 않도록 주의한다.

121

삼각형 $PF'F$가 직각이등변삼각형이므로

$$\overline{PO} = \overline{OF'} = \overline{OF}$$

(i) $n=1$일 때

$\overline{PO}=1$에서 $\overline{OF'}=\overline{OF}=1$이므로 세 변 위에 있는 점 중에서 x좌표와 y좌표가 모두 정수인 점은

$$(-1, 0), (0, 0), (1, 0), (0, 1)$$

의 4개이다.

(ii) $n=2$일 때

$\overline{PO}=2$에서 $\overline{OF'}=\overline{OF}=2$이므로 세 변 위에 있는 점 중에서 x좌표와 y좌표가 모두 정수인 점은

$$(-2, 0), (-1, 0), (0, 0), (1, 0), (2, 0), (-1, 1), (1, 1),$$
$$(0, 2)$$

의 8개이다.

(ii) $n=3$일 때

$\overline{PO}=3$에서 $\overline{OF'}=\overline{OF}=3$이므로 세 변 위에 있는 점 중에서 x좌표와 y좌표가 모두 정수인 점은

$$(-3, 0), (-2, 0), (-1, 0), (0, 0), (1, 0), (2, 0), (3, 0),$$
$$(-2, 1), (-1, 2), (1, 2), (2, 1), (0, 3)$$

의 12개이다.

(i)~(iii)에서 $a_1=4$, $a_2=8$, $a_3=12$, $\cdots$이므로 수열 $\{a_n\}$은 첫째항이 4, 공차가 4인 등차수열이다.

$$\therefore a_n = 4n$$

$$\therefore \sum_{n=1}^{5} a_n = \sum_{n=1}^{5} 4n = 4 \times \frac{5 \times 6}{2} = 60$$

답 ⑤

122

$x_1, x_2, x_3, \cdots, x_{25}$ 중 값이 1인 것이 a개, 2인 것이 b개라고 하면

$$\sum_{k=1}^{25} x_k = a + 2b = 13 \qquad \cdots\cdots \text{㉠}$$

$$\sum_{k=1}^{25} x_k^2 = a + 2^2 \times b = 17 \qquad \cdots\cdots \text{㉡}$$

㉠, ㉡을 연립하여 풀면 $a=9$, $b=2$

$$\therefore \sum_{k=1}^{25} x_k^4 = a + 2^4 \times b = 9 + 32 = 41$$

답 ④

123

$$\sum_{k=1}^{n} (2a_k - 3b_k) = 2\sum_{k=1}^{n} a_k - 3\sum_{k=1}^{n} b_k$$
$$= 2(n^2 - 1) - 3(2n + 2)$$
$$= 2n^2 - 6n - 8$$

이므로

$$\sum_{k=6}^{12} (2a_k - 3b_k) = \sum_{k=1}^{12} (2a_k - 3b_k) - \sum_{k=1}^{5} (2a_k - 3b_k)$$

$$= 2 \times 12^2 - 6 \times 12 - 8 - (2 \times 5^2 - 6 \times 5 - 8)$$
$$= 208 - 12 = 196$$

답 196

$\sum\limits_{k=1}^{12} a_k = 143$, $\sum\limits_{k=1}^{5} a_k = 24$, $\sum\limits_{i=1}^{12} b_i = 26$, $\sum\limits_{i=1}^{5} b_i = 12$이므로

$$\sum_{k=6}^{12} (2a_k - 3b_k) = 2\left(\sum_{k=1}^{12} a_k - \sum_{k=1}^{5} a_k\right) - 3\left(\sum_{i=1}^{12} b_i - \sum_{i=1}^{5} b_i\right)$$
$$= 2(143 - 24) - 3(26 - 12)$$
$$= 238 - 42 = 196$$

124

$$\sum_{k=1}^{n} \frac{2a_k}{1+a_k} = \sum_{k=1}^{n} \frac{2(1+a_k) - 2}{1+a_k} = \sum_{k=1}^{n}\left(2 - \frac{2}{1+a_k}\right)$$
$$= \sum_{k=1}^{n} 2 - 2\sum_{k=1}^{n} \frac{1}{1+a_k}$$
$$= 2n - 2(n^2 - 7n)$$
$$= -2n^2 + 16n = 30$$

$$n^2 - 8n + 15 = 0, \quad (n-3)(n-5) = 0$$

$$\therefore n=3 \text{ 또는 } n=5$$

따라서 n의 값의 합은 8이다.

답 ③

이차방정식 $n^2 - 8n + 15 = 0$을 얻었을 때 근과 계수의 합을 이용하여 구해도 되지만 n은 자연수이어야 하므로 섣불리 판단하지 않도록 한다.

125

$$\sum_{k=1}^{n} (a_{3k-1} + a_{3k} + a_{3k+1})$$
$$= (a_2 + a_3 + a_4) + (a_5 + a_6 + a_7) + \cdots + (a_{3n-1} + a_{3n} + a_{3n+1})$$
$$= \sum_{k=2}^{3n+1} a_k = (n-2)^2$$

$$\therefore \sum_{k=1}^{3n+1} a_k = a_1 + \sum_{k=2}^{3n+1} a_k = -3 + (n-2)^2$$

$3n+1 = 16$에서 $n=5$이므로 위 식의 양변에 $n=5$를 대입하면

$$\sum_{k=1}^{16} a_k = -3 + 3^2 = 6$$

답 ⑤

126

▶ 접근

$\sum$의 뜻을 이용하여 $\sum\limits_{k=1}^{18} f(k+3) - \sum\limits_{k=4}^{20} f(k-1)$을 간단히 나타낸 후, 사인함수의 성질을 이용한다.

$$\sum_{k=1}^{18} f(k+3) - \sum_{k=4}^{20} f(k-1)$$
$$= \{f(4) + f(5) + f(6) + \cdots + f(21)\}$$
$$\qquad\qquad - \{f(3) + f(4) + f(5) + \cdots + f(19)\}$$
$$= f(21) + f(20) - f(3)$$

이때

$$f(21) = \sin\frac{21\pi}{2} = \sin\left(5 \times 2\pi + \frac{\pi}{2}\right) = \sin\frac{\pi}{2} = 1,$$

$$f(20)=\sin\frac{20\pi}{2}=\sin(5\times2\pi)=0,$$
$$f(3)=\sin\frac{3\pi}{2}=-1$$
이므로
$$f(21)+f(20)-f(3)=1+0-(-1)=2$$

답 ⑤

127

▶ 접근

조건 (나)에서 수열 $\{a_n\}$의 각 항이 8개씩 반복됨을 알 수 있고, 조건 (가)에서 a_2, a_3, a_4, $\cdots$, a_8을 구할 수 있다.

조건 (나)에서 $a_{n+8}=a_n$이므로
$$\sum_{k=1}^{8}a_k=\sum_{k=9}^{16}a_k=\sum_{k=17}^{24}a_k=\sum_{k=25}^{32}a_k=\sum_{k=33}^{40}a_k$$
이때 $\sum_{k=1}^{40}a_k=5\sum_{k=1}^{8}a_k=120$이므로
$$\sum_{k=1}^{8}a_k=24$$
$a_1=1$이고 조건 (가)에서 $a_{n+2}=a_n+3$이므로
$$\sum_{k=1}^{8}a_k=a_1+a_2+a_3+a_4+\cdots+a_7+a_8$$
$$\begin{array}{l}a_5=a_3+3\\\quad=(a_1+3\times1)+3\\\quad=a_1+3\times2\end{array}$$
$$=a_1+a_2+(a_1+3\times1)+(a_2+3\times1)+(a_1+3\times2)$$
$$\qquad+(a_2+3\times2)+(a_1+3\times3)+(a_2+3\times3)$$
$$=4a_1+4a_2+36=24$$
$$\therefore a_2=-4$$
$$\therefore a_6=a_2+3\times2=-4+6=2$$

답 ③

128

$m=1$일 때
$$\sum_{k=1}^{1}a_k=a_1=1^2=1$$
$m=2$일 때
$$\sum_{k=2}^{4}a_k=a_2+a_3+a_4=2^2=4$$
$m=5$일 때
$$\sum_{k=5}^{25}a_k=a_5+a_6+\cdots+a_{25}=5^2=25$$
$m=26$일 때
$$\sum_{k=26}^{676}a_k=a_{26}+a_{27}+\cdots+a_{675}+a_{676}=26^2=676$$
따라서
$$\sum_{k=1}^{677}a_k=\sum_{k=1}^{1}a_k+\sum_{k=2}^{4}a_k+\sum_{k=5}^{25}a_k+\sum_{k=26}^{676}a_k+a_{677}$$
$$=1+4+25+676+a_{677}=777$$
이므로 $a_{677}=71$

답 ①

129

$$\sum_{m=1}^{12}\left\{\sum_{l=1}^{m}\left(\sum_{k=1}^{l}3\right)\right\}=\sum_{m=1}^{12}\left(\sum_{l=1}^{m}3l\right)$$
$$=\sum_{m=1}^{12}\left\{3\times\frac{m(m+1)}{2}\right\}$$

$$=\frac{3}{2}\sum_{m=1}^{12}(m^2+m)$$
$$=\frac{3}{2}\left(\frac{12\times13\times25}{6}+\frac{12\times13}{2}\right)$$
$$=\frac{3}{2}(650+78)=1092$$

답 ②

130

▶ 접근

인수분해를 이용하여 주어진 이차방정식의 두 근 α_n, β_n을 구하고, $\sum$의 성질을 이용한다.

$x^2-(2n+7)x+n^2+7n+12=0$에서
$$x^2-(2n+7)x+(n+3)(n+4)=0$$
$$\{x-(n+3)\}\{x-(n+4)\}=0$$
$$\therefore x=n+3 \text{ 또는 } x=n+4$$
이때 $n+4>n+3$이므로
$$a_n=n+4, \beta_n=n+3$$
$$\therefore \sum_{k=1}^{20}(a_k^2-\beta_k^2)=\sum_{k=1}^{20}\{(k+4)^2-(k+3)^2\}$$
$$=\sum_{k=1}^{20}(2k+7)$$
$$=2\times\frac{20\times21}{2}+7\times20$$
$$=560$$

답 ③

다른 풀이

$a_n=n+4$, $\beta_n=n+3$에서 $a_n+\beta_n=2n+7$, $a_n-\beta_n=1$이므로
$$\sum_{k=1}^{20}(a_k^2-\beta_k^2)=\sum_{k=1}^{20}\{(a_k+\beta_k)(a_k-\beta_k)\}$$
$$=\sum_{k=1}^{20}(2k+7)=560$$

131

▶ 접근

자연수 n에 대하여 i^n의 값을 차례로 구하면 i, -1, $-i$, 1이 반복되어 나타남을 이용하여 $\sum_{k=1}^{20}ki^k$를 변형한다.

$i^2=-1$, $i^3=-i$, $i^4=1$, $\cdots$이므로
$$\sum_{k=1}^{20}ki^k=i+2i^2+3i^3+4i^4+\cdots+20i^{20}$$
$$=i(1+5+\cdots+17)+i^2(2+6+\cdots+18)$$
$$\qquad+i^3(3+7+\cdots+19)+i^4(4+8+\cdots+20)$$
$$=i\sum_{k=1}^{5}(4k-3)+i^2\sum_{k=1}^{5}(4k-2)+i^3\sum_{k=1}^{5}(4k-1)+i^4\sum_{k=1}^{5}4k$$
$$=4(i+i^2+i^3+i^4)\sum_{k=1}^{5}k-5(3i+2i^2+i^3)$$
$$\underbrace{}_{i+(-1)+(-i)+1=0}$$
$$=10-10i$$

답 $10-10i$

참고

$i^{4k+1}=i$, $i^{4k+2}=-1$, $i^{4k+3}=-i$, $i^{4k+4}=1$ (단, $k=0$, 1, 2, $\cdots$)

132

등차수열 $\{a_n\}$의 첫째항을 a, 공차를 d라고 하면

$$\sum_{k=1}^{5} a_{4k+1} = a_5 + a_9 + a_{13} + a_{17} + a_{21}$$
$$= (a+4d) + (a+8d) + (a+12d)$$
$$+ (a+16d) + (a+20d)$$
$$= 5a + 60d = -80$$
$$\therefore a + 12d = -16 \qquad \cdots\cdots \text{㉠}$$

$$\sum_{k=1}^{5} a_{4k+2} = a_6 + a_{10} + a_{14} + a_{18} + a_{22}$$
$$= (a+5d) + (a+9d) + (a+13d)$$
$$+ (a+17d) + (a+21d)$$
$$= 5a + 65d = -90$$
$$\therefore a + 13d = -18 \qquad \cdots\cdots \text{㉡}$$

㉠, ㉡을 연립하여 풀면 $a = 8$, $d = -2$
$$\therefore a_n = 8 + (n-1) \times (-2) = -2n + 10$$
따라서
$$a_{3k-1} = -2 \times (3k-1) + 10 = -6k + 12$$
이므로

$$\sum_{k=5}^{10} a_{3k-1} = \sum_{k=1}^{10} a_{3k-1} - \sum_{k=1}^{4} a_{3k-1}$$
$$= \sum_{k=1}^{10} (-6k+12) - \sum_{k=1}^{4} (-6k+12)$$
$$= -6 \times \frac{10 \times 11}{2} + 10 \times 12 - \left(-6 \times \frac{4 \times 5}{2} + 4 \times 12\right)$$
$$= -210 - (-12) = -198$$

답 ⑤

다른 풀이

등차수열 $\{a_n\}$의 첫째항을 a, 공차를 d라고 하면
$$a_n = a + (n-1)d$$
따라서 $a_{4k+1} = a + 4kd$이므로
$$\sum_{k=1}^{5} (a + 4kd) = 5a + 4d \sum_{k=1}^{5} k = 5a + 60d$$
$a_{4k+2} = a + (4k+1)d$이므로
$$\sum_{k=1}^{5} \{a + (4k+1)d\} = 5a + d \sum_{k=1}^{5} (4k+1) = 5a + 65d$$

133

$$f(x) = a \sum_{k=1}^{15} (x-k)^2$$
$$= a \sum_{k=1}^{15} (x^2 - 2kx + k^2)$$
$$= a \left(\sum_{k=1}^{15} x^2 - 2x \sum_{k=1}^{15} k + \sum_{k=1}^{15} k^2\right)$$
$$= a \left(15x^2 - 2x \times \frac{15 \times 16}{2} + \frac{15 \times 16 \times 31}{6}\right)$$
$$= a(15x^2 - 240x + 1240)$$
$$= a\{15(x-8)^2 + 280\}$$

이 이차함수가 $x=8$에서 최댓값 -70을 가지므로 $m=8$
$a < 0$이고 $280a = -70$이므로
$$a = -\frac{1}{4}$$
$$\therefore ma = 8 \times \left(-\frac{1}{4}\right) = -2$$

답 ②

134

수열의 합과 일반항 사이의 관계에 의하여

$$a_{2n-1} = \sum_{k=1}^{n} a_{2k-1} - \sum_{k=1}^{n-1} a_{2k-1}$$
$$= (n^2 - 2n) - \{(n-1)^2 - 2(n-1)\}$$
$$= 2n - 3 \ (n \geq 2)$$

$$a_{2n} = \sum_{k=1}^{n} a_{2k} - \sum_{k=1}^{n-1} a_{2k}$$
$$= (3n^2 + 1) - \{3(n-1)^2 + 1\}$$
$$= 6n - 3 \ (n \geq 2)$$

$$\therefore a_{4n-1} = 2 \times 2n - 3 = 4n - 3, \ a_{4n} = 6 \times 2n - 3 = 12n - 3$$

$$\therefore \sum_{k=1}^{3} a_{4k-1} + \sum_{k=1}^{3} a_{4k} = \sum_{k=1}^{3} \{(4k-3) + (12k-3)\}$$
$$= \sum_{k=1}^{3} (16k - 6)$$
$$= 16 \times \frac{3 \times 4}{2} - 3 \times 6 = 78$$

답 ①

참고

$\sum_{k=1}^{n} a_{2k-1} = n^2 - 2n$, $\sum_{k=1}^{n} a_{2k} = 3n^2 + 1$에 $n=1$을 대입하면
$$a_1 = -1, \ a_2 = 4$$
이때 $a_{2n-1} = 2n - 3 \ (n \geq 2)$에 $n=1$을 대입하면 $a_1 = -1$이므로
$$a_{2n-1} = 2n - 3 \ (n \geq 1)$$
$a_{2n} = 6n - 3 \ (n \geq 2)$에 $n=1$을 대입하면 $a_2 = 3$이므로
$$a_2 = 4, \ a_{2n} = 6n - 3 \ (n \geq 2)$$
임을 알 수 있다.

문제에서 $\sum_{k=1}^{3} a_{4k-1} + \sum_{k=1}^{3} a_{4k} = (a_3 + a_7 + a_{11}) + (a_4 + a_8 + a_{12})$이므로 $a_2 = 4$를 따로 떼어 생각하지 않아도 되지만, a_2를 포함하도록 하는 문제에서는 유의한다.

135

주어진 등식의 좌변을 정리하면

$$\left(\frac{n+1}{n}\right)^2 + \left(\frac{n+2}{n}\right)^2 + \cdots + \left(\frac{3n}{n}\right)^2$$
$$= \sum_{k=1}^{2n} \left(\frac{n+k}{n}\right)^2$$
$$= \sum_{k=1}^{2n} \frac{n^2 + 2nk + k^2}{n^2}$$
$$= \sum_{k=1}^{2n} 1 + \frac{2}{n} \sum_{k=1}^{2n} k + \frac{1}{n^2} \sum_{k=1}^{2n} k^2$$
$$= 2n + \frac{2}{n} \times \frac{2n(2n+1)}{2} + \frac{1}{n^2} \times \frac{2n(2n+1)(4n+1)}{6}$$
$$= 2n + 2(2n+1) + \frac{8n^2 + 6n + 1}{3n}$$
$$= \frac{26n^2 + 12n + 1}{3n}$$

따라서 $p = 26$, $q = 12$, $r = 1$이므로
$$p - q - r = 26 - 12 - 1 = 13$$

답 ③

136

1에서 n까지의 자연수 중 $k \ (1 \leq k \leq n)$를 지우고 남은 수의 합을 S라고 하면

$$\underbrace{1+2+\cdots+(n-1)}_{k=n\text{인 경우}}\le S\le\underbrace{2+3+\cdots+n}_{k=1\text{인 경우}}$$

각 변을 $n-1$로 나누면

$$\frac{1+2+\cdots+(n-1)}{n-1}\le\frac{S}{n-1}\le\frac{2+3+\cdots+n}{n-1}$$

이때

$$1+2+\cdots+(n-1)=\frac{n(n-1)}{2}$$

$$2+3+\cdots+n=\frac{n(n+1)}{2}-1=\frac{n^2+n-2}{2}=\frac{(n-1)(n+2)}{2}$$

이므로

$$\frac{n}{2}\le\frac{S}{n-1}\le\frac{n+2}{2}$$

조건에서 $\dfrac{S}{n-1}=5.8$이므로 $\dfrac{n}{2}\le5.8\le\dfrac{n+2}{2}$

$$\therefore 9.6\le n\le11.6$$

이때 n은 자연수이므로 $n=10$ 또는 $n=11$이다.

(i) $n=10$일 때

1에서 10까지의 자연수 중 하나를 지우고 남은 9개의 수의 평균이 $\dfrac{S}{9}$이므로

$$\frac{S}{9}=5.8\qquad\therefore S=52.2$$

이때 S는 자연수들의 합이므로 모순이다.

(ii) $n=11$일 때

1부터 11까지의 자연수 중 하나를 지우고 남은 10개의 수의 평균이 $\dfrac{S}{10}$이므로

$$\frac{S}{10}=5.8\qquad\therefore S=58$$

(i), (ii)에 의하여 $n=11$, $S=58$이므로

$$1+2+\cdots+11=\frac{11\times12}{2}=66$$

$$\therefore k=66-58=8$$

답 ②

137

$$\frac{1}{R}=\frac{1}{R_1}+\frac{1}{R_2}+\frac{1}{R_3}+\cdots+\frac{1}{R_8}$$

$$=\sum_{n=1}^{8}\frac{1}{R_n}$$

$$=\sum_{n=1}^{8}\frac{1}{\sqrt{n}+\sqrt{n+1}}$$

$$=\sum_{n=1}^{8}\frac{\sqrt{n}-\sqrt{n+1}}{(\sqrt{n}+\sqrt{n+1})(\sqrt{n}-\sqrt{n+1})}$$

$$=\sum_{n=1}^{8}(\sqrt{n+1}-\sqrt{n})$$

$$=(\sqrt{2}-1)+(\sqrt{3}-\sqrt{2})+\cdots+(\sqrt{9}-\sqrt{8})$$

$$=\sqrt{9}-1=2$$

$$\therefore R=\frac{1}{2}$$

답 ②

138

이차방정식의 근과 계수의 관계에 의하여

$$\alpha_n+\beta_n=-5n,\ \alpha_n\beta_n=n^2+5$$

$$\therefore \sum_{k=1}^{10}\frac{1}{(\alpha_k-1)(\beta_k-1)}$$

$$=\sum_{k=1}^{10}\frac{1}{\alpha_k\beta_k-\alpha_k-\beta_k+1}$$

$$=\sum_{k=1}^{10}\frac{1}{(k^2+5)-(-5k)+1}$$

$$=\sum_{k=1}^{10}\frac{1}{k^2+5k+6}$$

$$=\sum_{k=1}^{10}\frac{1}{(k+2)(k+3)}$$

$$=\sum_{k=1}^{10}\left(\frac{1}{k+2}-\frac{1}{k+3}\right)$$

$$=\left(\frac{1}{3}-\frac{1}{4}\right)+\left(\frac{1}{4}-\frac{1}{5}\right)+\cdots+\left(\frac{1}{12}-\frac{1}{13}\right)$$

$$=\frac{1}{3}-\frac{1}{13}=\frac{10}{39}$$

답 ①

139

$\sum\limits_{k=1}^{n}a_k=S_n$이라고 하면

$$S_n=\log\{(n+1)(n+2)\}$$

$$a_n=S_n-S_{n-1}=\log\{(n+1)(n+2)\}-\log\{n(n+1)\}$$

$$=\log\left\{(n+1)(n+2)\times\frac{1}{n(n+1)}\right\}$$

$$=\log\frac{n+2}{n}\ (n\ge2)\qquad\cdots\cdots\ \bigcirc$$

$n=1$일 때, $a_1=S_1=\log6$

이때 $a_1=\log6$은 $\bigcirc$에 $n=1$을 대입한 것과 같지 않으므로

$a_1=\log6$, $a_n=\log\dfrac{n+2}{n}\ (n\ge2)$

$$\therefore a_{2n}=\log\frac{2n+2}{2n}=\log\frac{n+1}{n}\ \underset{(n\ge1)}{\underbrace{\quad}}$$

$\boxed{n=1\text{일 때, }a_{2n}=a_2}$
$n\ge2$일 때, $a_{2n}=\log\dfrac{n+1}{n}$
이므로 수열 $\{a_{2n}\}$의 일반항은 $n=1$부터 성립한다.

$$\therefore \sum_{k=1}^{14}a_{2k}=\sum_{k=1}^{14}\log\frac{k+1}{k}$$

$$=\log2+\log\frac{3}{2}+\log\frac{4}{3}+\cdots+\log\frac{15}{14}$$

$$=\log\left(2\times\frac{3}{2}\times\frac{4}{3}\times\cdots\times\frac{15}{14}\right)=\log15=\alpha$$

$$\therefore 10^\alpha=10^{\log15}=15$$

답 ③

140

수열 $\dfrac{1}{1\times3\times5}$, $\dfrac{1}{2\times4\times6}$, $\dfrac{1}{3\times5\times7}$, $\cdots$, $\dfrac{1}{6\times8\times10}$의 일반항 a_n을 구하면

$$a_n=\frac{1}{n(n+2)(n+4)}$$

$$=\frac{1}{n+2}\times\frac{1}{n(n+4)}$$

$$=\frac{1}{n+2}\times\frac{1}{4}\left(\frac{1}{n}-\frac{1}{n+4}\right)$$

$$=\frac{1}{4}\left\{\frac{1}{n(n+2)}-\frac{1}{(n+2)(n+4)}\right\}$$

주어진 식은 이 수열의 첫째항부터 제6항까지의 합이므로

$$\sum_{k=1}^{6}a_k=\frac{1}{4}\sum_{k=1}^{6}\left\{\frac{1}{k(k+2)}-\frac{1}{(k+2)(k+4)}\right\}$$

$$=\frac{1}{4}\left\{\left(\frac{1}{1\times3}-\frac{1}{3\times5}\right)+\left(\frac{1}{2\times4}-\frac{1}{4\times6}\right)\right.$$
$$\left.+\left(\frac{1}{3\times5}-\frac{1}{5\times7}\right)+\cdots+\left(\frac{1}{6\times8}-\frac{1}{8\times10}\right)\right\}$$
$$=\frac{1}{4}\left(\frac{1}{1\times3}+\frac{1}{2\times4}-\frac{1}{7\times9}-\frac{1}{8\times10}\right)$$
$$=\frac{1}{2^2}\left(\frac{11}{2^3\times3}-\frac{143}{2^4\times3^2\times5\times7}\right)$$
$$=\frac{1}{2^2}\times\frac{2\times3\times5\times7\times11-143}{2^4\times3^2\times5\times7}$$
$$=\frac{2310-143}{2^6\times3^2\times5\times7}=\frac{2167}{2^6\times3^2\times5\times7}$$

따라서 $a=6$, $b=2$, $c=1$, $d=1$이므로
$abcd=12$

답 ④

141

$\sum\limits_{k=1}^{n}a_k{}^2=S_n$이라고 하면 $S_n=n^2$이므로
$a_n{}^2=S_n-S_{n-1}=n^2-(n-1)^2=2n-1\,(n\geq2)$
$a_n>0$이므로 $a_n=\sqrt{2n-1}\,(n\geq2)$ ······ ㉠
$n=1$일 때, $a_1{}^2=S_1=1$
$\therefore a_1=1\,(\because a_1>0)$
이때 $a_1=1$은 ㉠에 $n=1$을 대입한 것과 같으므로
$a_n=\sqrt{2n-1}\,(n\geq1)$
$$\therefore \sum_{k=1}^{24}\frac{1}{a_k+a_{k+1}}$$
$$=\sum_{k=1}^{24}\frac{1}{\sqrt{2k-1}+\sqrt{2k+1}}$$
$$=\sum_{k=1}^{24}\frac{\sqrt{2k-1}-\sqrt{2k+1}}{(\sqrt{2k-1}+\sqrt{2k+1})(\sqrt{2k-1}-\sqrt{2k+1})}$$
$$=\frac{1}{2}\sum_{k=1}^{24}(\sqrt{2k+1}-\sqrt{2k-1})$$
$$=\frac{1}{2}\{(\sqrt{3}-\sqrt{1})+(\sqrt{5}-\sqrt{3})+\cdots+(\sqrt{49}-\sqrt{47})\}$$
$$=\frac{1}{2}(\sqrt{49}-1)=\frac{1}{2}(7-1)=3$$

답 ①

142

모든 직각삼각형 $A_nB_nC_n$의 밑변의 길이는 1이다.
이때 직각삼각형 $A_nB_nC_n$의 높이는 각각
$n=1$일 때, $\overline{A_1C_1}=1-\dfrac{1}{2}$
$n=2$일 때, $\overline{A_2C_2}=\dfrac{1}{2}-\dfrac{1}{3}$
$\vdots$
$n=15$일 때, $\overline{A_{15}C_{15}}=\dfrac{1}{15}-\dfrac{1}{16}$

따라서 직각삼각형 $A_nB_nC_n\,(n=1, 2, \cdots, 15)$의 넓이의 합을 S라고 하면
$$S=\frac{1}{2}\left(1-\frac{1}{2}\right)+\frac{1}{2}\left(\frac{1}{2}-\frac{1}{3}\right)+\cdots+\frac{1}{2}\left(\frac{1}{15}-\frac{1}{16}\right)$$
$$=\frac{1}{2}\left(1-\frac{1}{16}\right)=\frac{15}{32}$$

답 $\dfrac{15}{32}$

143

$$f(x)=\frac{1}{\sqrt{x+2}+\sqrt{x+1}}=\sqrt{x+2}-\sqrt{x+1}$$
$$\therefore \sum_{k=0}^{n}f(k)=\sum_{k=0}^{n}(\sqrt{k+2}-\sqrt{k+1})$$
$$=(\sqrt{2}-\sqrt{1})+(\sqrt{3}-\sqrt{2})+(\sqrt{4}-\sqrt{3})$$
$$+\cdots+(\sqrt{n+2}-\sqrt{n+1})$$
$$=\sqrt{n+2}-1$$

이때 위 식의 값이 정수이려면 $n+2$가 제곱 꼴이어야 하므로
$n+2=2^2, 3^2, \cdots, 10^2\,(\because 1\leq n\leq100)$
$\therefore n=2^2-2, 3^2-2, \cdots, 10^2-2$
따라서 n의 개수는 9이다.

답 ④

144

$$\frac{1}{k^2-1}=\frac{1}{(k-1)(k+1)}=\frac{1}{2}\left(\frac{1}{k-1}-\frac{1}{k+1}\right)$$이므로
$$2\sum_{k=2}^{n+1}\frac{1}{k^2-1}=2\sum_{k=2}^{n+1}\frac{1}{(k-1)(k+1)}$$
$$=\sum_{k=2}^{n+1}\left(\frac{1}{k-1}-\frac{1}{k+1}\right)$$
$$=\left(\frac{1}{1}-\frac{1}{3}\right)+\left(\frac{1}{2}-\frac{1}{4}\right)$$
$$+\cdots+\left(\frac{1}{n-1}-\frac{1}{n+1}\right)+\left(\frac{1}{n}-\frac{1}{n+2}\right)$$
$$=1+\frac{1}{2}-\frac{1}{n+1}-\frac{1}{n+2}$$
$$=\frac{3}{2}-\frac{2n+3}{(n+1)(n+2)}$$

$\dfrac{3}{2}-2\sum\limits_{k=2}^{n+1}\dfrac{1}{k^2-1}\leq\dfrac{1}{4}$에서
$$\frac{2n+3}{(n+1)(n+2)}\leq\frac{1}{4},\ 4(2n+3)\leq(n+1)(n+2)$$
$n^2-5n-10\geq0$
이때 $f(n)=n^2-5n-10$이라고 하면
$f(6)=-4<0$, $f(7)=4>0$
이므로 주어진 부등식은 $n\geq7$일 때 성립한다.
따라서 자연수 n의 최솟값은 7이다.

답 ⑤

참고

n에 대한 방정식 $n^2-5n-10=0$의 근은 $n=\dfrac{5\pm\sqrt{65}}{2}$

이때 $\dfrac{5-\sqrt{65}}{2}<0$이고 $\dfrac{5+\sqrt{65}}{2}=6.\cdots$이므로 주어진 부등식은 $n>6$인 자연수에서 성립한다.

145

주어진 수열의 제n항을 a_n이라고 하면
$$a_n=2n\{1+3+5+\cdots+(2n-1)\}$$
$$=2n\sum_{k=1}^{n}(2k-1)$$
$$=2n\left\{2\times\frac{n(n+1)}{2}-n\right\}=2n\times n^2=2n^3$$

따라서 첫째항부터 제n항까지의 합은

$$\sum_{k=1}^{n} a_k = 2\sum_{k=1}^{n} k^3 = 2\left\{\frac{n(n+1)}{2}\right\}^2 = 6050$$

$$\{n(n+1)\}^2 = 12100, \quad n(n+1) = 110$$

$$\therefore n = 10$$

답 ②

146

→ 접근 ─────

주어진 수열의 일반항을 먼저 구한다. 이때 첫째항을 $\dfrac{1^4}{1}$, 둘째항을 $\dfrac{2^4}{1+3}$, 셋째항을 $\dfrac{3^4}{1+3+5}$, $\cdots$으로 생각하면 일반항을 쉽게 구할 수 있다.

수열 $\dfrac{1^4}{1}$, $\dfrac{2^4}{1+3}$, $\dfrac{3^4}{1+3+5}$, $\dfrac{4^4}{1+3+5+7}$, $\cdots$의 제 n번째항을 a_n이라고 하면

$$a_n = \frac{n^4}{1+3+\cdots+(2n-1)} = \frac{n^4}{\sum\limits_{k=1}^{n}(2k-1)}$$

이때

$$\sum_{k=1}^{n}(2k-1) = 2\sum_{k=1}^{n}k - n = n(n+1) - n = n^2$$

이므로

$$a_n = \frac{n^4}{n^2} = n^2$$

따라서 구하는 수열의 합은

$$\sum_{n=3}^{12} a_n = \sum_{n=1}^{12} a_n - \sum_{n=1}^{2} a_n$$

$$= \sum_{n=1}^{12} n^2 - \sum_{n=1}^{2} n^2$$

$$= \frac{12 \times 13 \times 25}{6} - \frac{2 \times 3 \times 5}{6}$$

$$= 650 - 5 = 645$$

답 ④

147

조건 ㈎에서 $a_1 = 1$, $a_2 = 3$이므로 $a_1 + a_2 = 4$

조건 ㈏에서 수열 $\{a_n + a_{n+1}\}$은 공차가 3인 등차수열이므로

$a_2 + a_3 = 7$에서 $a_3 = 4$

$a_3 + a_4 = 10$에서 $a_4 = 6$

$a_4 + a_5 = 13$에서 $a_5 = 7$

$a_5 + a_6 = 16$에서 $a_6 = 9$

$a_6 + a_7 = 19$에서 $a_7 = 10$

$\vdots$

$\therefore \{a_n\}$: 1, 3, 4, 6, 7, 9, 10, $\cdots$

이때 $a_{2n-1} = 3n-2$, $a_{2n} = 3n$ $(n=1, 2, 3, \cdots)$이므로

$$\sum_{n=1}^{20} a_n = \sum_{n=1}^{10} a_{2n-1} + \sum_{n=1}^{10} a_{2n}$$

$$= \sum_{n=1}^{10}(3n-2) + \sum_{n=1}^{10} 3n$$

$$= 6\sum_{n=1}^{10} n - 20$$

$$= 6 \times \frac{10 \times 11}{2} - 20$$

$$= 330 - 20 = 310$$

답 310

148

ㄱ은 옳지 않다.

$\{a_n\}$: 1, -1, 1, -1, 1, $\cdots$

$\{b_n\}$: -1, -1, 1, 1, -1, -1, $\cdots$

이므로 $b_3 = 1$

ㄴ은 옳다.

$b_n = b_{n+4}$이고 $\sum\limits_{n=1}^{4} b_n = (-1)+(-1)+1+1 = 0$이므로

$$\sum_{n=1}^{12} b_n = 0$$

ㄷ도 옳다.

$$\sum_{n=1}^{30} b_{3n} = b_3 + b_6 + \cdots + b_{90}$$

$$= (b_3 + b_6 + b_9 + b_{12})$$

$$+ \cdots + (b_{75} + b_{78} + b_{81} + b_{84}) + b_{87} + b_{90}$$

$$= 7(b_3 + b_2 + b_1 + b_4) + b_3 + b_2$$

$$= 0$$

따라서 옳은 것은 ㄴ, ㄷ이다.

답 ④

149

10^n을 소인수분해하면

$$10^n = 2^n \times 5^n$$

이때 홀수인 약수는 5^n의 약수이므로

$$f(n) = n+1$$

또, 짝수인 약수의 개수는 10^n의 모든 양의 약수의 개수에서 홀수인 약수의 개수를 빼면 되므로

$$g(n) = (n+1)^2 - (n+1)$$

$$\therefore g(n) - f(n) = (n+1)^2 - (n+1) - (n+1)$$

$$= n^2 - 1$$

$$\therefore \sum_{n=1}^{10}\{g(n) - f(n)\} = \sum_{n=1}^{10}(n^2 - 1)$$

$$= \frac{10 \times 11 \times 21}{6} - 10$$

$$= 385 - 10 = 375$$

답 ②

150

자연수 n은 $2k-1$ 또는 $2k$ (k는 자연수) 꼴로 나눌 수 있다.

(i) $n = 2k-1$일 때

$$n^2 = (2k-1)^2 = 4(k^2-k) + 1$$

따라서 4로 나눈 나머지는 1이다.

(ii) $n = 2k$일 때

$$n^2 = (2k)^2 = 4k^2$$

따라서 4로 나눈 나머지는 0이다.

(i), (ii)에서 $a_{2k-1} = 1$, $a_{2k} = 0$

$$\therefore \sum_{k=1}^{100} a_n = a_1 + a_2 + a_3 + \cdots + a_{100}$$

$$= 1 + 0 + 1 + \cdots + 0$$

$$= 1 \times 50 = 50$$

답 ②

151

$n=1$일 때, $1 \times 2 = 2$를 6으로 나눈 나머지는 2

$\therefore a_1 = 2$

$n=2$일 때, $2 \times 3 = 6$을 6으로 나눈 나머지는 0

$\therefore a_2 = 0$

$n=3$일 때, $3 \times 4 = 12$를 6으로 나눈 나머지는 0

$\therefore a_3 = 0$

이때

$$\underbrace{(n+3)\{(n+3)+1\}}_{n(n+1)\text{에 }n\text{ 대신 }n+3\text{을 대입한 식}} = n(n+1) + 6(n+2)$$

이므로 $(n+3)(n+4)$를 6으로 나눈 나머지는 $n(n+1)$을 6으로 나눈 나머지와 같다.

$\therefore a_{n+3} = a_n$

따라서 $a_{3k-2} = a_1$, $a_{3k-1} = a_2$, $a_{3k} = a_3$이므로

$$\sum_{k=1}^{3m-2} a_k = \sum_{k=1}^{3m-1} a_k = \sum_{k=1}^{3m} a_k = 2m \; (\because a_1 = 2, a_2 = 0, a_3 = 0)$$

이때 주어진 조건에 의하여

$\sum_{k=1}^{n} a_k = 30 = 2 \times 15$에서 $m = 15$

$\therefore n = 3m = 3 \times 15 = 45$

$\therefore \sum_{k=1}^{43} a_k = \sum_{k=1}^{44} a_k = \sum_{k=1}^{45} a_k = 30$

따라서 구하는 n의 값의 합은

$43 + 44 + 45 = 132$

답 132

간단 풀이

수열 $\{a_n\}$이 $2, 0, 0, 2, 0, 0, 2, 0, 0, 2, 0, 0, \cdots$이므로

$\sum_{k=1}^{n} a_k = 30 = 2 \times 15$를 만족시키는 n의 값은 43, 44, 45이다.

152

직선 $y = \dfrac{5x-n}{12}$, 즉 $5x - 12y - n = 0$과

원 $(x-2)^2 + (y+1)^2 = 16$의 중심 $(2, -1)$ 사이의 거리를 d라고 하면

$$d = \frac{|5 \times 2 - 12 \times (-1) - n|}{\sqrt{5^2 + (-12)^2}} = \frac{|22-n|}{13}$$

(i) 교점이 2개일 때, 즉 $a_n = 2$일 때

$d < 4$이어야 하므로

└ 원 $(x-2)^2+(y+1)^2=16$의 반지름의 길이

$\dfrac{|22-n|}{13} < 4$, $|22-n| < 52$

$-52 < 22-n < 52$, $-74 < -n < 30$

$\therefore 0 < n < 74 \; (\because n$은 자연수)

(ii) 교점이 1개일 때, 즉 $a_n = 1$일 때

$d = 4$이어야 하므로

$\dfrac{|22-n|}{13} = 4$, $|22-n| = 52$

$\therefore n = 74 \; (\because n$은 자연수)

(iii) 교점이 0개일 때, 즉 $a_n = 0$일 때

$d > 4$이어야 하므로

$\dfrac{|22-n|}{13} > 4$, $|22-n| > 52$

$22-n > 52$ 또는 $22-n < -52$

$\therefore n > 74 \; (\because n$은 자연수)

(i)~(iii)에서

$a_1 = a_2 = \cdots = a_{73} = 2$, $a_{74} = 1$, $a_{75} = a_{76} = \cdots = a_{100} = 0$

$\therefore \sum_{n=1}^{100} a_n = 73 \times 2 + 1 + 26 \times 0 = 147$

답 ⑤

참고

원의 중심과 직선 사이의 거리를 d, 원의 반지름의 길이를 r라고 하면

(1) $d < r$이면 원과 직선이 두 점에서 만난다.

(2) $d = r$이면 원과 직선이 접한다.(한 점에서 만난다.)

(3) $d > r$이면 원과 직선이 만나지 않는다.

153

$n=2$일 때, 몫과 나머지가 같은 자연수는

$3 = 2 \times 1 + 1$ $\therefore a_2 = 3$

$n=3$일 때, 몫과 나머지가 같은 자연수는

$4 = 3 \times 1 + 1$, $8 = 3 \times 2 + 2$ $\therefore a_3 = 12$

$n=4$일 때, 몫과 나머지가 같은 자연수는

$5 = 4 \times 1 + 1$, $10 = 4 \times 2 + 2$, $15 = 4 \times 3 + 3$

$\therefore a_4 = 30$

따라서 2 이상의 자연수 n으로 나누었을 때 몫과 나머지가 같은 자연수를 나열하면

$n+1, 2n+2, 3n+3, \cdots, (n-1)n + (n-1)$

$\therefore a_n = (n+1) + (2n+2) + \cdots + \{(n-1)n + (n-1)\}$

$= \sum_{k=1}^{n-1} (kn + k)$

$= (n+1) \sum_{k=1}^{n-1} k$

$= (n+1) \times \dfrac{n(n-1)}{2}$

$a_n > 350$에서

$\dfrac{(n-1)n(n+1)}{2} > 350$, $(n-1)n(n+1) > 700$

$n=8$일 때, $7 \times 8 \times 9 = 504$

$n=9$일 때, $8 \times 9 \times 10 = 720$

이므로 부등식을 만족시키는 자연수 n의 최솟값은 9이다.

답 ①

154

(i) $1 \leq n \leq 2$일 때

$2^m < n$을 만족시키는 m은 없다.

$\therefore a_1 = a_2 = 0$

(ii) $2 < n \leq 4$일 때

$2 < n \leq 4$에서 $2^1 < n \leq 2^2$이므로

$2^m < n$을 만족시키는 m은 1의 1개이다.

$\therefore a_3 = a_4 = 1$

(iii) $4 < n \leq 8$일 때

$4 < n \leq 8$에서 $2^2 < n \leq 2^3$이므로

$2^m < n$을 만족시키는 m은 1, 2의 2개이다.

$\therefore a_5 = a_6 = a_7 = a_8 = 2$

(iv) $8 < n \leq 16$일 때

$8 < n \leq 16$에서 $2^3 < n \leq 2^4$이므로

$2^m < n$을 만족시키는 m은 1, 2, 3의 3개이다.

$\therefore a_9 = a_{10} = \cdots = a_{16} = 3$

(v) $16 < n \leq 30$일 때

$16 < n \leq 30$에서 $2^4 < n \leq 2^5$이므로

$2^m < n$을 만족시키는 m은 1, 2, 3, 4의 4개이다.

$\therefore a_{17} = a_{18} = \cdots = a_{30} = 4$

(i)~(v)에서

$$\sum_{n=1}^{30} a_n = 0 \times 2 + 1 \times 2 + 2 \times 4 + 3 \times 8 + 4 \times 14$$
$$= 2 + 8 + 24 + 56 = 90$$

답 ④

참고

정수의 개수

두 정수 a, b에 대하여

(1) $a \leq n \leq b$를 만족시키는 정수 n의 개수는 $b - a + 1$

(2) $a \leq n < b$를 만족시키는 정수 n의 개수는 $b - a$

(3) $a < n \leq b$를 만족시키는 정수 n의 개수는 $b - a$

(4) $a < n < b$를 만족시키는 정수 n의 개수는 $b - a - 1$

155

$T_k = 1 + 2 + 3 + \cdots + k$ (k는 자연수)라고 하면

$T_k = \dfrac{k(k+1)}{2}$이므로

$$a_{T_k} = 1 + \sqrt{1 + 8T_k} = 1 + \sqrt{1 + 8 \times \dfrac{k(k+1)}{2}}$$
$$= 1 + \sqrt{4k^2 + 4k + 1}$$
$$= 1 + \sqrt{(2k+1)^2}$$
$$= 2k + 2 \ (\because k > 0)$$

이고,

$$a_1 + a_{1+2} + a_{1+2+3} + \cdots + a_{1+2+\cdots+n}$$
$$= a_{T_1} + a_{T_2} + a_{T_3} + \cdots + a_{T_n} = \sum_{k=1}^{n} a_{T_k}$$
$$= \sum_{k=1}^{n} (2k+2) = 2\sum_{k=1}^{n} k + 2n$$
$$= 2 \times \dfrac{n(n+1)}{2} + 2n = n^2 + 3n = 238$$

$n^2 + 3n - 238 = 0$, $(n+17)(n-14) = 0$

$\therefore n = -17$ 또는 $n = 14$

따라서 n은 자연수이므로 $n = 14$

답 14

156

주어진 수열을

$$\left(1, \dfrac{1}{3}\right), \left(1, \dfrac{1}{3}, \dfrac{1}{9}\right), \left(1, \dfrac{1}{3}, \dfrac{1}{9}, \dfrac{1}{27}\right), \cdots$$

과 같이 묶으면 n번째 묶음의 항의 수는 $n+1$이므로 첫 번째 묶음부터 n번째 묶음까지의 항의 수는

$$\sum_{k=1}^{n} (k+1) = \dfrac{n(n+1)}{2} + n = \dfrac{n(n+3)}{2}$$

$\dfrac{n(n+3)}{2} = 20$에서 $n = 5$이므로 제20항은 5번째 묶음의 마지막 항, 즉 6번째 항이다.

따라서 첫 번째 묶음부터 5번째 묶음까지의 모든 항의 곱은

$$1^5 \times \left(\dfrac{1}{3}\right)^5 \times \left(\dfrac{1}{3^2}\right)^4 \times \cdots \times \left(\dfrac{1}{3^5}\right)^1 = \left(\dfrac{1}{3}\right)^{1 \times 5 + 2 \times 4 + \cdots + 5 \times 1}$$

$$\therefore m = 1 \times 5 + 2 \times 4 + \cdots + 5 \times 1$$
$$= \sum_{k=1}^{5} k(6-k)$$
$$= 6\sum_{k=1}^{5} k - \sum_{k=1}^{5} k^2$$
$$= 6 \times \dfrac{5 \times 6}{2} - \dfrac{5 \times 6 \times 11}{6}$$
$$= 90 - 55 = 35$$

답 ③

157

S의 양변에 $\left(\dfrac{1}{2}\right)^2$을 곱하여 빼면

$$S = 1 + 2 \times \left(\dfrac{1}{2}\right)^2 + 3 \times \left(\dfrac{1}{2}\right)^4 + \cdots + 10 \times \left(\dfrac{1}{2}\right)^{18}$$

$$-\,) \left(\dfrac{1}{2}\right)^2 S = \quad 1 \times \left(\dfrac{1}{2}\right)^2 + 2 \times \left(\dfrac{1}{4}\right)^2 + \cdots + 9 \times \left(\dfrac{1}{2}\right)^{18} + 10 \times \left(\dfrac{1}{2}\right)^{20}$$

$$\dfrac{3}{4}S = 1 + \left(\dfrac{1}{2}\right)^2 + \left(\dfrac{1}{2}\right)^4 + \cdots + \left(\dfrac{1}{2}\right)^{18} - 10 \times \left(\dfrac{1}{2}\right)^{20}$$

$$= \dfrac{1 - \left(\dfrac{1}{2}\right)^{20}}{1 - \left(\dfrac{1}{2}\right)^2} - 10 \times \left(\dfrac{1}{2}\right)^{20}$$

첫째항이 1, 공비가 $\left(\dfrac{1}{2}\right)^2$인 등비수열의 첫째항부터 제10항까지의 합

$$= \dfrac{4}{3}\left\{1 - \left(\dfrac{1}{2}\right)^{20}\right\} - 10 \times \left(\dfrac{1}{2}\right)^{20}$$

$$= \dfrac{4}{3}\left\{1 - \dfrac{17}{2}\left(\dfrac{1}{2}\right)^{20}\right\}$$

$$\therefore S = \dfrac{16}{9}\left\{1 - \dfrac{17}{2}\left(\dfrac{1}{2}\right)^{20}\right\}$$

따라서 $a = 2$, $b = 17$이므로

$a + b = 19$

답 ③

158

$f(x) = 2 + 5x + 8x^2 + 11x^3 + \cdots + 29x^{10}$에 $x = 3$을 대입하면

$f(3) = 2 + 5 \times 3 + 8 \times 3^2 + \cdots + 29 \times 3^{10}$

$S = f(3)$으로 놓고 양변에 3을 곱하여 빼면

$$S = 2 + 5 \times 3 + 8 \times 3^2 + \cdots + 29 \times 3^{10}$$

$$-\,) 3S = \quad 2 \times 3 + 5 \times 3^2 + \cdots + 26 \times 3^{10} + 29 \times 3^{11}$$

$$-2S = 2 + 3 \times 3 + 3 \times 3^2 + \cdots + 3 \times 3^{10} - 29 \times 3^{11}$$

$$= 2 + \dfrac{9 \times (3^{10} - 1)}{3 - 1} - 29 \times 3^{11}$$

$3 \times 3 + 3 \times 3^2 + \cdots + 3 \times 3^{10}$은 첫째항이 $3 \times 3 = 9$, 공비가 3인 등비수열의 첫째항부터 제10항까지의 합

$$= \dfrac{-55 \times 3^{11} - 5}{2}$$

$$\therefore S = \dfrac{55 \times 3^{11} + 5}{4}$$

따라서 $a = 55$, $b = 5$이므로

$a + b = 60$

답 60

159

$n=1$일 때, $a_2=(1+1)(1+a_1)-3=2\times2-3=1$

$n=2$일 때, $a_3=(2+1)(1+a_2)-3=3\times2-3=3$

$n=3$일 때, $a_4=(3+1)(1+a_3)-3=4\times4-3=13$

$n=4$일 때, $a_5=(4+1)(1+a_4)-3=5\times14-3=67$

답 ③

160

$a_{n+1}{}^2=a_na_{n+2}$에서 수열 $\{a_n\}$은 등비수열이다.

이때 $a_1=3$, $\dfrac{a_2}{a_1}=3$에서 첫째항이 3, 공비가 3이므로

$a_n=3\times3^{n-1}=3^n$

$\therefore a_5=3^5$

$\therefore \log_9 a_5=\dfrac{1}{2}\log_3 3^5=\dfrac{5}{2}$

답 ②

풍쌤 비법

등차수열과 등비수열의 귀납적 정의

수열 $\{a_n\}$에 대하여

(1) $a_{n+1}-a_n=d$ ➡ 공차가 d인 등차수열

(2) $2a_{n+1}=a_n+a_{n+2}$, $a_{n+2}-a_{n+1}=a_{n+1}-a_n$ ➡ 등차수열

(3) $a_{n+1}\div a_n=r$ ➡ 공비가 r인 등비수열

(4) $a_{n+1}{}^2=a_na_{n+2}$, $\dfrac{a_{n+2}}{a_{n+1}}=\dfrac{a_{n+1}}{a_n}$ ➡ 등비수열

161

$n=1$일 때, $a_2=\dfrac{1}{2}a_1=\dfrac{1}{2}\times10=5$

$n=2$일 때, $a_3=a_2+1=6$ $\quad$ $a_1=10$이므로 a_1은 짝수

$n=3$일 때, $a_4=\dfrac{1}{2}a_3=\dfrac{1}{2}\times6=3$

$n=4$일 때, $a_5=a_4+1=4$

$n=5$일 때, $a_6=\dfrac{1}{2}a_5=\dfrac{1}{2}\times4=2$

$n=6$일 때, $a_7=\dfrac{1}{2}a_6=\dfrac{1}{2}\times2=1$

$n=7$일 때, $a_8=a_7+1=2$

$n=8$일 때, $a_9=\dfrac{1}{2}a_8=\dfrac{1}{2}\times2=1$

$\vdots$

$\therefore a_n=\begin{cases}2\ (n=2k-1,\ k\geq3)\\1\ (n=2k,\ k\geq3)\end{cases}$

$\therefore a_{100}=1$

답 ①

162

$a_{n+1}-a_n=-4$에서 수열 $\{a_n\}$은 등차수열이다.

이때 첫째항이 84, 공차가 -4이므로

$a_n=84+(n-1)\times(-4)=-4n+88$

$a_k=60$에서

$-4k+88=60,\ 4k=28$ $\quad\therefore k=7$

답 ④

163

$a_{n+1}-a_n=-3n$에서 $a_{n+1}=a_n-3n$이므로

$n=1$일 때, $a_2=a_1-3=-5$

$n=2$일 때, $a_3=a_2-6=-11$

$n=3$일 때, $a_4=a_3-9=-20$

$n=4$일 때, $a_5=a_4-12=-32$

$n=5$일 때, $a_6=a_5-15=-47$

답 ②

다른 풀이

$a_{n+1}-a_n=-3n$이므로 양변에 n 대신 $1,\ 2,\ 3,\ \cdots,\ n-1$을 차례로 대입하여 변끼리 더하면

$a_2-a_1=-3$

$a_3-a_2=-6$

$a_4-a_3=-9$

$\vdots$

$+\underline{)\ a_n-a_{n-1}=-3(n-1)}$

$a_n-a_1=\displaystyle\sum_{k=1}^{n-1}(-3k)$

$\therefore a_n=a_1+\displaystyle\sum_{k=1}^{n-1}(-3k)$

$\quad\ =-2+(-3)\times\dfrac{(n-1)n}{2}$

$\quad\ =\dfrac{-3n^2+3n-4}{2}$

$\therefore a_6=\dfrac{-3\times6^2+3\times6-4}{2}=-47$

164

$n=1$일 때, $a_2=\dfrac{3}{2}a_1=\dfrac{3}{2}\times1=\dfrac{3}{2}$

$n=2$일 때, $a_3=\dfrac{4}{3}a_2=\dfrac{4}{3}\times\dfrac{3}{2}=2$

$n=3$일 때, $a_4=\dfrac{5}{4}a_3=\dfrac{5}{4}\times2=\dfrac{5}{2}$

$\vdots$

따라서 수열 $\{a_n\}$은 첫째항이 1, 공차가 $\dfrac{1}{2}$인 등차수열이므로

$a_n=1+(n-1)\times\dfrac{1}{2}$

$\therefore a_{15}=1+14\times\dfrac{1}{2}=8$

답 ③

다른 풀이

$a_{n+1}=\dfrac{n+2}{n+1}a_n$의 양변에 n 대신 $1,\ 2,\ 3,\ \cdots,\ n-1$을 차례로 대입하여 변끼리 곱하면

$a_2=\dfrac{3}{2}a_1$

$a_3=\dfrac{4}{3}a_2$

$$a_4 = \frac{5}{4}a_3$$
$$\vdots$$
$$a_{n-1} = \frac{n}{n-1}a_{n-2}$$
$$\times \left) \quad a_n = \frac{n+1}{n}a_{n-1} \right.$$
$$a_n = \frac{3}{2} \times \frac{4}{3} \times \frac{5}{4} \times \cdots \times \frac{n}{n-1} \times \frac{n+1}{n} \times a_1$$
$$= \frac{n+1}{2} \times a_1 = \frac{n+1}{2}$$
$$\therefore a_{15} = \frac{15+1}{2} = 8$$

165

▶ 접근

두 실수 A, B에 대하여 $A^2 + B^2 = 0$이면 $A = 0$, $B = 0$임을 이용한다.

각 항이 실수이므로
$$a_{n+1} - a_n - n = 0, \ a_1 - 1 = 0$$
$$\therefore a_1 = 1, \ a_{n+1} - a_n = n$$
이때 $a_{n+1} - a_n = n$의 양변에 n 대신 1, 2, 3, $\cdots$, 7을 차례로 대입
하여 변끼리 더하면
$$a_2 - a_1 = 1$$
$$a_3 - a_2 = 2$$
$$a_4 - a_3 = 3$$
$$\vdots$$
$$+ \left) \ a_8 - a_7 = 7 \right.$$
$$a_8 - a_1 = 1 + 2 + 3 + \cdots + 7$$
$$\therefore a_8 = a_1 + 1 + 2 + 3 + \cdots + 7$$
$$= 1 + \frac{7 \times 8}{2} = 29$$

답 ③

166

$a_{n+1} = 3a_n + 8$을 $a_{n+1} - k = 3(a_n - k)$ 꼴로 변형하자.
$a_{n+1} - k = 3(a_n - k)$를 전개하면 $a_{n+1} = 3a_n - 2k$
이 식을 $a_{n+1} = 3a_n + 8$과 비교하면 $k = -4$
$$\therefore a_{n+1} + 4 = 3(a_n + 4) \qquad \cdots\cdots \ \bigcirc$$
$a_n + 4 = b_n$으로 놓으면 $\bigcirc$에서
$$b_{n+1} = 3b_n$$
따라서 수열 $\{b_n\}$은 공비가 3인 등비수열이다.
이때 $b_1 = a_1 + 4 = -1 + 4 = 3$이므로
$$b_n = 3 \times 3^{n-1} = 3^n$$
따라서 $a_n = b_n - 4 = 3^n - 4$이므로
$$a_{10} = 3^{10} - 4$$

답 ④

참고

2015 개정 교육과정에서 귀납적으로 정의된 수열의 일반항을 구하
는 문제는 다루지 않기 때문에 166~169번, 180~183번은 수능에
출제될 가능성은 매우 낮지만, 학교에서 심화학습을 하였다면 학교
시험에서 출제되는 경우가 있으므로 문제를 수록하였다.

167

$2a_{n+2} - 3a_{n+1} + a_n = 0$에서
$$a_{n+2} - a_{n+1} = \frac{1}{2}(a_{n+1} - a_n) \qquad \cdots\cdots \ \bigcirc$$
$a_{n+1} - a_n = b_n$으로 놓으면 $\bigcirc$에서
$$b_{n+1} = \frac{1}{2}b_n$$
따라서 수열 $\{b_n\}$은 공비가 $\frac{1}{2}$인 등비수열이다.
이때 $b_1 = a_2 - a_1 = 2 - 1 = 1$이므로
$$b_n = 1 \times \left(\frac{1}{2}\right)^{n-1} = \left(\frac{1}{2}\right)^{n-1}$$
$a_{n+1} - a_n = b_n$에서 $a_{n+1} - a_n = \left(\frac{1}{2}\right)^{n-1}$이므로 양변에 n 대신 1, 2,
3, $\cdots$, $n-1$을 차례로 대입하여 변끼리 더하면
$$a_2 - a_1 = \left(\frac{1}{2}\right)^0$$
$$a_3 - a_2 = \left(\frac{1}{2}\right)^1$$
$$a_4 - a_3 = \left(\frac{1}{2}\right)^2$$
$$\vdots$$
$$+ \left) \ a_n - a_{n-1} = \left(\frac{1}{2}\right)^{n-2} \right.$$
$$a_n - a_1 = \sum_{k=1}^{n-1} \left(\frac{1}{2}\right)^{k-1}$$
$$\therefore a_n = a_1 + \sum_{k=1}^{n-1} \left(\frac{1}{2}\right)^{k-1}$$
$$= 1 + \frac{1 - \left(\frac{1}{2}\right)^{n-1}}{1 - \frac{1}{2}} = 3 - \left(\frac{1}{2}\right)^{n-2}$$
$$\therefore a_{12} = 3 - \left(\frac{1}{2}\right)^{12-2} = 3 - \left(\frac{1}{2}\right)^{10}$$
따라서 $a = 3$, $b = 10$이므로
$$a + b = 13$$

답 ③

168

$a_n = 2n + S_{n-1}$, $a_{n+1} = 2(n+1) + S_n$에서
$$a_{n+1} - a_n = 2 + (S_n - S_{n-1})$$
$$= 2 + a_n$$
$$\therefore a_{n+1} = 2a_n + 2 \ (n \geq 2)$$
$a_{n+1} = 2a_n + 2$를 $a_{n+1} - k = 2(a_n - k)$ 꼴로 변형하자.
$a_{n+1} - k = 2(a_n - k)$를 전개하면 $a_{n+1} = 2a_n - k$
$a_{n+1} = 2a_n + 2$와 비교하면 $k = -2$
$$\therefore a_{n+1} + 2 = 2(a_n + 2) \qquad \cdots\cdots \ \bigcirc$$
$a_n + 2 = b_n$으로 놓으면 $\bigcirc$에서
$$b_{n+1} = 2b_n$$
따라서 수열 $\{b_n\}$은 공비가 2인 등비수열이다.
이때 $b_1 = a_1 + 2 = 1 + 2 = 3$이므로
$$b_n = 3 \times 2^{n-1}$$
따라서 $a_n = b_n - 2 = 3 \times 2^{n-1} - 2$이므로
$$a_5 = 3 \times 2^4 - 2 = 46$$

답 46

169

n시간 후의 박테리아의 수를 a_n마리라고 하자. 처음에는 10마리가 있었고, 1시간마다 3마리는 죽고 나머지는 각각 4마리로 분열하므로

(i) 1시간 후의 미생물의 수는 $a_1=4(10-3)=28$

(ii) $(n+1)$시간 후의 미생물의 수는

$$a_{n+1}=4(a_n-3)$$

$$\therefore a_{n+1}-4=4(a_n-4) \qquad \cdots\cdots \text{㉠}$$

㉠에서 수열 $\{a_n-4\}$는 공비가 4인 등비수열이다.

이때 $a_1-4=28-4=24$이므로

$$a_n-4=24\times4^{n-1}=6\times4^n$$

$$\therefore a_n=6\times4^n+4$$

$a_n>1500$에서 $6\times4^n+4>1500$, $4^n>249.\cdots$

이때 $4^3=64$, $4^4=256$이므로

$$n\geq4$$

따라서 처음으로 1500마리를 넘는 것은 4시간 후이다.

답 ②

170

$p(1)$이 참이므로 ㈏에 의하여

$$p(1+2),\ p(1+3),\ p(1+4),\ \cdots$$

즉, $p(3)$, $p(4)$, $p(5)$, …이 참이다.

따라서 반드시 참이라고 할 수 없는 명제는 $p(2)$이다.

답 ①

171

(i) $n=1$일 때, (좌변)$=1$, (우변)$=1^2$이므로 주어진 등식이 성립한다.

(ii) $n=k$일 때, 주어진 등식이 성립한다고 가정하면

$$1+3+5+\cdots+(2k-1)=k^2$$

양변에 $2(k+1)-1=\boxed{㉮\ 2k+1}$을 더하면

$$\{1+3+5+\cdots+(2k-1)\}+\boxed{㉮\ 2k+1}$$

$$=k^2+\boxed{㉮\ 2k+1}=\boxed{㉯\ (k+1)^2}$$

즉, $n=k+1$일 때에도 주어진 등식이 성립한다.

(i), (ii)에 의하여 모든 자연수 n에 대하여 주어진 등식이 성립한다.

답 ④

172

(i) $n=2$일 때,

(좌변)$=(1+h)^2=1+2h+h^2$

(우변)$=\boxed{㉮\ 1+2h}$

이때 $h^2>0$이므로 $1+2h+h^2>\boxed{㉮\ 1+2h}$

따라서 주어진 부등식이 성립한다.

(ii) $n=k\ (k\geq2)$일 때, 주어진 부등식이 성립한다고 가정하면

$$(1+h)^k>1+kh$$

위 식의 양변에 $\boxed{㉯\ 1+h}$를 곱하면

$$(1+h)^{\boxed{㉰\ k+1}}>(1+kh)(\boxed{㉯\ 1+h})$$

우변을 전개하여 정리하면

$$1+(k+1)h+kh^2$$

이때 $kh^2>0$이므로

$$1+(k+1)h+kh^2>1+(k+1)h$$

$$\therefore (1+h)^{k+1}>1+(k+1)h$$

즉, $n=k+1$일 때에도 주어진 부등식이 성립한다.

(i), (ii)에 의하여 $n\geq2$인 모든 자연수 n에 대하여 주어진 부등식이 성립한다.

따라서 ㈎: $1+2h$, ㈏: $1+h$, ㈐: $k+1$이므로

$$\frac{f(10)}{g(2)t(6)}=\frac{1+2\times10}{(1+2)(6+1)}=\frac{21}{21}=1$$

답 ①

173

수열 $\{a_n\}$을 순서대로 나열하면

$$1,\ 1,\ 2,\ 3,\ 5,\ 8,\ 13,\ 21,\ \cdots$$

따라서 홀수, 홀수, 짝수의 순서로 반복되므로 $n=3k$ (k는 자연수)일 때 a_n의 값이 짝수이다.

따라서 짝수인 항은 a_3, a_6, a_9, $\cdots$, a_{99}의 33개이다.

답 33

> **참고**
>
> 두 수의 합이 짝수인 경우는
>
> (짝수)$+$(짝수) 또는 (홀수)$+$(홀수)
>
> 이고, 주어진 수열은 짝수가 연속되는 경우가 없으므로 홀수가 연속되는 경우에만 짝수가 등장한다.

174

$a_n-2a_{n+1}+a_{n+2}=0$에서 $2a_{n+1}=a_n+a_{n+2}$이므로 수열 $\{a_n\}$은 등차수열이다.

첫째항을 a, 공차를 d라고 하면

$$a_2=a+d=36 \qquad \cdots\cdots \text{㉠}$$

$$a_{10}=a+9d=12 \qquad \cdots\cdots \text{㉡}$$

㉠, ㉡을 연립하여 풀면 $a=39$, $d=-3$이므로

$$a_n=39+(n-1)\times(-3)=-3n+42$$

이때 $a_{13}=3$, $a_{14}=0$, $a_{15}=-3$이므로 제13항 또는 제14항까지의 합이 최대이다.

따라서 S_n이 최댓값을 갖도록 하는 n의 값의 합은

$$13+14=27$$

답 27

> **다른 풀이**
>
> $a_n=39+(n-1)\times(-3)=-3n+42$
>
> $$\therefore S_n=\sum_{k=1}^{n}(-3k+42)=-3\times\frac{n(n+1)}{2}+42n$$
>
> $$=\frac{-3n^2+81n}{2}=-\frac{3}{2}\left(n-\frac{27}{2}\right)^2+\frac{3^7}{8}$$
>
> 이므로 $n=\dfrac{27}{2}=13.5$일 때 S_n은 최댓값을 갖는다.
>
> 이때 n은 자연수이고 S_n은 이차함수이므로 최댓값 $S_{13}=S_{14}$를 갖는다.
>
> 따라서 S_n이 최댓값을 갖도록 하는 n의 값의 합은
>
> $$13+14=27$$

175

조건 (가), (나)에서

$n=3$일 때, $a_1+a_2=3$이므로　$a_3=3$

$n=4$일 때, $a_2+a_3=5$이므로　$a_4=1$

$n=5$일 때, $a_3+a_4=4$이므로　$a_5=0$

$n=6$일 때, $a_4+a_5=1$이므로　$a_6=1$

$n=7$일 때, $a_5+a_6=1$이므로　$a_7=1$

$n=8$일 때, $a_6+a_7=2$이므로　$a_8=2$

$\vdots$

따라서 $a_n=a_{n+6}$이고 $\displaystyle\sum_{k=1}^{6}a_k=1+2+3+1+0+1=8$이므로

$\displaystyle\sum_{k=1}^{6n}a_k=8n$

$n=20$일 때 $\displaystyle\sum_{k=1}^{120}a_k=160$이고

$a_{121}=a_1=1$, $a_{122}=a_2=2$, $a_{123}=a_3=3$이므로

$166=160+1+2+3$

$\qquad=\displaystyle\sum_{k=1}^{120}a_k+a_{121}+a_{122}+a_{123}$

$\qquad=\displaystyle\sum_{k=1}^{123}a_k$

$\therefore m=123$

답 123

176

접근

이차방정식이 중근을 가지면 이차방정식의 판별식 D가 $D=0$임을 이용한다.

이차방정식 $a_{n+2}x^2-2a_{n+1}x+a_n=0$의 판별식을 D라고 하면 이 이차방정식이 중근을 가지므로

$\dfrac{D}{4}=a_{n+1}{}^2-a_na_{n+2}=0$

$\therefore a_{n+1}{}^2=a_na_{n+2}$

따라서 수열 $\{a_n\}$은 등비수열이고 $a_1=1$, $\dfrac{a_2}{a_1}=2$에서 첫째항이 1, 공비가 2이므로

$a_n=2^{n-1}$

주어진 이차방정식은

$2^{n+1}x^2-2\times2^nx+2^{n-1}=0$

$4x^2-4x+1=0\ (\because 2^{n-1}>0)$

$(2x-1)^2=0$

$\therefore x=\dfrac{1}{2}$

따라서 $b_n=\dfrac{1}{2}$이므로

$\displaystyle\sum_{k=1}^{12}b_k=\sum_{k=1}^{12}\dfrac{1}{2}=12\times\dfrac{1}{2}=6$

답 ①

177

$S_{n+1}-S_{n-1}$

$=(a_1+a_2+\cdots+a_{n-1}+a_n+a_{n+1})-(a_1+a_2+\cdots+a_{n-1})$

$=a_n+a_{n+1}\ (n\geq2)$

이므로

$(S_{n+1}-S_{n-1})^2=(a_n+a_{n+1})^2$

$\qquad\qquad\qquad\quad=a_n{}^2+2a_na_{n+1}+a_{n+1}{}^2=4a_na_{n+1}+9$

$a_n{}^2-2a_na_{n+1}+a_{n+1}{}^2=9$, $(a_n-a_{n+1})^2=9$

이때 $a_1<a_2<a_3<\cdots<a_n<\cdots$이므로

$a_n-a_{n+1}=-3$

$\therefore a_{n+1}-a_n=3\ (n\geq2)$

이때 $a_2-a_1=1-(-2)=3$이므로

$a_{n+1}-a_n=3\ (n\geq1)$

따라서 수열 $\{a_n\}$은 첫째항이 -2, 공차가 3인 등차수열이므로

$a_n=-2+(n-1)\times3=3n-5$

$\therefore S_{10}=\displaystyle\sum_{k=1}^{10}(3k-5)=3\times\dfrac{10\times11}{2}-50=115$

답 ⑤

다른 풀이

$a_n=-2+(n-1)\times3=3n-5$

이때 $a_{10}=3\times10-5=25$이므로

$S_{10}=\dfrac{10(-2+25)}{2}=115$

참고

$a_{n+1}{}^2+2a_na_{n+1}+a_n{}^2=4a_na_{n+1}+9$

$a_{n+1}{}^2-2a_na_{n+1}+a_n{}^2=9$, $(a_{n+1}-a_n)^2=9$

이때 $a_1<a_2<a_3<\cdots<a_n<\cdots$이므로

$a_{n+1}-a_n=3$

으로 풀어도 된다.

178

$a_n+a_{n+1}=n^2-1$의 양변에 $n=1,\ 3,\ 5,\ \cdots,\ 19$를 대입하여 변끼리 더하면

$\qquad a_1+a_2=1^2-1$

$\qquad a_3+a_4=3^2-1$

$\qquad\qquad\vdots$

$\qquad a_{17}+a_{18}=17^2-1$

$+)\ a_{19}+a_{20}=19^2-1$

$\overline{\qquad a_1+a_2+\cdots+a_{20}=(1^2-1)+(3^2-1)+\cdots+(19^2-1)}$

$\therefore \displaystyle\sum_{k=1}^{20}a_k=\sum_{k=1}^{10}\{(2k-1)^2-1\}$

$\qquad\quad=\displaystyle\sum_{k=1}^{10}(4k^2-4k)$

$\qquad\quad=4\left(\displaystyle\sum_{k=1}^{10}k^2-\sum_{k=1}^{10}k\right)$

$\qquad\quad=4\times\left(\dfrac{10\times11\times21}{6}-\dfrac{10\times11}{2}\right)$

$\qquad\quad=4\times(385-55)$

$\qquad\quad=4\times330=1320$

답 ④

179

$a_{n+1}=(n+1)a_n$의 양변에 n 대신 $1,\ 2,\ 3,\ \cdots,\ n-1$을 차례로 대입하여 변끼리 곱하면

$\qquad a_2=2a_1$

$\qquad a_3=3a_2$

$$a_4=4a_3$$
$$\vdots$$
$$a_{n-1}=(n-1)a_{n-2}$$
$$\times)\ \underline{\ a_n=na_{n-1}\ }$$
$$a_n=(2\times3\times\cdots\times n)a_1$$
$$\therefore a_n=1\times2\times3\times\cdots\times n\ (n\geq1)$$

이때 $120=1\times2\times3\times4\times5$이므로 a_5, a_6, $\cdots$, a_{500}은 모두 120으로 나누어떨어진다. 즉,

$$a_1+a_2+a_3+\cdots+a_{500}=a_1+a_2+a_3+a_4+120k\ (k\text{는 상수})$$

이므로 $a_1+a_2+a_3+\cdots+a_{500}$을 120으로 나눈 나머지는

$a_1+a_2+a_3+a_4$이다.

$$\therefore \underset{1}{a_1}+\underset{1\times2}{a_2}+\underset{1\times2\times3}{a_3}+\underset{1\times2\times3\times4}{a_4}=1+2+6+24=33$$

답 ④

180

$a_{n+1}=-4a_n+5$에서 $a_{n+1}-1=-4(a_n-1)$

$a_n-1=b_n$으로 놓으면

$$b_{n+1}=-4b_n$$

따라서 수열 $\{b_n\}$은 공비가 -4인 등비수열이다.

이때 $b_1=a_1-1=4$이므로

$$b_n=4\times(-4)^{n-1}=-(-4)^n$$
$$\therefore a_n=b_n+1=-(-4)^n+1$$

$a_{k+1}-a_k\geq3000$에서

$$\{-(-4)^{k+1}+1\}-\{-(-4)^k+1\}\geq3000$$
$$-(-4)^{k+1}+(-4)^k\geq3000$$
$$5\times(-4)^k\geq3000,\ (-4)^k\geq600$$

이때 k가 홀수이면 $(-4)^n$의 값은 음수이므로 k의 값은 짝수이어야 한다.

$(-4)^4=256$, $(-4)^6=4096$이므로 k는 6 이상의 짝수일 때 주어진 부등식을 만족시킨다.

따라서 자연수 k의 최솟값은 6이다.

답 ②

181

$a_{n+1}=3a_n{}^2$의 양변에 밑이 3인 로그를 취하면

$$\log_3 a_{n+1}=\log_3 3a_n{}^2=1+2\log_3 a_n$$

$\log_3 a_n=b_n$으로 놓으면

$$b_{n+1}=2b_n+1$$
$$\therefore b_{n+1}+1=2(b_n+1)$$

따라서 수열 $\{b_n+1\}$은 공비가 2인 등비수열이다.

이때 $b_1+1=\log_3 a_1+1=\log_3 3+1=2$이므로

$$b_n+1=2\times2^{n-1}=2^n$$
$$\therefore b_n=2^n-1$$
$$\therefore \log_3 a_n=2^n-1$$

이때 $a_k=3^{15}$이므로

$$\log_3 a_k=\log_3 3^{15}=2^k-1$$
$$15=2^k-1,\ 2^k=16$$
$$\therefore k=4$$

답 ①

182

$a_{n+1}=24a_n-8^{n+1}$의 양변을 8^{n+1}으로 나누면

$$\frac{a_{n+1}}{8^{n+1}}=\frac{3a_n}{8^n}-1$$

$\dfrac{a_n}{8^n}=b_n$으로 놓으면

$$b_{n+1}=3b_n-1$$
$$\therefore b_{n+1}-\frac{1}{2}=3\left(b_n-\frac{1}{2}\right)$$

따라서 수열 $\left\{b_n-\dfrac{1}{2}\right\}$은 공비가 3인 등비수열이다.

이때 $b_1-\dfrac{1}{2}=\dfrac{a_1}{8}-\dfrac{1}{2}=\dfrac{1}{2}$이므로

$$b_n-\frac{1}{2}=\frac{1}{2}\times3^{n-1}$$
$$\therefore b_n=\frac{1}{2}(3^{n-1}+1)$$

따라서 $a_n=8^n b_n=8^n\times\dfrac{1}{2}(3^{n-1}+1)=2^{3n-1}(3^{n-1}+1)$이므로

$$a_{10}=2^{29}(3^9+1)$$

답 ②

183

$a_n-a_{n+1}=(n+1)a_{n+1}a_n$의 양변을 $a_{n+1}a_n$으로 나누면

$$\frac{1}{a_{n+1}}-\frac{1}{a_n}=n+1$$

$\dfrac{1}{a_n}=b_n$으로 놓으면

$$b_{n+1}-b_n=n+1$$

위 식의 양변에 n 대신 1, 2, 3, $\cdots$, $n-1$을 차례로 대입하여 변끼리 더하면

$$b_2-b_1=2$$
$$b_3-b_2=3$$
$$b_4-b_3=4$$
$$\vdots$$
$$+)\ \underline{\ b_n-b_{n-1}=n\ }$$
$$b_n-b_1=\sum_{k=1}^{n-1}(k+1)$$
$$\therefore b_n=b_1+\sum_{k=1}^{n-1}(k+1)$$
$$=\underset{\underset{a_1=1\text{이므로 } b_1=\frac{1}{a_1}=1}{\underline{\hspace{1cm}}}}{1}+\frac{(n-1)n}{2}+(n-1)$$
$$=\frac{n(n+1)}{2}$$

따라서 $a_n=\dfrac{2}{n(n+1)}$이므로

$$\sum_{k=1}^{49}a_k=2\sum_{k=1}^{49}\frac{1}{k(k+1)}$$
$$=2\sum_{k=1}^{49}\left(\frac{1}{k}-\frac{1}{k+1}\right)$$
$$=2\left\{\left(1-\frac{1}{2}\right)+\left(\frac{1}{2}-\frac{1}{3}\right)+\cdots+\left(\frac{1}{49}-\frac{1}{50}\right)\right\}$$
$$=2\left(1-\frac{1}{50}\right)=\frac{98}{50}$$

답 ③

184

(i) $n=1$일 때, $3^2-1=8$이므로 8로 나누어떨어진다.

(ii) $n=k$일 때, $3^{2k}-1$이 8로 나누어떨어진다고 가정하면

$$3^{2k}-1=8m \text{ (단, } m\text{은 자연수)}$$

$$3^{2k}=\boxed{^{(가)} 8m+1}$$

이때 $n=k+1$이면

$$3^{2(k+1)}-1=9\times 3^{2k}-1$$
$$=9(\boxed{^{(가)} 8m+1})-1$$
$$=\boxed{^{(나)} 72m+8}$$
$$=8(9m+\boxed{^{(다)} 1})$$

따라서 $n=k+1$일 때에도 $3^{2n}-1$은 8로 나누어떨어진다.

(i), (ii)에 의하여 모든 자연수 n에 대하여 $3^{2n}-1$은 8로 나누어떨어진다.

따라서 (가): $8m+1$, (나): $72m+8$, (다): 1이므로

$$\frac{g(p)+p}{f(p)}=\frac{72+8+1}{8+1}=9$$

답 ④

185

(i) $n=1$일 때,

(좌변)$=a_1=1$, (우변)$=1\times 1=1$

따라서 ㉡이 성립한다.

(ii) $n=k$일 때, ㉡이 성립한다고 가정하면

$$a_k=(1+2+3+\cdots+k)\left(1+\frac{1}{2}+\frac{1}{3}+\cdots+\frac{1}{k}\right)$$

이다.

㉠에서 $\dfrac{a_{k+1}}{k+2}=\dfrac{a_k}{k}+\dfrac{1}{2}$이므로 이 등식의 양변에 $k+2$를 곱하면

$$a_{k+1}=\boxed{^{(가)} \frac{k+2}{k}}a_k+\frac{k+2}{2}$$

$$=\boxed{^{(가)} \frac{k+2}{k}}(1+2+3+\cdots+k)$$
$$\times\left(1+\frac{1}{2}+\frac{1}{3}+\cdots+\frac{1}{k}\right)+\frac{k+2}{2}$$

$$=\frac{k+2}{k}\times\frac{k(k+1)}{2}\times\left(1+\frac{1}{2}+\frac{1}{3}+\cdots+\frac{1}{k}\right)+\frac{k+2}{2}$$

$$=\boxed{^{(나)} \frac{(k+1)(k+2)}{2}}\left(1+\frac{1}{2}+\frac{1}{3}+\cdots+\frac{1}{k}\right)+\frac{k+2}{2}$$

$$=\frac{(k+1)(k+2)}{2}\left(1+\frac{1}{2}+\frac{1}{3}+\cdots+\frac{1}{k}\right)$$
$$+\frac{(k+1)(k+2)}{2(k+1)}$$

$$=\frac{(k+1)(k+2)}{2}\left\{\left(1+\frac{1}{2}+\frac{1}{3}+\cdots+\frac{1}{k}\right)+\frac{1}{k+1}\right\}$$

$$=\{1+2+3+\cdots+(k+1)\}\left(1+\frac{1}{2}+\frac{1}{3}+\cdots+\frac{1}{k+1}\right)$$

이다.

따라서 $n=k+1$일 때에도 ㉡이 성립한다.

(i), (ii)에 의하여 모든 자연수 n에 대하여 ㉡이 성립한다.

따라서 (가): $\dfrac{k+2}{k}$, (나): $\dfrac{(k+1)(k+2)}{2}$이므로

$$f(10)\times g(9)=\frac{12}{10}\times\frac{10\times 11}{2}=66$$

답 ①

186

(i) $n=2$일 때

(좌변)$=\dfrac{1}{1^2}+\dfrac{1}{2^2}=\dfrac{5}{4}$, (우변)$=2-\dfrac{1}{2}=\dfrac{3}{2}$

따라서 $\dfrac{5}{4}<\dfrac{3}{2}=\dfrac{6}{4}$이므로 주어진 부등식이 성립한다.

(ii) $n=k(k\geq 2)$일 때, 주어진 부등식이 성립한다고 가정하면

$$\frac{1}{1^2}+\frac{1}{2^2}+\frac{1}{3^2}+\cdots+\frac{1}{k^2}<2-\frac{1}{k}$$

위 식의 양변에 $\dfrac{1}{(k+1)^2}$을 더하면

$$\frac{1}{1^2}+\frac{1}{2^2}+\frac{1}{3^2}+\cdots+\frac{1}{k^2}+\frac{1}{(k+1)^2}<2-\frac{1}{k}+\frac{1}{(k+1)^2}$$

이때 $\dfrac{1}{(k+1)^2}<\dfrac{1}{\boxed{^{(가)} k(k+1)}}$이므로 우변에서

$$2-\frac{1}{k}+\frac{1}{(k+1)^2}<2-\frac{1}{k}+\frac{1}{k(k+1)}$$
$$=2-\frac{1}{k}+\left(\frac{1}{k}-\frac{1}{k+1}\right)$$
$$=2-\frac{1}{\boxed{^{(나)} k+1}}$$

$$\therefore 1+\frac{1}{2^2}+\cdots+\frac{1}{(k+1)^2}<2-\frac{1}{k+1}$$

따라서 $n=k+1$일 때에도 주어진 부등식이 성립한다.

(i), (ii)에 의하여 $n\geq 2$인 모든 자연수 n에 대하여 주어진 부등식이 성립한다.

따라서 (가): $k(k+1)$, (나): $k+1$이므로

$$\frac{f(k)}{g(k)}=\frac{k(k+1)}{k+1}=k$$

답 ③

187

(i) $n=1$일 때,

(좌변)$=\dfrac{1}{2}$, (우변)$=\dfrac{1}{\sqrt{4}}=\dfrac{1}{2}$

(좌변)$=$(우변)이므로 주어진 부등식이 성립한다.

(ii) $n=k$일 때, 주어진 부등식이 성립한다고 가정하면

$$\frac{1}{2}\times\frac{3}{4}\times\frac{5}{6}\times\cdots\times\frac{2k-1}{2k}\leq\frac{1}{\sqrt{3k+1}}$$

양변에 $\dfrac{2k+1}{2k+2}$을 곱하면

$$\frac{1}{2}\times\frac{3}{4}\times\frac{5}{6}\times\cdots\times\frac{2k+1}{2k+2}\leq\frac{2k+1}{(2k+2)\times\boxed{^{(가)} \sqrt{3k+1}}}$$

이때 우변을 제곱하면

$$\left\{\frac{2k+1}{(2k+2)\times\boxed{^{(가)} \sqrt{3k+1}}}\right\}^2$$

$$=\frac{(2k+1)^2}{12k^3+28k^2+\boxed{^{(나)} 20k+4}}$$

$$=\frac{(2k+1)^2}{(12k^3+28k^2+19k+4)+k}$$

$$=\frac{(2k+1)^2}{(2k+1)^2(3k+4)+k}$$

$$<\frac{1}{\boxed{^{(다)} 3k+4}}=\frac{1}{3(k+1)+1}$$

이므로

$$\frac{2k+1}{(2k+2)\times\sqrt{3k+1}}<\sqrt{\frac{1}{3(k+1)+1}}$$

$$\therefore \frac{1}{2}\times\frac{3}{4}\times\frac{5}{6}\times\cdots\times\frac{2k+1}{2k+2}<\frac{1}{\sqrt{3(k+1)+1}}$$

따라서 $n=k+1$일 때도 주어진 부등식이 성립한다.

(i), (ii)에 의하여 자연수 n에 대하여 주어진 부등식이 성립한다.

$\therefore$ (가): $\sqrt{3k+1}$, (나): $20k+4$, (다): $3k+4$

답 ②

상위 1% 도전 문제

188

수열 $\{a_n\}$의 일반항은

$a_n=4+(n-1)p$

수열 $\{b_n\}$의 일반항은

$b_n=4\times p^{n-1}$

이때 수열 $\{b_n\}$의 모든 항이 수열 $\{a_n\}$의 항이 되므로 1보다 큰 자연수 n에 대하여 $b_n=a_m$, 즉

$4\times p^{n-1}=4+(m-1)p$

를 만족시키는 자연수 m이 존재해야 한다.

위의 식을 정리하면

$p(m-1)=4\times p^{n-1}-4$

$m-1=4\times p^{n-2}-\dfrac{4}{p}$

$\dfrac{4}{p}=4\times p^{n-2}-m+1$

이고, $p^{n-2}(n\geq 2)$과 m은 모두 자연수이므로 $\dfrac{4}{p}$는 정수이다.

즉, p는 4의 약수이므로 1보다 큰 자연수 p는 2, 4이다.

(i) $p=2$일 때

수열 $\{b_n\}$는 첫째항이 4, 공비가 2인 등비수열이므로

$\displaystyle\sum_{k=1}^{5}b_k=\frac{4\times(2^5-1)}{2-1}=4\times31=124$

(ii) $p=4$일 때

수열 $\{b_n\}$는 첫째항이 4, 공비가 4인 등비수열이므로

$\displaystyle\sum_{k=1}^{5}b_k=\frac{4\times(4^5-1)}{4-1}=\frac{4\times1023}{3}=1364$

(i), (ii)에서 $\displaystyle\sum_{k=1}^{5}b_k$의 최솟값은 124이다.

답 ②

189

x가 양의 실수이므로 $\log x=n+a$ (n은 정수, $0<a<1$)라고 하면 $\log x$의 소수 부분은 a, $\log x$의 정수 부분은 n이다.

이때 a, n, $n+a$가 이 순서대로 등비수열을 이루므로

$n^2=a(n+a)$, $a^2+na-n^2=0$

$\left(\dfrac{a}{n}\right)^2+\dfrac{a}{n}-1=0$　$\dfrac{a}{n}=s$로 놓으면 이차방정식 $s^2+s-1=0$과 같다.

$\therefore \dfrac{a}{n}=\dfrac{-1\pm\sqrt{5}}{2}$　즉, $s=\dfrac{-1\pm\sqrt{1^2-4\times(-1)}}{2}=\dfrac{-1\pm\sqrt{5}}{2}$

그런데 $\dfrac{a}{n}>0$이므로 $\dfrac{a}{n}=\dfrac{-1+\sqrt{5}}{2}$이고, $0<a<1$이므로 $n=1$이어야 한다. ┗ a, n, $n+a$가 등비수열을 이루므로 $n^2=a(n+a)$이고

$\therefore a=\dfrac{-1+\sqrt{5}}{2}$　$an=n^2-a^2>0$　$\therefore \dfrac{a}{n}>0$

$\therefore \log x=n+a=\dfrac{1+\sqrt{5}}{2}$

$t=\dfrac{1+\sqrt{5}}{2}$라고 하면 $t=\dfrac{1+\sqrt{5}}{2}$는 이차방정식 $t^2-t-1=0$의 해이므로

$t^2-t=1$, 즉 $(\log x)^2-\log x=1$

$\therefore (\log x)^2-\log x+3=1+3=4$

답 ②

참고

$t=\dfrac{1+\sqrt{5}}{2}$, $2t-1=\sqrt{5}$이므로 양변을 제곱하면

$4t^2-4t+1=5$, $4t^2-4t-4=0$

$\therefore t^2-t-1=0$

따라서 $t=\dfrac{1+\sqrt{5}}{2}$는 이차방정식 $t^2-t-1=0$의 해이다.

190

조건 (가)에서 $\displaystyle\sum_{k=1}^{8}\{(a_k^2+1)(b_k^2+1)-4a_kb_k\}=0$이고

$(a_k^2+1)(b_k^2+1)-4a_kb_k=a_k^2b_k^2+a_k^2+b_k^2+1-4a_kb_k$
$\qquad\qquad\qquad\qquad\qquad =a_k^2b_k^2-2a_kb_k+1+a_k^2-2a_kb_k+b_k^2$
$\qquad\qquad\qquad\qquad\qquad =(a_kb_k-1)^2+(a_k-b_k)^2\geq0$

즉, $\displaystyle\sum_{k=1}^{8}\{(a_kb_k-1)^2+(a_k-b_k)^2\}=0$이므로

$1\leq n\leq8$인 자연수 n에 대하여

$a_nb_n=1$, $a_n=b_n$

$\therefore a_n=b_n=1$ 또는 $a_n=b_n=-1$ …… ㉠

이때 조건 (나)에서 $\displaystyle\sum_{k=1}^{8}a_k=2=5\times1+3\times(-1)$이므로

$a_n=1$인 n은 5개, $a_n=-1$인 n은 3개이다.

㉠에서 $a_n=b_n$이므로

$\displaystyle\sum_{k=1}^{8}kb_k=\sum_{k=1}^{8}ka_k$
$\qquad =a_1+2a_2+3a_3+4a_4+5a_5+6a_6+7a_7+8a_8$

따라서 $\displaystyle\sum_{k=1}^{8}kb_k$의 최댓값은

$-1+2\times(-1)+3\times(-1)+4+5+6+7+8=24$

답 24

191

$(2^{x-1}-\sqrt{n})\left(2^{x+1}-\dfrac{1}{n}\right)\leq0$에서

$(2^x-2\sqrt{n})\left(2^x-\dfrac{1}{2n}\right)\leq0$

이때 n이 자연수이므로

$\dfrac{1}{2n}\leq2^x\leq2\sqrt{n}$ …… ㉠

(i) $1\leq n<2$일 때

㉠을 만족시키는 정수 x는 -1, 0, 1의 3개이므로

$a_1=3$

III. 수열 **115**

(ii) $2 \leq n < 4$일 때

　　⊙을 만족시키는 정수 x는 -2, -1, 0, 1의 4개이므로

　　$a_2 = a_3 = 4$

(iii) $4 \leq n < 8$일 때

　　⊙을 만족시키는 정수 x는 -3, -2, -1, 0, 1, 2의 6개이므로

　　$a_4 = a_5 = a_6 = a_7 = 6$

(iv) $8 \leq n < 16$일 때

　　⊙을 만족시키는 정수 x는 -4, -3, -2, -1, 0, 1, 2의 7개

　　이므로

　　$a_8 = a_9 = \cdots = a_{15} = 7$

(v) $16 \leq n < 32$일 때

　　⊙을 만족시키는 정수 x는 -5, -4, -3, -2, -1, 0, 1, 2,

　　3의 9개이므로

　　$a_{16} = a_{17} = \cdots = a_{31} = 9$

(vi) $32 \leq n \leq 50$일 때

　　⊙을 만족시키는 정수 x는 -6, -5, -4, -3, -2, -1, 0,

　　1, 2, 3의 10개이므로

　　$a_{32} = a_{33} = \cdots = a_{50} = 10$

(i)~(vi)에서

$$\sum_{n=1}^{50} a_n = 1 \times 3 + 2 \times 4 + 4 \times 6 + 8 \times 7 + 16 \times 9 + 19 \times 10$$
$$= 3 + 8 + 24 + 56 + 144 + 190 = 425$$

답 425

192

방정식 $x^3 - 1 = 0$, 즉 $(x-1)(x^2+x+1) = 0$의 한 허근이 ω이므로

$\omega^3 = 1$, $\omega^2 = -\omega - 1$, $\omega = -\dfrac{1}{2} \pm \dfrac{\sqrt{3}}{2} i$

　　　└─ ω는 이차방정식 $x^2+x+1=0$의 한 근
이므로 근의 공식을 이용하여 구한다.

$n = 1$일 때

$\omega = -\dfrac{1}{2} \pm \dfrac{\sqrt{3}}{2} i$에서　$f(1) = -\dfrac{1}{2}$

$n = 2$일 때

$\omega^2 = -\omega - 1 = \dfrac{1}{2} \pm \dfrac{\sqrt{3}}{2} i - 1$에서　$f(2) = -\dfrac{1}{2}$

$n = 3$일 때

$\omega^3 = 1$에서　$f(3) = 1$

$n = 4$일 때

$\omega^4 = \omega^3 \omega = \omega$에서　$f(4) = f(1) = -\dfrac{1}{2}$

$\omega^5 = \omega^3 \omega^2 = \omega^2$에서　$f(5) = f(2) = -\dfrac{1}{2}$

$\omega^6 = (\omega^3)^2 = 1$에서　$f(6) = f(3) = 1$

　　　$\vdots$

따라서 $f(n)$의 값은 $-\dfrac{1}{2}$, $-\dfrac{1}{2}$, 1이 반복된다.

$\therefore \{f(1)+1\}^2 + \{f(2)+1\}^2 + \{f(3)+1\}^2$

$\quad = \left(\dfrac{1}{2}\right)^2 + \left(\dfrac{1}{2}\right)^2 + 2^2 = \dfrac{9}{2}$

이때 $\displaystyle\sum_{k=1}^{m} \{f(k)+1\}^2 = 50$이고 $50 = \dfrac{9}{2} \times 11 + \dfrac{1}{2}$이므로

$\displaystyle\sum_{k=1}^{m} \{f(k)+1\}^2 = \dfrac{9}{2} \times 11 + \dfrac{1}{2}$

$\quad = \dfrac{9}{2} \times \left[\dfrac{m}{3}\right] + \dfrac{1}{4} + \dfrac{1}{4}$

(단, $[x]$는 x를 넘지 않는 최대의 정수이다.)

$\left[\dfrac{m}{3}\right] = 11$에서 자연수 m은 33, 34, 35이고,

이때 $\{f(m-1)+1\}^2 = \dfrac{1}{4}$과 $\{f(m)+1\}^2 = \dfrac{1}{4}$의 값이 더 더해져

야 하므로 $m = 35$이다.

답 35

참고

$\{f(k)+1\}^2 = g(k)$라고 하면

$g(3k-2) = \{f(3k-2)+1\}^2 = \left(-\dfrac{1}{2}+1\right)^2 = \dfrac{1}{4}$,

$g(3k-1) = \{f(3k-1)+1\}^2 = \left(-\dfrac{1}{2}+1\right)^2 = \dfrac{1}{4}$,

$g(3k) = \{f(3k)+1\}^2 = (1+1)^2 = 4$

이므로

$g(3k-2) + g(3k-1) + g(3k) = \dfrac{9}{2}$

이때

$50 = 11 \times \dfrac{9}{2} + \dfrac{1}{2} = 11 \times \left(\dfrac{1}{4} + \dfrac{1}{4} + 4\right) + \left(\dfrac{1}{4} + \dfrac{1}{4}\right)$

$\quad = \displaystyle\sum_{k=1}^{m} g(k)$

이므로　$m = 11 \times 3 + 2 = 55$

193

$a_2 a_n = S_2 + S_n$에서

$n = 1$일 때

$a_2 a_1 = S_2 + S_1 = (a_1 + a_2) + a_1$

$\quad\quad = 2a_1 + a_2$ 　　　　　……㉠

$n = 2$일 때

$a_2{}^2 = 2S_2 = 2(a_1 + a_2)$

$\quad = 2a_1 + 2a_2$ 　　　　　……㉡

㉡－㉠을 하면　$a_2(a_2 - a_1) = a_2$, $a_2 - a_1 = 1$

$\therefore a_2 = a_1 + 1$

위 식을 ㉠에 대입하면

$(a_1+1)a_1 = 2a_1 + a_1 + 1$, $a_1{}^2 - 2a_1 - 1 = 0$

$\therefore a_1 = 1 + \sqrt{2} \ (\because a_n > 0)$

이때 $a_2 = 1 + a_1 = 2 + \sqrt{2}$이므로

$(2+\sqrt{2})a_n = (3+2\sqrt{2}) + S_n$

또, $(2+\sqrt{2})a_{n-1} = (3+2\sqrt{2}) + S_{n-1}$이므로

$(2+\sqrt{2})(a_n - a_{n-1}) = S_n - S_{n-1} = a_n$

$(1+\sqrt{2})a_n = (2+\sqrt{2})a_{n-1}$

$\therefore a_n = \dfrac{2+\sqrt{2}}{1+\sqrt{2}} a_{n-1} = \sqrt{2} a_{n-1} \ (n \geq 2)$

따라서 수열 $\{a_n\}$은 첫째항이 $1+\sqrt{2}$, 공비가 $\sqrt{2}$인 등비수열이므로

$a_n = (1+\sqrt{2})(\sqrt{2})^{n-1}$

한편 부등식 $a_n < 20a_1$에서

$(1+\sqrt{2})(\sqrt{2})^{n-1} < 20(1+\sqrt{2})$

$(\sqrt{2})^{n-1} < 20$

$2^{n-1} < 400$

이때 $2^8 = 256$, $2^9 = 512$이므로

$n - 1 \leq 8$, $n \leq 9$

따라서 자연수 n의 최댓값은 9이다.

답 ④

01

각 수열에 $n=1, 2, 3, \cdots$을 대입하여 나열하면

ㄱ. $0, 3, 8, 15, \cdots$

등차수열이 아니다.

ㄴ. $-2, -5, -8, -11, \cdots$

첫째항이 -2, 공차가 -3인 등차수열이다.

ㄷ. $1, 2, 4, 8, \cdots$

첫째항이 1, 공비가 2인 등비수열이다.

ㄹ. $6, 7, 8, 9, \cdots$

첫째항이 6, 공차가 1인 등차수열이다.

따라서 등차수열은 ㄴ, ㄹ이다.

답 ④

참고

등차수열의 일반항은 $\alpha n + \beta$ $(\alpha, \beta$는 상수$)$ 꼴이고, 등비수열의 일반항은 $\beta \alpha^{n-1}$ $(\alpha, \beta$는 상수$)$ 꼴이다.

02

다항식 $f(x)=x^2-x+a$를 일차식 $x-1, x-2, x+2$로 나누었을 때의 나머지는 각각

$R_1=f(1)=a$, $R_2=f(2)=a+2$, $R_3=f(-2)=a+6$

이때 R_1, R_2, R_3이 이 순서대로 등비수열을 이루므로

$(a+2)^2=a(a+6)$, $a^2+4a+4=a^2+6a$

$2a=4$ $\therefore a=2$

답 ②

03

$$\sum_{k=1}^{10} \frac{5^k-2^k}{4^k}=\sum_{k=1}^{10}\left(\frac{5}{4}\right)^k-\sum_{k=1}^{10}\left(\frac{1}{2}\right)^k$$

$$=\frac{\frac{5}{4}\left\{\left(\frac{5}{4}\right)^{10}-1\right\}}{\frac{5}{4}-1}-\frac{\frac{1}{2}\left\{1-\left(\frac{1}{2}\right)^{10}\right\}}{1-\frac{1}{2}}$$

$$=5\left\{\left(\frac{5}{4}\right)^{10}-1\right\}-\left\{1-\left(\frac{1}{2}\right)^{10}\right\}$$

$$=-6+5\left(\frac{5}{4}\right)^{10}+\left(\frac{1}{2}\right)^{10}$$

따라서 $a=-6, b=5, c=1$이므로

$a+b+c=0$

답 ③

04

$a_n=2n-4$이므로

$a_{2k-1}=2(2k-1)-4=4k-6$

$\therefore a_1{}^2+a_3{}^2+a_5{}^2+\cdots+a_{2n-1}{}^2$

$$=\sum_{k=1}^{n} a_{2k-1}{}^2$$

$$=\sum_{k=1}^{n}(4k-6)^2$$

$$=\sum_{k=1}^{n}(16k^2-48k+36)$$

$$=16\sum_{k=1}^{n} k^2-48\sum_{k=1}^{n} k+36\sum_{k=1}^{n} 1$$

$$=16\times\frac{n(n+1)(2n+1)}{2}-48\times\frac{n(n+1)}{2}+36n$$

$$=8(2n^3+3n^2+n)-24(n^2+n)+36n$$

$$=16n^3+20n$$

답 ③

05

$$a_n=\sum_{k=1}^{n} \frac{k+\frac{1}{2}}{1^2+2^2+3^2+\cdots+k^2}$$

$$=\sum_{k=1}^{n} \frac{k+\frac{1}{2}}{\frac{k(k+1)(2k+1)}{6}}$$

$$=\sum_{k=1}^{n} \frac{6\times\frac{1}{2}(2k+1)}{k(k+1)(2k+1)}$$

$$=\sum_{k=1}^{n} \frac{3}{k(k+1)}$$

$$=3\sum_{k=1}^{n}\left(\frac{1}{k}-\frac{1}{k+1}\right)$$

$$=3\left\{\left(\frac{1}{1}-\frac{1}{2}\right)+\left(\frac{1}{2}-\frac{1}{3}\right)+\left(\frac{1}{3}-\frac{1}{4}\right)+\cdots+\left(\frac{1}{n}-\frac{1}{n+1}\right)\right\}$$

$$=3\left(1-\frac{1}{n+1}\right)=\frac{3n}{n+1}$$

$$\therefore a_{10}=\frac{30}{11}$$

답 ③

06

$6^7=2^7\times 3^7$이므로 양의 약수 중 3^2으로 나누어떨어지고 3^4으로 나누어떨어지지 않는 수는

$2^k\times 3^2, 2^k\times 3^3$ $(k$는 $0\le k\le 7$인 정수$)$

이므로 구하는 값은

$$\sum_{k=0}^{7}(2^k\times 3^2+2^k\times 3^3)=36\sum_{k=0}^{7} 2^k$$

$$=\frac{36(2^8-1)}{2-1}$$

$$=36\times 255=9180$$

답 ④

07

$\sum\limits_{k=1}^{n} a_k=(n+1)^2$에서

$a_n=\sum\limits_{k=1}^{n} a_k-\sum\limits_{k=1}^{n-1} a_k=(n+1)^2-n^2$

$\quad =2n+1 \ (n\ge 2)$ ...... ㉠

$a_1=(1+1)^2=4$

$a_1=4$는 ㉠에 $n=1$을 대입한 것과 같지 않으므로

$$a_n=\begin{cases} 2n+1 & (n\ge 2) \\ 4 & (n=1) \end{cases}$$

ㄱ은 옳지 않다.

$a_9=2\times 9+1=19$

ㄴ은 옳다.

$a_{2n}=2\times 2n+1=4n+1$이므로 수열 $\{a_{2n}\}$은 첫째항이 5이고 공차가 4인 등차수열이다.

ㄷ도 옳다.

$$\sum_{k=1}^{n} a_{2k-1}=a_1+\sum_{k=2}^{n} a_{2k-1}$$
$$=4+\sum_{k=2}^{n}\{2(2k-1)+1\}$$
$$=4+\sum_{k=2}^{n}(4k-1)$$
$$=1+\sum_{k=1}^{n}(4k-1)$$
$$=1+4\times\frac{n(n+1)}{2}-n$$
$$=2n^2+n+1$$

따라서 옳은 것은 ㄴ, ㄷ이다.

답 ④

08

$a_1=3$

$n=1$일 때, $9a_1=27$을 7로 나눈 나머지는 6이므로 $a_2=6$

$n=2$일 때, $9a_2=54$를 7로 나눈 나머지는 5이므로 $a_3=5$

$n=3$일 때, $9a_3=45$를 7로 나눈 나머지는 3이므로 $a_4=3$

$n=4$일 때, $9a_4=27$을 7로 나눈 나머지는 6이므로 $a_5=6$

⋮

따라서 $a_n=a_{n+3}$이고 $\sum_{k=1}^{3} a_k=3+6+5=14$이므로

$$\sum_{k=1}^{20} a_k=\sum_{k=1}^{18} a_k+a_{19}+a_{20}$$
$$=6\sum_{k=1}^{3} a_k+a_1+a_2$$
$$=6\times 14+3+6=93$$

답 93

09

$$na_1+(n-1)a_2+(n-2)a_3+\cdots+2a_{n-1}+a_n$$
$$=n^3-2n^2+3n \qquad \cdots\cdots ㉠$$

㉠에 n 대신 $n-1$을 대입하면

$$(n-1)a_1+(n-2)a_2+(n-3)a_3+\cdots+2a_{n-2}+a_{n-1}$$
$$=(n-1)^3-2(n-1)^2+3(n-1) \qquad \cdots\cdots ㉡$$

㉠, ㉡의 좌변을 빼면

$$na_1+(n-1)a_2+\cdots+3a_{n-2}+2a_{n-1}+a_n$$
$$-)\ (n-1)a_1+(n-2)a_2+\cdots+2a_{n-2}+a_{n-1}$$
$$\overline{\qquad a_1+a_2+\cdots+a_n \qquad}$$

이므로

$$a_1+a_2+\cdots+a_n$$
$$=n^3-2n^2+3n-\{(n-1)^3-2(n-1)^2+3(n-1)\}$$
$$=n^3-2n^2+3n-(n^3-5n^2+10n-6)$$
$$=3n^2-7n+6$$

따라서 $\sum_{k=1}^{n} a_k=3n^2-7n+6$이므로

$$\sum_{k=1}^{10} a_k=3\times 10^2-7\times 10+6=236$$

답 ⑤

10

(i) $n=2$일 때, $x^2-2x+1=(x-1)^2$이므로 $(x-1)^2$으로 나누어 떨어진다.

(ii) $n=k\ (k\ge 2)$일 때, $x^k-kx+k-1$이 $(x-1)^2$으로 나누어떨어진다고 가정하면

$x^k-kx+k-1=(x-1)^2\times Q(x)$ (단, $Q(x)$는 다항식)

이때 $n=k+1$이면

$$x^{k+1}-(k+1)x+(k+1)-1$$
$$=x\times x^k-kx-x+k$$
$$=x(x^k-kx+k-1)+kx^2-2kx+k$$
$$=x(x^k-kx+k-1)+k(x-1)^2$$
$$=x\{(x-1)^2\times Q(x)\}+k(x-1)^2$$
$$=(x-1)^2\{xQ(x)+k\}$$

따라서 $n=k+1$일 때에도 $x^n-nx+n-1$은 $(x-1)^2$으로 나누어떨어진다.

(i), (ii)에 의하여 2 이상의 자연수 n에 대하여 다항식 $x^n-nx+n-1$은 항상 $(x-1)^2$으로 나누어떨어진다.

답 풀이 참조

미니 모의고사 - 2회

01

등차수열 $\{a_n\}$을 $-4,\ x_1,\ x_2,\ \cdots,\ x_9,\ 36$으로 놓고 공차를 d라고 하면

$$a_{11}=-4+(11-1)d=36$$
$$10d=40 \qquad \therefore\ d=4$$

공차가 양수이므로 가장 큰 수는 x_9, 즉 a_{10}이다.

$$\therefore\ a_{10}=-4+(10-1)\times 4=32$$

답 ⑤

02

$$a_n=S_n-S_{n-1}$$
$$=(an^2+2n)-\{a(n-1)^2+2(n-1)\}$$
$$=2an-a+2\ (n\ge 2) \qquad \cdots\cdots ㉠$$

$n=1$일 때, $a_1=S_1=a+2$

이때 $a_1=a+2$는 ㉠에 $n=1$을 대입한 것과 같으므로

$$a_n=2an-a+2\ (n\ge 1)$$

제7항이 28이므로

$$a_7=14a-a+2=28,\ 13a=26$$
$$\therefore\ a=2$$

답 2

03

$a_n = 144 + (n-1) \times (-3) = -3n + 147$이므로

$$\sum_{k=1}^{45} \frac{1}{\sqrt{a_k} + \sqrt{a_{k+1}}}$$

$$= \sum_{k=1}^{45} \frac{\sqrt{a_k} - \sqrt{a_{k+1}}}{a_k - a_{k+1}}$$

$$= \frac{\sqrt{a_1} - \sqrt{a_2}}{a_1 - a_2} + \frac{\sqrt{a_2} - \sqrt{a_3}}{a_2 - a_3} + \cdots + \frac{\sqrt{a_{45}} - \sqrt{a_{46}}}{a_{45} - a_{46}}$$

$$= \frac{1}{3} \{ (\sqrt{a_1} - \sqrt{a_2}) + (\sqrt{a_2} - \sqrt{a_3}) + \cdots + (\sqrt{a_{45}} - \sqrt{a_{46}}) \}$$

$$(\because a_k - a_{k+1} = 3)$$

$$= \frac{1}{3} (\sqrt{a_1} - \sqrt{a_{46}}) = \frac{1}{3} (\sqrt{144} - \sqrt{9})$$

$$= \frac{1}{3} \times 9 = 3$$

답 ②

04

$a_{n-1} a_{n+1} = a_n a_{n+2}$에서

$$a_{n+2} = \frac{a_{n-1} a_{n+1}}{a_n}$$

$a_1 = 4$, $a_2 = 2$, $a_3 = 2$이므로

$n = 2$일 때, $a_4 = \dfrac{a_1 a_3}{a_2} = \dfrac{4 \times 2}{2} = 4$

$n = 3$일 때, $a_5 = \dfrac{a_2 a_4}{a_3} = \dfrac{2 \times 4}{2} = 4$

$n = 4$일 때, $a_6 = \dfrac{a_3 a_5}{a_4} = \dfrac{2 \times 4}{4} = 2$

$n = 5$일 때, $a_7 = \dfrac{a_4 a_6}{a_5} = \dfrac{4 \times 2}{4} = 2$

$n = 6$일 때, $a_8 = \dfrac{a_5 a_7}{a_6} = \dfrac{4 \times 2}{2} = 4$

$\vdots$

따라서 수열 $\{a_n\}$은 $a_n = a_{n+4}$이고

$\displaystyle\sum_{k=1}^{4} a_k = 4 + 2 + 2 + 4 = 12$이므로

$$\sum_{k=1}^{15} a_k = \sum_{k=1}^{12} a_k + a_{13} + a_{14} + a_{15}$$

$$= 3 \sum_{k=1}^{4} a_k + a_{13} + a_{14} + a_{15}$$

$$= 3 \times 12 + 4 + 2 + 2 = 44$$

답 ①

05

(i) $p(1)$이 참이므로 ㈏에 의하여

　$p(2 \times 1)$, $p(2 \times 2)$, $\cdots$, $p(2l)$이 참이다. (단, l은 자연수이다.)

(ii) $p(1)$이 참이므로 ㈏에 의하여

　$p(7 \times 1)$, $p(7 \times 2)$, $\cdots$, $p(7m)$이 참이다. (단, m은 자연수이다.)

(i), (ii)에 의하여 $p(2l)$ 꼴과 $p(7m)$ 꼴인 명제는 반드시 참이다.

즉, $n = 2^a \times 7^b$ (a, b는 0 또는 자연수) 꼴이면 $p(n)$은 참이다.

$8 = 2^3$, $14 = 2 \times 7$, $45 = 3^2 \times 5$, $49 = 7^2$, $196 = 2^2 \times 7^2$

이므로 $p(45)$는 반드시 참이라고 할 수 없다.

답 ③

06

삼각형 ABC의 세 변의 길이는 공차가 d인 등차수열을 이루므로 세 변의 길이를 $a-d$, a, $a+d$ $(d>0)$로 놓자.

$\angle C = 90°$이므로 피타고라스 정리에 의하여

$(a+d)^2 = a^2 + (a-d)^2$

$\therefore a = 4d$

따라서 세 변의 길이는 $3d$, $4d$, $5d$이다.

한편 삼각형 ABC의 넓이가

$\dfrac{1}{2} \times 3d \times 4d = 6d^2$이므로

$$\frac{1}{2} \times 3d \times r + \frac{1}{2} \times 4d \times r + \frac{1}{2} \times 5d \times r$$

$$= \frac{3}{2}dr + 2dr + \frac{5}{2}dr = 6dr = 6d^2$$

$\therefore r = d$ 　　　　　　 $\cdots\cdots$ ㉠

이때 $2R = a + d = 5d$에서 　$R = \dfrac{5}{2}d$ 　 $\cdots\cdots$ ㉡

㉠, ㉡에서

$$R - r = \frac{5}{2}d - d = \frac{3}{2}d > d$$

$\therefore d < R - r$

따라서 옳은 것은 ⑤이다.

답 ⑤

참고

직각삼각형이 원에 내접하면 빗변의 길이는 이 원의 지름의 길이와 같다.

07

$2S_8 - S_{10} = T_{10}$에서

$2(a_1 + a_2 + \cdots + a_8) - (a_1 + a_2 + \cdots + a_{10})$

$= a_1 + a_2 + \cdots + a_8 - (a_9 + a_{10})$

$= |a_1| + |a_2| + \cdots + |a_{10}|$

이때 자연수 k, m에 대하여 $k \neq m$이면 $a_k \neq a_m$이므로

$|a_1| = a_1$, $|a_2| = a_2$, $\cdots$, $|a_8| = a_8$, $|a_9| = -a_9$, $|a_{10}| = -a_{10}$

따라서 등차수열 $\{a_n\}$의 공차를 d라고 하면

$a_8 = 80 + 7d > 0$, $a_9 = 80 + 8d < 0$

$\therefore -\dfrac{80}{7} < d < -10$

이때 d는 정수이므로 -11이다.

답 ④

08

$$f(f(x)) = (x^{10} + x^9 + \cdots + x^3 + x^2 + x + 2)^{10}$$
$$+ (x^{10} + x^9 + \cdots + x^3 + x^2 + x + 2)^9$$
$$+ \cdots + (x^{10} + x^9 + \cdots + x^3 + x^2 + x + 2)^3$$
$$+ (x^{10} + x^9 + \cdots + x^3 + x^2 + x + 2)^2$$
$$+ (x^{10} + x^9 + \cdots + x^3 + x^2 + x + 2) + 2$$

이므로 상수항은

$$2^{10} + 2^9 + \cdots + 2^3 + 2^2 + 2 + 2 = \frac{2(2^{10} - 1)}{2 - 1} + 2 = 2^{11} = 2048$$

답 2048

〈확률과 통계〉 과목의 이항정리에 따라

$\{(x^{10}+x^9+\cdots+x^3+x^2+x)+2\}^{10}$에서

$x^{10}+x^9+\cdots+x^3+x^2+x=A$라고 하면 주어진 식의 상수항은

${}_{10}C_0 A^0 2^{10}=2^{10}$ ⎯ A에서는 상수항이 없으므로 신경 쓰지 않는다.

같은 방법으로

$(x^{10}+x^9+\cdots+x^3+x^2+x+2)^9$의 상수항은 ${}_9C_0 A^0 2^9$

$\vdots$

$(x^{10}+x^9+\cdots+x^3+x^2+x+2)^2$의 상수항은 ${}_2C_0 A^0 2^2$

따라서 함수 $f(f(x))$의 상수항은 $2^{10}+2^9+\cdots+2^3+2^2+2+2$이다.

09

한 자리의 수는 2개, 두 자리의 수는 2^2개, 세 자리의 수는 2^3개, 네 자리의 수는 2^4개, $\cdots$이므로 한 자리의 수부터 n자리의 수까지 총 개수는

$$2+2^2+2^3+\cdots+2^n=\frac{2(2^n-1)}{2-1}=2(2^n-1)$$

이때 $2(2^5-1)=62$, $2(2^6-1)=126$이므로 제70항은 6자리의 수 중에서 8번째로 큰 수이다.

숫자 1, 2로 만들 수 있는 6자리의 수를 작은 수부터 차례로 나열하면

111111, 111112, 111121, 111122, 111211, 111212, 111221, 111222, $\cdots$

이므로 주어진 수열의 제70항은 111222이다.

답 ②

10

(i) $n=1$일 때, $f(1)=4\times7-1=27$이므로 9의 배수이다.

(ii) $n=k$일 때, $f(k)$가 9의 배수라고 가정하면

$$\begin{aligned}
f(k+1)&=\{3(k+1)+1\}7^{k+1}-1\\
&=\{\boxed{㉮\,21}\times(k+1)+7\}7^k-1\\
&=\{(3k+1)+(18k+27)\}7^k-1\\
&=\{(3k+1)7^k-1\}+(\boxed{㉯\,18k+27})\times7^k\\
&=f(k)+(\boxed{㉯\,18k+27})\times7^k\\
&=f(k)+9(2k+3)\times7^k
\end{aligned}$$

이므로 $f(k+1)$도 9의 배수이다.

(i), (ii)에 의하여 자연수 n에 대하여 $f(n)$은 9의 배수이다.

따라서 ㉮: 21, ㉯: $18k+27$이므로

$$h(a)=h(21)=18\times21+27=405$$

답 ③